TOBIRA
GATEWAY TO ADVANCED
JAPANESE
LEARNING THROUGH
CONTENT AND MULTIMEDIA

コンテンツとマルチメディアで学ぶ**日本語**

上級への とびら

[構成・執筆]
岡まゆみ Mayumi Oka

[総監修・文法解説]
筒井通雄 Michio Tsutsui

[執筆] **近藤純子** Junko Kondo　**江森祥子** Shoko Emori　**花井善朗** Yoshiro Hanai　**石川智** Satoru Ishikawa

Kurosio Publishers

刊行によせて

　本書のタイトル『上級へのとびら』は、この教科書を終了した学習者が、中級の最終段階に
到達して上級に入る「とびら」を開けることができるように、という願いを込めて付けました。
中級学習期は言語習得の進歩が見えにくく、教える側にとっても学習する側にとっても、行き詰
まりや挫折感を感じる苦しく忍耐のいる時期です。「このつらい学習期を少しでも楽しみながら前
に向かって進める教材を作ろう！」そんな思いで、本書を作成しました。

　本書とその補助教材の作成に当たっては、多くの方々の協力をいただきました。試用版を忍耐
強く使い続けてくださった各大学の先生方と学習者の皆様、Language Partner Online（LPO）の開発技
術担当者のJoseph Kimさん、そして、ビデオ撮りや音声録音を助けてくださったミシガン大学の
講師や大学院生の皆さんにお礼を申し上げます。これらの方々の協力と支援がなければ、本書が
世に出ることはありませんでした。

　それから、プロジェクト立ち上げ以来、未完成の教材にひたむきに取り組んで、貴重な意見を
寄せ続けてくれたミシガン大学の学生の皆さん。皆さんには感謝の気持ちでいっぱいです。ビデ
オ撮り参加や様々な改善案など、皆さんの惜しみない協力と応援なしでは、このように学習者の
目線に立った教科書は生み出せなかったでしょう。皆さんの「『とびら』を通して日本語を学ぶの
がますます楽しくなった」「日本語が前よりもっと好きになった」「自分の言葉で話せるようになっ
て嬉しい」などのコメントが、数年間に渡る執筆への何よりの励みとなり支えとなりました。

　本書刊行に際しては、くろしお出版編集者の市川麻里子さんに大変お世話になりました。また
くろしお出版の社員の皆様にも、全社をあげて「とびらプロジェクト」をご支援いただきました
こと、ここに改めてお礼申し上げます。くろしお出版から本書が上梓できたことを大変嬉しく
思っております。

　本書を手に取ってくださった皆さん、さあ、一緒に上級へのとびらを開きましょう！日本語の
勉強がますます楽しくなることを願っています。

執筆者一同

On The Publication of *Tobira*

We named this textbook *Jōkyū e no Tobira*, "Gateway to the Advanced Level," with one wish in mind: that students who finished it would find themselves standing confidently at the final stage of their intermediate-level studies, ready to open that gate to advanced Japanese. The intermediate level is a difficult one; progress becomes hard to measure, and this all too often results in a painful period of deadlock and frustration for students and instructors alike, something to be endured rather than enjoyed. It was with a desire to change this—to create something that would help students both progress in their studies and have fun in the process—that we set about putting this textbook together.

In the process of creating *Tobira* and its supplemental learning materials, we've received the help of many people. First, we'd like to express our gratitude to the instructors and students at various universities who worked patiently with the trial version of the textbook, to Joseph Kim, the programmer for Language Partner Online (LPO), and also to the lecturers and graduate students at the University of Michigan who helped produce *Tobira*'s audio and video learning materials. Without your cooperation and support, this textbook would never have come to press.

Next, to the University of Michigan students who worked earnestly with various unfinished versions of these materials and who consistently provided us with invaluable feedback from the beginning of the project: we could not be more thankful. Your wholehearted collaboration and support, from your participation in videos to your suggestions for improvements, are what made it possible for us to create a textbook that so thoroughly incorporates the student's viewpoint. Likewise, it was your comments—"*Tobira* made learning Japanese even more fun;" "I like Japanese now even more than I used to;" "I'm so happy now to be able to say what I'm thinking in Japanese;"—that encouraged and sustained us over the years we spent working on this project.

As we proceeded into the publication phase, we were incredibly fortunate to have Mariko Ichikawa of Kurosio Publishers as our editor. We take this opportunity to thank her once again, and to thank all of the staff at Kurosio who supported the "*Tobira* Project." We are very happy to be releasing this textbook through Kurosio.

Finally, to you, the student now holding this book—we invite you to join with us in unlocking the portal to advanced Japanese. May you enjoy the journey more with each step you take.

The Authors

目次 CONTENTS

言語ノート

本書のねらい

『上級へのとびら』（略称『とびら』）は初級用教科書を終了した学習者、授業時間で言えば250〜300時間程度の学習を終えた学習者を対象にしています。『とびら』の基本目標は、初級で習った文法や語彙・漢字を正しく定着させつつ、言語の4技能（話す、聴く、読む、書く）とコミュニケーションに必要な文化社会知識を総合的に引き上げ、学習者をスムーズに上級レベルへ移行させることです。特にねらいとする能力は、長い文章の読解力、生の文章への対応力、スピーチレベルを正しく使い分けた実践的な会話力、意見を言う・説明する・発表するなどのコミュニケーション能力、いろいろな情報を聞き取るための聴解力などです。『とびら』はこれらの能力を効果的に伸ばすための様々な教材を提供しています。

『とびら』のもう一つのねらいは、学習者の知的好奇心を満たし、学習意欲を高めると同時に、このレベルでのコミュニケーションに必要な一般知識を養うコンテンツの提供です。中級から上級へ向かうこの段階では多くの学習者が伸び悩み、学習意欲をなくしがちです。学習意欲が下がる原因はいろいろありますが、その一つは学習内容が学習者の知的レベルにそぐわないことです。『とびら』は、このレベルで習得されるべき語彙・漢字・文法・会話表現と共に、日本や日本人についての一般常識、現代日本事情、伝統文化、歴史などを、知的好奇心を満たしながら楽しく学習できるコンテンツを豊富に提供しています。これによって、学習者は学習動機を高く保ちつつ、内容のあるコミュニケーションに必要な知識や情報を得、日本についての理解を深めることができます。

『とびら』にはもう一つ大きなねらいがあります。それはテクノロジーの効果的な利用です。これからの世代はテクノロジーやインターネットが強力な学習手段になります。新しいメディアを有効に取り入れることによって、紙メディアだけでは不可能な、いろいろな教材や情報が提供でき、学習がより楽しく効果的になります。『とびら』では、会話練習支援用のプログラムLanguage Partner Onlineによる会話練習教材、オリジナルビデオ教材による日本事情紹介、ウェブサイトの生情報を活用した情報収集課題などが、教科書と共に一体化されており、これによって、学習者は紙の教科書を超えた、楽しく変化に富んだ学習環境で勉強することができるようになっています。

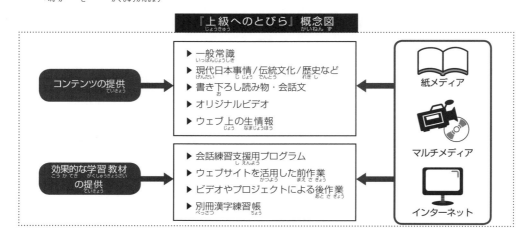

『上級へのとびら』概念図

コンテンツの提供
- ▶ 一般常識
- ▶ 現代日本事情／伝統文化／歴史など
- ▶ 書き下ろし読み物・会話文
- ▶ オリジナルビデオ
- ▶ ウェブ上の生情報

紙メディア

マルチメディア

効果的な学習教材の提供
- ▶ 会話練習支援用プログラム
- ▶ ウェブサイトを活用した前作業
- ▶ ビデオやプロジェクトによる後作業
- ▶ 別冊漢字練習帳

インターネット

Tobira's Aims

Jōkyū e no Tobira (in short, *Tobira*) is designed for use by students who have completed a beginning Japanese textbook or, in terms of classroom time, somewhere from 250 to 300 hours of Japanese study. Tobira's primary goal is twofold: first, to solidify the grammar, vocabulary and kanji foundation built during students' study at the beginner level, and second, to expand their four language skills (speaking, listening, reading and writing) and the socio-cultural knowledge they need for communication, thereby easing their transition into advanced Japanese. Particularly under focus are the reading skills for comprehending long texts and for working with primary source materials, the communication skills for conducting practical conversations (including the ability to manage speech levels properly), for stating opinions, giving explanations and making presentations, and the listening skills for picking up various types of information. *Tobira* provides a myriad of different learning materials designed to develop these skills effectively.

Another of *Tobira*'s aims is to provide content that satisfies students' intellectual curiosity and increases their desire to learn while at the same time cultivating the general knowledge necessary for communication at their language level. The transition between intermediate and advanced Japanese tends to be marked by slower progress and loss of student motivation. There are a variety of reasons for this, but one of the most important is that all too often a text's content does not match the student's intellectual level. *Tobira* covers the vocabulary, kanji, grammar and conversational expressions that students must master at the intermediate level and provides a wealth of content—be it general information on Japan and the Japanese, recent social developments, traditional culture or history—designed to fulfill students' intellectual interests and make learning fun. Because of this, students are able to obtain the knowledge and information necessary for substantive communication and deepen their understanding of Japan without losing their motivation to learn.

Tobira has one more major aim: the effective use of technology. The Internet and other technologies have great potential as powerful learning tools. By integrating these technologies into the language learning process, we can provide students not only with a variety of materials and a wealth of information, but also with self-practice activities that approximate real-life interaction. In *Tobira*, everything—from the conversation practice materials used with Language Partner Online and the introduction to contemporary Japan provided by the original video content to the information search assignments using primary source material from websites—is seamlessly integrated into the textbook, and, because of this, students are able to go beyond the page and enjoy studying in a learning environment rich in content and variety.

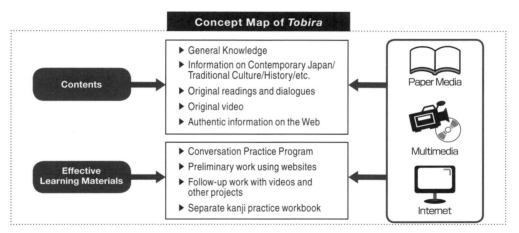

Concept Map of *Tobira*

Contents →
- General Knowledge
- Information on Contemporary Japan/ Traditional Culture/History/etc.
- Original readings and dialogues
- Original video
- Authentic information on the Web

Effective Learning Materials →
- Conversation Practice Program
- Preliminary work using websites
- Follow-up work with videos and other projects
- Separate kanji practice workbook

Paper Media

Multimedia

Internet

1
全体の構成
ぜんたい　こうせい

『上級へのとびら』は次の部分から構成されています。
じょうきゅう　　　　　　　つぎ　ぶぶん　こうせい

 教科書
きょうかしょ
（メインテキスト）

 漢字練習帳
かんじれんしゅうちょう
（別冊）
べっさつ

 とびらサイト

2
各課の構成
かくか　こうせい

この教科書の各課は次のような構成になっています。
きょうかしょ　かくか　つぎ　　　　　こうせい

1 前作業
まえさぎょう
本文を読む前に、各課のトピックに関係
ほんぶん　よ　まえ　かくか　　　　　かんけい
したことについて話し合ったりインター
はな　あ
ネットで予備知識を得たりするための課題
よびちしき　え　　　　　　　　　かだい

2 読み物
よ　もの
＋
単語表
たんごひょう
長い文章を読む練習をしながら新しい単
なが　ぶんしょう　よ　れんしゅう　　　　あたら　たん
語・漢字・表現・文法を学習するための
ご　かんじ　ひょうげん　ぶんぽう　がくしゅう
教材
きょうざい

3 会話文/討論
かいわぶん　とうろん
＋
単語表
たんごひょう
会話の表現や文法を学習するための教材
かいわ　ひょうげん　ぶんぽう　がくしゅう　　　きょうざい

4 会話練習
かいわれんしゅう
発表練習
はっぴょうれんしゅう
ペアワーク、ロールプレイ、個人発表
こじんはっぴょう
などの話す練習をするための課題
はな　れんしゅう　　　　　かだい

5 文法ノート
ぶんぽう
読み物・会話文に使われて
よ　もの　かいわぶん　つか
いる文法の説明と例文
ぶんぽう　せつめい　れいぶん

6 漢字表
かんじひょう
読み書きを覚える漢字の表
よ　か　おぼ　かんじ　ひょう

7 言語ノート
げんご
間違えやすい文法や表現の
まちが　ぶんぽう　ひょうげん
説明
せつめい

8 文化ノート
ぶんか
学習した課のトピックに
がくしゅう　か
関係した日本文化の話
かんけい

3
単語表の見方
たんごひょう　みかた

単語表には、各課の「読み物」と「会話文/討論」に出てくる新しい単語が入ってい
たんごひょう　かくか　よ　もの　かいわぶん　とうろん　で　　　あたら　たんご　はい
ます。「読み物」の単語表にある単語は「会話文/討論」の単語表には入っていません。
よ　もの　たんごひょう　たんご　かいわぶん　とうろん　たんごひょう　はい
また、「文法ノート」の項目は単語表には入っていません。
ぶんぽう　こうもく　たんごひょう　はい

■ 単語表の内容
たんごひょう　ないよう

⑥ その単語が出て
たんご　で
いる本文の行
ほんぶん　ぎょう
▶ Ttl はタイトルの行
▶ F は課の最初のページ

① 通し番号
とお　ばんごう

③ 読み方
よ　かた

④ 品詞
ひんし

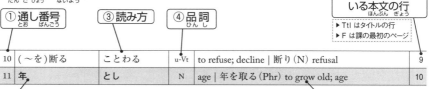

10	(〜を)断る	ことわる	u-Vt	to refuse; decline | 断り (N) refusal	9
11	年	とし	N	age | 年を取る (Phr) to grow old; age	10

② 単語
たんご

・太字は覚える単語：日本語能力試験の2級レベル（2009年時点）を
ふとじ　おぼ　たんご　にほんごのうりょくしけん　きゅう　　　　じてん
中心に、使用頻度・なじみ度[1]の高い語を各課50〜70語選定
ちゅうしん　しようひんど　ど　たか　ご　かくか　ご　せんてい
・動詞には「(〜を)」のように一緒に使われることの多い助詞を提示
どうし　いっしょ　つか　おお　じょし　ていじ
・「スル動詞」は名詞部分だけで提示
どうし　めいしぶぶん　ていじ
[例] 本文 観光する ➡ 単語表 観光
れい　ほんぶん　かんこう　　　　たんごひょう　かんこう
・「ナ形容詞/ノ形容詞」は本文で副詞形で使われている場合も形容詞
けいようし　けいようし　ほんぶん　ふくしけい　つか　　　　ばあい　けいようし
で提示
ていじ
[例] 本文 静かに ➡ 単語表 静か(な)
れい　ほんぶん　しず　　　　たんごひょう　しず

⑤ 意味
いみ

・各単語の本文での意味、
かくたんご　ほんぶん　いみ
その他の一般的な意味、
た　いっぱんてき　いみ
その単語を含む表現を
たんご　ふく　ひょうげん
提示
ていじ

[1] 徳弘康代 (2008)『日本語学習者のためのよく使う順漢字2100』三省堂

■ 単語表の略号

略号	意 味	略号	意 味
N	名詞	VN	スル動詞の名詞部分
u-Vi	ウ型自動詞	u-Vt	ウ型他動詞
ru-Vi	ル型自動詞	ru-Vt	ル型他動詞
irr-V	不規則動詞	A	形容詞(イ形容詞)
ANa	形容動詞(ナ形容詞)	ANo	名詞型形容詞(ノ形容詞*)
irr-A	不規則形容詞	An	連体詞
Adv	副詞(形容詞・形容動詞の連用形を含む)	DemP	指示代名詞
DemA	指示連体詞	Conj	接続詞
Prt	助詞	Int	間投詞
Pref	接頭語	Suf	接尾語
Ctr	助数詞	Phr	句

*意味的には形容詞だが、形が名詞と同じ形容詞。名詞を修飾する時は「な」ではなく「の」が付く。
(p.183 言語ノート9「ノ形容詞(*no*-adjective)」参照)

■ 単語表の記号

記号	意 味	例
[語]-	接頭語	約-；全-
-[語]	接尾語	-的；-達
[語]△	本文には出ていないが「話し合ってみよう」で役に立つ単語	消極的(な)△；悲観的(な)△

4
会話練習／ペアワーク／ロールプレイ

■ 丁寧度の表示

会話の丁寧度は3段階あり、★印で表示されています。

レベル	内 容	スタイル
★	基本的に丁寧体(敬体、デス・マス体など)を使わない。ウチ関係(家族、友達、親しい者同士など)で使う。	くだけた話し方(カジュアルスピーチ)
★★	敬体を含まない丁寧体を使う。ソト関係(あまり親しくない人、初めて会った人、仕事でのフォーマルな場面、クラス内での発表など)で使う。	デス・マス体
★★★	敬体(尊敬語、謙譲語、美化語など)を含む非常に丁寧な表現を使う。普通、目上の人や年上の人に使う。	敬語 デス・マス体

■ 会話練習

1. モデル会話......各課の「会話文」のコミュニケーション機能を取り入れた会話です。内容は「読み物」「会話文」の内容に関連しています。

2. 練習問題..........モデル会話で練習した表現などを使って、会話を完成する練習です。

3. パターン練習...モデル会話や練習問題で練習した表現を使って、自由なトピックで行う会話練習です。

■ ペアワーク：各課で学習した内容をペアで聞き合ったり話し合ったりします。

■ ロールプレイ：各課で学習した内容に関連したタスクをペアで行います。

■ その他の活動：以下の課には、会話練習、ペアワーク、ロールプレイ以外の活動も含まれています。

教科書の課	活動内容
第6課	グラフや図を使って発表する
第8課	物語を紹介する
第11課	歴史的人物や出来事などについて発表する
第12課	ものの作り方、使い方などについて発表する
第13課	日本人にインタビューする
第14課	討論
第15課	討論

5 文法ノート

■ 文法項目の番号表示

各文法項目の前に付けられた通し番号には3種類の表示法があり、それぞれ次のことを表しています。

・黒で白抜きの番号(例❶)＝必ず覚えて使えるようにする文法
・グレーで白抜きの番号(例❷)＝できるだけ使い方を覚える文法
・白丸の番号(例③)＝読み物を理解するために必要な文法

■ 文法ノートの略号

略号	意味	例
S	文	学生が来る
N	名詞	学生；日本；バス
NP	名詞句	日本語の勉強
VN	スル動詞の名詞部分	勉強；買い物；サイン
V	動詞	話す；食べる；来る
V-masu	動詞の連用形(「ます」の前に来る形)	話し；食べ；来
V-nai	動詞の未然形(否定語「ない」の前に来る形)	話さ；食べ；来
V-vol	動詞の意思形	話そう；食べよう；来よう
A	形容詞(イ形容詞)	大きい；おもしろい
A-stem	形容詞の語幹	大き；おもしろ
A-nai	形容詞の連用形(否定語「ない」の前に来る形)	大きく；おもしろく
ANa	形容動詞(ナ形容詞)の語幹	静か；便利
ANo	名詞型形容詞(ノ形容詞*)の語幹	普通；最高
An	連体詞	あらゆる
Adv	副詞(形容詞・形容動詞の連用形を含む)	すぐ；ゆっくり；大きく；静かに

DemP	指示代名詞 し じ だいめいし	これ；それ；あれ
DemA	指示連体詞 し じ れんたいし	この；その；こんな；あんな
Conj	接続詞 せつぞく し	が；から；しかし
Prt	助詞 じょし	が；を；に；よ；ね
QW	疑問詞 ぎもんし	何；だれ；いつ；どの；いくら
Da	「だ」とその活用形 かつようけい	だ；だった；です；でした
te	動詞、形容詞、形容動詞などのテ形 どうし けいようし けいようどうし けい	話して；高くて；静かで
plain	終止形 しゅうし けい	話す；話した；高い；静かだった しず
non-past	非過去形 ひ か こけい	話す；高い；静かだ しず
past	過去形 か こ けい	話した；高かった；静かだった しず
aff	肯定形 こうていけい	話す、高い、静かだ しず
neg	否定形 ひていけい	話さない；高くない；静かじゃない しず
cond	仮定形＋「ば」 かていけい	話せば；高ければ；静かなら（ば）； しず 静かであれば しず

■ 文法ノートの記号
ぶんぽう き ごう

記号 き ごう	意　味 い み	例 れい
👔	主に書き言葉で使われる。 おも か ことば 話し言葉ではフォーマルな はな ことば スピーチなどで使われる。	Nである 👔
👕	主に話し言葉で使われる。 おも はな ことば 書き言葉ではカジュアルな か ことば Eメールなどで使われる。	Nって 👕
A/B；{A/B}	AまたはB	V*te* くる/いく；N{では/じゃ} なくて
{A/B} {C/D}	AC, AD, BC または BD	N{で/から} {できる/できている}
(A)	Aはなくてもよい	N (Prt) も
Ø	何も入れない	ANa Ø なら
A + B	Aの後にBが続く あと つづ	Adj + N
A-B-C	Bを削除する さくじょ	ひろい+ さ
✕	間違った表現 まちが ひょうげん	本を {読む (の) なら/✕読んだら}、電気をつけなさい。
??	かなり不自然な表現 ふ しぜん ひょうげん	トムは急に {怒り出した/??怒り始めた}。 きゅう おこ だ

■ 文型のタイプ
ぶんけい

文法ノートの文型には接続の仕方が **Type 1, Type 2a** のように表記してあるものがありま
ぶんぽう　　　　　 ぶんけい　 せつぞく　 しかた　　　　　　　　　　　　　　　　　　　　　 ひょうき
す。それぞれのタイプの接続形は次の通りです。
　　　　　　　　　　　　　　せつぞくけい　つぎ　とお

Type	接続形 せつぞくけい	例 れい
Type 1	・{V/A} -plain ・{ANa/N}＋{だ/じゃない/ だった/じゃなかった}	・{話す/話さない/話した/話さなかった} から ・{高い/高くない/高かった/高くなかった} から ・{便利だ/便利じゃない/便利だった/便利じゃなかった} から べんり ・{学生だ/学生じゃない/学生だった/学生じゃなかった} から
Type 2a	・{V/A} -plain ・{ANa/N} {な/じゃない/ だった/じゃなかった}	・{便利な/便利じゃない/便利だった/便利じゃなかった} ので べんり ・{学生な/学生じゃない/学生だった/学生じゃなかった} ので

Type 2b	・{V/A} -plain ・ANa{な/じゃない/だった/ じゃなかった} ・N{の/じゃない/だった/ じゃなかった}	・{便利な/便利じゃない/便利だった/便利じゃなかった}時 ・{学生の/学生じゃない/学生だった/学生じゃなかった}時
Type 2c	・{V/A} -plain ・ANa{な/じゃない/だった/ じゃなかった} ・N{である/じゃない/ だった/じゃなかった}	・{便利な/便利じゃない/便利だった/便利じゃなかった} ことに気がつく ・{学生である/学生じゃない/学生だった/学生じゃなかった} ことに気がつく
Type 3	・{V/A} -plain ・{ANa/N} {∅/じゃない/ だった/じゃなかった}	・{便利/便利じゃない/便利だった/便利じゃなかった}でしょう ・{学生/学生じゃない/学生だった/学生じゃなかった}でしょう

注：ANoの接続形はどのタイプもNの接続形と同じです。

6 漢字表の見方

各課の最後にある漢字表は「**RW**：読み方・書き方を覚える漢字」と「**R**：読み方だけを覚える漢字」に分かれており、新しい単語の他に、すでに習った単語で漢字を新しく覚えるものも入っています。漢字は日本語能力試験2級レベル（2009年時点）を中心に、使用頻度・なじみ度[1]の高いものを各課35字前後（**RW**：各課15字前後、**R**：各課20字前後）、全課で503字選びました。主な初級用教科書に共通する漢字297字は、すでに習った漢字として扱っています。

注：「とびらサイト」に既習漢字リストがあります。

[1] 徳弘康代 (2008)『日本語学習者のためのよく使う順漢字2100』三省堂

7 漢字のふりがな

漢字のふりがなは次の原則でつけてあります。学習の定着を図るため、すでに習った漢字にはふりがなはつけてありません。

■ 各課で覚える漢字

・「本文を読む前に」「文法ノート」：ふりがなあり
・「読み物」「会話文 / 討論」：ふりがななし
　　　　　　　　　　（各ページ下にふりがなつきでその漢字を含む単語をリスト）
・「内容質問」「会話練習」「文化ノート」「言語ノート」：ふりがななし

■ 覚えなくてもいい漢字

全てにふりがなあり。但し、同じ行に2度以上出てくる場合は、固有名詞など特別な読み方をするものを除き、各行の初出のものにふりがながあります。

<table>
<tr><td>

8
表記の仕方
（ひょうき　しかた）

</td></tr>
</table>

■ 数字の表記

横書きの場合、数量的概念の強いものは算用数字で（例：18歳、30人、50ドル）、数量的概念を離れた言葉や、訓読みになる言葉は漢数字で（例：数十年、何百年、一つ、二人）表記してあります。縦書きの場合は、基本的に漢数字で表記してあります。

■ 単語の表記

漢字でもひらがなでも書くことがある単語については、本文でも、ひらがなで書いてある場合と漢字で書いてある場合があります。

（例：できる / 出来る、人たち / 人達、うれしい / 嬉しい）

<table>
<tr><td>

9
LPO教材
（きょうざい）

</td></tr>
</table>

LPO教材は、ソフトウェア Language Partner Online を使って、学習者が一人で練習できる会話教材です。この教材は「とびらサイト」に入っています。

■ 特色

・コミュニケーション機能別に作成されたモデル会話を画面上の人物と対話形式で練習できます。

・自分の発話を録音し、モデル会話と比べることができます。

●LPO教材のユニットは、教科書の各課と次のように対応しています。

教科書の課	LPOユニット とコミュニケーション機能
第1課	ユニット1：あいづちとフィラー ユニット2：言葉の意味を聞く / 聞き返す
第2課	ユニット3：短縮形 ユニット4：謝る
第3課	ユニット5：依頼する / お礼を言う
第4課	ユニット6：相談する
第9課	ユニット7：ほめる / ほめられる
第10課	ユニット8：情報を伝える / 求める
第13課	ユニット9：男性的表現
第14課 / 第15課	ユニット10：意見を言う / 賛成する / 反対する

10 とびらサイト

「とびらサイト」は、教科書を補助する各種教材と教科書で学習する話題に関連した情報の提供を目的とした『とびら』専用サイトです。マルチメディアを活用して、教科書での学習をより発展させる教材・情報を提供することにより、『とびら』での学習を支援します。

■ ログイン

とびらサイトへは、**http://tobiraweb.9640.jp/** からアクセスしてください。

■ 音声教材

教科書各課の「読み物」「会話文 / 討論」「単語表」、会話練習の「モデル会話」の音声がダウンロードできます。教科書では  で示してあります。

■ ビデオ教材

各課の話題に関連したビデオ教材をストリーミング形式で配信しています。各ビデオには内容質問シートがあり、ビデオ画面の上にあるリンクからダウンロードできます。

■ その他

・ 各課の漢字、文法練習問題など、各種補助教材がダウンロードできます。
・ 教科書の「本文を読む前に」で使うサイト、各課の話題に関連した記事やサイトなどのリンク集があります。
・ 「とびら」を使用する先生方のための教材や情報を「教師専用エリア」で提供します。

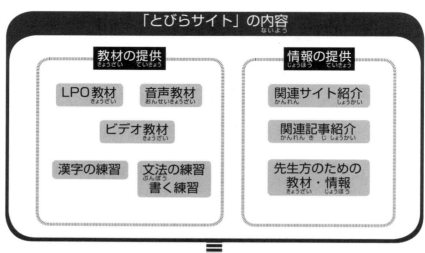

Students' Guide to Using *Tobira*

1
The Overall Structure of *Tobira*

Tobira is made up of the following components:

 the textbook

 the separate kanji practice workbook

the *Tobira* website

2
Chapter Structure

Each chapter of this textbook contains the following:

1 getting started — A pre-reading section that introduces students to the chapter's topic through discussion, information gathering via the Internet and other activities.

2 reading + vocabulary list — A set of materials to facilitate reading a long text and studying new vocabulary, phrases, kanji and grammar.

3 dialogue/ discussion + vocabulary list — A set of dialogues or discussion to facilitate studying the phrases and grammar used in conversational Japanese.

4 conversation and/or presentation — Exercises in speaking, including pair work, role plays and student presentations.

5 grammar notes — An explanation of the grammar used in the readings and dialogues, followed by additional example sentences to clarify usage.

6 kanji list — A list of kanji that students should be able to either write and read or just read.

7 language notes — An explanation of grammar items or expressions that are commonly misused.

8 culture notes — A discussion of an aspect of Japanese culture related to the topic of the chapter.

3
Vocabulary Lists

Vocabulary lists include all new terms that appear in the reading or the conversation/discussion section of each chapter. Terms that are included in the vocabulary list for the reading are not included in the vocabulary list for the dialogue in the chapter. The grammar items are not included in the vocabulary lists:

■ Vocabulary list content

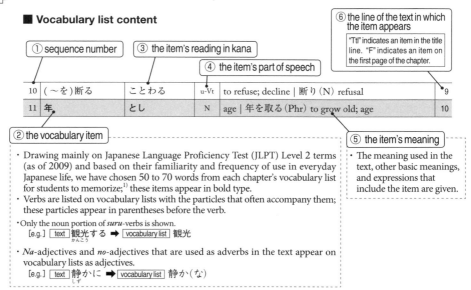

⑥ the line of the text in which the item appears
"Ttl" indicates an item in the title line. "F" indicates an item on the first page of the chapter.

① sequence number

③ the item's reading in kana

④ the item's part of speech

| 10 | (〜を)断る | ことわる | u-Vt | to refuse; decline ¦ 断り (N) refusal | 9 |
| 11 | 年 | とし | N | age ¦ 年を取る (Phr) to grow old; age | 10 |

② the vocabulary item

⑤ the item's meaning

· Drawing mainly on Japanese Language Proficiency Test (JLPT) Level 2 terms (as of 2009) and based on their familiarity and frequency of use in everyday Japanese life, we have chosen 50 to 70 words from each chapter's vocabulary list for students to memorize;[1] these items appear in bold type.
· Verbs are listed on vocabulary lists with the particles that often accompany them; these particles appear in parentheses before the verb.
· Only the noun portion of *suru*-verbs is shown.
  [e.g.] text 観光する ➡ vocabulary list 観光
          かんこう
· *Na*-adjectives and *no*-adjectives that are used as adverbs in the text appear on vocabulary lists as adjectives.
  [e.g.] text 静かに ➡ vocabulary list 静か（な）
          しず

· The meaning used in the text, other basic meanings, and expressions that include the item are given.

[1] 徳弘康代 (2008)『日本語学習者のためのよく使う順漢字2100』三省堂

■ Abbreviations used in vocabulary lists

Abbreviation	Meaning	Abbreviation	Meaning
N	noun	VN	the noun portion of a *suru*-verb
u-Vi	intransitive *u*-verb	u-Vt	transitive *u*-verb
ru-Vi	intransitive *ru*-verb	ru-Vt	transitive *ru*-verb
irr-V	irregular verb	A	*i*-adjective
ANa	*na*-adjective	ANo	*no*-adjective*
irr-A	irregular adjective	An	non-conjugational adjective
Adv	adverb (including the adverbial forms of adjectives)	DemP	demonstrative pronoun
DemA	demonstrative adjective	Conj	conjunction
Prt	particle	Ctr	counter word
Pref	prefix	Suf	suffix
Phr	phrase	Int	interjection

* Adjectives which require の when they modify nouns. *No*-adjectives and だ are connected in the same way as nouns and だ are connected. (See p.183 言語ノート9「ノ形容詞（*no*-adjective）」.)

■ Symbols used in vocabulary lists

Symbol	Meaning	Examples
[term] -	prefix	約-；全-
-[term]	suffix	-的；-達
[term]△	a word that does not appear in the text but may be useful in discussion	消極的(な)△；悲観的(な)△

<table>
<tr><td>

4

Conversation Practice, Pair Work and Role Play

</td></tr>
</table>

■ Politeness Level

Conversations are divided into three levels of politeness, each marked with a corresponding number of ★ symbols.

Level	Content	Style
★	Polite language (honorific forms, *desu/masu* forms, etc.) is usually not used in casual speech. This level of politeness is appropriate for conversations with people in one's in-group (family, friends, and others with whom one has a close relationship).	Casual speech
★★	Characterized by the use of polite language, with the exception of honorific forms. This level of politeness is appropriate for conversations with people in one's out-group (those one doesn't know well) or in formal situations at work, in class presentations, etc.	Desu/masu form
★★★	Characterized by the use of extremely polite expressions, including honorific forms (i.e., respectful and humble language) and word beautification (e.g., お飲物). This level of politeness is generally used with one's elders and superiors.	Honorific language and desu/masu form

■ Conversation Practice

1. Model Conversation: A set of conversations that include the communication skills featured in the chapter's dialogues. Content is related to the chapter's readings and dialogues.
2. Practice Questions: Students complete conversations using the expressions they have practiced in the model conversations.
3. Pattern Practice: Students converse about a topic of their choice using the expressions they have practiced in the model conversations and practice questions.

■ **Pair Work:** Students practice asking each other questions about the subject matter of the chapter and discuss the chapter's content.

■ **Role Play:** Students perform a task in pairs related to the content of the chapter.

■ **Other Activities:** In the following chapters, other activities are also included:

Chapter	Activity
Chapter 6	Presentation using a graph and/or a diagram
Chapter 8	Introducing a story
Chapter 11	Presentation about a historical figure or event
Chapter 12	Presentation on how to make or use something
Chapter 13	Interviewing a Japanese person
Chapter 14	Discussion
Chapter 15	Discussion

5 Grammar Notes

■ **The numbering of grammar points**

There are three different types of numerals used to number grammar points; the meaning of each is as follows:

· A white number within a black circle (e.g. ❶) indicates a grammar point that students must memorize and learn to use readily.
· A white number within a grey circle (e.g. ❷) indicates a grammar point that students should try their best to learn to use.
· A black number within a white circle (e.g. ③) indicates a grammar point that is necessary for understanding the chapter's reading or dialogue.

■ **Abbreviations used in the Grammar Notes**

Abbreviation	Meaning	Examples
S	Sentence	学生が来る
N	Noun	学生；日本；バス
NP	Noun phrase	日本語の勉強
VN	Noun which forms a *suru*-verb by affixing する	勉強；買い物；サイン
V	Verb	話す；食べる；来る
V-*masu*	Stem of verb's *masu* form (=*masu* form minus *masu*)	話し；食べ；来
V-*nai*	Stem of verb's *nai* form (=*nai* form minus *nai*)	話さ；食べ；来
V-vol	Verb's volitional form	話そう；食べよう；来よう
A	*I*-adjective	大きい；おもしろい
A-stem	Stem of *i*-adjective	大き；おもしろ
A-*nai*	Stem of *i*-adjective's *nai* form (=*nai* form minus *nai*)	大きく；おもしろく
ANa	Stem of *na*-adjective	静か；便利
ANo	Stem of *no*-adjective	普通；最高
An	Non-conjugational adjective	あらゆる
Adv	Adverb (including the adverbial forms of *i*-/*na*-adjectives)	すぐ；ゆっくり；大きく；静かに
DemP	Demonstrative pronoun	これ；それ；あれ
DemA	Demonstrative adjective	この；その；こんな；あんな
Conj	Conjunction	が；から；しかし
Prt	Particle	が；を；に；よ；ね
QW	Question word	何；だれ；いつ；どの；いくら
Da	*だ* and its conjugations	だ；だった；です；でした
te	*te*-form	話して；高くて；静かで
plain	plain form	話す；話した；高い；静かだった

non-past	non-past form	話す；高い；静かだ
past	past form	話した；高かった；静かだった
aff	affirmative form	話す、高い、静かだ
neg	negative form	話さない；高くない；静かじゃない
cond	conditional form (=*ba* form)	話せば；高ければ；静かなら（ば）；静かであれば

■ Symbols used in the Grammar Notes

Symbol	Meaning	Examples
👔	Mostly used in written Japanese; also used in formal spoken Japanese	Nである 👔
👕	Mostly used in spoken Japanese; also used in casual written Japanese (E-mails, etc.)	Nって 👕
A/B; {A/B}	Either A or B	Vて くる / いく；N {では / じゃ} なくて
{A/B} {C/D}	AC, AD, BC or BD	N {で / から} {できる / できている}
(A)	A is optional.	N (Prt) も
Ø	null	ANa Ø なら
A + B	A is followed by B.	Adj + N
A-B-C	Delete B.	ひろい + さ
✗	The following word/phrase/sentence is ungrammatical/unacceptable.	本を {読む (の) なら / ✗読んだら}、電気をつけなさい。
??	The following word/phrase/sentence is quite unnatural.	トムは急に {怒り出した / ??怒り始めた}。

■ Types of Grammar Structures

The connection forms for some grammar structures listed in the Grammar Notes are listed by type: Type 1, Type 2a, etc. A list of each of these types and their connection forms follows.

Type	Connection Forms	Examples
Type 1	・{V/A} -plain ・{ANa/N} + {だ / じゃない / だった / じゃなかった}	・{話す / 話さない / 話した / 話さなかった} から ・{高い / 高くない / 高かった / 高くなかった} から ・{便利だ / 便利じゃない / 便利だった / 便利じゃなかった} から ・{学生だ / 学生じゃない / 学生だった / 学生じゃなかった} から
Type 2a	・{V/A} -plain ・{ANa/N} {な / じゃない / だった / じゃなかった}	・{便利な / 便利じゃない / 便利だった / 便利じゃなかった} ので ・{学生な / 学生じゃない / 学生だった / 学生じゃなかった} ので
Type 2b	・{V/A} -plain ・ANa {な / じゃない / だった / じゃなかった} ・N {の / じゃない / だった / じゃなかった}	・{便利な / 便利じゃない / 便利だった / 便利じゃなかった} 時 ・{学生の / 学生じゃない / 学生だった / 学生じゃなかった} 時
Type 2c	・{V/A} -plain ・ANa {な / じゃない / だった / じゃなかった} ・N {である / じゃない / だった / じゃなかった}	・{便利な / 便利じゃない / 便利だった / 便利じゃなかった} ことに気がつく； ・{学生である / 学生じゃない / 学生だった / 学生じゃなかった} ことに気がつく

Type 3	・{V/A}-plain ・{ANa/N} {Ø/じゃない/ 　だった/じゃなかった}	・{便利/便利じゃない/便利だった/便利じゃなかった}でしょう ・{学生/学生じゃない/学生だった/学生じゃなかった}でしょう

6
Kanji Lists

- The kanji list at the end of each chapter is divided into **RW** kanji (those that students should learn to read and to write) and **R** kanji (those that students should learn to read). Each list includes new kanji vocabulary and the newly-introduced kanji for previously-learned vocabulary.
- Around 35 kanji have been chosen for each chapter, drawing mainly on JLPT Level 2 characters (as of 2009) and based on their familiarity and frequency of use in everyday Japanese life.[1] Around 15 of these are marked RW and 20 are marked R. In all, this book covers 503 kanji.
- Students are assumed to have learned the 290 kanji introduced in most major beginning-level Japanese textbooks. A list of these kanji can be found on the Tobira website. (See 10. Tobira Site.)

[1] 徳弘康代 (2008)『日本語学習者のためのよく使う順漢字2100』三省堂

7
Usage of
Furigana
(Phonetic
Guides)

To facilitate students' learning, *furigana* is not provided for previously-learned kanji. *Furigana* is used as follows:

■ Kanji that are to be memorized

- "Getting Started" and "Grammar Notes" sections: *furigana* provided
- "Reading" and "Dialogue/Discussion" sections: *furigana* not provided (A vocabulary list of kanji with *furigana*, however, is provided at the bottom of each page)
- "Content Questions," "Conversation Practice," "Culture Notes" and "Language Notes" sections: *furigana* not provided

■ Kanji that need not be memorized

- *Furigana* provided for all kanji. However, with the exception of proper nouns and other words with special readings, the *furigana* for words that appear more than once in the same line are provided only the first time.

8
Writing
Conventions

■ Numbers

- In horizontal writing, specific numbers (e.g.: 18歳, 30人, 50ドル) are written in Arabic numerals, while approximate numbers (e.g.: 数十年, 何百年) and numbers with native Japanese readings (e.g.: 一つ, 二人) are written in kanji numerals.
- As a rule, kanji numerals are used in vertical writing.

■ Words

Words that are commonly written in both kanji and hiragana (e.g.: できる/出来る、人たち/人達、うれしい/嬉しい) appear in either form.

9
LPO Materials

LPO materials allow students to practice Japanese conversation on their own using Language Partner Online software. They can be accessed through the Tobira website. (See 10. Tobira Site.)

■ Special Features

Students can:
- practice dialogues designed to hone a specific communication skill face-to-face with partners that appear on their screen;
- record their performance and compare it to the model dialogue.

■ Correspondence with Textbook Chapters

The LPO units correspond with the chapters of the textbook as follows:

Textbook Chapter	LPO Unit and Communication Skill(s)
Chapter 1	Unit 1: Aizuchi Unit 2: Asking for Definitions and Clarification
Chapter 2	Unit 3: Contracted Forms Unit 4: Apologizing
Chapter 3	Unit 5: Making Requests; Expressing Gratitude
Chapter 4	Unit 6: Seeking Advice
Chapter 9	Unit 7: Giving and Receiving Compliments
Chapter 10	Unit 8: Asking for and Receiving Information
Chapter 13	Unit 9: Masculine Expressions
Chapters 14 & 15	Unit 10: Expressing Opinions; Agreeing; Disagreeing

10 Tobira Site

Tobira Site is designed to work in tandem with this textbook, using different media to provide a variety of supplementary learning materials as well as additional information on topics covered within the text.

■ Access

To access Tobira Site, go to **http://tobiraweb.9640.jp/**

■ Audio Learning Materials

Students can download audio files for each chapter's Reading(s), Dialogue(s)/Discussion and Vocabulary Lists, as well as the Model Conversations in the Conversation Practice section. Sections with recordings are marked in the textbook with the ⬛ symbol.

■ Video Learning Materials

Students can watch streaming clips of video related to the topic in each chapter. A content question sheet is available for each video, easily accessible from a link above the video screen.

■ Other Features

- Students can download kanji and grammar worksheets, as well as a variety of other supplementary learning materials.
- A collection of links is available, providing easy access to the websites used in the textbook's "Getting Started" section, as well as websites and articles with more information on the topic of each chapter.
- The Teacher's Area provides teaching materials and useful information for teachers using Tobira.

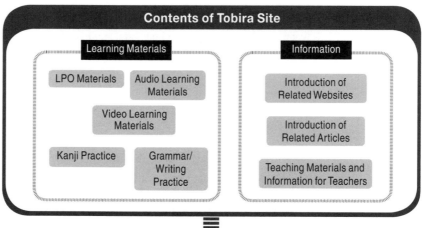

第 **1** 課

日本の地理
ち　り

本文を読む前に

1 下の世界地図のシルエット(silhouette)の中で、日本がどこにあるか分かりますか。
自分の国はどうですか。探して○を付けなさい。

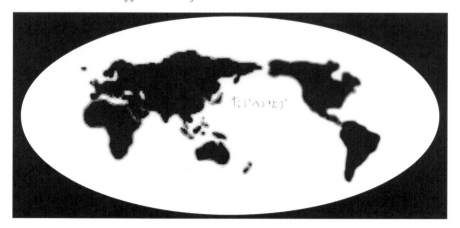

2 次の質問に答えなさい。分からなかったら、本やインターネットで調べてみましょう。

日本の人口(population)は どのくらいですか。	日本の近くには どんな国がありますか。	東京の近くには どんな県(prefecture)が ありますか。	京都の近くには どんな県がありますか。

3 次の質問に答えなさい。

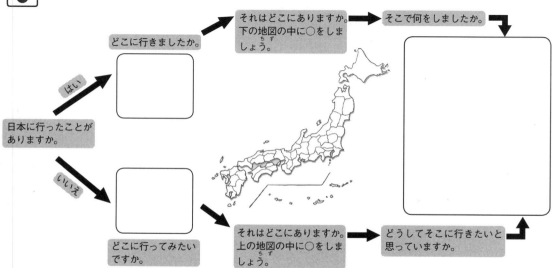

4 オンライン辞書を使って、下の単語表の単語の意味を調べなさい。

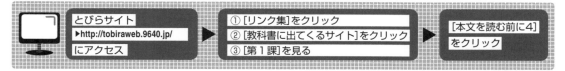

とびらサイト
▶http://tobiraweb.9640.jp/
にアクセス

① [リンク集]をクリック
② [教科書に出てくるサイト]をクリック
③ [第1課]を見る

[本文を読む前に4]
をクリック

◉ 他にもいいサイトがあったら使ってください。友達にもそのサイトを教えてあげましょう。

	単　語	読み方	意味（英語でもいいです）
1	地理	ちり	
2	島	しま	
3	気候	きこう	
4	気温	きおん	
5	名所	めいしょ	
6	名物	めいぶつ	
7	建物	たてもの	
8	形	かたち	
9	景色	けしき	
10	自然	しぜん	
11	都市	とし	
12	田舎	いなか	
13	行事	ぎょうじ	
14	見学	けんがく	
15	美しい	うつくしい	
16	特別（な）	とくべつ（な）	

5 あなたの国の名所と名物について調べなさい。

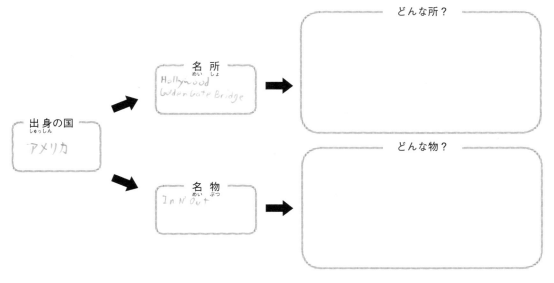

出身の国
アメリカ

名所
Hollywood
Golden Gate Bridge

どんな所？

名物
In N Out

どんな物？

3

日本の地理

1　皆さんは日本の四つの大きな島の名前を知っていますか。日本はユーラシア大陸の東にある島国で国の70%は山です。日本には東京のような、世界によく知られている都市がたくさんありますが、皆さんはどんな都市の名前を聞いたことがありますか。下の地図を見ながら探してみましょう。

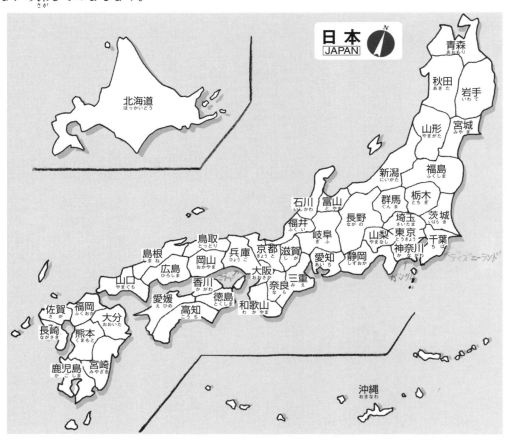

5　日本の国土は、北海道、本州、四国、九州と呼ばれる四つの大きい島と6000以上の小さい島でできています。全体の大きさは、アメリカの25分の1、オーストラリアの21分の1ぐらいで、ニュージーランドやイギリスと同じぐらいです。

地理	島	東京	都市	地図	北海道	本州	四国	九州	全体
ち　り	しま	とうきょう	と　し	ち　ず	ほっかいどう	ほんしゅう	し　こく	きゅうしゅう	ぜんたい

〜分の〜
　ぶん

日本には、47の都道府県（一都、一道、二府、四十三県）があります。一都は東京都（首都）、一道は北海道、二府は大阪府と京都府で、その他は、静岡県や広島県のように

10　全部、県です。静岡県はお茶や富士山で有名で、広島県には戦争の恐ろしさと平和の大切さを伝える原爆ドームがあります。

　　日本は南北に長い国なので、南と北では気候が大きく違い、沖縄や九州で泳げる時に、北海道では雪が降っていることもあります。それから、同じ日の沖縄と北海道の気温の差が摂氏40度以上になることもあります。だから、日本人が大好きな桜の花がいつ頃咲く

15　かは、場所によって違います。沖縄では1月の終わりに咲き始めますが、北海道では5月になってからです。桜の花が咲くと、人々はその木の下でお酒を飲んだり歌を歌ったりして、花見を楽しみます。

　　日本には昔からの名所もたくさんあります。例えば、兵庫県にある姫路城は日本で最も美しいと言われているお城で、1993年にユネスコの世界遺産に選ばれました。400年以上

20　前の白い壁が残っていて、建物の形が白鷺という白い鳥が羽を広げて休んでいるように見えるので白鷺城（はくろじょう・しらさぎじょう）とも呼ばれています。姫路城は昔の映画やドラマを撮影する時によく使われています。

　　日本の名所と言えば、温泉も忘れることはできません。日本は火山が多いので、日本中に温泉があります。温泉には観光やレジャーが目的で行く人が多く、温泉では大きいお風

25　呂に入ったり、おいしい料理を食べたり、浴衣を着たりしてリラックスします。日本人はお風呂に入るのが大好きで、外の景色を見ながら入れる露天風呂は特に人気があります。

　　たくさんある温泉の中で、愛媛県松山市にある道後温泉は日本で一番古い温泉で、3000年の歴史があると言われています。『坊っちゃん』や『こころ』という小説を書いた夏目漱石がよく行ったそうで、道後温泉にある旅館の3階には「坊っちゃんの間」という部屋が

30　あります。

　　皆さんは、日本に行ったらどんなことをしてみたいですか。どこに行ってみたいですか。日本に行く前に日本の地理をよく調べて、楽しい旅行をして下さい。そして、お城を見学したり、温泉に入ったりして、楽しい土産話を持って帰って下さい。

都/道/府/県 とどうふけん	京都 きょうと	平和 へいわ	伝える つたえる	泳げる およげる	日 ひ	気温 きおん	差 さ
人々 ひとびと	お酒 さけ	名所 めいしょ	最も もっとも	美しい うつくしい	選ばれ えらばれ	残って のこって	建物 たてもの	形 かたち
観光 かんこう	目的 もくてき	特に とくに	市 し	小説 しょうせつ	旅館 りょかん	階 かい	見学 けんがく

単語表

#	単語	よみ	品詞	意味	
1	地理	ちり	N	geography	Ttl
2	皆さん	みなさん	N	everyone	
3	大き（な）	おおき（な）	ANa	big; large [used only as a noun modifier]	
4	島	しま	N	island	
5	大陸	たいりく	N	continent	1
6	島国	しまぐに	N	island country	
7	都市	とし	N	city	2
8	国土	こくど	N	territory; country	
9	北海道	ほっかいどう	N	Hokkaido [Japan's northernmost island]	
10	本州	ほんしゅう	N	Honshu [Japan's largest island]	
11	四国	しこく	N	Shikoku [the smallest of Japan's four major islands]	
12	九州	きゅうしゅう	N	Kyushu [the third largest of Japan's four major islands]	
13	-以上	いじょう	Suf	more than~; over~ ; above~	5
14	全体（の）	ぜんたい（の）	ANo	whole; entire; general	
15	25分の1 / 21分の1	～ぶんの～	Phr	one twenty-fifth/one twenty-first (See p. 97, 言語ノート4「日本語の数字と単位」.)	6
16	都/道/府/県	と/どう/ふ/けん	N	prefecture [the largest administrative unit in Japan]	8
17	首都	しゅと	N	capital（city）	
18	その他	そのほか	Phr	the rest; the others	9
19	富士山	ふじさん	N	Mt. Fuji	
20	戦争	せんそう	N	war	
21	恐ろしい	おそろしい	A	scary; frightening	
22	平和	へいわ	N	peace	10
23	(～に～を)伝える	つたえる	ru-Vt	to pass (knowledge) on; tell; inform	
24	原爆ドーム	げんばくドーム	N	the Atomic Bomb Memorial Dome	11
25	南北	なんぼく	N	north and south	
26	気候	きこう	N	climate	12
27	日	ひ	N	day	
28	気温	きおん	N	(atmospheric) temperature	
29	差	さ	N	gap; difference	13
30	摂氏	せっし	N	centigrade; Celsius	
31	桜	さくら	N	cherry blossoms	14
32	終わり	おわり	N	the end	15
33	人々	ひとびと	N	people	16
34	花見	はなみ	N	cherry-blossom viewing	
35	(～を)楽しむ	たのしむ	u-Vt	to enjoy	17
36	名所	めいしょ	N	famous place; place of interest	
37	例えば	たとえば	Adv	for instance; for example	
38	最も	もっとも	Adv	most; extremely	18
39	美しい	うつくしい	A	beautiful	
40	（お）城	（お）しろ	N	castle	

41	ユネスコ		N	UNESCO	
42	世界遺産	せかいいさん	N	world heritage	19
43	-前	-まえ	Suf	(years, days, etc.) ago	
44	壁	かべ	N	wall	
45	(〜が)残る	のこる	u-Vi	to remain; be left over	
46	建物	たてもの	N	building	
47	形	かたち	N	shape; appearance	
48	白鷺	しらさぎ	N	white egret	
49	羽	はね	N	wing	
50	(〜を)広げる	ひろげる	ru-Vt	to spread	20
51	撮影	さつえい	VN	filming; shooting (of a movie, a photograph, etc.) ｜ (〜を)撮影する	22
52	火山	かざん	N	volcano	23
53	観光	かんこう	VN	sightseeing ｜ (〜を/で)観光する	
54	レジャー		N	leisure	
55	目的	もくてき	N	purpose	24
56	浴衣	ゆかた	N	*yukata* [informal cotton kimono for summer wear]	
57	リラックス		VN	relax ｜ リラックスする	25
58	景色	けしき	N	scenery; view	
59	特に	とくに	Adv	specially; especially; particularly	26
60	市	し	N	city; town	27
61	階	かい	N	floor	
62	間	ま	N	room	29
63	見学	けんがく	VN	visit; tour (of a place) ｜ (〜を)見学する	32
64	土産話	みやげばなし	N	a travel anecdote/story	33

会話文 ▶質問をする / 聞き返す

| 1 | 会話文 1 | モニカが森田先生に日本の昔話について質問をする。 |

モニカ： はじめまして。私は文学を専攻しているモニカ・ウエストと申します。

今日は先生に色々教えていただきたいと思います。どうぞよろしくお願いいたします。

森 田： こちらこそ。よろしく。

5 モニカ： まず、先生のご専門の昔話について、お聞きしたいんですが…。

森 田： ええ、いいですよ。どうぞ。

モニカ： 日本にはたくさん昔話があるそうですが…。

森 田： ええ、地方によって色々な昔話がありますよ。

モニカ： 先生、「地方」という言葉はときどき聞きますが、田舎のことですか。

10 森 田： 田舎という意味もありますが、その他に関東地方とか関西地方のように使うこともあります。

モニカ： 「関東地方」というのは、東京のことですか。

森 田： いえ、東京だけでなく、横浜とか千葉とか東京の周りの場所も入ります。

「関西地方」だったら、大阪や京都や神戸やその周りですね。

モニカ： そうですか。昔話はどんな内容が多いんですか。

15 森 田： そうですね。その地方の名所や地名や名物に関係がある話が多いですね。

それから伝統的な行事とかも。

モニカ： あのう、すみません、伝統？？って何ですか。もう一度おっしゃっていただけませんか。

森 田： ああ、伝統的な行事って言ったんですよ。行事というのは、年や季節で決まった時に特別

に何かを行うことです。それから「伝統的」というのは、「昔からある」という意味です。

20 だから、「伝統的な行事」というのは、「昔からあるイベント」ということですね。

モニカ： そうですか。じゃ、お正月は伝統的な行事なんですか。

森 田： はい、もちろんです。ひな祭りや子供の日や七夕も伝統的な行事ですよ。

モニカ： そうですか。分かりました。昔話は名所や地名に関係があるとおっしゃいましたけれど、

そういう話はその地方の人達しか知らないんですか。

25 森 田： いえ、そんなことはありません。一般的に知られている話もたくさんありますよ。

例えば、「桃太郎」とか「鶴の恩返し」とか。

昔話 むかしばなし	色々 いろいろ	専門 せんもん	地方 ちほう	言葉 ことば	関東 かんとう	関西 かんさい	名物 めいぶつ	行事 ぎょうじ	年 とし
決まった き	特別 とくべつ	行う おこな	お正月 しょうがつ	分かり わ	-達 たち				

モニカ： あ、桃太郎は紙芝居で見たことがあります。歌も歌えます。

「ももたろさん、ももたろさん…」

森　田： そうですか。モニカさんも知っていますか。日本の子供達は、紙芝居とか絵本で昔話を覚
えるんですよ。

モニカ： 私はもっと色々な昔話が知りたいです。

森　田： じゃ、インターネットで調べてみたらどうですか。色々なサイトが絵やマンガと一緒に昔
話を紹介していて、楽しいですよ。

モニカ： はい、そうしてみます。先生、今日は、色々教えていただいてありがとうございました。
大変勉強になりました。

森　田： いいえ、どういたしまして。何か知りたいことがあったら、また、来て下さい。

モニカ： はい、今日は本当にありがとうございました。失礼します。

絵本　　覚える　　絵

■日本の昔話が見られるサイト： **http://www.e-hon.jp/demo1/index1.htm**

日　本　の　行　事

□ ひな祭り

March 3rd is **Hinamatsuri,** or Doll's Festival/Girls' Day, in Japan. This is a traditional event dating back to the *Heian* Period, about 1,000 years ago. The costumes of the *hina* dolls are based on the clothes of the nobles of that time period. *Hinamatsuri* is a day for families to celebrate their girls and wish them health and happiness.

□ 子供の日

May 5 is **Kodomo-no-hi**, Children's Day, one of the most popularly celebrated national holidays. Although it is called Children's Day, it is actually celebrated as the Boys' Festival. To drive away bad spirits and celebrate the future of their sons, families hoist *koinobori*, (cloth carp streamers) from balconies and flagpoles. Children take *shobuyu* (a bath with a bunch of floating iris leaves), and eat *kashiwa-mochi* (a rice cake wrapped in an oak leaf) and *chimaki* (a dumpling wrapped in bamboo leaves). Carp, irises, oak trees, and bamboos all symbolize strength.

□ 七夕

Tanabata, also known as the Star Festival, takes place on the 7th day of the 7th month of the year, when, according to a Chinese legend, the two stars Altair and Vega, which are usually separated from each other by the Milky Way, are able to meet. One popular *tanabata* custom is to write one's wishes on a piece of paper and hang that piece of paper on a specially erected bamboo tree in the hope that the wishes become true.

マイク：　ね、勇太って、どこの出身？

40　勇　太：　北海道。田舎だけど、自然が多くて、とってもいい所だよ。

マイク：　ふーん、北海道って気候が厳しいって聞いたけど。

勇　太：　うん、冬は雪が多くてとても寒いんだ。でも、夏はすずしくて、気持ちがいいよ。梅雨もないし。

マイク：　え？　何がないって？　ごめん。

勇　太：　ああ、「つゆ」。雨がよく降る季節のこと。本州では5月の終わり頃から7月の初めまで、

45　　　　　雨がたくさん降るんだけど、それを「梅雨」って言うんだ。湿度が高くて、あまり気持ち

　　　　　のいい季節じゃないんだけど、北海道にはその梅雨がないんだ。

マイク：　ふーん、そうか。ところで、北海道の名物って何？　雑誌にはラーメンがおいしいって書

　　　　　いてあったけど。

勇　太：　うん、ラーメン、うまいよ。その他にも、寿司とか魚とか肉とか、じゃがいももうまいし。

50　マイク：　いいね。なんでもおいしそうだね。

勇　太：　もし、夏に北海道に行くんだったら、東北地方まで行って三大祭りを見てみたらいいよ。

マイク：　へえ、三大祭りってどんな祭り？

勇　太：　秋田市の「竿燈祭り」、仙台市の「七夕祭り」、そして青森市の「ねぶた祭り」。

　　　　　どの祭りもすごいスケール！　毎年、日本だけじゃなくて、海外からも観光客がたくさん

55　　　　　来るし、とても人気のある祭りだよ。

マイク：　へえ、それは面白そうだね。僕も見てみたいなあ。

勇　太：　うん、絶対、おすすめ！

| 友達 | 出身（地） | 自然 | 気持ち | 雑誌 |
| ともだち | しゅっしん　ち | しぜん | きも | ざっし |

色々な日本の祭りを見てみよう！　　http://web-japan.org/atlas/festivals/festi_fr.html

ねぶた祭り

七夕祭り
たなばた

竿燈祭り
かんとう

単語表

▶太字＝覚える単語

会話文1

					Ttl
1	（〜に）聞き返す	ききかえす	u-Vi	to raise a question about something that has just been said	
2	昔話	むかしばなし	N	old tale	1
3	専攻	せんこう	VN	major｜（〜を）専攻する	2
4	色々（と）	いろいろ（と）	Adv	a lot; (so) much; many things; all sorts of things｜色々（な）（ANa）various	3
5	専門	せんもん	N	one's specialization; one's specialized field	5
6	地方	ちほう	N	region; area; country	8
7	田舎	いなか	N	countryside; rural area	9
8	その他（に）	そのほか（に）	Phr	besides; in addition to that	
9	関東（地方）	かんとう（ちほう）	N	the Kanto Region	
10	関西（地方）	かんさい（ちほう）	N	the Kansai Region	10
11	周り	まわり	N	surroundings; vicinity	
12	（〜が）入る	はいる	u-Vi	to be included; come in; get in; join	12
13	内容	ないよう	N	content	14
14	地名	ちめい	N	place name	
15	名物	めいぶつ	N	well-known product; local specialty	
16	（〜に／と）関係がある	かんけいがある	Phr	to be related (to〜); have some connection (to〜)	15
17	伝統的（な）	でんとうてき（な）	ANa	traditional	
18	行事	ぎょうじ	N	event	16
19	年	とし	N	year	
20	特別（な）	とくべつ（な）	ANa	special; particular	18
21	（〜を）行う	おこなう	u-Vt	to conduct; carry out	19
22	（お）正月	（お）しょうがつ	N	New Year's	21
23	そういう		DemA	(things) like that; that sort of (story)	
24	-達	-たち	Suf	[plural marker for people]	24
25	そんな		DemA	such; like that	
26	一般的（な）	いっぱんてき（な）	ANa	general; common	25
27	紙芝居	かみしばい	N	a story told through pictures	27
28	絵	え	N	picture; painting｜絵本（N）picture book	29
29	大変	たいへん	Adv	very; greatly｜大変勉強になりました（Phr）You've taught me a lot.	35
30	本当（の）	ほんとう（の）	ANo	true; actual; real	37

会話文2

31	出身	しゅっしん	N	one's origin (town, country, etc.)｜出身地（N）one's birthplace; native place	38
32	自然	しぜん	N	nature｜自然（な）（ANa）natural; unaffected	40
33	厳しい	きびしい	A	severe; strict; intense	41
34	気持ち	きもち	N	feeling; sensation; mood｜気持ちがいい（Phr）to feel good	
35	梅雨	つゆ	N	the rainy season in Japan	42

36	初め	はじめ	N	the beginning | 初め（Adv）at first	44
37	湿度	しつど	N	humidity	45
38	うまい		A	delicious; tasty［mainly used by males］	
39	じゃがいも		N	potato	49
40	東北地方	とうほくちほう	N	the Tohoku region	
41	祭り	まつり	N	festival | 三大祭り（N）three big festivals	51
42	すごい		A	terrific; amazing	
43	観光客	かんこうきゃく	N	tourist	54
44	僕	ぼく	N	I［male］	56
45	おすすめ		N	one's recommendation	57

内容質問

📖 読み物を読んだ後で、考えてみよう。

1. 日本はどこにありますか。日本には、どんな地理的特徴 (geographical characteristic) がありますか。

2. 2行目 (the 2nd line) の「都市」を修飾する (to modify) のは、どこからどこまでですか。

3. 11行目の「原爆ドーム」を修飾するのは、どこからどこまでですか。

4. 日本は南と北で気候が違います。それについてどんな例が書いてありますか。

5. 16行目の「その木」の「その」は、何を指して (to indicate) いますか。

6. 姫路城はどこにありますか。どんなことで有名なお城ですか。どうして白鷺城と呼ばれていますか。

7. 25行目の「リラックスする」のは、誰ですか。

8. 道後温泉は4ページの地図のどこにありますか。そこはどんなことで知られていますか。

9. 道後温泉の旅館には、どうして「坊っちゃんの間」という部屋がありますか。

10. 33行目の「土産話」というのは、どういう話だと思いますか。

🗣 会話文を読んだ後で、考えてみよう。

◉ 会話文1

1. モニカさんの専攻は何ですか。森田先生の専門は何ですか。

2. 二人は、「地方」という言葉には、どんな意味があると言っていますか。

3. 関東地方と関西地方は、どこにありますか。4ページの地図で探して、県の名前も言ってみましょう。

4. 昔話には、どんなことに関係がある話が多いですか。

5. 紙芝居は、どんなものだと思いますか。紙芝居を見たことがありますか。

◉ 会話文2

1. 勇太君の出身はどこですか。そこはどんな所ですか。

2. 「梅雨」というのは、どんな季節ですか。あなたの国や出身地にもこんな季節がありますか。

3. 勇太君の出身地の名物は何ですか。あなたの出身地の名物は何ですか。

4. 東北地方はどこにありますか。4ページの地図で探して、県の名前も言ってみましょう。

5. 東北三大祭りというのは、どんな祭りですか。

▶▶▶ みんなで話してみよう。

1. あなたには旅行に行った時の「土産話」がありますか。それはどこに行った時のどんな話ですか。

2. あなたの国には、どんな昔話がありますか。

3. あなたの国や町には、どんな伝統的な行事がありますか。

4. あなたの国には、どんなお祭りがありますか。それはどんなお祭りですか。

5. あなたの国や出身地の「絶対、おすすめ」は何ですか。

モデル会話 学生が先生に言葉の意味について質問する。🎧

学　生： 先生、すみません。今、ちょっとよろしいでしょうか。

先　生： はい、いいですよ。何ですか。

学　生： 「名所」というのは、何のことでしょうか。

先　生： ああ、「名所」ですか。有名な場所という意味ですよ。

学　生： 有名な場所…ですか？

先　生： ええ、例えば、アメリカの名所と言えば、「自由の女神」でしょうね。

学　生： あのう、すみません。自由の何でしょうか。もう一度おっしゃっていただけませんか。

先　生： ええ、「自由の女神」です。「自由」というのは英語でliberty、「女神」はGoddessという意味で、「自由の女神」は"the Statue of Liberty"のことですよ。

学　生： ああ、そうですか。よく分かりました。ありがとうございました。

練習問題 学生が先生に日本の世界文化遺産について質問する。

学　生： ＿＿＿＿＿＿＿＿＿＿＿＿＿＿＿＿＿＿＿＿＿＿＿＿＿＿＿＿。

先　生： はい、いいですよ。何ですか。

学　生： 日本の世界文化遺産＿＿＿＿＿＿＿＿＿＿＿＿＿＿＿＿＿＿＿＿＿。

先　生： ああ、世界文化遺産ですか。そうですね、例えば、日本では兵庫県にある「姫路城」のようなお城のことですね。

学　生： あのう、すみません。姫＿＿＿＿＿＿＿＿＿。＿＿＿＿＿＿＿＿＿＿＿＿＿＿＿＿。

先　生： ええ、「姫路城」です。「姫路城」というのは、兵庫県の姫路という所にあって、日本で最も美しいお城と言われているんです。

学　生： ＿＿＿＿＿＿＿＿＿＿。＿＿＿＿＿＿＿＿＿。どうもありがとうございました。

▶▶▶ パートナーと練習してみましょう。学生が先生に質問しなさい。

学　生： 先生、すみません。＿＿＿＿＿＿＿＿＿＿＿＿＿＿＿＿＿＿＿＿＿＿＿＿。

先　生： はい、いいですよ。何ですか。

学　生： ＿＿＿＿＿＿＿＿というのは、⎰何のことでしょうか／誰のことでしょうか。⎱
　　　　　　　　　　　　　　　　⎱どこのことでしょうか／どういう意味でしょうか。⎰

先　生： ああ、＿＿＿＿＿＿＿ですか。＿＿＿＿＿＿＿＿＿＿。

学　生： あのう、すみません。
　　　　⎰よく分からなかったので、もう一度おっしゃっていただけませんか。⎱
　　　　⎱＿＿＿＿＿＿＿何でしょうか。もう一度おっしゃっていただけませんか。⎰

先　生： ええ、＿＿＿＿＿＿＿。

学　生： ああ、そうですか。よく分かりました。どうもありがとうございました。

会話練習 2 ｜ 丁寧度 ★

モデル会話 モニカが勇太に「露天風呂」について質問する。

モニカ： 今、ちょっといい？

勇 太： うん、いいよ。何？

モニカ： 「露天風呂」って何？

勇 太： ああ、「露天風呂」。「露天風呂」っていうのは、家の外にあるお風呂のこと。

モニカ： え？ ごめん。どこにあるって？

勇 太： 家の外。

モニカ： えっ、家の外？ 家の外にお風呂があるの？

勇 太： うん。山や川や外の景色を見ながらお風呂に入れるから、気持ちがいいよ。

モニカ： へえー、すごいね。一度入ってみたいなあ。

勇 太： うん、とってもいいよ！ 日本に行ったら、ぜひ、入ってみるといいよ。

練習問題 マイクがはるかに「夏目漱石」について質問する。

マイク： 今、＿＿＿＿＿＿＿＿＿＿＿？

はるか： うん、いいよ。何？

マイク： 「夏目漱石」＿＿＿＿＿＿＿＿＿？

はるか： ああ、夏目漱石。明治時代(period)の有名な小説家(novelist)。

マイク： ＿＿＿＿？ ＿＿＿＿。何時代？

はるか： 明治時代、江戸時代の次の時代で、1870年頃から1910年頃の時代を明治時代って言うんだ。

マイク： ふーん。夏目漱石は＿＿＿＿＿＿＿＿＿＿＿？

はるか： 漱石が書いた小説？ うーん、例えば、『坊っちゃん』とか『こころ』とか。

マイク： ＿＿＿＿＿＿＿。ありがとう。今度、読んでみる。

▶▶ パートナーと練習してみましょう。AがBに質問しなさい。

A： 今、＿＿＿＿＿＿＿＿＿＿？

B： うん、いいよ。何？

A： ＿＿＿＿＿＿＿｛って何 / って誰 / ってどこ / ってどういう意味｝？

B： ああ、＿＿＿＿＿＿ね。＿＿＿＿＿＿＿＿。

A： え？ ごめん。＿＿＿＿＿＿？

B： ＿＿＿＿＿＿＿＿＿＿。

A： （あいづち）＿＿＿＿＿＿＿？

B： ＿＿＿＿＿＿＿＿＿。

A： （あいづち）＿＿＿＿＿＿。

ペアワーク　丁寧度 ★

▶▶日本語の授業で花見について習ったので、クラスで花見をします。
パートナーとどこへ行くか、そこで何をするか、何を持って行くかなどを決めなさい。

⚒「あいづち」に気をつけましょう。

ロールプレイ　1　丁寧度 ▶ 先生 ★★　学生 ★★★

▶▶大学で日本語を勉強している学生が、自分の日本語の先生の研究室に温泉について質問に行く。

⚒「あいづち」に気をつけましょう。

学　生
あなたは大学で日本語を勉強している学生です。夏休みに日本に旅行に行きます。日本で温泉に行ってみたいと思っています。日本語の先生の研究室に行って、温泉について(例えば、露天風呂や浴衣のことなど)質問して下さい。

先　生
あなたは大学で日本語を教えている先生です。学生が温泉について質問しに来ました。温泉について色々教えてあげて下さい。

ロールプレイ　2　丁寧度 ★

▶▶日本の大学に留学している A と B が大学で話している。
A は休みに北海道へ行きたいので、北海道に行ったことがある B に北海道について質問する。

⚒北海道だけでなく、日本の他の場所や世界の名所でも練習してみましょう。

留学生A
あなたは日本の大学に留学している学生です。休みに北海道に行こうと思っています。あなたは北海道について何も知りません。北海道でホームステイをしたことがあるBに、北海道について色々質問して下さい。

留学生B
あなたは日本の大学に留学している学生です。Aが休みに北海道に行くことにしたそうです。あなたは高校生の時に、北海道で1年間、ホームステイをしたことがあります。Aに北海道について色々教えてあげて下さい。

文法ノート

❶ Noun {で / から} できる

本文	・日本の国土は、〜四つの大きい島と6000以上の小さい島で**できています**。 【読: *ll.*5-6】
説明	{〜で / から} できる means "to be made of/from/out of." から indicates that the material(s) from which something is made is not immediately obvious. できる is used in generic statements while できている is used when describing something specific.
英訳	〜で**できる** = be made of; be made out of　　　〜から**できる** = be made from
文型	N {で / から} {できる / できている}
例文	1. チーズやヨーグルトは牛乳**からできます**。 2. プラスチックは石油 (petroleum) **からできる**。 3. この皿はプラスチックで、そして、このコップは紙で**できている**。 4. ワインはブドウ (grapes) **からできます**が、お酒はお米 (rice) **からできます**。 5. 日本には木でできた家が多いが、この国の家はたいてい石 (stone) で**できている**。

❷ Adjective-stem ＋ さ

本文	・全体の**大きさ**は、アメリカの25分の1、オーストラリアの21分の1ぐらいで、〜 【読: *ll.*6-7】 ・広島県には戦争の恐**ろしさ**と平和の**大切さ**を伝える原爆ドームがあります。 【読: *ll.*10-11】
説明	The suffix さ is attached to the stem of an *i*-adjective or a *na*-adjective to form a noun.
英訳	-ness; -ty
文型	{A-stem/ANa} + さ：ひろい + さ；さむい + さ；元気 + さ；便利 + さ（Exception: いい → よさ）
例文	1. この荷物の重さは何キロくらいでしょうか。 2. 富士山の高さは3,776メートルです。 3. この話のよさが分からない人はいないと思います。 4. 日本の携帯電話 (cellular phone) の便利さには、びっくりした。

いい → よさ
adj.　　n.
Good　Goodness

❸ {Noun の / Verb} ように

本文	・その他は、静岡県や広島県の**ように**全部、県です。 【読: *ll.*9-10】 ・白鷺という白い鳥が羽を広げて休んでいる**ように**見えるので〜 【読: *ll.*20-21】
説明	ように is used when (1) X resembles Y, (2) when X is as Y shows, says, explains, etc., or (3) when X does something as shown/said/explained/etc. in/by Y.
英訳	like; as; as if
文型	a. N の**ように**　　　b. V-plain **ように**
例文	1. これはチョコレートの**ように**見えるけれど、消しゴム (eraser) だから、食べられませんよ。 2. 小さいネコの声は、赤ちゃんが泣いている**ように**聞こえます。 3. 先生がおっしゃる**ように**、言葉は毎日勉強しなければ上手にならないと思います。 4. この写真を見れば分かる**ように**、ロンドンには、色々な (various) 名所がある。 5. この本に書いてある**ように**作れば、おいしいドレッシングができるよ。

❹ 〜は〜で {有名だ / 知られている}

本文	・静岡県はお茶や富士山で**有名**で、〜 【読: *l.*10】
説明	Either a noun or a sentence (S + こと) occurs before で to state what X is famous for or the reason that X is famous.

英訳	X is famous for Y; X is known because Y
文型	a. 〜は N で {有名だ／知られている} b. 〜は S ことで {有名だ／知られている}：**Type 2c**
例文	1. エジプトはピラミッドやスフィンクスで**有名**です。 2. このお寺は古い桜の木があることで**有名**だ。 3. 熊 (bear) は冬眠する (to hibernate) ことで**知られて**いますが、動物園 (zoo) の熊も冬眠をしますか？

⑤ Verb-*masu*; *i*-Adjective-stem＋く 🗂

本文	・南と北では気候が大きく**違い**、沖縄や九州で泳げる時に、〜 【読：*l*.12】 ・温泉には観光やレジャーが目的で行く人が**多く**、温泉では〜 【読：*l*.24】
説明	The *masu* stem of a verb and the stem of an *i*-adjective + く indicate that the sentence is continuing. That is, they function like the English sentence connector "and." This use is generally restricted to written language. In spoken language the *te*-form of a verb or an *i*-adjective is commonly used.
英訳	and
文型	a. V-*masu*、〜　　　　b. A-stem＋く、〜
例文	1. 昨日は友達とレストランで晩ご飯を**食べ**、その後、映画を見に行った。 2. スミスさんは昼は大学で**勉強し**、夜は病院で掃除のアルバイトをしている。 3. 兄と**違い**、僕はスポーツがあまり得意じゃない。 4. この地方は冬は雪が**多く**、夏はとても暑い。 5. あの図書館は日本の本が**少なく**、日本の新聞もなかったので、一度しか行かなかった。

⑥ Verb-non-past こと {が／も} ある

本文	・沖縄や九州で泳げる時に、北海道では雪が降っている**こともあります**。 【読：*ll*.12-13】 ・同じ日の沖縄と北海道の気温の差が摂氏 40 度以上になる**こともあります**。 【読：*ll*.13-14】 ・その他に関東地方とか関西地方のように使う**こともあります**。 【会1：*l*.10】
説明	V-plain.non-past ことがある is used when something occurs (or someone does something) occasionally. も implies that something else may also occur. Note: This phrase should not be confused with the phrase V-plain.past ことがある (e. g. 日本に行ったことがある), which has a different meaning.
英訳	There are times when 〜; sometimes
文型	V-plain.non-past こと {が／も} ある
例文	1. 晩ご飯はたいてい家で食べますが、ときどき友達とレストランに行く**こともあります**。 2. 文法の説明を読んでも分からない**ことがある**。そんな時は先生に聞きに行くことにしている。 3. ハワイは1年中気温が高いけれど、高い山では雪が降る**こともある**そうだ。 4. 週末はたいてい両親の家に帰るが、忙しくて帰れない**こともある**。

⑦ {Noun₁/Question-word 〜か／〜かどうか} は Noun₂ に {よって違う／よる}

本文	・日本人が大好きな桜の花がいつ頃咲く**か**は、場所に**よって違い**ます。 【読：*ll*.14-15】
説明	This structure is used to indicate that something differs depending on the situation, location, time, etc.
英訳	〜によって違う = differ depending on 〜　　　による = depend on 〜
文型	{QW 〜か／〜かどうか／N₁} は N₂ に {よって違う／よる}

例文	1. 性格 (character) は人によって違います。
	2. 何歳で運転免許 (driver's license) が取れるかは、国によって違うようです。
	3. 私にとって、読み物が難しいかどうかは、漢字の多さによります。
	4. 授業料をいくら払わなくてはいけないかは、大学によって違う。
	5. どの大学に留学するかは、もらえる奨学金による。

❽ Verb-*masu* 始める

本文	・沖縄では1月の終わりに咲き**始めます**が、〜 【読: *l.*15】
説明	始める in this use is an auxiliary verb meaning "begin to V."
英訳	begin to; begin V-ing
文型	V-*masu*始める
例文	1. この地方では、11月になると雪が降り**始めます**。
	2. 私の弟は1歳の時、歩き**始めました**。そして、1歳半になった時、話し**始めました**。
	3. 毎晩コーラス部 (chorus club) の練習があるので、勉強をし**始める**のはいつも10時過ぎ (after) だ。

❾ Noun₁＋Particle＋の＋Noun₂

本文	・日本には昔からの名所もたくさんあります。 【読: *l.*18】
説明	In some situations, A in AのB is a noun with a particle such as へ, で, と, から, and まで. が, を and に never occur in this position. Note that の cannot be omitted in this case because it indicates that the preceding noun phrase and particle modifies the following noun phrase. Without の, the noun phrase with the particle is interpreted as an adverbial phrase modifying the predicate in the clause. (Compare Ex. 3 with 先生とミーティングに行けない.)
文型	N₁ + Prt + の + N₂
例文	1. 友達へのプレゼント = a present for a friend
	2. 日本での仕事 = a job in Japan
	3. 先生とのミーティング = a meeting with the teacher
	4. 8時からのパーティ = a party which starts at eight
	5. 京都までの新幹線の切符 = a *Shinkansen* (bullet train) ticket to Kyoto

❿ 〜は Sentence と言われている 👔

本文	・兵庫県にある姫路城は日本で最も美しい**と言われている**お城で、〜 【読: *ll.*18-19】
	・道後温泉は日本で一番古い温泉で、3000年の歴史がある**と言われています**。 【読: *ll.*27-28】
説明	This structure is used to introduce something commonly said about something or someone.
英訳	〜 is said to be 〜; It is said that 〜
文型	〜はS-plainと言われている
例文	1. 世界で一番長い川はナイル川だ**と言われている**が、アマゾン川だと言う人もいる。
	2. 「電気の町」秋葉原は、最近「オタクの町」だ**とも言われている**。
	3. 風邪を引いた時はビタミン (vitamin) Cをたくさん取るといい**と言われている**。

⑪ 〜と言えば

本文	・日本の名所**と言えば**、温泉も忘れることはできません。 【読: *l.*23】
説明	〜と言えば, which literally means "if you say that 〜," is used to present, as the topic, something or someone that has just been mentioned by the hearer or the speaker.

英訳	Speaking of ～
文型	X と言えば（X is usually a noun or noun phrase.）
例文	1. A：これは昔話の絵本ですね。 B：そうですね。あ、昔話と言えば、きのう「桃太郎」の紙芝居を見ましたよ。 2. A：今晩、道子さんに会うんです。 B：そうですか。道子さんと言えば、来月田中さんと結婚すると聞きましたが、本当(true)ですか。 3. A：私の両親は、今香港に住んでいるんです。 B：いいですね。香港と言えば、山の上から見る夜の景色がすばらしいそうですね。

⑫ ～とか（～とか）

本文	・その他に関東地方とか関西地方のように使うこともあります。　【会1: l.10】 ・横浜とか千葉とか東京の周りの場所も入ります。　【会1: l.12】 ・それから伝統的な行事とかも。　【会1: l.16】 ・例えば、「桃太郎」とか「鶴の恩返し」とか。　【会1: l.26】 ・日本の子供達は、紙芝居とか絵本で昔話を覚えるんですよ。　【会1: ll.29-30】
説明	とか is used to list examples non-exhaustively. It is similar to や in meaning when the examples listed are nouns. Unlike や, however, とか can also be preceded by verb phrases (Ex.3). When two or more items are listed, とか after the final item is optional when it is followed by a particle (Ex.1) and mandatory otherwise (Ex.2). (Note that や does not occur after the final item.) In S₁ とか S₂ とかする, the final とか is not optional.
英訳	things/places/etc. like ～ ; and; or
文型	a. N₁ とか N₂（とか）　　b. S₁-plain とか S₂-plain とか {する/できる}
例文	1. 週末はたいてい洗濯とか掃除（とか）をします。 2. フィンランド語とかトルコ語とか、みんながあまり勉強していない言葉を勉強してみたい。 3. 漢字を覚える時は、フラッシュカードを作るとか、何回も書くとかするといいですよ。

⑬ ～というのは {Noun のこと/Noun ということ/Sentence ということ/Sentence という意味} だ

本文	・「関東地方」というのは、東京のことですか。　【会1: l.11】 ・行事というのは、年や季節で決まった時に特別に何かを行うことです。　【会1: ll.18-19】 ・「伝統的」というのは、「昔からある」という意味です。　【会1: l.19】 ・「伝統的な行事」というのは、「昔からあるイベント」ということですね。　【会1: l.20】 ・（「つゆ」というのは、）雨がよく降る季節のこと。　【会2: l.44】
説明	The structure ～というのは～だ is used to provide the meaning or definition of a word or phrase.
英訳	X means ～ ; The meaning of X is ～ ; What X means is ～
文型	a. ～というのは {N のこと/N ということ} だ b. ～というのは S ことだ : **Type 2c** c. ～というのは {S ということ/S という意味} だ : **Type 1**
例文	1. パソコンというのは、パーソナルコンピュータのことです。 2. A：あのう、すみません。学生証というのは何のことですか。 　　B：学生証というのは、Student ID のことですよ。 3. 留学するというのは、外国で勉強するということだ。 4. 「話せる」というのは、「話すことができる」という意味だ。

⓮ 〜だけ{でなく（て）/ じゃなく（て）}、〜も

本文	・東京だけでなく、横浜とか千葉とか東京の周りの場所も入ります。【会1: l.12】 ・毎年、日本だけじゃなくて、海外からも観光客がたくさん来るし、〜【会2: ll.54-55】
説明	The sentence structures 〜だけでなく、〜も, etc. express the idea "not only X, but also Y." Particles に, へ, で, と or から may appear before も.
英訳	not only 〜 , but also 〜
文型	a. N₁ だけでなく、N₂ (Prt) も b. S だけでなく、N (Prt) も : **Type 2c**
例文	1. 日本語はひらがなだけでなく、カタカナや漢字も覚えなくてはいけません。 2.「すみません」は、"I'm sorry"という意味だけでなく、"Excuse me"という意味もあります。 3. 京都は古いお寺があるだけでなく、きれいな景色でも有名です。 4. このアパートは駅から近くて便利なだけじゃなくて、家賃も安いから、借りることにした。 5. その映画は面白いだけじゃなくて、音楽もいいよ。

⓯ Noun って 📖

本文	・勇太って、どこの出身？【会2: l.39】 ・北海道って気候が厳しいって聞いたけど。【会2: l.41】 ・北海道の名物って何？【会2: l.47】 ・三大祭りってどんな祭り？【会2: l.52】
説明	って is a colloquial topic marker. It often appears in questions. In written language, は can be used.
英訳	Speaking of 〜 ; As for 〜
文型	N って
例文	1. 田中さんの嫌いな食べ物って何？ 2. 宮崎駿のアニメって、いいよね。 3. 道子さんの出身って、どこ？ 4. 漢字って、覚えてもすぐ忘れちゃうよね。

⓰ 〜って{言う/聞く/書く/etc.} 📖

本文	・北海道って気候が厳しいって聞いたけど。【会2: l.41】 ・え？何がないって？ごめん。【会2: l.43】 ・それを「梅雨」って言うんだ。【会2: l.45】 ・雑誌にはラーメンがおいしいって書いてあったけど。【会2: ll.47-48】
説明	って is the informal colloquial form of the quotative marker と. って commonly occurs with verbs like 言う, 聞く, 書く and 呼ぶ. (何がないって？ in the second sentence above is the abbreviated form of 何がないって言ったの？)
英訳	(tell, hear, say, etc.) that 〜　　　N₁ っていう N₂= N₂ called N₁
文型	a. S って{言う/聞く/書く}　　　b. N って{言う/書く/呼ぶ}　　　c. N₁ っていう N₂
例文	1. 田中さん、5時に来るって言ってたけど、まだ来ないね。 2. 明日はテストがないって聞いたけど、本当？ 3. ここに「静かにして下さい」って書いてあるのが見えませんか？ 4. 僕の名前は「つとむ」だけど、友達は「トム」って呼ぶんだ。 5.「桃太郎」っていう話、聞いたことある？面白い話だよ。

漢字表

太字：新しい漢字
____：新しい読み方
▆▆▆：前に習った単語

あいづちとフィラー

　日本語では、会話をスムーズに進めるために「あいづちをうつ」ということをします。「はい/ええ」「うん」「そうですか」など色々ありますが、これらは "Yes, I'm following you; please continue." という意味で、"Yes, I agree." という意味ではありません。あいづちが上手にうてると、日本語がとても自然に聞こえます。反対に相手が話している時に、あまりあいづちをうたないと「私の話をよく聞いていない失礼な人」と思われてしまいます。特に電話で話している時は、相手の顔が見えないので、タイミングよくあいづちをうつことが大切です。英語では、相手が話している時にあまりあいづちをうちませんが、日本語では「あいづちをうつ」のは会話が上手になるための大切なストラテジーだと思って下さい。

　それから、「あのう」とか「えーと」という言葉もよく使いますが、これらはフィラーと言って、話したいことがスムーズに出てこない時に使う「話と話のつなぎ」のようなものです。英語でも "Well..." "Let's see..." など、色々ありますね。

　あいづちやフィラーではありませんが、聞き返す時には「えっ?」とか、驚いた時には「えっ!」「あれっ」「あらっ」、否定の返事をする時には「いいえ」「いや」「ううん」のような表現も使います。この教科書で色々な会話の表現を覚えて、日本語が自然に話せるようになりましょう。

- 進める to carry on　・あいづちをうつ to give responses（to make the conversation go smoothly）
- これら these　・自然に naturally　・反対に on the contrary　・相手 the person one is speaking to
- 失礼な rude　・つなぎ stopgap　・否定 denial　・返事 reply　・表現 expressions

あいづちとフィラーと表現

あいづち			フィラー	否定の返事
はい	ええ	うん	あの（う）	いいえ
そうですね	そうね	そうだね	えーと	いえ / いや
そうですか	そうなんですか	そうなんだ	うーん	ううん
*そうか	*そっか	*さあ		
なるほど	へえー	ふうん	*ほら	**他の表現**
ほんとうですか	*ほんとっすか	ほんと!	*まあ	えっ?
*まじですか	*まじっすか	*まじ?		えっ!
*うそでしょ	*うそ!			*あれっ
				*あらっ

　*の言葉は覚えなくてもいいですが、会話の時によく使われる言葉です。日本のドラマや映画を見る時に、注意して聞いてみましょう。

第 2 課

日本語の
スピーチスタイル

本文を読む前に

1 日本語を勉強していて、面白(おもしろ)いと思ったことと難(むずか)しいと思ったことは何ですか。

面白(おもしろ)い	
難(むずか)しい	

2 日本語とあなたの国の言葉を比(くら)べて(to compare)、違うことを二つ書きなさい。
例(れい)(example)も書きましょう。
(e.g. polite expression, word order, pronunciation, writing system)

例

日本語	英語
書く時に単語(たんご)の間にスペースを入れません。 ↳ 例文(れいぶん)：日本語を勉強するのが好きです。	書く時に単語(たんご)の間にスペースを入れます。 ↳ I like studying Japanese.

	日本語	＿＿語
1	↳	↳
2	↳	↳

3 下のマンガを読んで、話し方について気がついた (to notice) ことを三つ書きなさい。

4 日本語で話す時、話している人が先生か友達かによって言い方を変える (to change) 例 (example) を二つ書きなさい。

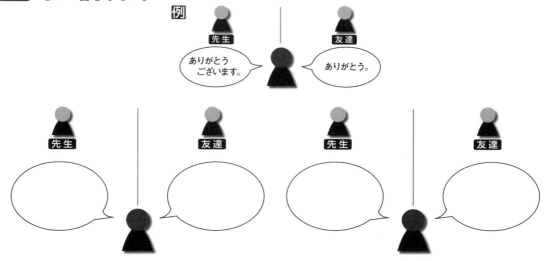

日本語のスピーチスタイル

1　　皆さんはもう敬語は勉強しましたか。家族や友達と話す時に使うカジュアルスピーチ（くだ
けた話し方）も習いましたか。日本語には色々なスピーチスタイルがあることは知っていますね。
実は、日本語は話す時も書く時も、スタイルがとても複雑で色々な決まりや習慣があります。こ
の課ではそれについて勉強してみましょう。

5　## 1. スピーチレベル（丁寧さ）の使い分け

　日本語はスピーチレベルがとても大切な言語なので、話す相手によって話し方を変えなければ
いけないことがあります。例えば、「さようなら」と「失礼します」や、「見せてね」と「見せて
いただけませんか」など、スピーチレベルの使い分けは日本語を勉強している人にとって最も難
しいことの一つだと言われています。スピーチスタイルには、「とてもくだけた話し方」から「と
ても丁寧な話し方」まで色々なレベルがありますが、どの部分が違うでしょうか。次の文を見て
10　考えてみましょう。

　　① あいつ、どこ、住んでる？　（男性が使うことが多い）

　　② あの人、どこに住んでるの？（女性が使うことが多い）

　　③ あの人はどこに住んでいますか。

15　　④ あの方はどちらに住んでいらっしゃいますか。

　皆さんは今までに何番の言い方を勉強しましたか。この四つの文を比べると、まず文末に使わ
れている言葉の形で「くだけた話し方」か「丁寧な話し方」かが分かります。でも、違いは文末
だけに表れるのではありません。「どこ」を「どちら」にすれば、もっと丁寧な言い方になりま
す。「あの人」の代わりに「あの方」や「あいつ」と言うことも出来ます。そして、「どこに住ん
20　でるの？」と「い」を言わなかったり、「どこ、住んでるの？」と「に」を落として言ったりす
ると、もっとくだけた感じになります。自然な話し方で話せるようになるためには、多くの日本
人と色々場面で話したり、日本の映画やドラマを見て、どんな場面で、どんな人が、どんな相
手に、どんな話し方をしているかをよく観察するといいでしょう。次のページの「色々なスピー
チレベル」の表を見て、言い方を比べてみて下さい。

25　## 2. 男性と女性の話し方の違い

　日本語の小説を読んでいると、話し方でそれが男性か女性かすぐに分かることがあります。特

皆さん みな	敬語 けいご	実は じつ	複雑 ふくざつ	決まり き	課 か	言語 げんご	相手 あいて	変え か	例えば たと
難しい むずか	部分 ぶぶん	男性 だんせい	女性 じょせい	比べる くら	代わり か	出来 でき	落として お	感じ かん	場面 ばめん	表 ひょう

にくだけた話し方では、男女の話し方に違いが見られます。下の会話は、男女のどちらが話しているか、考えてみて下さい。

> A：「あ〜、お腹、すいたなあ」
30 B：「俺も腹へった。この辺にうまいトンカツの店があるんだぜ。食いに行こうか。おごるよ」
> A：「いやよ、トンカツは。カロリーが高いから」
> B：「なんだ、じゃ、俺、一人で行こうっと」
> A：「あ、待って！ その店、おいしいんでしょ。やっぱり、私も行くわ！」
> B：「じゃ、今から行くぞ！」

35 　どうですか。言葉の使い方が随分違いますね。文字では分かりませんが、イントネーションもとても違います。友達や恋人や家族と話す時、男性は自分のことを「僕」とか「俺」と言い、女性はたいてい「私」を使います。最近は男女の差が小さくなって、上の例のように、文末に「わ」「わよ」を使う女性や「ぜ」「ぞ」を使う男性は少なくなっていますが、でも、女性が「俺も腹へった」と言ったり、男性が「いやよ！」と言ったら、びっくりされてしまいます。話し方の差
40 が小さくなっても、使わない方がいい表現もあるということを知っておいて下さい。

男女　文字　僕　例

▶色々なスピーチレベル

とても丁寧な言い方	丁寧な言い方	くだけた言い方
あの方は先生でいらっしゃいますか。	あの人は先生ですか。	あの人、先生？
あの方は先生でいらっしゃいます。	あの人は先生です。	あの人、先生（だよ）。
あの方は先生ではございません。	あの人は先生ではありません。	あの人、先生じゃないよ。
どんな食べ物がお好きですか。	どんな食べ物が好きですか。	どんな食べ物、好き？
その映画は面白うございますか。	その映画は面白いですか。	その映画、面白い？
何かスポーツをなさいますか。	何かスポーツをしますか。	何かスポーツ、する？
テニスをいたします。	テニスをします。	テニス、する。
ゴルフはいたしません。	ゴルフはしません。	ゴルフはしない。
どちらにいらっしゃるんですか。	どこに行くんですか。	どこ行くの？
図書館にまいります。	図書館に行くんです/行きます。	図書館に行く（の）。
今、何をなさっていますか。	今、何をしていますか。	今、何、してる？
今、弁護士をしております。	今、弁護士をしています。	今、弁護士、してる。
晩ご飯を食べにまいりませんか。	晩ご飯を食べに行きませんか。	晩ご飯、食べに行かない？
晩ご飯を食べにまいりましょう。	晩ご飯を食べに行きましょう。	晩ご飯、食べに行こう。
メールを書いてくださいませんか。	メールを書いてくれませんか。	メール、書いてくれない？
こちらをごらん下さい。	これを見て下さい。	これ、見て。

3. 文末の省略と言葉の短縮形

日本語のスピーチスタイルを考える時、文を最後まで言わないスタイルも知っておいた方がいいでしょう。日本人の会話には下の例のように、「～けど」や「～から」や「～し」などで文を終わらせる言い方が多く見られます。

45   「読み方が分からないんですけど…」(教えてくれませんか)

　　　「何回も電話をしたんですけど、連絡がないので…」(困っています)

　　　「私も忙しいし…」(出来ません)

これは言いにくいことをはっきり言わない言い方です。例えば、パーティーに誘われて断りたい時、「今週の土曜日は都合が悪くて、行けません」と言うより「今週の土曜日は、ちょっ
50 と…」のようにあまりはっきり言わない方が相手の気分を悪くしません。「…」の部分で、お願いや断りの意味を相手に分かってもらうのです。これは、相手の気持ちを大切にする日本人の考え方が日本語に表れている表現の一つですから、「…」が使えるようになると、会話が上手に聞こえます。また、話し言葉では、言葉を簡単に短くして言う言い方もよく使われます。例えば、次のような例です。

55   「ユネスコ<u>というのは</u>、何ですか」 → 「ユネスコ<u>って</u>、何ですか」

　　　「忘れ<u>てしまった</u>」 → 「忘れ<u>ちゃった</u>」　　　「飲ん<u>でしまう</u>」 → 「飲ん<u>じゃう</u>」

　　　「買っ<u>ておいた</u>」　 → 「買っ<u>といた</u>」　　　「見せ<u>てあげる</u>」 → 「見せ<u>たげる</u>」

英語でも "I want to go." が "I wanna go." となったり、"Ask him." が "Ask'im." となったりしますね。こういう言い方は英語が出来ない外国人には慣れるまで大変です。同じように、日本語の
60 短縮形も使えるようになるためには時間がかかるのです。

4. 文の倒置

日本語の会話では、文の倒置もよく見られます。

　　　「ごめん、連絡しなくて」

　　　「今晩のパーティーには行けないんです。宿題があるので」

65   「かさ持ってないんだ。雨、降ってきたけど」

上の文では一番言いたいことを初めに言って、その後で理由や状況を説明しています。このような話し方も日本語の特徴の一つです。この形は2.男性と女性の話し方の違いにも例が見られます。2.の会話文に戻って、どんな例があるか見てみましょう。

最後 さいご	連絡 れんらく	困って こま	忙しい いそが	気分 きぶん	お願い ねが	簡単 かんたん	短く みじか	今晩 こんばん
理由 りゆう	説明 せつめい							

5. 書き言葉スタイル

70 　　話し言葉に色々なスタイルがあるように、書き言葉にも色々なスタイルがあります。日本語が上手になるためには、書く時にどんなスタイルを使ったらいいかも勉強する必要があります。例えば、携帯電話を使って友達に短いメッセージを送る時には、その友達と話す時のようなくだけた表現を使うかもしれません。手紙を書く時は普通「です・ます体」、作文を書く時は「です・ます体」を使うことも「だ体」を使うこともあるでしょう。また、論文を書く場合には「だ

75 体／である体」を使うことが多いです。書くスタイルは、何を書くか、誰が読むかによって使い分けなくてはいけないため、どのスタイルを選ぶかだけでなく、言葉の選び方も大切です。例えば、「だ体／である体」の論文では「すごく面白い」とか「とても面白い」ではなくて「大変興味深い」と書いた方がいいのです。それは「すごい」や「とても」より「大変」の方が、そして「面白い」より「興味深い」の方が書き言葉的だからです。書く時には書くスタイルに

80 合った書き言葉的表現、そして、話す時には話すスタイルに合った話し言葉的表現があることを覚えておいて下さい。

必要	論文	場合	誰	合った
ひつよう	ろんぶん	ばあい	だれ	あ

▶書き言葉スタイル

	です・ます体 (polite form)	だ体 (plain form)	である体 (expository form)
Noun	学生です 学生ではありません 学生でした 学生ではありませんでした	学生だ 学生ではない 学生だった 学生ではなかった	学生である 学生ではない 学生であった 学生ではなかった
na-Adjective	きれいです きれいではありません きれいでした きれいではありませんでした	きれいだ きれいではない きれいだった きれいではなかった	きれいである きれいではない きれいであった きれいではなかった
i-Adjective	美しいです 美しくありません 美しかったです 美しくありませんでした	美しい 美しくない 美しかった 美しくなかった	
Verb	行きます 行きません 行きました 行きませんでした	行く 行かない 行った 行かなかった	
〜んです	〜ん／のです	〜のだ	〜のである

31

1	敬語	けいご	N	honorific language	
2	くだけた		irr-A	plain; relaxed; informal	1
3	実は	じつは	Adv	to tell the truth; as a matter of fact	
4	複雑（な）	ふくざつ（な）	ANa	complicated	
5	決まり	きまり	N	rules; customs	3
6	課	か	N	lesson	4
7	丁寧（な）	ていねい（な）	ANa	polite; respectful	
8	（～を）使い分ける	つかいわける	ru-Vt	to use different things properly according to the situation ｜ 使い分け（N）	5
9	言語	げんご	N	language	
10	相手	あいて	N	the person one is speaking to; partner; opponent	
11	（～を）変える	かえる	ru-Vt	to change; alter	6
12	部分	ぶぶん	N	part; section	10
13	男性	だんせい	N	male	12
14	女性	じょせい	N	female	13
15	（～を）比べる	くらべる	ru-Vt	to compare	
16	文末	ぶんまつ	N	the end of a sentence	16
17	（～に）表れる	あらわれる	ru-Vi	to appear	18
18	あの方	あのかた	Phr	that person [polite]	
19	あいつ		N	that guy [vulgar]	19
20	感じ	かんじ	N	feeling; impression ｜ （～を／と）感じる（ru-Vt）to feel; sense; realize	
21	多く（の）	おおく（の）	ANo	many; a lot of	21
22	場面	ばめん	N	scene; situation	22
23	観察	かんさつ	VN	observation ｜ （～を）観察する	23
24	表	ひょう	N	table; chart	24
25	男女	だんじょ	N	man and woman	27
26	俺	おれ	N	I [male]	
27	この辺に	このへんに	Phr	around here	
28	（～に～を）おごる		u-Vt	to treat（a person to a meal, tea, etc.）	30
29	随分	ずいぶん	Adv	a lot; very much	
30	文字	もじ	N	letter; character	35
31	恋人	こいびと	N	boyfriend/girlfriend	36
32	例	れい	N	example	37
33	表現	ひょうげん	VN	expression ｜ （～を）表現する	40
34	省略	しょうりゃく	VN	omission; abbreviation ｜ （～を）省略する	
35	短縮形	たんしゅくけい	N	contracted form	41
36	最後	さいご	N	the last; the end	42
37	連絡	れんらく	VN	contact; communication ｜ （～に）連絡する to contact; get in touch; notify	46
38	はっきり		Adv	clearly	
39	（～を～に）誘う	さそう	u-Vt	to invite; ask（a person to something）	

40	(〜を)断る	ことわる	u-Vt	to refuse; decline | 断り（N）refusal	48
41	都合が悪い	つごうがわるい	Phr	inconvenient; to have a schedule conflict	49
42	気分	きぶん	N	feeling; mood	
43	お願い	おねがい	VN	request; favor | （〜に〜を）お願いする to request; ask a favor of	50
44	(〜を)大切にする	たいせつにする	Phr	to value; treasure; think a great deal of	51
45	話し言葉	はなしことば	N	spoken language	
46	簡単(な)	かんたん(な)	ANa	simple; easy	53
47	こういう		DemA	of this kind; like this	
48	(〜に)慣れる	なれる	ru-Vt	to get/become used to	59
49	倒置	とうち	N	inversion	61
50	理由	りゆう	N	reason	
51	状況	じょうきょう	N	situation	
52	このような		DemA	this sort of; such	66
53	特徴	とくちょう	N	special feature; characteristic	67
54	書き言葉	かきことば	N	written language	69
55	必要	ひつよう	N	necessity; need | 必要(な)（ANa）necessary	71
56	携帯(電話)	けいたい(でんわ)	N	cellular phone	72
57	普通	ふつう	Adv	usually; commonly | 普通(の)（ANo）normal, common	
58	-体	-たい	Suf	style（of language use）	73
59	論文	ろんぶん	N	essay; thesis; dissertation	74
60	興味深い	きょうみぶかい	A	very interesting	78
61	書き言葉／ 話し言葉的(な)	かきことば／ はなしことばてき(な)	ANa	like written language/spoken language	
62	(〜に)合う	あう	u-Vi	to suit; match	80

会話文 ▶謝る

1 | **会話文 1** | 木村大介という会社員が、ガールフレンドの小林久美の家に電話して、母親と話している。

小　林：はい、もしもし。

木　村：あの、小林さんのお宅でしょうか。

小　林：はい、小林でございますが。

5　　木　村：あの、木村大介と申しますが、久美さんはいらっしゃいますか。

小　林：ああ、大介さんですね。いつも久美がお世話になっております。

木　村：いえ、こちらこそ。あの、実は久美さんの携帯電話に何回かメッセージを残している

　　　　んですが、連絡がなくて…。

小　林：そうですか。ごめんなさいね。久美は、昨日携帯をどこかで落としてしまったそうな

10　　　　んですよ。

木　村：そうですか。今、久美さんはいらっしゃいますか。

小　林：あのう、今、ちょっと外に出ているんですけれど…。

木　村：あ、そうですか。それでは、後でまた、電話をしてみます。どうもありがとうござい

　　　　ました。

15　　小　林：そうですか、すみません。よろしくお願いします。

木　村：では、失礼します。

小　林：ごめんください。

▶電話の会話で使う丁寧な表現

電話の時に使う初めの言葉 ⋯⋯⋯⋯⋯⋯⋯⋯	もしもし
誰かの家に電話をかける ⋯⋯⋯⋯⋯⋯⋯⋯⋯	〜さんのお宅{ですか / でしょうか}。
自分の名前を言う ⋯⋯⋯⋯⋯⋯⋯⋯⋯⋯⋯⋯	〜と申します(が)、〜
話したい相手がいるかどうか聞く ⋯⋯⋯⋯	〜さん(は)、いらっしゃいますか。
話したい相手がいないことを言う ⋯⋯⋯⋯	今、出かけて{いますが / おります}が…/ 今、おりませんけれど…
話したい相手を呼ぶので待ってもらう ⋯⋯	今、呼びますので、少々お待ちください。
お願いのあいさつ ⋯⋯⋯⋯⋯⋯⋯⋯⋯⋯⋯⋯	よろしくお願いします。
電話を終わるあいさつ ⋯⋯⋯⋯⋯⋯⋯⋯⋯⋯	失礼します。/ ごめんください。（女性が使うことが多い）

お世話	昨日

34

会話文 2	久美が大介の携帯に電話をしている。

<blockquote>

大　介： もしもし。

久　美： あ、大介。ごめんね。今日は連絡できなくて。

30　大　介： ううん、こっちこそ、会えなくなっちゃってごめん。

久　美： ううん。仕事、忙しいの？

大　介： うん、課長が急に、会議で使うデータ、明日までに準備してくれって言うから。

久　美： そう。大変だね。

大　介： うん。まだ会社にいるんだよ。もう、11時過ぎだろう。

35　久　美： うん、帰ったほうがいいよ。

大　介： うん、でも、まだちょっとしなきゃなんないことがあるんだ。

久　美： そう。あんまり無理しないでね。

大　介： うん。すっごく疲れてるけど、がんばる。

久　美： 明日の夜、会える？　どっかにおいしいもの食べに行こうか。

40　大　介： うーん、まだわかんないな。でも、早く会社を出られそうだったら、電話するよ。

久　美： でも、今、私、ケータイないんだ。

大　介： あ、そっか。じゃあ、5時頃そっちから電話してよ。

久　美： うん、わかった。じゃ、その頃電話するね。

大　介： オッケー、じゃ、また、明日。

45　久　美： うん。仕事、がんばって！

大　介： サンキュー！

</blockquote>

❷ 上の会話が上手に出来るようになったら、会話を「です・ます体」にしてみましょう。

課長	会議	明日	過ぎ	無理
かちょう	かいぎ	あした	す	むり

1. 会話文1、2を読んで下の表を完成しましょう(to complete)。

とても丁寧な話し方	丁寧な話し方	くだけた話し方
はい	はい / ええ	
いいえ	いえ	
ありがとうございます	ありがとうございます	ありがと(う) / サンキュー
申し訳ありません		ごめん / 悪い
よろしくお願いいたします	よろしくお願いします	よろしく
		いるんだ
		そっか
		会えなくなっちゃって
		しなきゃなんない
	落としてしまいました	
		分かんない
	～と [quotation marker]	
～ですが / けれども	～けれど	
たいへん(忙しいです)		とっても / すごく / すっごく
あまり	あまり	
少々	少し	

2. カジュアルスピーチの練習

(1)から(5)の会話をくだけた話し方に変えて、練習しましょう。_____の部分を変えて下さい。☐には、適当な(appropriate)名前や言葉を入れましょう。

(1) A ： ☐さんはケータイ電話を持っていますか。

B ： はい、持っていますよ。

A ： ☐さんのケータイで何ができますか。

B ： ☐のケータイでは、電話をかけるだけではなくて、☐とか☐出来ますよ。☐さんのは？

A ： ☐のは☐ことは出来ますが、☐ことは出来ません。ちょっと、古いですから。

(2) A：今度の金曜日、私のアパートでパーティをしませんか。

B：パーティですか。いいですね。でも、金曜日はアルバイトをしなくてはいけないから、ちょっと…。土曜日は、だめですか。

A：いいですよ。じゃあ、土曜日にしましょう。10時には終わらなくてはならないから、6時からにしましょう。

B：いいですよ。じゃあ、土曜日の6時からですね。

A：持ってきてもらうものは、また後で連絡します。

B：はい、分かりました。ありがとうございます。

(3) A：　　　　さん、すみません。昨日　　　　さんの牛乳を飲んでしまって。

B：あ、　　　　さんが飲んだんですか。今日シリアルを食べる時、牛乳がなくて困りましたよ。

A：本当に悪かったです。今日、買っておきますね。

B：はい、お願いします。

(4) A：ゆうべは早く寝られましたか。

B：いいえ、1時頃寝ました。歴史のクラスのレポートを書かなくてはいけなかったから。

A：あ、そうですか。　　　　も経済のクラスのために、読まなくてはならない本があったから、2時頃寝ました。少しねむいです。

B：ところで、金曜日にスキットプロジェクトのアウトラインを出さなければならないけれど、Aさんのグループは、もうアウトラインができましたか。

A：はい、週末に書いてしまいました。

B：え、もう書いてしまったんですか。早いですね。私たちのグループは、まだ全部できていないから、今晩もう一度集まらなければいけないんです。

A：そうですか。がんばってくださいね。

(5) A：もしもし、　　　　です。

B：あ、　　　　さん。

A：昨日は会えなくて、すみませんでした。仕事の面接を受けなくてはいけなかったんです。

B：あ、そうですか。

A：あの、昨日会えなかった代わりに、今日、家に来ませんか。

B：あ、今日はちょっと…。クラスメートとプロジェクトについて相談しなければならないから。

A：あ、そうですか。

B：でも、何時に会うかまだ分からないから、また後で連絡します。

単語表

▶太字＝覚える単語

会話文1

1	(〜に)謝る	あやまる	u-Vi	to apologize	Ttl
2	お宅	おたく	N	one's home [polite]	3
3	(〜に)お世話になる	おせわになる	Phr	to be under the care of; be indebted to (someone for something)	6
4	ごめんなさい		Phr	I'm sorry.	9
5	それでは		Conj	then; if so; if that's the case	13
6	少々	しょうしょう	Adv	a little [formal]	24

会話文2

7	課長	かちょう	N	section chief	
8	急(な)	きゅう(な)	ANa	sudden; abrupt	32
9	-過ぎ	-すぎ	Suf	after; past	34
10	無理(を)する	むり(を)する	Phr	to take it too far; go too far | 無理(な)(ANa) unreasonable; impossible	37

内容質問

📖 読み物を読んだ後で、考えてみよう。

1. スピーチレベルの違いは、どんなところに表れますか。例を挙げて(to provide)説明して下さい。

2. 男性と女性の話し方では、何が違いますか。男女の話し方の違いを三つ探して下さい。

3. 日本人は、どんな時に文を最後まで言わないスタイルを使いますか。どうしてそうするのですか。
   その時、どんな言葉で文が終わることが多いですか。

4. 52行目の「表現の一つ」を修飾する(to modify)のは、どこからどこまでですか。

5. 言葉を簡単に短くして言う言い方は、あなたの国の言葉にもありますか。どんな例がありますか。

6. 文の倒置というのは、どんな話し方のことですか。あなたの国の言葉でも、よく使われますか。

7. 日本語の書き言葉には、どんなスタイルがありますか。どんな時使いますか。

8. 論文では、なぜ「とても面白い」ではなくて、「大変興味深い」と書いた方がいいのですか。

🗣 会話文を読んだ後で、考えてみよう。

◉ 会話文１

1. 大介さんと久美さんのお母さんは、どんなスピーチスタイルで話していますか。それはなぜですか。

2. 久美さんは、なぜ大介さんの電話のメッセージを聞くことが出来なかったのですか。

3. 久美さんは、なぜ今、大介さんと話すことが出来ないのですか。

4. あなたの国の言葉で「もしもし」は何と言いますか。

◉ 会話文２

1. 大介さんと久美さんは、どんなスピーチスタイルで話していますか。それはなぜですか。

2. 大介さんが久美さんと会えなくなった理由は何ですか。

3. 37行目の久美さんの言った「あんまり無理しないでね」は、どういう意味ですか。

4. 明日は誰が誰に何時頃電話をしますか。何のために電話をしますか。

▶▶▶ みんなで話してみよう。

1. あなたの国の言葉を勉強している人にとって、どんなことが難しいと思いますか。
   それはどうしてですか。

2. あなたの国の言葉は、日本語のように男女の話し方に違いがありますか。

3. 日本語に男女の話し方の違いがあることについて、どう思いますか。

4. あなたの国の言葉にも、書き言葉と話し言葉の違いがありますか。

モデル会話 クラスを休んだ学生（モニカ）が、森田先生の研究室に休んだ理由を言いに行く。 🎧

モニカ： 先生、失礼します。モニカ・ウエストです。

森　田： ああ、モニカさん。今日、クラスに来ませんでしたね。

モニカ： はい、すみませんでした。

森　田： どうしたんですか。

モニカ： 今日、経済のクラスのレポートを出さなくてはいけなかったので、昨日の晩、寝ないで
書いていたんです。

森　田： それは、大変でしたね。

モニカ： ええ、ちょっと…。終わった後で、日本語のクラスの前に1時間だけ寝ようと思って寝たら、
寝すぎてしまって…。

森　田： そうですか、分かりました。でも、がんばってクラスには毎日来て下さいね。

モニカ： はい、分かりました。今日は本当にすみませんでした。失礼します。

▶▶▶ パートナーと練習してみましょう。
学生Aはクラスを休んだ理由を先生の研究室に言いに行きます。

学生A： 先生、失礼します。Aです。

先　生： ああ、Aさん。今日、クラスに来ませんでしたね。

学生A： はい、すみませんでした。

先　生： どうしたんですか。

学生A： ＿＿＿＿＿＿＿＿＿＿＿＿＿＿＿＿＿＿＿＿＿＿＿＿＿＿＿＿＿＿ んです。

先　生： ＿＿＿＿＿＿＿＿＿＿＿＿＿＿＿。

学生A： ＿＿＿＿＿＿＿＿＿＿＿＿＿＿＿＿＿＿＿＿＿＿＿＿＿＿＿＿＿＿。

先　生： そうですか、分かりました。＿＿＿＿＿＿＿＿＿＿＿＿＿＿＿＿。

学生A： ＿＿＿＿＿＿＿＿＿＿＿＿。 ＿＿＿＿＿＿＿＿＿。

モデル会話 約束の時間に遅れたはるかが、モニカに電話をする。 🎧

はるか： もしもし、モニカ？

モニカ： あ、はるか。

はるか： ごめーん、実は、まだ家にいるんだ。

モニカ： えー、どうしたの？

はるか： 家を出ようと思ったら、車のかぎがなくて。

モニカ： えー。

はるか： 今見つけたから、これからすぐ家出るね。ごめん。

モニカ： うん、早く、来てよ。

はるか： うん、ごめん。

▶▶▶ パートナーと練習してみましょう。
　　約束の時間に遅れたＡが、Ａを待っているＢに電話をする。Ａは遅れた理由を言いなさい。

A ： もしもし、Ｂ？

B ： あ、Ａ。

A ： ごめーん、実は、＿＿＿＿＿＿＿＿＿＿＿＿＿＿＿＿＿＿＿＿＿。

B ： えー。どうしたの？

A ： ＿＿＿＿＿＿＿＿＿＿＿＿＿＿＿＿＿＿＿＿＿＿＿＿＿＿＿。

B ： ＿＿＿＿＿＿＿＿＿＿＿＿＿。

A ： ＿＿＿＿＿＿＿＿＿＿＿＿＿＿＿＿＿＿＿＿＿＿＿＿＿＿＿。

B ： ｛早く、来てよ／早く、来いよ*｝。

A ： うん、｛ごめん。／悪い*｝。

⬆ *は男性的な（masculine）表現

書く練習　Ｅメールを出してみよう　丁寧度 ★★★

▶授業の時に宿題を出せなかったので、先生にＥメールを出します。次のことを書きなさい。

(a) 先生の名前
(b) 自分のクラスの番号／クラスの名前
(c) 自分の名前
(d) 授業で宿題を出せなかった理由
(e) 宿題を置いた場所
(f) 自分の名前

宛先：＿＿＿＿＿
Cc：＿＿＿＿＿
日付：＿＿＿＿＿
件名：＿＿＿＿＿

(a)＿＿＿＿＿＿＿＿先生、

(b)＿＿＿＿＿＿＿＿の (c)＿＿＿＿＿＿＿＿＿です。

今日、授業で宿題を出さなくて、すみませんでした。(d)＿＿＿＿＿＿＿＿ため、

＿＿＿＿＿＿＿＿＿＿＿＿＿＿＿＿＿＿＿＿＿。

後で、先生の研究室に宿題を持って行きましたが、先生がいらっしゃらなかったので、(e)＿＿＿＿

＿＿＿＿＿＿＿＿＿＿＿＿＿＿＿＿＿。

どうぞ、よろしくお願いします。

これから気をつけます。すみませんでした。

(f)＿＿＿＿＿＿＿＿＿＿＿。

▶▶パートナーと日本語のスピーチスタイルについて話しなさい。

1. 話し方にはどんなスタイルがあるか。

2. どんな点(point)が違うか。

3. なぜ日本語には色々なスタイルがあると思うか。

4. 色々なスピーチスタイルがあると便利だと思うか。

5. 将来今のスピーチスタイルが変わっていくと思うか。

ロールプレイ 1 丁寧度 先生 ★★ 学生 ★★★

▶▶学生が、日本語の先生との約束の時間に遅れてしまったので、急いで先生の研究室に行き、謝る。

学 生
あなたは大学で日本語を勉強している学生です。日本語の先生との約束の時間に遅れてしまいましたから、急いで先生の研究室に行って下さい。そして、遅れてしまった理由を言って謝って下さい。

先 生
あなたは大学で日本語を教えている先生で、今大学の研究室にいます。日本語を勉強している学生が、約束した時間に遅れて研究室に会いに来ます。

ロールプレイ 2 丁寧度 ★

▶▶日本の大学に留学しているAとBが喫茶店で会う。AはBに貸していた映画のDVDを持って来てほしいとBに頼んでおいたが、Bは持って来るのを忘れてしまった。

留学生A
あなたは日本の大学に留学している学生です。約束の場所でBに会います。Bに貸していたDVDを持って来てくれたかどうか聞いて下さい。

留学生B
あなたは日本の大学に留学している学生です。約束の場所でAに会います。あなたはAに返すと言っていたDVDを持って来るのを忘れました。忘れた状況(circumstances)を説明して謝って下さい。そして、返す日を約束して下さい。

⚠ DVDだけでなく、他のものでも練習してみましょう。

文法ノート

❶ ～なければ{いけない／ならない}；～なくては{いけない／ならない}

本文	・ 日本語は～話す相手によって話し方を変え**なければいけない**ことがあります。　【読: ll.6-7】 ・ まだちょっとし**なきゃなんない**ことがあるんだ。　【会2: l.36】
説明	These patterns express the idea of obligation. Although the two patterns are interchangeable, there is a subtle difference between ならない and いけない. That is, ならない is commonly used when the speaker states his/her sense of obligation while いけない is commonly used when the sense of obligation is directed toward the hearer (i.e., when the speaker wants to impose a certain obligation on the hearer). The following contracted forms are used in casual conversation: 　　なければならない → なき<u>ゃ</u>ならない → なきゃ<u>なんない</u> 　　なくてはならない → なく<u>ちゃ</u>ならない → なくちゃ<u>なん</u>ない ならない／なんない in sentence-final position may be omitted, as seen in Ex. 5.
英訳	have to; must; should
文型	a. V-*nai*{なければ／なくては}{いけない／ならない}: 行か{なければ／なくては}{いけない／ならない} b. A-*nai*{なければ／なくては}{いけない／ならない}: 安く{なければ／なくては}{いけない／ならない} c. ANa/ANo/N で{なければ／なくては}{いけない／ならない}: 　簡単で{なければ／なくては}{いけない／ならない} d. N で{なければ／なくては}{いけない／ならない}: 本で{なければ／なくては}{いけない／ならない}
例文	1. 国民 (citizen) はみんな税金 (tax) を払わ**なければなりません**。 2. この（　）に入れるのは、助詞 (particle) で**なくてはいけません**。 3. 調べ**なきゃならない**ことがあるから、図書館に行って来るよ。 4. 郵便局に行って来**なくちゃなんない**から、ちょっとここで待ってて。 5. 今朝、朝寝坊してクラスに遅れちゃったから、明日はもっと早く起き**なくちゃ**。

❷ ～など

本文	・ 「失礼します」 や、「見せてね」 と 「見せていただけませんか」 **など**、～　【読: ll.7-8】 ・ 「～から」 や 「～し」 **など**で文を終わらせる言い方が多く見られます。　【読: ll.43-44】
説明	など indicates that the given list is not exhaustive. When more than one item is listed, や is commonly used to connect them.
英訳	N_1 や N_2 など ＝ N_1, N_2 and others; N_1, N_2, etc.; N_1 and N_2 among others N_1 や N_2 などの N_3 ＝ N_3 such as N_1 and N_2; N_3 like N_1 and N_2 N_1 や N_2 など、N_3 ＝ N_3 such as N_1 and N_2; N_3 like N_1 and N_2
文型	N_1 や N_2 など（{は／も／が／を／に／の/etc.}）（N_1 and N_2 can be words or phrases. (See the sentences above.)）
例文	1. 日本の食べ物の中では、寿司やてんぷら**など**が好きです。 2. 今学期は日本語やアジアの歴史**など**のクラスを取っています。 3. 夏休みはイタリアやギリシャ**など**に行こうと思っています。 4. 「生」 や 「日」 **など**の漢字は、読み方がたくさんあって、覚えるのが大変だ。 5. 日本語には 「いらっしゃいます」 や 「召し上がります」 **など**、色々な敬語がある。

❸ ～は～の一つだ

本文	・ スピーチレベルの使い分け**は**～最も難しいこと**の一つだ**と言われています。　【読: ll.8-9】 ・ これは、～日本人の考え方が日本語に表れている表現**の一つ**ですから、～　【読: ll.51-52】 ・ このような話し方も日本語の特徴**の一つ**です。　【読: ll.66-67】
説明	This structure is used to describe X while indicating that X is not the only example, object, person, etc.

英訳	X is one of the ～
文型	N は NP の {一つ/一人} だ。
例文	1. 漢字**は**日本語の勉強で最も大切なもの**の一つです**。 2. アラビア語**は**最も難しい言葉**の一つ**だと言われています。 3. 読書（reading）**は**私が一番好きなこと**の一つ**だ。 4. モーツアルトは、最も人気がある作曲家（composer）**の一人**だ。

❹ Noun にとって

本文	・ スピーチレベルの使い分けは日本語を勉強している人**にとって**最も難しいことの一つだと言われています。 【読: *ll.*8-9】
説明	X にとって means "to X; for X" in a context where something (or someone) is important to X, or is necessary, useful, good, difficult, etc. for X. X is often a person, a geographic unit or an organization.
英訳	for; to
文型	N にとって
例文	1. あなた**にとって**、一番大切な人は誰ですか。 2. 僕**にとって**忘れられない場所は、彼女と初めて会った喫茶店です。 3. 私**にとって**一番大切なものは私のネコだが、ネコ**にとって**一番大切なものは食べ物のようだ。 4. ベートーベンは音楽家（musician）**にとって**最も大切な耳が聞こえなくなってしまったのに、あの有名な「第九シンフォニー」を作った。

❺ Noun の代わりに

本文	・「あの人」**の代わりに**「あの方」や「あいつ」と言うことも出来ます。 【読: *l.*19】
説明	の代わりに is used to present something/someone that is replacing or has replaced something/someone. When the context is clear, Noun の can be omitted, as seen in Ex. 2.
英訳	in place of; instead of; to make up for
文型	N の代わりに
例文	1. ペン**の代わりに**鉛筆を使って書いて下さい。 2. 母が病気だったので、（母**の**）**代わりに**私が晩ご飯を作りました。 3. 日本の若い人達と友達になりたかったら、「です・ます」の話し方**の代わりに**、カジュアルな話し方で話した方がいいよ。 4. 最近、日本でも現金（cash）**の代わりに**カードを使う人が多くなった。

❻ ～ため（に） 【purpose】

本文	・ 自然な話し方で話せるようになる**ために**は、多くの日本人と～ 【読: *ll.*21-22】 ・ 日本語が上手になる**ために**は、書く時にどんなスタイルを～ 【読: *ll.*70-71】
説明	When ため（に）is preceded by a noun or the non-past form of a verb, it indicates either purpose or reason/cause. (See 文法ノート❼) In different contexts Noun のため（に）also indicates benefit, as seen below: ・ 父は家族の**ため**にいっしょうけんめい働いている。 ・ A：これは何の辞書ですか？ B：外国人の**ため**の漢字の辞書です。
英訳	in order to; to; for the purpose of; for; for the sake of

文型	a. Nのため（に）　　　　b. V-plain.non-past ため（に）　　　c.｛その／この｝ため（に） d. N₁のためのN₂　　　　e. V-plain.non-past ためのN　　　f.｛その／この｝ためのN
例文	1. 私は健康（health）のため、エレベーターに乗らないで階段（stairs）を使うことにしています。 2. 日本中を安く旅行するために、JRパスを買おうと思っている。 3. これは敬語の使い方を練習するためのサイトだ。 4. 将来、日本の会社で働きたいと思っている。そのためにはもっと日本語が上手にならなくてはいけない。

❼ ～ため（に）【reason; cause】

本文	・書くスタイルは、何を書くか、誰が読むかによって使い分けなくてはいけないため、どのスタイルを選ぶかだけでなく、言葉の選び方も大切です。【読：ll.75-76】
説明	When ため（に）is preceded by an *i*-adjective or a *na*-adjective or the past form of a verb, it indicates reason or cause. When it is preceded by the non-past form of a verb or a noun, it means either reason/cause or purpose. (See 文法ノート❻) The meaning is determined from the context. Whenため（に）means reason/cause, it can be replaced by ～から or ～ので, which are less formal than ～ために.
英訳	because; due to
文型	a. **Type 2b** b. DemA:｛この／その／あの｝ため（に）
例文	1. コンピュータが壊れたために、レポートが書けませんでした。 2. 勉強が忙しいため、友達と会う時間がない。 3. トムさんは日本語が上手なため、ときどき通訳（interpreter）を頼まれる。 4. 今年はあまり雪が降らない。そのためにスキーが出来ない。

❽ AかBか

本文	・話し方でそれが男性か女性かすぐに分かることがあります。【読：l.26】
説明	The phrase AかBか is used to present alternatives. When Bか is followed by a case particle（e.g., が, を, へ, に, で, と）, the second か is usually dropped.（See 文型 b.）
英訳	either A or B; whether A or B
文型	a. ～か～か：**Type 3** b. N₁かN₂ + Prt:本か雑誌が（ある）；パンかご飯を（食べる）；九州か四国へ（行く）； 　友達か家族と（旅行に行く）
例文	1. 東京から九州まで新幹線で行くか飛行機で行くか、まだ決めていないんです。 2. 今週中にメールを出すか電話をかけるかしますから、待っていて下さい。 3. その店がおいしかったかまずかったか覚えていますか。 4. 最近のケータイは複雑すぎて、便利か便利じゃないか分からない。 5. 私は毎朝ジュースか水を飲む。

❾ ～｛でしょ（う）／だろ（う）｝

本文	・あ、待って！　その店、おいしいんでしょ。やっぱり、私も行くわ！【読：l.33】 ・うん。まだ会社にいるんだよ。もう、11時過ぎだろう。【会2：l.34】
説明	でしょう andだろう with rising intonation are used to elicit the hearer's confirmation. でしょう is the polite version of だろう. In casual conversation, male speakers useだろう and female speakers useでしょう. In more casual situations, the final う tends to drop. Note: でしょう andだろう with falling intonation indicate conjecture.

英訳	tag question (e.g., isn't it?; wasn't it?; aren't they?; is he?; are they?)
文型	Type 3
例文	1. トムさんは昨日よく勉強していたから、今日の日本語の試験、簡単だった**でしょ**。 2. このケーキ、おいしい**だろう**。有名な店で買ったんだ。高かったんだよ。 3. 田中さんもあの映画、見たんですか？ 私も先週見たんですよ。とってもよかった**でしょう**。 4. A：明日のコンサート、一緒に行く**だろう**。 B：明日は他の約束があるから、行かないって言った**でしょ**。忘れたの？

❿ Noun が見られる

本文	・「～けど」や「～から」や「～し」などで文を終わらせる言い方が多く**見られます**。　【読: *ll.*43-44】 ・日本語の会話では、文の倒置もよく**見られます**。　【読: *l.*62】 ・この形は2.男性と女性の話し方の違いにも例が**見られます**。　【読: *ll.*67-68】
説明	見られる is the passive form of 見る and means "be observed." 見られる can also be interpreted as the potential form of 見る, in which case it means "can observe/see."
英訳	(something) is observed; (one) can observe/see
文型	Nが見られる
例文	1. 最近、若い人の間で言葉の使い方に変化(changes)**が見られる**。 2. あいさつの仕方にも文化の違い**が見られます**。 3. これは、1年生の学生によく**見られる**間違いです。

⓫ Verb ようになる

本文	・「…」が使える**ようになる**と、会話が上手に聞こえます。　【読: *ll.*52-53】
説明	ようになる indicates a gradual change over a certain period of time; it means that someone (or something) comes to the point where he/she does (or can do) something or does not (or cannot) do something. V-なくなる is synonymous with V-ないようになる. The difference is that the latter implies a more gradual change. Compare the following sentences: ・タバコが吸える場所が少なくなってきたので、だんだんタバコを吸わない**ようになった**。 ・友達ががん(cancer)で死んでから、タバコを吸わなくなった。
英訳	come to (be able to) V; not V now; not V any more
文型	V-plain.non-past ようになる (V is often the potential form.)：話すようになる；話さないようになる；話せるようになる
例文	1. スポーツジムに行く**ようになって**から、毎朝、早く起きる**ようになりました**。 2. 日本人の友達ができてから、日本語が上手に話せる**ようになった**。 3. この日本語練習サイトを使うと、文法がもっとよく分かる**ようになる**でしょう。 4. 父は病気になってから、お酒を飲まない**ようになった**。 5. この子は赤ちゃんの頃はよく泣いていたが、4歳になって、あまり泣かない**ようになった**。

⑫ また（〜も）

本文	・ また、話し言葉では、言葉を簡単に短くして言う言い方**も**よく使われます。【読: l.53】
説明	In addition to the meaning "again," また expresses the meaning "also" or "additionally." Compare the following examples: （1）again; once again ・同じ漢字を**また**間違えた。 ・じゃ、**また**明日。 （2）also; additionally ・この本は面白く、**また**、勉強に**も**なる。 ・たばこは自分の体に悪いし、**また**、周りの人の体に**も**悪い。 また meaning "again" can be used in spoken language.
英訳	also; as well; additionally; in addition; moreover
文型	また、S。
例文	1. 四国はとてもいい所だったから、**また**行きたいと思います。 2. **また**朝寝坊してしまって、**また**授業に遅れた。 3. この辞書は大学の本屋で買えます。**また**、図書館で借りることも出来ます。 4. トマトはおいしいし、色々な料理に使える。**また**、体にもいい食べ物だ。

⑬ 〜必要{がある / はない}

本文	・ 書く時にどんなスタイルを使ったらいいかも勉強する**必要があります**。【読: l.71】
説明	This phrase is used to indicate the necessity of doing something. は is common with a negative ending.
英訳	a. V 必要がある = it is necessary to V; must V; have to V b. V 必要はない = it is not necessary to V; there is no need to V; don't have to V
文型	V-plain.non-past 必要{がある / はない}
例文	1. 海外旅行に行く前にパスポートを取る**必要があります**。 2. 寮に住めば、食堂でご飯が食べられるから、自分で料理する**必要はありません**。 3. 私の国では日本に旅行に行く時、旅行ビザを取る**必要はない**。

⑭ 〜場合（は / には）

本文	・ 論文を書く**場合には**「だ体 / である体」を使うことが多いです。【読: ll.74-75】
説明	場合 is a noun meaning "case, occasion, situation," but with a modifier it forms an adverbial phrase/clause meaning "when; if; in case." 時 can be used in place of 場合, as seen in the following examples: ・雨の{場合 / 時}は、ピクニックはしません。 ・分からない{場合 / 時}は、言って下さい。 However, 場合 cannot replace 時 when 時 refers to a specific time and does not mean "case; occasion; situation," as shown in the examples below: ・私が行った{時 / ✗場合}には、ミーティングが始まっていた。
英訳	if; when; in case
文型	a. **Type 2b** b. DemA + 場合：{この / その / あの}場合

例文	1. 明日になっても犬が見つからない**場合は**、ペットレスキューセンターに探しに行きましょう。 2. 東京に来る**場合は**、連絡して下さい。会いに行きますから。 3. 一人でするのが大変な**場合は**、クラスメートと一緒に宿題をしてもいいです。 4. 雨の**場合は**テニスの試合（game）はない。その**場合**、チケットは次の試合に使うことが出来る。 5. 火事（fire）や地震（earthquake）の**場合には**、エレベーターを使わないで下さい。

⑮ A｛では／じゃ｝なく（て）B

本文	・「とても面白い」**ではなくて**「大変興味深い」と書いた方がいいのです。　【読: *ll.*77-78】
説明	This structure is used to indicate that a certain piece of information is wrong and, following that, to present the correct information. ではなく（て）is used in written language and じゃなく（て）is used in spoken language.
英訳	not A, but B
文型	a. N₁｛では／じゃ｝なく（て）N₂　　　　b. Phrase₁｛では／じゃ｝なく（て）Phrase₂
例文	1. 私が取っているのは、中国語**ではなくて**日本語です。 2. 先生には、「じゃあ、また」**ではなくて**、「失礼します」と言わなくてはいけませんよ。 3. これはアメリカについての本だが、英語**ではなく**、スペイン語で書かれている。 4. A：日本語のクラスはこの教室ですか。 　　B：いいえ、ここ**じゃなくて**、あそこですよ。 5. A：日本人は両親に話す時も敬語で話すの？ 　　B：ううん、両親には敬語**じゃなくて**、くだけた話し方で話すよ。

⑯ ｛何／いく｝＋Counter＋か

本文	・　実は久美さんの携帯電話に**何回か**メッセージを残しているんですが、〜　【会1: *ll.*7-8】
説明	何（or いく）followed by a counter and か becomes a quantifier meaning "some." 　　Exs. 何人か some (people); 何枚か some (sheets of paper); 何冊か some (books); 　　　　いくつか some (apples, cups, etc.); いく人か some (people) Except for いくつ and いく人, いく is not commonly used in modern Japanese. 何 cannot be used with つ. Compare the meaning of Q-word ＋か. 　　Exs. 誰か someone; 何か something; いつか sometime; どこか somewhere
英訳	some
文型	｛何／いく｝＋Counter＋か
例文	1. 今日は、雪で授業を休んだ人が**何人か**いたそうです。 2. おみやげにＴシャツを**何枚か**買った。 3. 車を止めたかったら、私の家の前に**何台か**止めることが出来ますから、どうぞ。 4. おいしい日本のみかんを**いくつか**もらいました。

漢字表

■ RW　読み方・書き方を覚える漢字

1	**実**は	じつは	読
2	**相手**	あいて	読
3	変える	かえる	読
4	**難**しい	むずかしい	読
5	部分	ぶぶん	読
6	男**性**	だんせい	読
7	女**性**	じょせい	読
8	**比**べる	くらべる	読
9	**代**わりに	かわりに	読
10	**感**じ	かんじ	読
11	**表**	ひょう	読
12	男女	だんじょ	読
13	文字	もじ	読
14	最後	さいご	読
15	**忙**しい	いそがしい	読
16	気分	きぶん	読
17	**短**い	みじかい	読
18	**今晩**	こんばん	読
19	理**由**	りゆう	読
20	説明 スル	せつめい スル	読
21	**必要**(な)	ひつよう(な)	読
22	～**場**合	～ばあい	読
23	**合**う	あう	読
24	お世話になる	おせわになる	会1
25	**昨**日	きのう	会1
26	明日	あした	会2

■ R　読み方を覚える漢字

1	皆さん	みなさん	読
2	敬語	けいご	読
3	複雑(な)	ふくざつ(な)	読
4	課	か	読
5	言語	げんご	読
6	例えば	たとえば	読
7	出来る	できる	読
8	落とす	おとす	読
9	場面	ばめん	読
10	僕	ぼく	読
11	例	れい	読
12	連絡 スル	れんらく スル	読
13	困る	こまる	読
14	お願い スル	おねがい スル	読
15	簡単(な)	かんたん(な)	読
16	論文	ろんぶん	読
17	誰	だれ	読
18	課長	かちょう	会2
19	会議	かいぎ	会2
20	-過ぎ	-すぎ	会2
21	無理(な)	むり(な)	会2

太字：新しい漢字
＿＿：新しい読み方
▨▨▨：前に習った単語

Sentence-final particles（終助詞）–Part 1
しゅうじょし

1. Basic functions

Particles which are affixed to the ends of sentences, such as か, ね and よ, are called sentence-final particles. Some sentence-final particles indicate either the function of the sentence or the speaker's emotion. For example, か indicates that a sentence is a question, and it can be used for both direct questions ((a) and (b)) and internal questions ((c) and (d)), as shown in the following examples. (♪ indicates that か is pronounced with rising intonation.)

    a. スミスさんはパーティーに来ます<u>か</u>。♪

    b. テストはいつあります<u>か</u>。♪

    c. マイクはエリカがパーティーに来る<u>か</u>（どうか）聞きました。

    d. テストがいつある<u>か</u>知りません。

In some situations, か is used to indicate the speaker's doubt or surprise, as seen in the following examples.

    e. A：アンディは日本語も中国語もアラビア語も話せるらしいです。

       B：<u>本当</u>です<u>か</u>。♪ [doubt]
        ほんとう

    f. A：リサとハリーはこの春、結婚するそうです。

       B：<u>本当</u>です<u>か</u>！♪ [surprise]
        ほんとう

ね with rising intonation indicates that the speaker is asking for confirmation from the hearer, and よ with rising intonation indicates that the speaker wants to draw the hearer's attention to what the speaker is saying (for example, to alert the hearer to new information he/she is providing). Some examples follow:

    g. A：ミーティングは明日です<u>ね</u>。♪ [confirmation]

       B：ええ、そうです。

    h. A：ミーティングは明日です<u>ね</u>。♪ [confirmation]

       B：いえ、今日です<u>よ</u>。♪ [drawing attention]

    i. あ、バスが来ました<u>よ</u>。♪ [drawing attention]

In terms of the amount (or accuracy) of the information the speaker and the hearer share, the situations in which か, ね and よ are used can be summarized as follows:

(1) か is used when the speaker believes that he/she has less (or less accurate) information than the hearer.

(2) ね is used when the speaker believes that he/she has as much (or as accurate) information as the hearer does.

(3) よ is used when the speaker believes that he/she has more (or more accurate) information than the hearer.

In casual conversation, it should be noted that question sentences are usually uttered with rising intonation and without か, as shown in the following examples.

    j. スミスさんはパーティーに来る？♪

    k. テストはいつ？♪（ですか is omitted.）

    l. A：アンディーは日本語も中国語もアラビア語も話せるらしいよ。

       B：<u>本当</u>？♪（ですか is omitted.）
        ほんとう

2. Intonation and functions

The function of sentence-final particles changes depending on the intonation. For example, か with falling intonation indicates that the speaker is accepting or confirming what he/she has just heard, as seen in the following examples. (↘ and → indicate falling intonation and level intonation, respectively.)

- m. 先生：昨日のテストはあまりよくありませんでした。

  学生：そうです<u>か</u>。↘ [acceptance]
- n. 学生：奨学金はもらえませんでした。
  しょうがくきん

  先生：やっぱりだめでした<u>か</u>。↘ [confirmation]

ね with falling or level intonation indicates that the speaker is asking for agreement, softening a statement, or providing information in a non-business-like, friendly manner in response to a question. Some examples follow:

- o. A：今日は暑い<u>ね</u>。↘ [asking for agreement]

  B：うん、本当に。
- p. 先生：またクラスに遅れました<u>ね</u>。↘ [softening a statement]

  学生：すみません。
- q. A：キャンパスまでどのくらいですか。

  B：歩いて15分くらいです<u>ね</u>。→ [responding in a non-business-like, friendly manner]

Note that in (p) and (q), even though ね is used, the speaker is providing the hearer with new information. In this case, the speaker is telling the hearer something as if they shared that information. ね in this use has the effect of softening the statement or responding in a non-business-like, friendly manner.

When よ is used with falling intonation, it indicates that the speaker is irritated, as seen in the following example.

- r. 母：早くしないと学校に遅れる（わ）よ。↗ [drawing attention]

  子供：分かってる<u>よ</u>。↘ [expressing irritation]

よ with falling intonation is also used in invitations, requests and commands, as seen below. よ in this use strengthens the invitation, request, etc.

- s. 明日テニスをしよう<u>よ</u>。↘ [invitation]
- t. この問題（question）、教えて<u>よ</u>。↘ [request]
  もんだい
- u. マイケルも一緒に来い<u>よ</u>。↘ [command]
  いっしょ

第3課

日本の
テクノロジー

本文を読む前に

1 Popjisyo.com や Rikai.com などの読解補助ツール（reading-aid tool）を使ってみましょう。

1）まず Popjisyo.com か Rikai.com を使って、スミスさんの作文にアクセスして下さい。

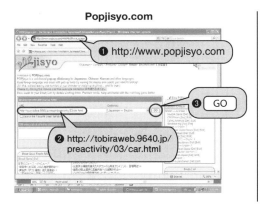

Popjisyo.com

① http://www.popjisyo.com
② http://tobiraweb.9640.jp/preactivity/03/car.html
③ GO

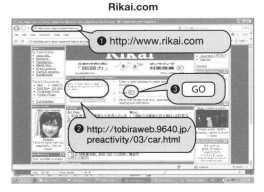

Rikai.com

① http://www.rikai.com
② http://tobiraweb.9640.jp/preactivity/03/car.html
③ GO

2）次にスミスさんの作文の中の単語の意味と漢字の読み方を調べて下さい。

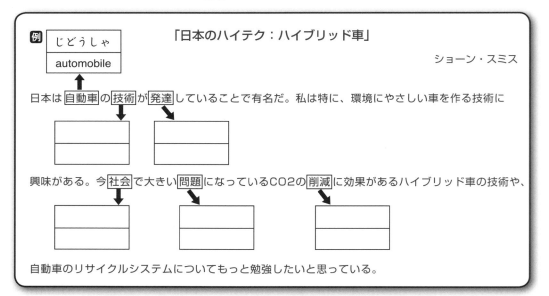

例 | じどうしゃ / automobile

「日本のハイテク：ハイブリッド車」

ショーン・スミス

日本は 自動車 の 技術 が 発達 していることで有名だ。私は特に、環境にやさしい車を作る技術に

興味がある。今 社会 で大きい 問題 になっているCO2の 削減 に効果があるハイブリッド車の技術や、

自動車のリサイクルシステムについてもっと勉強したいと思っている。

3）下の文が正しければ（○）、間違っていたら（×）を書きましょう。

① （　　　）スミスさんは、日本は車の技術が発達している国だと言っている。

② （　　　）スミスさんは、紙やペットボトル（plastic bottle）のリサイクルシステムについて
もっと勉強したいと言っている。

2 インターネットで、日本で作られたロボットについて調べなさい。

1)「とびらサイト」のリンク集にあるロボットについてのウェブサイトの中から、面白そうな
ロボットを一つ選びましょう。

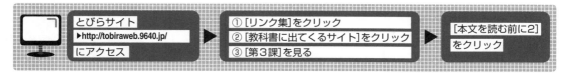

2)上で選んだロボットについて、下の表を完成しましょう (to complete)。「①大きさ」と「②形」
は、自分が選んだロボットについて、正しいもの全部に○をしなさい。Popjisyo.com や
Rikai.com を使うと、ウェブページが読みやすくなります。

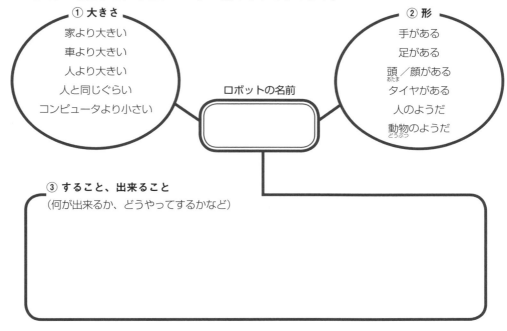

3 上で使ったウェブページの中から、カタカナで書かれた単語を五つ見つけて、その意味
を書きなさい。

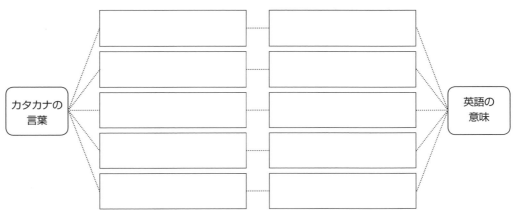

でとう。子供の時から欲しがっていた犬を買ってあげたよ」と言ってお祝いをくれました。中にはAIBOという犬の形をしたロボットが入っていました。AIBOは世界で初めて作られたペットロボットでした。初めは本当の犬じゃなくてがっかりしたけれど、私はすぐにAIBOが好きになりました。

AIBOは最初は立つことの他には何も出来ませんでしたが、すぐに歩くようになって、色々なことを覚えていきました。まず、私がつけた「ポチ」という名前と私と両親の顔を覚えました。それから、立ったり歩いたり始めて、私が言ったことが理解できるようになりました。私は毎日学校から帰ると、ポチと話したり遊んだりしました。ポチは私が家にいない時は、一人で部屋でボールで遊んだり、寝たりしていたようです。大学に入って家を出ることになった時も、ポチと一緒なら寂しくないだろうと思ったので、連れて行きました。ポチは三年前に動かなくなってしまったけれど、今も私のそばにはポチがいます。AIBOはもう作られていないそうで残念ですが、これからはもっと色々なペットロボットが生まれて、人々を楽しませてくれると思います。

パロやAIBOは、一緒に住めるペットのようなロボットだが、その他にも、犬の散歩をするとか、ダンスをするとか、楽器を演奏するとか色々なことが出来る人型ロボットが作られている。それに、まだ人型にはなっていないけれど、自分で考えたり学習したりするロボットもあるそうだ。近い将来、私達が人型のロボットと生活して、一緒にテレビを見て笑ったり食事をしたり、友達のように話したりする日が来るかもしれない。もちろん、掃除や洗濯もしてもらえたら、最高だけど。

初めて（はじ）　本当（ほんとう）　最初（さいしょ）　理解（りかい）　遊んだ（あそ）　寝た（ね）　連れて（つ）　動かなく（うご）　残念（ざんねん）
生まれて（う）　学習（がくしゅう）　将来（しょうらい）　笑った（わら）　食事（しょくじ）　最高（さいこう）

人とロボット

日本はロボットの技術が発達していることで有名だ。ロボットのイベント会場に行くと、似顔絵を描いてくれるロボットや、注文を聞いて飲み物を出してくれるロボット、クモのように天井や壁を歩くことが出来るロボット、手術をするロボットなどが見られる。すでに実際に社会で活躍しているロボットもたくさんあって、留守番をしたり、重い物を運んだり、工場で車を作ったりして、人間の代わりに色々な仕事をしている。また、働くロボットの他にも、人と一緒に生活するために作られたロボットもある。ロボットと暮らしている人達の話を読んでみよう。

■『私の面白い家族』

私は、今、年を取った人達が住んでいるケアハウスで暮らしています。同じぐらいの年の友達と一緒に、家族のように生活しています。私が住んでいる所には「パロ」というちょっと面白い家族がいます。ちょっと面白いというのは、パロは実は人間ではなくてロボットだからです。パロはアザラシ型のロボットで、体には白い毛があって、とてもきれいで、触ると気持ちがいいんです。それに、触ったりほめたりしてやると、手とか足とか首

を動かして、とてもかわいい声を出すので、パロの周りにはいつも人がたくさん集まっています。私は動物のアレルギーがあるので、犬や猫を飼ったことはありませんが、パロなら触っても大丈夫です。あっ、でも、パロは私達の大事な家族ですから、ロボットだとは思っていませんよ。パロは世界で最もセラピー効果があるロボットとして、ギネスブックに載っていると聞きました。家族がギネスブックに載っているんですよ。すごいと思いませんか。

■『私の犬』

私は犬が大好きです。でも、子供の頃、私達家族はマンションに住んでいて犬を飼うことが出来ませんでした。そこでは動物を飼ってはいけないことになっていたからです。私は「犬が欲しい」と言って泣いて、何度も両親を困らせました。私が高校の入学試験に合格した時、両親は「おめ

人間 にんげん	工場 こうじょう	運んだ はこんだ	社会 しゃかい	実際 じっさい	手術 しゅじゅつ	注文 ちゅうもん	会場 かいじょう	発達 はったつ	技術 ぎじゅつ
周り まわり	声 こえ	動かして うごかして	首 くび	毛 け	-型 がた	年 とし	面白い おもしろい	一緒 いっしょ	他 ほか
	合格 ごうかく	入学 にゅうがく	両親 りょうしん	泣いて ないて	欲しい ほしい	子供 こども	大事 だいじ	動物 どうぶつ	集まって あつ

□ 考えてみよう

1 写真のロボットは、イベントで受付をする人型ロボットのアクトロ
イド（Actroid）です。日本語、中国語、韓国語、英語の四つの言葉を
使って、イベントの案内をします。このように、人のようなロボッ
トが社会の中で活躍することについて、どう思いますか。

2 ロボットの世界には、次のような「ロボット三原則」というルールがあります。

> ① ロボットは人間に怪我をさせてはいけない。
> ② ロボットは人間に言われたことをしなければならないが、①のルールに違反してはいけない。
> ③ ロボットは自分を守ってもいいが、①と②のルールに違反してはいけない。

a. ①を分かりやすく説明しましょう。

ロボットは＿＿＿＿＿＿＿＿＿＿＿＿たり＿＿＿＿＿＿＿＿＿＿＿＿たりしてはいけません。

b. ②について、ロボットは人にどんなことを言われた場合、それをしなくてもいいですか。
例を考えましょう。

例えば、＿＿＿＿＿＿＿＿＿＿＿＿＿＿＿＿＿＿＿＿＿＿＿と言われた場合です。

c. ③について、ロボットが人に壊されそうになった場合、自分を守ってもいいと思いますか。
なぜそう思いますか。

＿＿＿＿＿＿＿＿＿＿＿＿＿＿＿＿＿＿＿＿＿＿＿＿＿＿＿＿＿

d. なぜ①〜③のようなルールが必要だと思いますか。

＿＿＿＿＿＿＿＿＿＿＿＿＿＿＿＿＿＿＿＿＿＿＿＿＿＿＿＿＿

e. 将来、ロボットの技術がもっと発達したら、どんなことが問題になると思いますか。

問題：＿＿＿＿＿＿＿＿＿＿＿＿＿＿＿＿＿＿＿＿＿＿＿＿＿＿＿

理由：＿＿＿＿＿＿＿＿＿＿＿＿＿＿＿＿＿＿＿＿＿＿＿＿＿＿＿

案内	守って	問題
あんない	まも	もんだい

単語表

▶太字＝覚える単語

1	技術	ぎじゅつ	N	technology; skill; technique	
2	発達	はったつ	VN	development; growth｜（〜が）発達する	1
3	会場	かいじょう	N	event site	
4	似顔絵	にがおえ	N	portrait; likeness	
5	（絵を）描く	かく	u-Vt	to draw; paint	2
6	クモ		N	spider	
7	天井	てんじょう	N	ceiling	3
8	手術	しゅじゅつ	VN	surgery｜（〜を）手術する to perform a surgical operation	4
9	すでに		Adv	already; before	
10	実際に	じっさいに	Phr	actually; really; practically｜実際（N）actuality; reality	
11	社会	しゃかい	N	society; world	
12	活躍	かつやく	VN	being active; taking an active part｜活躍する	5
13	留守番をする	るすばんをする	Phr	to house-sit（during a person's absence）	
14	（〜を）運ぶ	はこぶ	u-Vt	to carry	6
15	人間	にんげん	N	human	7
16	暮らす	くらす	u-Vi	to live｜暮らし（N）living	9
17	年	とし	N	age｜年を取る（Phr）to grow old; age	
18	ケアハウス		N	low-income home for the aged	11
19	アザラシ		N	seal［animal］	
20	毛	け	N	hair; down; fur	16
21	（〜に）触る	さわる	u-Vi	to touch; feel	17
22	首	くび	N	neck	18
23	（〜を）動かす	うごかす	u-Vt	to move 〜	
24	声	こえ	N	voice｜声を出す（Phr）to utter	19
25	周り	まわり	N	surroundings; vicinity	20
26	（〜が）集まる	あつまる	u-Vi	to gather	21
27	動物	どうぶつ	N	animal	
28	アレルギー		N	allergy	22
29	**大丈夫（な）**	**だいじょうぶ（な）**	ANa	safe; all right	24
30	あっ		Int	oh; ah	
31	大事（な）	だいじ（な）	ANa	important	25
32	効果	こうか	N	effectiveness; impact｜効果がある（Phr）to be effective	
33	ギネスブック		N	Guinness Book of World Records	27
34	（〜に）載る	のる	u-Vi	to appear（in a magazine, etc.）	28
35	入学	にゅうがく	VN	entrance into school; admission｜（〜に）入学する	
36	合格	ごうかく	VN	passing（an exam）｜（〜に）合格する	35
37	お祝い	おいわい	N	congratulatory gift; celebration	38
38	初めて	はじめて	Adv	for the first time	41
39	最初	さいしょ	Adv	at first｜最初（N）the beginning	44
40	（名前を）つける		ru-Vt	to name	46
41	理解	りかい	VN	understanding; comprehension｜（〜を）理解する	48

42	（～が）動く	うごく	u-Vi	to move	53
43	残念（な）	ざんねん（な）	ANa	unfortunate; regrettable; disappointing	
44	これから		Adv	from now on; in the future	55
45	（～が）生まれる	うまれる	ru-Vi	to be born; come into being	56
46	演奏	えんそう	VN	musical performance ｜（～を）演奏する to play (a musical instrument)	60
47	学習	がくしゅう	VN	learning; study ｜（～を）学習する	62
48	食事	しょくじ	VN	meal ｜食事する to have a meal	63
49	最高（の）	さいこう（の）	ANo	the highest; maximum; best; greatest	65
50	受付	うけつけ	N	receptionist; reception desk	考
51	案内	あんない	VN	guidance; guide sign ｜（～を）案内する to guide; show around	考
52	三原則	さんげんそく	N	three principles; three general rules	考
53	怪我	けが	N	injury ｜けがをする（Phr）to get hurt; be injured	考
54	違反	いはん	VN	violation; offence（of a law, a rule, etc.）｜（～に）違反する to act against/violate	考
55	（～を）守る	まもる	u-Vt	to protect（a person from danger）; defend	考
56	問題	もんだい	N	problem; question; issue	考

会話文 ▶依頼する／感謝する

会話文 1 ホームステイ先のお姉さんが、ショーン・スミスに英語を見てくれるように頼んでいる。

姉 ： ねえ、ショーン君、ちょっとお願いがあるんだけど。

ショーン： あっ、お姉さん、何ですか。

姉 ： 英語のクラスのレポートを書いたんだけど、ちょっとこの部分を読んでもらえない？

5 ショーン： ええ、もちろん。お姉さんにはいつも日本語を教えてもらってるし…。

姉 ： ありがとう。もし文法が間違ってたら、直してくれる？

ショーン： はい、分かりました。日本の車についてのレポートですね。

姉 ： うん、あ、それから、ハイブリッド車とかエコカーとか、英語でどう書くのかもよく分かんないんだ。それもチェックしてくれない？

10 ショーン： ああ、日本語のカタカナ言葉は難しいですね。僕も苦手ですよ。

姉 ： えっ、ほんと？　英語の言葉、たくさんあるのに。

ショーン： でも、カタカナ言葉の発音は英語の発音と全然違いますよ。だから、元は英語の言葉なのに意味が全然分からないことがよくあって…。実は、外国人にとってカタカナ言葉はとても難しいんです。例えば、エンストのように短くして言う言葉とか。

15 姉 ： へえ、そうなんだ。知らなかった。

ショーン： だから、お姉さんのレポートを見るのは、僕にもいい勉強になります。

姉 ： ほんと？　助かる。お願いね。

ショーン： 分かりました。

姉 ： ところで、ショーン君、最近ほんと、日本語、上手になってきたよね。

20 ショーン： そうですか。英語じゃなくて日本語で考えるようにしているからかなあ。

姉 ： いいなあ。私もがんばらなくちゃ。

会話文 2 授業の後で、ショーン・スミスが先生に発表のトピックについて話しに行く。

スミス： 先生、ちょっとよろしいでしょうか。

先生： ああ、スミスさん、何ですか。

25 スミス： あのう、今度の発表のトピックを決めたんですが…。

先生： あ、そうですか。どんなトピックにしようと思っているんですか。

頼んで たの	-君 くん	文法 ぶんぽう	間違って まちが	直して なお	苦手 にがて	発音 はつおん	全然 ぜんぜん	助かる たす	発表 はっぴょう

スミス：	日本のカタカナの言葉です。この間、ホストファミリーのお姉さんのレポートを読ん			

スミス： 日本のカタカナの言葉です。この間、ホストファミリーのお姉さんのレポートを読ん
だら、ハンドルとかバックミラーとかカーナビとか、よく分からない言葉がたくさん
あったんです。それで、どんな言葉がカタカナになるのか調べてみようと思って…。

30 先　生： それは面白そうですね。英語が日本語のカタカナ語になった言葉は多いですよ。それ
に、日本で作られた和製英語もたくさんあるから、調べてみたらどうですか。例えば、
アメリカンコーヒーとかペーパードライバーとか。

スミス： 先生、アメリカンコーヒーの意味は知っていますが、ペーパードライバーというのは
何のことでしょうか。

35 先　生： 運転免許は持っているけれど、車を全然運転しない人達のことをそう呼ぶんです。「紙
だけのドライバー」っていうような意味ですね。

スミス： なるほど、それは面白いですね。

先　生： リサーチする時には、なるべく色々な年代の人に聞くようにした方がいいですよ。年代
によって、言い方も違うことがありますから。

40 スミス： はい、そうします。先生、色々なアドバイスをどうもありがとうございました。

会話文 3 ショーン・スミスが友達の田中に記事を読むのを手伝ってくれるように頼んでいる。

ショーン： 田中君、ちょっといい？

田　中： うん、何？

ショーン： あのう、ちょっと悪いんだけど、この記事、読むの、手伝ってくれない？

45 田　中： いいよ。どれ？

ショーン： これ。授業の発表のために読んでるんだけど、知らない単語が多すぎて読めないんだ。
辞書で調べようとしたんだけど、漢字の読み方が分からなくて。

田　中： インターネットの記事か。じゃ、Popjisyo.comとかRikai.comみたいなサイト、使えば？

ショーン： Popjisyo.comって、何？

50 田　中： すごく便利なサイトで、カーソルを分からない単語のところに持っていくと、単語の
意味を全部教えてくれるんだ。見たらびっくりするよ。僕は英語を読む時に使って
るけど、日本語を英語にするバージョンもあって、漢字の読み方も分かるはずだよ。
ちょっと一緒にやってみようか。（二人でPopjisyo.comを使いながら記事を読む）

ショーン： ほんとだ。すごいね。これがあれば、どんなニュースでも読めるね。いいサイトを教
55 えてくれてありがとう。

この間	呼ぶ	記事	手伝って	単語	辞書
あいだ	よ	きじ	てつだ	たんご	じしょ

単語表

▶太字＝覚える単語

会話文1

1	依頼	いらい	VN	request｜（〜に）依頼する to ask（a person to 〜）; make a request	
2	感謝	かんしゃ	VN	thanks; gratitude｜（〜に）感謝する	Ttl
3	ホームステイ先	ホームステイさき	N	home-stay host family	
4	（〜に/を）頼む	たのむ	u-Vt	to request; ask a favor; order	1
5	**-君**	-くん	Suf	［attached to the first or last name of a male equal or a person whose status or rank is lower than the speaker's］	2
6	（〜を）間違う	まちがう	u-Vt	to make a mistake	6
7	**ハイブリッド（車）**	ハイブリッド（しゃ）	N	hybrid（car）	
8	**エコカー**		N	ecologically-friendly car	8
9	**チェック**		VN	check｜（〜を）チェックする to check; check up on something	9
10	発音	はつおん	VN	pronunciation｜（〜を）発音する	
11	元	もと	N	the origin; the root	12
12	エンスト		N	stalled engine（lit. engine stalling）	14
13	**勉強になる**	べんきょうになる	Phr	to（be able to）learn a lot	16

会話文2

14	**発表**	はっぴょう	VN	presentation（of the results of one's research to the class）; announcement; publication｜（〜を/について）発表する	22
15	ちょっとよろしいでしょうか		Phr	Do you have a moment?	23
16	**この間**	このあいだ	Adv	the other day; recently	27
17	ハンドル		N	steering wheel	
18	バックミラー		N	rearview mirror	
19	カーナビ		N	car navigation system	28
20	和製英語	わせいえいご	N	English word or phrase coined in Japan	31
21	アメリカンコーヒー		N	American coffee（= weak coffee）	32
22	**運転免許**	うんてんめんきょ	N	driver's license	35
23	なるほど		Phr	I see; really; indeed	37
24	**リサーチ**		VN	research｜（〜について）リサーチする	
25	年代	ねんだい	N	age; period; era	38

会話文3

26	**記事**	きじ	N	article	41
27	カーソル		N	cursor	50

内容質問

📖 読み物を読んだ後で、考えてみよう

1. 日本で活躍しているロボットには二つのグループがあります。何と何をするためのロボットですか。

2. 『私の面白い家族』を書いた人は、どこで誰と一緒に住んでいますか。

3. パロはどんなロボットですか。なぜみんなに人気がありますか。

4. ギネスブックという本には、どんなことが載っていますか。なぜパロはその本に載っていますか。

5. 『私の犬』を書いた人は、いつAIBOをもらいましたか。なぜAIBOをもらいましたか。

6. 38行目の「中には」というのは、「何の中に」という意味ですか。

7. AIBOのようなロボットを何ロボットと言いますか。

8. ポチはどんなことを覚えて何が出来るようになりましたか。一人でいる時は、どんなことをしていましたか。

9. ポチは今どこで、どうしていますか。

10. 今でも、AIBOを買うことは出来ますか。

👥 会話文を読んだ後で、考えてみよう

● 会話文1

1. お姉さんとショーンさんは、どんなスピーチスタイルで話していますか。それはなぜですか。

2. お姉さんはショーンさんにどんなことを頼みましたか。

3. カタカナ言葉には英語の言葉が多いのに、なぜショーンさんはカタカナ言葉が苦手なのでしょうか。

● 会話文2

1. 先生とショーンさんは、どんなスピーチスタイルで話していますか。それはなぜですか。

2. ショーンさんはレポートのトピックに何を選びましたか。なぜそのトピックにしたのでしょうか。

3. 先生はショーンさんのリサーチのためにどんなアドバイスをしてくれましたか。

● 会話文3

1. 田中君とショーンさんは、どんなスピーチスタイルで話していますか。それはなぜですか。

2. ショーンさんは田中君に何を手伝ってくれるように頼みましたか。それはなぜですか。

3. 田中君がショーンさんに教えてあげたサイトは何をするためのサイトですか。このサイトはなぜ「すごい」のですか。

4. 二人の会話を「です・ます体」にしてみましょう。

▶▶▶ みんなで話してみよう。

1. 今、どんなことが出来るロボットがありますか。

2. ロボットは、将来どんなことが出来るようになると思いますか。

3. 見たり聞いたりして分からなかったカタカナ語がありますか。それは何ですか。

4. 何か知っている和製英語がありますか。その言葉は英語では何と言いますか。

5. 日本語の勉強のために、どんなサイトを見たり使ったりしていますか。

会話練習 1　丁寧度〉先生 ★★　学生 ★★★

モデル会話 学生が先生にペットロボットについて聞く。 🎧

学　生： 先生、ちょっとよろしいでしょうか。

先　生： ええ、いいですよ。

学　生： あのう、実は、ちょっとお願いしたいことがあるんですが…。

先　生： はい、何でしょうか。

学　生： 今、書いているペットロボットについてのレポートのことなんですが。

先　生： ええ。

学　生： 先生がAIBOを持っていらっしゃると聞いたので、AIBOについて教えてくださいませんか。

先　生： AIBOですか。いいですよ。

学　生： すみません。よろしくお願いします。

練習問題 学生が先生に日本語で書くレポートについて聞く。

学　生： 先生、＿＿＿＿＿＿＿＿＿＿＿＿＿＿＿＿＿＿＿＿＿＿＿。

先　生： ええ、いいですよ。

学　生： ＿＿＿＿＿＿＿、実は、＿＿＿＿＿＿＿＿＿＿＿＿＿＿＿＿＿＿。

先　生： はい、何でしょうか。

学　生： 今、書いている「社会とロボット」についてのレポートのこと＿＿＿＿＿＿＿＿。

先　生： ええ。

学　生： 言いたいことが日本語で上手に書けないので、＿＿＿＿＿＿＿＿＿＿＿＿＿＿＿。

先　生： ああ、来週出すレポートですね。いいですよ。

学　生： ＿＿＿＿＿＿＿＿＿＿＿＿＿＿＿。よろしくお願いします。

▶▶▶ パートナーと練習してみましょう。学生が先生にお願いをしなさい。

学　生： 先生、ちょっとよろしいでしょうか。

先　生： ええ、いいですよ。

学　生： あのう、実は、ちょっとお願いしたいことがあるんですが…。

先　生： はい、何でしょうか。

学　生： ＿＿＿＿＿＿＿＿＿んですが。

先　生： ええ。

学　生： ＿＿＿＿＿＿＿＿＿＿＿＿＿ので、＿＿＿＿＿＿＿＿＿＿＿てくださいませんか。

先　生： ＿＿＿＿＿＿＿＿＿＿｛ですね / ですか｝。＿＿＿＿＿＿＿＿＿＿＿＿。

学　生： すみません。よろしくお願いします。

モデル会話 マイクが日本での動物セラピー（therapy）についてはるかの意見（opinion）を聞く。

マイク： ごめん、ちょっといい？

はるか： うん、いいよ。

マイク： 実は、ちょっと、お願いがあるんだけど…。

はるか： 何？

マイク： 今、動物セラピーについてレポートを書いてるんだけど。

はるか： うん。

マイク： 日本の動物セラピーについても書きたいから、教えてくれない？

はるか： うーん、日本の動物セラピーね。聞いたことはあるけど、あんまり知らないなあ。

マイク： はるかが知ってることでいいんだ。

はるか： そう？ じゃ、いいよ。

マイク： ほんと？ サンキュー！ 助かる！

練習問題 モニカが勇太に日本語で書くレポートについて聞く。

モニカ： _____？

勇　太： うん、いいよ。

モニカ： 実は、_____。

勇　太： 何？

モニカ： 今、書いている「和製英語」についてのレポートのこと_____。

勇　太： うん。

モニカ： 言いたいことが日本語で上手に書けないから、_____？

勇　太： ああ、来週の金曜日に出すレポートだね。いいよ。

モニカ： ほんと？ サンキュー！ _____！

▶▶▶ パートナーと練習してみましょう。AがBにお願いをしなさい。

A： ごめん、ちょっといい？

B： うん、いいよ。

A： 実は、ちょっと、{助けてほしいんだけど / お願いがあるんだけど}…。

B： 何？

A： _____んだけど。

B： うん。

A： _____から、_____くれない？

B： _____{ね / か}。_____。

A： ほんと？ サンキュー！ 助かる！

ペアワーク　　丁寧度 ★

▶▶もし、自分達でロボットが作れるなら、どんなロボットを作ってみたいですか。
どんなロボットを作ってみたいか話し合いなさい。

1. ロボットの名前
2. ロボットの形
3. ロボットが出来ること / 出来ないこと
4. どうしてこのロボットが必要か
5. 社会でどんな活躍が出来るか
6. その他

ロボットの絵

ロールプレイ　1　丁寧度 ▶ 先生 ★★　学生 ★★★

▶▶学生がインターネットの記事について質問があるので、先生の研究室に行く。

【学生】
あなたは大学で日本語を勉強している学生です。インターネットの記事を読んでいますが、意味の分からないカタカナ語や難しい漢字がたくさんあって読めません。日本語の先生に助けてもらって下さい。

【先生】
あなたは大学で日本語を教えている先生です。学生がインターネットの記事を持って来ました。分からないところを教えてほしいと頼まれます。何についての記事か聞いて下さい。記事について聞いた後で、今日はあまり時間がないと言って、次に会う日と時間を決めて下さい。

ロールプレイ　2　丁寧度 ▶ ★

▶▶A は日本語でインターネットの記事を読んでいるが、難しくて読めないので、クラスメートの B に一緒に読んでくれるように頼む。

【留学生A】
あなたは日本の大学に留学している学生です。インターネットの記事を読んでいますが、意味の分からないカタカナ語や難しい漢字がたくさんあって読めません。Bに助けてもらって下さい。

【留学生B】
あなたは日本の大学に留学している学生です。日本語のクラスメートのAがインターネットの記事を持って来て、一緒に読んでほしいと頼みます。何についての記事か聞いて下さい。記事について聞いた後で、今日はあまり時間がないと言って、次に会う日と時間を決めて下さい。

文法ノート

❶ ～他に（も）；～他（に）は

本文	・働くロボットの**他に**も、人と一緒に生活するために作られたロボットもある。　【読: *ll*.8-9】 ・AIBOは最初に立つことの**他には**何も出来ませんでしたが、～　【読: *ll*.44-45】 ・パロやAIBOは、～のようなロボットだが、その**他にも**、～とか～とか～とか色々なことが出来る人型ロボットが作られている。　【読: *ll*.58-61】
説明	Nの他に（も）is an adverbial phrase meaning "in addition to N." Verbs, adjectives and demonstrative adjectives can also precede 他に（も）to mean "in addition to V-ing," "in addition to being Adj." or "in addition to this/that." ～他（に）は also means "in addition to." In some contexts, the phrase can mean "except for; other than."
英訳	～他に（も）= in addition to ～; besides　　～他（に）は（～ない）=（not ～）except for ～;（not ～）other than ～
文型	a. **Type 2b**　　　b.｛この / その / あの｝他に（も）
例文	1. このクラスにはキムさんの**他に**（も）韓国語が出来る学生がいますか。 2. 日本語には、くだけた話し方の**他に**敬語もあって、大変だ。 3. 日本では、日本語を勉強する**他に**、色々な所に旅行にも行きたいと思っている。 4. 夏休みに大学の夏のコースを取った。その**他にも**、バイトをしたり、日本に行ったりした。 5. 週末は宿題がたくさんあったので、勉強の**他（に）は**何も出来なかった。 6. 今日は授業に出る**他は**、何も予定がない。

❷ （～と）同じ｛ぐらい / くらい｝

本文	・同じぐらいの年の友達と一緒に、家族のように生活しています。　【読: *ll*.12-13】
説明	The particle ぐらい/くらい "approximately" often occurs with 同じ to mean "about the same." Review the pattern "Number +（Counter +）ぐらい/くらい." 　　Ａ：ここからシカゴまでどの**ぐらい**かかりますか。 　　Ｂ：車で5時間**ぐらい**です。
英訳	about as ～ as; about the same ～ as ～
文型	a. Nと同じ｛ぐらい/くらい｝　　　b. N₁と同じ｛ぐらい/くらい｝のN₂
例文	1. 今、私が住んでいるアパートの広さは、この部屋と**同じぐらい**です。 2. 今度住むアパートは、この部屋と**同じぐらい**の広さです。 3. 東京の物価（prices）はニューヨークと**同じぐらい**高い。 4. そのロボットは人間と**同じぐらい**上手に自転車に乗れる。 5. 田中君は僕達と**同じぐらい**の年だと思うよ。

❸ Noun + 型

本文	・パロはアザラシ**型**のロボットで、～　【読: *ll*.15-16】 ・色々なことが出来る人**型**ロボットが作られている。　【読: *ll*.60-61】 ・それに、まだ人**型**にはなっていないけれど、～　【読: *l*.61】 ・近い将来、私達が人**型**のロボットと生活して、～　【読: *ll*.62-63】
説明	型 is a suffix meaning "style, type, model, etc." It is commonly used to describe the shape, type, model, or newness of an object. The preceding elements are mostly nouns, but some adjectival kanji characters can also precede 型（e.g., 大, 新, 薄）.
英訳	style; type; pattern; make; model; design
文型	a. N + 型だ　　　　b. N₁ + 型（の）N₂

例文	1. ドラえもんは、実はネコ**型**ロボットなんです。知っていましたか。 2. 父は1950年**型**のキャデラックのクラシックカーを持っています。 3. 私の血液(blood)**型**はA**型**ですが、母はAB**型**で父はO**型**、弟はB**型**です。 4. 新**型**のインフルエンザ(influenza)のワクチン(vaccine)は、まだないそうだ。

❹ それに

本文	・**それに**、触ったりほめたりしてやると、手とか足とか首を動かして、〜 【読: *ll*.18-19】 ・**それに**、まだ人型にはなっていないけれど、〜 【読: *l*.61】
説明	それに is used to add an item or to make an additional statement.
英訳	in addition; moreover; furthermore; what's more; on top of that; and
文型	a. N₁{、/と/に} N₂、それにN₃: 大阪、京都、それに、奈良にも行った。 b. S₁。それに、S₂。: 日本の夏はとても暑い。それに、湿度(humidity)も高い。 c. S₁し、それに、S₂。: 日本の夏はとても暑いし、それに、湿度も高い。
例文	1. 日本語を勉強し始めた時、ひらがなとカタカナ、**それに**漢字を覚えなくてはいけなかったので、とても大変だった。でも、やめなくてよかった。 2. ステーキにサラダ、**それに**ライスもお願いします。 3. このアパートは明るくて広い。**それに**、学校にも近い。 4. そのアルバイトはあまり大変じゃないし、**それに**給料もいい。

❺ 〜(の)なら

本文	・犬や猫を飼ったことはありませんが、パロ**なら**触っても大丈夫です。 【読: *ll*.23-25】 ・ポチと一緒**なら**寂しくないだろうと思ったので、連れて行きました。 【読: *ll*.52-53】
説明	なら is used when the speaker supposes that something is the case or is true and makes a statement, suggestion, etc. based on that supposition. の occurs before なら when the supposition is based on what the speaker has heard from someone or learned from the situation. (Review のだ.) ・トムが行く**(の)なら**、私も行きます。 (If (it's true that) Tom is going (to the party), I'll go, too.) N なら means "if it is N; N would/could 〜." ・明日**なら**大丈夫です。 ((a) If it's tomorrow, I can make it. (b) Tomorrow would be all right.) ・日本語**なら**読めます。 ((a) If it's Japanese, I can read it. (b) I could read Japanese.) In "S₁ なら S₂," the action/event in S₁ does not have to take place before that in S₂. ・あの人が来る**(の)なら**、私は帰ります。 (If (it's true that) that person is coming (as you say), I'm leaving (now before he comes).) Note that the use of たら, as in S₁ たら S₂, must be distinguished from that of なら. When たら is used, S₁ must be completed before S₂, as shown in the following example: ・友達が迎えに来**たら**、私は帰ります。 (If/When my friend comes to pick me up, I will leave.) Thus, in the following example, たら is not acceptable. ・本を{読む**(の)なら** / **✗**読んだら}、電気をつけなさい。 (If you're going to read a book, turn on the light.)
英訳	N なら = would; could 〜　　S (の)なら = if (it's the case that) 〜; if (it's true that) 〜
文型	**Type 3**
例文	1. 車を運転する**のなら**、お酒を飲んではいけません。 2. 彼女が好き**なら**、付き合ってくれるように頼んでみたらどうですか。 3. 寒い**のなら**、セーターを着たらどうですか。 4. チェックは使えませんが、クレジットカード**なら**使えます。 5. A：2時に電話してくれませんか。 　　B：すみません、2時はちょっと。3時**なら**出来ますけど。 6. 日本に行く**のなら**、JRパスを買っておいた方がいいですよ。

❻ 〜として

本文	・パロは世界で最もセラピー効果_{こうか}があるロボット**として**、ギネスブックに〜 【読: *ll*.26-28】
説明	として is used to indicate the role, capacity or occupation of someone or the function or characteristics of something.
英訳	as; in the capacity of
文型	N として
例文	1. 姫路城_{ひめじじょう}は日本で最も美しいお城_{しろ}の一つ**として**知られています。 2. この携帯電話_{けいたい}は、電話をするだけでなく、カメラ**として**も使える。 3. 私は来週、学校の代表_{だいひょう}(representative)**として**、スピーチコンテストに出ます。 4. 私の友達は、フランスでファッションモデル**として**働いています。

❼ Verb-non-past ことになっている

本文	・そこでは動物を飼_かってはいけない**ことになっていた**からです。 【読: *ll*.32-33】
説明	V-plain.non-past ことになっている means that something has been decided and the result of that decision is still in effect. It is often used to introduce rules and customs, as well as one's schedule. Cf. ことにしている : <u>The speaker</u> (or <u>the subject of the sentence</u>) makes it a rule to do something. ・毎日、新しい漢字を五つ覚えることにしている。
英訳	be supposed to 〜 ; It is a rule that 〜 ; It's been decided that 〜
文型	V-plain.non-past ことになっている : {行く /行かない} ことになっている
例文	1. 私のアパートでは、ペットを飼ってはいけない**ことになっています**。 2. 授業を休む時は先生に連絡しなくてはいけない**ことになっている**が、忘れてしまった。 3. 私の家では食事_{しょくじ}の後、自分が使ったお皿_{さら}を洗_{あら}う**ことになっている**。

❽ 〜をしている ; 〜をした Noun

本文	・中には AIBO という犬の形**をした**ロボットが入っていました。 【読: *ll*.38-40】
説明	This pattern is used to describe a feature of someone or something, focusing on a certain part or attribute of the person or thing. N_1 は Adj + N_2 をしている is synonymous with N_1 は N_2 が Adj. ・ゾウは長い鼻_{はな}をしている。＝ゾウは鼻が長い。(Elephants have long trunks.) When the phrase modifies a noun, した is commonly used instead of している (Exs. 3 and 4).
英訳	have
文型	a. N_1 は {A/ANa な} + N_2 をしている：ローラは {大きい /きれいな} 目をしている b. {A/ANa な} + N_2 をした N_1：{大きい /きれいな} 目をした人
例文	1. ゾウは長い鼻_{はな}**をしています**。それに、耳も大きいです。 2. このオペラ歌手_{かしゅ}は、本当_{ほんとう}にきれいな声**をしています**ね。 3. フレンチブルドッグは短い足**をした**犬だ。それに、面白_{おもしろ}い顔**をしている**。 4. ヘビ(snake)のような形**をした**、泳ぐことが出来るロボットがあるそうだ。

❾ 〜てくる ; 〜ていく

本文	・AIBO は〜色々なことを覚え**ていきました**。 【読: *ll*.44-46】 ・ショーン君、最近ほんと、日本語、上手になっ**てきた**よね。 【会1: *l*.19】

説明	V-*te* くる and V-*te* いく indicate the temporal or spatial direction of an action from the speaker's viewpoint. V-*te* くる is used when an action appears to be directed toward the speaker, and V-*te* いく is used when it appears to be directed away from the speaker. V-*te* くる often indicates that an action or process began in the past and is continuing <u>in the present</u>, or that something has begun to take place, as seen in the following examples: ・ 4年間日本語を勉強し**てきました**。（I have studied Japanese for four years.） ・ 日本語の文法が面白くなっ**てきました**。（I'm beginning to find Japanese grammar interesting.） V-*te* いく, on the other hand, often expresses an action or state that will continue <u>from the present into the future</u>. ・ 今学期は1週間に10ずつ新しい漢字を勉強し**ていきます**。 　（This term we are going to study ten new kanji a week.） ・ これからすずしくなっ**ていく**でしょう。（It will grow cooler from now on.） In other uses, くる and いく following V-*te* maintain their original meanings, i.e., "to come" and "to go." ・ 図書館で本を借り**て来る**。（I'll go to the library to borrow some books (and will come back).） ・ 買い物する前に、銀行でお金をおろし**て行く**。 　（Before shopping, I'll get some cash from the bank (and then go shopping).）
英訳	V-*te* くる = have V-ed; begin to; become; grow　　V-*te* いく = go on V-ing; continue; become; grow
文型	V-*te* くる/いく
例文	〜てくる： 1. 最近、ちょっと暖かくなっ**てきました**。 2. 1週間ぐらい使って、新しい教科書に慣れ**てきました**。 3. 技術が発達したために、生活がとても便利になっ**てきた**。 4. この地方は北にあるので、夏は午前4時前に空が明るくなっ**てくる**。 〜ていく： 1. これから、もっと暖かくなっ**ていきます**。 2. 練習すれば、もっと上手に話せるようになっ**ていく**よ。がんばってね。 3. ゴールデンレトリバーは大型の犬だから、もっと大きくなっ**ていきます**よ。 4. ロボットがもっと人々の生活を助けるようになっ**ていく**だろう。

⑩ Verb-non-past ことになった

本文	・ 大学に入って家を出る**ことになった**時も、ポチと一緒なら寂しくない〜　【読: *ll*.51-52】
説明	V-non-past ことになった means that a situation has changed due to some external force (e.g., a decision made by someone other than the speaker). It indicates either that the speaker (or the subject of the sentence) did not actively make the decision or that he/she is viewing the decision from the standpoint of an outsider. Note that ことにした indicates that <u>the speaker</u> or <u>the subject</u> made a decision to do something: ・ 日本に留学する**ことにしました**。
英訳	It was/has been decided that 〜; It turns out that 〜
文型	V-non-past.plain ことになった: {行く/行かない} ことになった
例文	1. 日本にあるオフィスで働く**ことになった**ので、日本に引っ越す**ことになりました**。 2. 環境 (environment) をよくするため、来月からリサイクルキャンペーンをする**ことになった**。 3. 奨学金がもらえる**ことになった**ので、大学院に行くつもりです。

⑪ ～ように {頼(たの)む / 言う}

本文	・お姉さんが、ショーン・スミスに英語を見てくれる**ように頼**んでいる。 【会1: *l*.1】 ・ショーン・スミスが友達の田中に記事を読むのを手伝ってくれる**ように頼**んでいる。 【会3: *l*.41】
説明	ように頼む / 言う is used to quote a request or command indirectly. In an affirmative request ように頼む is often used with てくれる, as in 来てくれるように頼む. (cf. negative request: ～ないように頼む)
英訳	～(てくれる)ように頼む = to ask someone to V　　～ように言う = to tell someone to V
文型	a. V-non-past.plain ように頼む / 言う 　　Direct Quote: 先生は学生に「漢字を覚えなさい」と言いました。 　　　　　　　　　　　　　　↓ 　　Indirect Quote: 先生は学生に漢字を覚えるように言いました。 b. V-*te* くれるように頼む 　　Direct Quote: 私は友達に「ノートを見せてください」と頼みました。 　　　　　　　　　　　　　　↓ 　　Indirect Quote: 私は友達にノートを見せてくれるように頼みました。 c. V-*nai* ないように頼む / 言う 　　Direct Quote: 私はよく両親(りょうしん)に「弟をいじめてはいけません」と言われます。 　　　　　　　　　　　　　　↓ 　　Indirect Quote: 私はよく両親(りょうしん)に弟をいじめないように言われます。
例文	1. 両親(りょうしん)は私に、いつも早く家に帰ってくる**ように言**います。 2. パーティーをしていたら、隣(となり)のアパートの人に静(しず)かにする**ように言われて**しまいました。 3. 病気でクラスに行けないので、代わりに友達に宿題を出しに行ってくれる**ように頼**んだ。 4. ウェイターにデザートメニューを持って来てくれる**ように頼**もうか。

⑫ ～て {くれる / くれない / もらえる / もらえない}？

本文	・レポートを書いたんだけど、ちょっとこの部分を読ん**でもらえない**？ 【会1: *l*.4】 ・もし文法が間違ってたら、直し**てくれる**？ 【会1: *l*.6】 ・あのう、ちょっと悪いんだけど、この記事、読むの、手伝っ**てくれない**？ 【会3: *l*.44】
説明	V-*te* くれる, etc. with rising intonation is used to make requests in casual conversation.
英訳	Will you ～?; Can you ～?; Could you ～?
文型	V-*te* {くれる / くれない / もらえる / もらえない}？
例文	1. 初(はじ)めてケーキを焼(や)いたんだけど、ちょっと食べてみ**てくれる**？ 2. ちょっと、そこの本、取っ**てくれない**？ 3. 今勉強中だから、もうちょっと静(しず)かにし**てもらえる**？ 4. もし時間があったら、明日空港(くうこう)に迎(むか)えに来**てもらえない**？

⑬ Verb-non-past ようにする

本文	・英語じゃなくて日本語で考える**ようにしている**からかなあ。 【会1: *l*.20】 ・なるべく色々な年代(ねんだい)の人に聞く**ようにした**方がいいですよ。 【会2: *l*.38】
説明	V-plain.non-past ようにする indicates one's conscious effort to do something for some purpose. Here, one makes an effort at every opportunity to do something to the degree that he or she can, but sometimes fails. Thus, ようにする is often used for habitual actions. Note that this phrase differs from V ことにする, which indicates one's decision to do something and the action can be either a single or a habitual one.
英訳	make an effort to do ～; make an effort so that ～; try (one's best) to do ～; try one's best so that ～
文型	V- plain.non-past ようにする: {食べる / 食べない} ようにする

例文	1. 先生、今日は授業に遅れてすみませんでした。明日からもっと早く家を出る**ようにします**。
	2. 毎日寝る前に、新しい漢字を五つ覚える**ようにしています**。
	3. 環境（environment）のために、紙をリサイクルする**ようにして**下さい。
	4. 体にいいから、野菜や果物（fruits）をたくさん食べる**ようにしている**。
	5. 体に悪いから、タバコは吸わない**ようにした**方がいいよ。

⑭ ～かな（あ） 📖

本文	・英語じゃなくて日本語で考えるようにしているから**かなあ**。　【会1: *l.*20】
説明	かな（あ）is a sentence-final particle which indicates that the sentence is a self-addressed question or a question addressed to the speaker's in-group member (s). It is used only in casual language.
英訳	I wonder ～
文型	**Type 3**
例文	1. 春休みは何をしよう**かなあ**。
	2. このアパート、よさそうだけど、ちょっと高すぎる**かな**。
	3. 北海道のホストファミリーのお母さんは元気**かなあ**。今晩、電話してみよう。
	4. 去年佐藤さんと来た日本料理のレストランは、ここじゃなかった**かなあ**。

⑮ なるべく

本文	・**なるべく**色々な年代の人に聞くようにした方がいいですよ。　【会2: *l.*38】
説明	なるべくwith or without an adverb modifies the following verb phrase and adds the meaning "as (much) as possible." When there is no specific adverb after なるべく, it is usually interpreted as "as much as ～" or "as often as ～ ."
英訳	as much/often as possible; as ～ as possible
例文	1. 日本語のクラスの外でも、**なるべく**日本語で話した方がいいですよ。
	2. 作文を書く時は、**なるべく**漢字を使うようにして下さい。
	3. ダイエットをしているから、甘い物は**なるべく**食べないようにしています。
	4. **なるべく**辞書を使わないで、この記事を読んでみて下さい。

⑯ ～ようとした {が/けれど/ら}

本文	・辞書で調べ**ようとした**んだけど、漢字の読み方が分からなくて。　【会3: *l.*47】
説明	V-vol とした, the past form of V-vol とする (to try to do ～), is used in situations where someone had made an attempt to do something but failed (Ex. 1), where someone was going to do something but didn't (Ex. 2), or where something happened when someone was going to do something (Exs. 3 and 4).
英訳	V-vol とした {が/けれど} = tried to ～ but; was going to ～ but V-vol としたら = when ～ was going to ～
文型	V-vol とした {が/けれど/ら}: 行こうとした {が/けれど/ら}; 食べようとした {が/けれど/ら}
例文	1. ケーキを作ろう**とした**けれど、卵がなかったから、作れなかった。
	2. 宿題をしよう**とした**が、友達が来たから、するのをやめた。
	3. 電車に乗ろう**とした**ら、目の前でドアが閉まってしまった。
	4. 家を出**ようとした**ら、雨が降ってきた。

漢字表

■ RW　読み方・書き方を覚える漢字

1	発達スル	はったつスル	読
2	注文スル	ちゅうもんスル	読
3	社会	しゃかい	読
4	運ぶ	はこぶ	読
5	工場	こうじょう	読
6	人間	にんげん	読
7	～他	～ほか	読
8	首	くび	読
9	動かす/動く	うごかす/うごく	読
10	声	こえ	読
11	集まる	あつまる	読
12	動物	どうぶつ	読
13	大事(な)	だいじ(な)	読
14	子供	こども	読
15	泣く	なく	読
16	両親	りょうしん	読
17	入学スル	にゅうがくスル	読
18	初めて	はじめて	読
19	本当(の)	ほんとう(の)	読
20	最初	さいしょ	読
21	理解スル	りかいスル	読
22	連Rれて行く	つれていく	読
23	残念(な)	ざんねん(な)	読
24	生まれる	うまれる	読
25	学習スル	がくしゅうスル	読
26	笑う	わらう	読
27	食事スル	しょくじスル	読
28	最高(の)	さいこう(の)	読
29	守る	まもる	考
30	問題	もんだい	考
31	文法	ぶんぽう	会1
32	間違う	まちがう	会1
33	直す	なおす	会1
34	苦手(な)	にがて(な)	会1
35	助かる/助ける	たすかる/たすける	会1
36	発表スル	はっぴょうスル	会2
37	この間	このあいだ	会2
38	呼ぶ	よぶ	会2
39	記事	きじ	会3
40	手伝う	てつだう	会3
41	単R語	たんご	会3

■ R　読み方を覚える漢字

1	技術	ぎじゅつ	読
2	会場	かいじょう	読
3	手術	しゅじゅつ	読
4	実際(に)	じっさい(に)	読
5	一緒に	いっしょに	読
6	面白い	おもしろい	読
7	-型	-がた	読
8	毛	け	読
9	周り	まわり	読
10	欲しい/欲しがる	ほしい/ほしがる	読
11	合格スル	ごうかくスル	読
12	遊ぶ	あそぶ	読
13	寝る	ねる	読
14	将来	しょうらい	読
15	案内スル	あんないスル	考
16	頼む	たのむ	会1
17	-君	-くん	会1
18	発音スル	はつおんスル	会1
19	全然	ぜんぜん	会1
20	辞書	じしょ	会3

| 太字：新しい漢字 |
| —：新しい読み方 |
| ▓：前に習った単語 |
| R：前にRで習った漢字 |

74

カタカナ語

　英語、ポルトガル語などの外国語から入って来て日本でも使われるようになった言葉を「外来語」
と言い、外来語を日本語で書く時はカタカナで書きます。カタカナ語には色々な種類(type)があります。
外国語の音やスペル(spelling)をカタカナに置き換えた(to convert)ものや、元(the origin)の意味とは違う意
味のカタカナ語や、短くして言うカタカナ語(短縮形)もあります。また、カタカナで書く和製英語(日
本で作られた英語表現)もあります。次のカタカナ語は、どんな意味だと思いますか。みんなで話し
合ってみましょう。

1) 短縮形のカタカナ語

a. コラボ	b. ドンマイ	c. セクハラ
d. セレブ	e. リストラ	f. ハンスト

2) 元の英語の意味と違う意味のカタカナ語

a. アイドル	b. プリント	c. タレント
d. ナイーブ	e. スマート	f. バイキング

3) 和製英語

a. イメージアップ	b. ニュースキャスター	c. コンセント
d. ガードマン	e. デッドボール	f. ノートパソコン

　コンピュータで使うものは、カタカナで書かれることが多いです。次の言葉をカタカナで書いてみ
ましょう。

a. mouse	b. monitor	c. keyboard
d. download	e. software	f. Internet

　カタカナは外来語だけでなく、動物や花の名前とか、漢字の音読みの読み方とか、オノマトペとか、
人の名前とかにも使われます。この教科書でもカタカナがどんなところに使われているか、気をつけ
てみて下さい。

第 4 課

日本の
スポーツ

本文を読む前に

1 下の表を完成しなさい（to complete）。

| よく見るスポーツ | よくするスポーツ |

| 好きなスポーツ | | これからしてみたいスポーツ |

スポーツと私

| 好きなスポーツ選手（athlete） | | 日本に行ったらしてみたいスポーツ |

| 私の国で人気があるスポーツ | 私の国で子供がよくするスポーツ |

2 下の写真は何のスポーツの写真ですか。スポーツの名前と、三つのスポーツの共通点（common features）を書きなさい。

(a)　　　　　(b)　　　　　(c)

2008年大相撲夏場所：朝青龍―雅山
（写真提供＝共同通信社）

(a)
(b)
(c)
....
共通点：

3 あなたにとって、スポーツで大切なことは何ですか。下の棒グラフ（bar graph）を完成しなさい（to complete）。

スポーツで大切なこと

▶勝つ（to win）こと

▶楽しむこと

▶体にいいこと

▶ルールを守ること
　（to observe the rules）

▶マナーを守ること
　（to have good manners）

▶人として成長する
　（to grow up）こと

0　　1　　2　　3　　4　　5

全然大切
じゃない　　　　　　　　　　　とても
　　　　　　　　　　　　　　　大切

読み物

スポーツを通して学ぶ心
とお

1　現代の日本人は、野球、サッカー、ゴルフ、スキーなど、色々なスポーツを楽しんでいる。若い人達だけでなく子供からお年寄りまでスポーツを楽しみ、そして、種類も、海や山、夏や冬のスポーツ、一人でするスポーツ、チームでするスポーツ、健康のためのスポーツなど、何でもある。テレビでも毎日のように、色々なスポーツ番組が見られるが、特に代表的なものは野球、

5　サッカー、ゴルフ、テニス、相撲（すもう）などだ。日本国内の試合だけでなく、日本人野球選手が活躍（かつやく）しているアメリカのMLB（プロ野球のメジャーリーグ）や、サッカーのワールドカップ、オリンピックなどもすべてリアルタイムで見ることが出来、スポーツ観戦（かんせん）はとても人気がある。

　日本では試合で勝つことも大切だが、スポーツをすることで人間として成長することが、それと同じぐらい大切だと考えられている。例えば、日本の国技（こくぎ）の相撲（すもう）では、力士（りきし）が相手力士に勝っ

10　た時、土俵（どひょう）の上で笑顔を見せたりガッツポーズをしたりするのは、いいことだと思われていない。だから、勝って嬉（うれ）しくて大声で叫（さけ）びたい時でも、負けてくやしい時でも、土俵（どひょう）の上でその気持ちを表現したり、試合の後のインタビューでべらべら話したりすることはあまりしない。もちろん、相手を笑ったり、ばかにしたジェスチャーをするなどは、絶対にしてはいけない。

　柔道（じゅうどう）や剣道（けんどう）、空手（からて）や合気道（あいきどう）など、日本に昔からある武道（ぶどう）では、まず「礼に始まり礼に終わる」

15　という考え方が大切だと教えられる。そして、この考え方は、武道（ぶどう）がスポーツとして世界中で楽しまれるようになっても、変わっていない。例えば、武道（ぶどう）を習う人は、まず道場（どうじょう）に入る前に、道場に向かって礼をする。そして、練習が始まる前には、先生に向かって礼をする。練習する相手とも、お互いに礼をし合ってから始め、終わった時にも礼をする。そして道場（どうじょう）を出る時にも、礼

20　をしなくてはいけない。この礼は、挨拶（あいさつ）のためだけにするのではなく、相手に向かって尊敬や感謝（かんしゃ）の気持ちを表すという意味が含まれているのだ。そのため、子供が礼儀（れいぎ）正しい人間に育つように、子供を武道の道場に通わせる親もいる。
ぶどう　どうじょう

柔　道
じゅう　どう

学ぶ	現代	お年寄り	種類	健康	番組	代表的	国内	試合
まな	げんだい	としよ	しゅるい	けんこう	ばんぐみ	だいひょうてき	こくない	しあい
選手	勝つ	成長	笑顔	大声	負けて	表現	絶対	礼
せんしゅ	か	せいちょう	えがお	おおごえ	ま	ひょうげん	ぜったい	れい
向かって	お互い	尊敬	表す	含まれて	正しい	育つ	通わせる	
む	たが	そんけい	あらわ	ふく	ただ	そだ	かよ	

剣道道場の子供達

剣道の道具

日本のスポーツでは「心・技・体」という考え方もとても大切だ。「心」は精神力、「技」は
運動の技術や能力、「体」は体力のことで、どんなスポーツでもこの三つがなければ上手になら
ないと考えられている。「心」には強い精神力という意味の他に、人が人として持たなければな
らない「心」という意味が含まれている。日本のプロ野球で9年間プレーをして、今はアメリ
カのMLBで活躍しているある選手がインタビューに答えて、バッターが三振をした後に自分の
バットを折ってしまったり、ピッチャーが打たれた後にグローブをロッカーに投げたりするのを
見ると驚く、それを作ってくれた人達のことを考えたら、僕にはそんなことは絶対に出来ないと
言っている。試合や練習が終わって彼が一番最初にするのは、使ったバットやグローブやスパイ
クの手入れだそうだ。彼にとっては、野球のプレーだけではなく、彼に野球をさせてくれるもの
や、その後ろにいる人達も、とても大切なのだろう。その他、日本のプロ野球では、ピッチャー
がバッターにデッドボールを与えてしまったら、帽子を脱いでバッターに謝るが、これも「心」
を大切にする例の一つだと言えるのではないだろうか。

1984年のロサンジェルスオリンピックで金メダルを取った柔道の山下泰裕選手は、若い選手
達を育てる時にこんなことを言うそうだ。「バスや電車に乗っている時に、お年寄りや赤ちゃん
のいる女性などが乗ってきたら、すぐに立って席を譲る、誰かが重い物を持っていたら代わりに
持ってあげる、困っている人がいたら迷わず助けてあげる。道場で学んだことをそういうとこ
ろで生かすのが柔道の精神なんだよ」。山下選手はこの考え方を「柔道の精神」だと言っている
が、実は彼の言葉は、日本人のスポーツについての一般的な考え方を分かりやすく表していると
言えるだろう。日本人にとってスポーツで大切なことは、試合に勝つことや健康になることだけ
でなく、「礼」や「心」についての考え方も学ぶことなのである。

精神（力） せいしんりょく	能力 のうりょく	折って お	打たれた う	投げた な	驚く おどろ	彼 かれ	後ろ うし	与えて あた
金メダル きん	育てる そだ	席 せき	迷わず まよ	一般的 いっぱんてき				

単語表

▶太字＝覚える単語

1	～を通して	～をとおして	Phr	through	
2	（～を）学ぶ	まなぶ	u-Vt	to learn; study; take lessons	Ttl
3	現代	げんだい	N	the present day/age; today	1
4	（お）年寄り	（お）としより	N	elderly person	
5	種類	しゅるい	N	kind; sort; type	2
6	健康	けんこう	N	health | 健康（な）（ANa）healthy (used for human/ animal health only)	3
7	番組	ばんぐみ	N	(TV/radio) program	
8	代表的（な）	だいひょうてき（な）	ANa	representative; typical	4
9	相撲	すもう	N	sumo wrestling	
10	国内	こくない	N	a country's interior | 国内の（Phr）domestic; internal	
11	試合	しあい	N	game; match	
12	選手	せんしゅ	N	athlete; player	5
13	すべて		Adv	entirely; all | すべて（N）everything; all	
14	リアルタイム		N	real time	
15	観戦	かんせん	VN	watching (a sports game) | （～を）観戦する	7
16	（～に／で）勝つ	かつ	u-Vi	to win	
17	成長	せいちょう	VN	growth | （～が）成長する to grow (up)	8
18	国技	こくぎ	N	national sport	
19	力士	りきし	N	sumo wrestler	9
20	土俵	どひょう	N	sumo ring	
21	笑顔	えがお	N	smiling face	
22	ガッツポーズをする		Phr	to raise one's fist(s) in triumph	10
23	大声	おおごえ	N	loud voice	
24	（～が）叫ぶ	さけぶ	u-Vi	to shout; yell; cry (out)	
25	（～に／で）負ける	まける	ru-Vi	to lose; be defeated	
26	くやしい		A	(someone is) frustrated; (something is) regrettable	11
27	べらべら話す	べらべらはなす	Phr	to talk glibly; blab	12
28	（～を）ばかにする		Phr	to look down on; make fun of	
29	絶対（に）	ぜったい（に）	Adv	absolutely; surely	13
30	武道	ぶどう	N	martial arts	
31	礼	れい	N	bow; etiquette; thanks | 礼をする（Phr）to bow	14
32	道場	どうじょう	N	training hall for martial arts	16
33	～に向かって	～にむかって	Phr	toward; for; to; in the direction of	17
34	お互いに	おたがいに	Phr	(to) each other; (to) one another	18
35	挨拶	あいさつ	VN	greeting | （～に）挨拶する	20
36	尊敬	そんけい	VN	respect | （～を）尊敬する to respect; look up to; show one's respect for	
37	感謝	かんしゃ	VN	gratitude; appreciation | （～に）感謝する to thank; express one's gratitude	
38	（～を）表す	あらわす	u-Vt	to express, represent	
39	（～を）含む	ふくむ	u-Vt	to include; contain; hold	21

40	礼儀正しい	れいぎただしい	A	well-mannered; courteous; polite | 正しい（A）right; correct	
41	（〜が）育つ	そだつ	u-Vi	to grow（up）; be brought up	22
42	（〜に）通う	かよう	u-Vi	to go to（school, work, etc.）regularly	23
43	心・技・体	しんぎたい	N	spirit, technique（s）, and physical strength	
44	精神	せいしん	N	mind; spirit; will | 精神力（N）emotional strength	24
45	能力	のうりょく	N	ability; capacity; competence | 運動能力（N）athletic ability	25
46	プレー		N	play | プレーをする（Phr）to play	27
47	三振	さんしん	VN	strikeout | （〜が）三振する	28
48	（〜を）折る	おる	u-Vt	to break（a stick-like object）; fracture	
49	（〜を）打つ	うつ	u-V	to hit; strike	
50	グローブ		N	baseball glove	
51	（〜を）投げる	なげる	ru-Vt	to throw; pitch	29
52	（〜に）驚く	おどろく	u-Vi	to be surprised; be shocked	
53	そんな		DemA	such; like that	30
54	彼	かれ	N	he; one's boyfriend	
55	スパイク		N	spikes（shoes）	31
56	手入れ	ていれ	N	maintenance; care; repair（s）	32
57	デッドボール		N	（batter）being hit by a pitch	
58	（〜に〜を）与える	あたえる	ru-Vt	to give	34
59	ロサンジェルス		N	Los Angeles	
60	金	きん	N	gold | 金メダル（N）gold medal	36
61	（〜を）育てる	そだてる	ru-Vt	to rear; bring up; train（a person）	37
62	席	せき	N	seat	
63	（〜を）譲る	ゆずる	u-Vt	to give; hand over; give up（one's seat to a senior）	38
64	（〜に）迷う	まよう	u-Vi	to lose one's way; be uncertain; hesitate	39
65	（〜を）生かす	いかす	u-Vt	to make the most of（one's abilities）	40
66	一般的（な）	いっぱんてき（な）	ANa	general; common	41

会話文 ▶相談する

1 | 会話文 1 | ミラー(男性)が友達の高橋(男性)と大学で話している。

ミラー ： 高橋君、ちょっと相談したいことがあるんだけど。

高 橋 ： えっ、何、相談って？

ミラー ： 実は、部活のことなんだ。空手部に入ろうかと思ってるんだけど、どう思う？

5 高 橋 ： うーん、そうだねえ。日本のスポーツだし、いいと思うよ。

ミラー ： うん、でも、日本のクラブは、先輩と後輩の上下関係が厳しいって…それで、ちょっ
と心配してるんだけど…。

高 橋 ： そうだな。それはそうかもしれないね。でも、空手の場合、どこの道場 に行っても、
先輩と後輩の関係は厳しいんじゃないかな。

10 ミラー ： そっか。

高 橋 ： アメリカに帰ったら、空手なんてあまり出来ないから、日本にいるうちに経験してみ
たら？

ミラー ： そうだね。じゃ、入ってみようかな。

高 橋 ： うん。いいと思うよ。頑張ってね。

15 ミラー ： ありがとう。

| 会話文 2 | ミラーが空手部の道場に来て、マネージャーの木村に入部のお願いをする。

ミラー ： すみません、ちょっとよろしいでしょうか。

木 村 ： はい、何ですか。

ミラー ： あの、私、留学生のミラーと申しますが、実は、空手部に入りたいんですが。

20 木 村 ： あっ、新入部員ですね。僕は空手部のマネージャーの木村です。よろしく。今、主将が
練習中だから、ちょっとここで待っていてもらえますか。

ミラー ： はい、分かりました。

(練習の休憩中)

主 将 ： おっ、お待たせ。主将の山田です。

25 ミラー ： ミラーと申します。どうぞよろしくお願いします。

主 将 ： こっちこそ、よろしく。空手やりたいの？

ミラー ： はい。ぜひ。

| 相談 | 先輩 | 後輩 | 関係 | 部員 |
| そうだん | せんぱい | こうはい | かんけい | ぶいん |

主　将： このクラブは遊びのサークルとは違うよ。毎日練習があるけど、大丈夫？

ミラー： はい、もちろんです。よろしくお願いします！

主　将： そっか、分かった。じゃあ、まず、マネージャーの木村に詳しいことを聞いてよ。

ミラー： はい。

主　将： 練習には、いつから来られそう？

ミラー： 明日から大丈夫です。それから、できれば、今日、練習を見学させていただけませんか。

主　将： おっ、いいよ。その辺で見てて。練習の後、他の部員にも紹介するよ。

ミラー： ありがとうございます。どうぞよろしくお願いいたします。

| 会話文 3 | ミラーが空手部の練習を見学した後、部員の佐藤と話している。 |

ミラー： 佐藤さん、ちょっと聞いてもいいですか。

佐　藤： ええ、何でも、どうぞ。

ミラー： 佐藤さんはいつから空手をしているんですか。

佐　藤： 実は、僕も習い始めたばかりなんですよ。大学に入ってから始めたから、まだ半年ぐらいです。だから、まだ白帯。

ミラー： 白帯って？ あれっ、主将の山田さんの帯は黒いですね。

佐　藤： ええ、強さによって帯の色が違うんですよ。白は一番下のレベル、黒は一番上のレベルです。黒帯の人は動きも速いし、本当にすごいですよ。

ミラー： なるほど、じゃ、僕も白帯からスタートですね。佐藤さんはどうして空手を始めたんですか。

佐　藤： そうですね。僕は本当は剣道部に入りたかったんだけど、剣道は道具にお金がかかるから、それを使わなくても楽しめる空手にしたんです。

ミラー： へえ、そうだったんですか。このクラブ、上下関係は厳しいですか。

佐　藤： ええ。でも、みんないい先輩だから、心配しなくてもいいですよ。練習の後は、一緒に食事に行ったり、飲みに行ったりするし。

ミラー： そうですか。楽しそうですね。

佐　藤： ええ、とても楽しいですよ。ミラーさんはどうして、空手をしようと思ったんですか。

ミラー： 僕は日本に留学しているうちに、日本のスポーツを経験してみようと思ったんです。

佐　藤： あー、そうですか。それはいいですね。

ミラー： じゃ、佐藤さん、明日から、よろしくお願いします。

佐　藤： こちらこそ。一緒に頑張りましょう。

| 半年 | 速い | 道具 |
| はんとし | はや | どうぐ |

単語表

▶太字＝覚える単語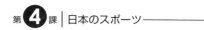

会話文1

1	部活	ぶかつ	N	short for 部活動（club activities）	
2	-部	-ぶ	Suf	club; division; department	4
3	**先輩**	**せんぱい**	N	one's senior	
4	後輩	こうはい	N	one's junior	
5	関係	かんけい	N	relationships | 上下関係（N）superior-subordinate relationships	6

会話文2

6	マネージャー		N	manager	
7	入部	にゅうぶ	VN	joining a club |（〜に）入部する	16
8	**部員**	**ぶいん**	N	member（of a club）| 新入部員（N）new member	
9	主将	しゅしょう	N	the captain（of a team）	20
10	休憩	きゅうけい	VN	rest; break | 休憩する	23
11	お待たせ	おまたせ	Phr	Sorry I kept you waiting.	24
12	サークル		N	circle; club	28
13	詳しい	くわしい	A	detailed; full	30
14	〜させていただけませんか		Phr	Could I 〜?	33
15	その辺	そのへん	N	（a space/area）near there; around there	34

会話文3

16	半年	はんとし	N	half a year	40
17	帯	おび	N	belt; sash	41
18	道具	どうぐ	N	tool; instrument; equipment	46

内容質問

📖 読み物を読んだ後で、考えてみよう。

1. 8行目の「スポーツをすることで人間として成長する」というのは、どういうことですか。
2. 8行目の「それ」は何を指します (to refer to) か。
3. 11行目の「大声で叫びたい」と思う人は誰ですか。
4. 日本の武道ではどんな気持ちを表すことが大切ですか。それを表すためにどんなことをしますか。
5. 子供に武道を習わせる親は、子供が武道で何を学べると思っていますか。それはなぜですか。
6. 日本のスポーツの「心・技・体」とは、どういう考え方ですか。例を挙げて (to provide) 説明しなさい。
7. 26-27行目の「人が人として持たなければならない「心」」というのは、どういう心だと思いますか。
8. 28行目の「ある選手」を修飾する (to modify) のは、どこからどこまでですか。
9. ある選手が言ったことは、どこからどこまでですか。「　　」を入れなさい。
10. 28-29行目の「自分のバットを折る」、29行目の「グローブをロッカーに投げる」のは、誰ですか。
11. 30行目の「そんなことは絶対に出来ない」の「そんなこと」はどんなことですか。
12. 32行目の「彼に野球をさせてくれるもの」は何ですか。「その後ろにいる人達」はどんな人達ですか。
13. 39行目の「道場で学んだこと」というのは、どんなことでしょうか。
14. 39行目の「そういうところ」というのは、どんな意味でしょうか。

🗣️ 会話文を読んだ後で、考えてみよう。

◉ 会話文1

1. ミラーさんは高橋君に何について相談しましたか。
2. 高橋君はなぜミラーさんの考えがいいと思っていますか。
3. ミラーさんが心配していることは何ですか。それについて、高橋君は何と言っていますか。

◉ 会話文2

1. 空手部に入るためには、誰と話さなければいけませんか。
2. 木村さんとミラーさんはどんなスピーチレベルで話していますか。なぜですか。
3. 山田主将はミラーさんにどんなスピーチレベルで話していますか。なぜですか。

◉ 会話文3

1. 佐藤さんとミラーさんはどんなスピーチレベルで話していますか。なぜですか。
2. 佐藤さんは初めはどんな武道をしようと思っていましたか。なぜそれをしませんでしたか。
3. 佐藤さんは空手部の先輩達についてどう思っていますか。

▶▶▶ みんなで話してみよう。

1. あなたの国では、スポーツで何が大切ですか。
2. あなたの国では、人気のある選手や尊敬される選手はどんな選手ですか。
3. あなたはスポーツで何を学びましたか。スポーツで何が教えられると思いますか。
4. 日本のクラブ活動の先輩と後輩の関係について、どう思いますか。あなたの大学のクラブ活動には、こういう関係がありますか。
5. あなたの町や大学には、日本の武道や他の国のスポーツを楽しむクラブがありますか。それはどんなスポーツで、どんな人が教えていますか。

会話練習 1 丁寧度 先生 ★★　学生 ★★★

モデル会話 学生が先生に留学について相談する。 🎧

学　生： あのう、先生、ちょっとご相談したいことがあるんですが…。

先　生： はい、何でしょうか。

学　生： 留学のことなんですが。

先　生： ええ。

学　生： 実は、東京へも北海道へも行ってみたいので、どちらがいいか決められないんです。

先　生： ああ、どちらもいい所ですからね。

学　生： はい。先生はどちらがいいとお考えになりますか。

先　生： うーん、そうですね。ミラーさんは、勉強の他に、日本でどんなことがしてみたいんですか。

学　生： えーと、私はスポーツが好きなので、日本の武道を習ってみたいです。

先　生： そうですか。じゃ、東京にある大学にしたらどうですか。

学　生： 東京ですか。

先　生： ええ、東京には武道の道場がたくさんありますから。ちょっと物価(prices)が高いですけど…。

学　生： そうですか。物価が高いのはちょっと…。

先　生： そうですね。でも、色々な奨学金がありますから、申し込んで(to apply)みたらどうですか。

学　生： そうですね。もう少し考えてみます。どうもありがとうございました。

練習問題 学生が先生に小テストを受ける日について相談する。

学　生： あのう、先生、ちょっとご相談したいことがあるんですが…。

先　生： はい、何でしょうか。

学　生： 明日の小テスト＿＿＿＿＿＿＿＿＿＿＿＿＿＿＿＿＿＿＿＿＿＿＿＿＿＿＿＿＿。

先　生： ええ。

学　生： ＿＿＿＿＿＿＿、明日の2時の授業に＿＿＿＿＿＿＿＿＿＿＿＿＿＿＿ので小テスト

　　　　　＿＿＿＿＿＿＿＿＿＿＿＿＿＿＿＿＿＿＿＿＿。

先　生： それは困りましたね。どうして、授業に出られないんですか。

学　生： 実は、明日、1時に、仕事の面接に行かなくてはいけないんです。

先　生： ああ、そうですか。じゃ、朝の授業に出たらどうでしょうか。

学　生： ＿＿＿＿＿＿＿＿＿＿＿。＿＿＿＿＿＿＿＿＿＿＿＿＿＿＿＿＿。どうもありがとうございました。

▶▶▶ パートナーと練習してみましょう。学生が先生に質問しなさい。

学　生： あのう、先生、ちょっとご相談したいことがあるんですが…。

先　生： はい、何でしょうか。

学　生： ＿＿＿＿＿＿＿＿＿＿＿＿＿＿＿＿＿＿＿＿＿＿＿ことなんですが。

先　生： ええ。

学　生： 実は、＿＿＿＿＿＿＿＿＿＿＿＿＿＿＿ので、＿＿＿＿＿＿＿＿＿＿＿＿＿んです。

先　生： ああ、そうですか。

(先生は相談内容について学生に質問し、アドバイスする)

学　生： そうです {ね / か}。＿＿＿＿＿＿＿＿＿＿＿＿＿＿＿。どうもありがとうございました。

モデル会話 はるかがマイクに車について相談する。 🎧

はるか： マイク、ちょっと相談したいことがあるんだけど…。

マイク： えっ、何、相談って？

はるか： 車のことなんだけど。

マイク： うん。

はるか： 実は、新しいのを買おうと思ってるんだけど、どう思う？

マイク： へえ、新しい車か。いいねえ。

はるか： これなんだけど、どう？　（車の写真を見せる）

マイク： うーん、そうだね。いい車だけど、高そう。お金あるの？

はるか： 実は、これ新車じゃないんだ。

マイク： ああ、そうなんだ。

はるか： この車を持ってる人が、来月、外国に行くことになったから、売りたいんだって。

マイク： ふうん。じゃ、一度見に行ってみたら？

はるか： そうだね。じゃ、そうする。マイクも、一緒に行ってくれない？

マイク： うん、いいよ。

はるか： ほんと？　助かる！　ありがとう。

練習問題 はるかがマイクにルームメートについて相談する。

はるか： マイク、ちょっと相談したいことがあるんだけど…。

マイク： ＿＿＿＿＿＿＿＿＿＿＿＿＿＿＿＿＿＿＿？

はるか： ルームメート＿＿＿＿＿＿＿＿＿＿＿＿＿＿＿。

マイク： うん。

はるか： 来年からアパートに住みたいから、ルームメートを探そうと思っているんだけど、＿＿＿＿＿＿？

マイク： ああ、ルームメートね。

はるか： どうしたらいいルームメートが探せるかな。

マイク： ＿＿＿＿＿＿＿＿＿＿＿＿＿。インターネットで探してみたら？

はるか： うん。でも、どんな人か分からないし。

マイク： じゃ、何回かメールしてみて、よさそうな人だったら会ってみたら？

はるか： あっ、そっか。＿＿＿＿＿＿＿＿＿＿＿＿＿。ありがとう。

▶▶▶ パートナーと練習してみましょう。AがBに相談しなさい。

A： B、ちょっと相談したいことがあるんだけど…。

B： えっ、何、相談って？

A： ＿＿＿＿＿＿＿＿＿ことなんだけど。

B： うん。

A： 実は、＿＿＿＿＿＿＿んだけど、どう思う？

B： うーん、そうだね。

（Bは相談内容についてAに質問し、アドバイスする）

A： {そうだね / そうか / そっか}。じゃ、そうする。ありがとう。

ペアワーク　丁寧度 _{ていねいど} ★

▶▶パートナーと、クラブ活動や趣味などについて質問し合いなさい。
　質問する時は、「いつから〜」や「どうして〜」などを使って質問しなさい。

ロールプレイ　1　丁寧度 _{ていねいど} ▶ 先輩 ★　　後輩 ★★

▶▶クラブの後輩が先輩に来学期に取る授業について相談する。
_{らいがっき}

後 輩

あなたは日本の大学で勉強している学生です。
クラブの先輩に来学期に取る授業について相談し
_{らいがっき}
に行きます。先輩がどんなクラスを取ったか聞い
て下さい。そして、そのクラスがどんなクラスか、
他にどんなクラスを取ればいいか相談して下さい。

先 輩

あなたは日本の大学で勉強している学生です。
クラブの後輩が来学期に取る授業について相談し
_{らいがっき}
に来ました。自分が取ったクラスについて教えて
あげて下さい。それから、どんなクラスを取った
らいいかアドバイスしてあげて下さい。

ロールプレイ　2　丁寧度 _{ていねいど} ▶ ★

▶▶留学生 A が留学生 B に日本語の勉強の仕方について相談する。

留学生A

あなたは日本の大学で勉強している留学生です。
日本語がもっと上手になりたいと思っています。
友達の留学生Bにどんな勉強の仕方をしているか
_{しかた}
聞いて、いいアドバイスをもらって下さい。

留学生B

あなたは日本の大学に留学している学生です。
友達の留学生Aに日本語の勉強の仕方について
_{しかた}
相談されました。自分がどうやって勉強している
か教えてあげて下さい。

文法ノート

❶ 毎〜のように

本文	・テレビでも**毎日のように**、色々なスポーツ番組が見られるが〜　【読: *l*.4】
説明	The literal meaning of this phrase is "like every 〜 ," but it is used to mean "almost every 〜 ."
英訳	almost every 〜
文型	毎 + X のように（X = time word）：毎 {週 / 月 / 年 / 回} のように
例文	1. 映画が好きなので、**毎週のように**映画を見に行っています。 2. 子供の頃は、**毎年のように**夏休みに海に行っていた。 3. このサイトにアクセスすると、**毎回のように**フリーズしてしまう。

❷ Sentence と {考えられている / 思われている} 👔

本文	・それと同じぐらい大切だ**と考えられている**。　【読: *ll*.8-9】 ・ガッツポーズをしたりするのは、いいことだ**と思われていない**。　【読: *l*.10】 ・どんなスポーツでもこの三つがなければ上手にならない**と考えられている**。　【読: *ll*.25-26】
説明	S と考えられている and S と思われている are used to introduce a generally-accepted opinion regarding some matter. 考えられている usually indicates an opinion arrived at through logic, and 思われている usually indicates an opinion derived from intuition. Note that S と考えられる and S と思われる indicate <u>the speaker's/writer's</u> opinion.
英訳	It is considered that 〜 ; It is believed that 〜
文型	S-plain と {考えられている / 思われている}
例文	1. 日本人は一般的に丁寧だ**と思われている**。 2. 日本の食べ物は体にいい**と考えられている**が、実は、てんぷらやトンカツなど、油 (oil) をたくさん使うカロリー (calorie) の高い料理も多い。 3. 将来は、宇宙にも人間が住めるようになるだろう**と考えられている**。

③ 〜など（は）/ 〜なんて

本文	・相手を笑ったり、ばかにしたジェスチャーをする**など**は、絶対にしてはいけない。　【読: *l*.13】 ・空手**なんて**あまり出来ないから、日本にいるうちに経験してみたら？　【会1: *ll*.11-12】
説明	(1) Sentence など（は）is an abbreviated form of S などということは , which means "things like S." (2) Noun など（は）is a shortened form of Noun などという {もの / 人 /etc.} は , which means "things/people/etc. like N." なんて is a colloquial version of など（は）. (3) When S is a quotation, S などと is an abbreviated form of S などということを (Ex.5).
英訳	things/people/etc. like 〜
文型	a. **Type 1** b. N {など（は）/ なんて}：子供 {など（は）/ なんて}
例文	1. 今日、小テストがある**なんて**、知らなかった。（＝〜などということは） 2. 寿司が嫌いな日本人**なんて**聞いたことがない。（＝〜などという人は） 3. ローラーブレード**なんて**簡単だよ。スケートの方が難しいと思うよ。（＝〜などというのは） 4. 「すごい」や「かわいい」**など**は、若い人達がよく使う表現だ。（＝〜などという言葉は） 5. こんなまずい料理をおいしい**など**と言ったのは誰だ？（＝〜などということを）

❹ まず

本文	・武道では、**まず**「礼に始まり礼に終わる」という考え方が大切だと教えられる。　【読: *ll*.14-15】 ・武道を習う人は、**まず**道場に入る前に、道場に向かって礼をする。　【読: *ll*.16-17】 ・じゃあ、**まず**、マネージャーの木村に詳しいことを聞いてよ。　【会2: *l*.30】
説明	まず is an adverb which means "first of all."
英訳	first of all; first; to begin with; before everything
例文	1. 朝、起きたら、私は**まず**コーヒーを飲む。 2. 家に帰って、**まず**最初にすることは、手を洗ってうがい (gargle) をすることです。 3. 今日はみそ汁を作ります。**まず**、次の材料 (ingredient) を準備して下さい。

⑤ Verb-*masu* 合う

本文	・お互いに礼をし**合って**から始め、終わった時にも礼をする。　【読: *ll*.18-19】
説明	合う, when combined with another verb, forms a compound verb, adding the meaning "to each other."
英訳	V (to/for) each other; V with
文型	V-*masu* 合う：話し合う；見せ合う；助け合う；信じ合う
例文	1. この問題について、グループで話し**合って**下さい。 2. 大きな災害 (disaster) の時は、みんなで助け**合う**ことが大切だ。 3. 高校生の時、よく友達と写真を撮り**合ったり**見せ**合ったり**して遊んだ。

❻ Verb-non-past ように

本文	・子供が礼儀正しい人間に育つ**ように**、子供を武道の道場に通わせる親もいる。　【読: *ll*.22-23】
説明	(1) This construction is used to state either a purpose or the way in which something is to be done. In X ように Y, X represents a state or event which is beyond the control of the subject of Y. The verb form before ように is often a potential form or a negative form. (2) In the similar construction X ために Y, X represents an action which can be controlled by the subject of Y, while X ように Y implies that a certain consequence (X) will arise as the result of an action (Y). Thus, in the following example, ように cannot be used. 　・新しい車を買う{ために /✘ように}、お金をためています。 In the next example, both ために and ように can be used because the subject of the main clause (i.e., the teacher) is different from that of the subordinate clause (i.e., students), and therefore, he/she cannot necessarily control the action in the subordinate clause. 　・学生が勉強する{ために / ように}、先生は毎日宿題を出します。
英訳	so that ～; in such a way that ～
文型	V-plain.non-past ように：分かるように；読めるように；遅れないように
例文	1. 日本語が上手になる**ように**、毎日練習している。 2. 先生は、学生が分かる**ように**やさしい単語を使って説明した。 3. みんなに聞こえる**ように**、大きい声で話して下さい。 4. 朝寝坊をしない**ように**、目覚まし時計をセットしておきます。 5. 日本で働きたいのなら、日本の会社に就職できる**ように**、日本語をもっと練習しておいた方がいいですよ。

⑦ ある Noun

本文	・今はアメリカのMLBで活躍しているある選手がインタビューに答えて、〜 【読: *ll*.27-28】
説明	ある X is used when the speaker has a specific X in mind, but he/she does not need to or want to be specific. In the above sentence, for example, ある選手 refers to a baseball player and the ある indicates that the speaker has a specific player in mind. In Exs. 1, 2 and 3, ある日 refers to a specific day, ある有名人 refers to a specific person and ある所 refers to an imaginary place in a folk tale, respectively.
英訳	a; a certain; some; some (one/thing)
文型	ある N: ある人; ある町; ある年
例文	1. ある日、突然 (suddenly)、日本人が話す普通の日本語が分かるようになった。 2. 私は、何年か前、ニューヨークで、ある有名人に会いました。 3. 昔、昔、ある所に、おじいさんとおばあさんが住んでいました。

⑧ Sentence {の/ん} {ではないだろうか/ではないでしょうか/じゃないかな}

本文	・これも「心」を大切にする例の一つだと言えるのではないだろうか。 【読: *ll*.34-35】 ・どこの道場に行っても、先輩と後輩の関係は厳しいんじゃないかな。 【会1: *ll*.8-9】
説明	This ending indicates the speaker's conjecture and is used to express an opinion in an indecisive fashion. Although the negative form ではない is used, there is no negative meaning. のではない{だろう/でしょう}か are used only in written language, and のではないだろうか is the more formal form. ん{ではないでしょうか/じゃないかな} are used only in spoken language. んじゃないかな is more casual.
英訳	I think that 〜; Isn't it that 〜?
文型	**Type 2a**
例文	1. 地球温暖化 (global warming) 問題はもっと大きくなっていくのではないでしょうか。 2. あのクラスは、毎日宿題や小テストがあるので、大変なのではないだろうか。 3. このアパートは広いから、二人で住めるんじゃないかな。

⑨ 〜ず (に)

本文	・困っている人がいたら迷わず助けてあげる。 【読: *l*.39】
説明	ずに is synonymous with ないで when ないで means "without doing something" or "instead of doing something." に is sometimes omitted.
英訳	without V-ing; instead of V-ing
文型	V-*nai* ずに: 行かずに; 食べずに (Exception: する → せずに)
例文	1. 辞書を見ずに新聞が読めるようになりたいです。 2. この作文はコンピュータを使わずに手で書いた。 3. 試験はペンで書かずに、鉛筆を使って下さい。 4. 両親に相談せずに、留学することを決めてしまった。

⑩ {そう/こう/ああ} いう Noun

本文	・そういうところで生かすのが柔道の精神なんだよ。 【読: *ll*.39-40】
説明	(1) When そういう, こういう and ああいう refer to something/someone the speaker sees or perceives, they are used for something/someone close to the hearer, close to the speaker, and away from both the speaker and the hearer, respectively. (2) These phrases are also used to refer to something/someone the speaker or the hearer has just mentioned. Specifically, そういう is used when the speaker has just mentioned something/someone (Exs. 1 and 2). こういう is used when the speaker has just stated something factual about something/someone (Ex. 3). And, ああいう is used when the information the speaker or the hearer has just mentioned is known to both (Ex. 4).

英訳	that/this kind of ; such
文型	{そう / こう / ああ} いうN
例文	1. 日本人は丁寧で親切だ。**そういう**話をよく聞く。 2. 面白くて元気が出る、**そういう**本を探しています。 3. 動物園(zoo)でパンダの赤ちゃんが3匹生まれたそうだ。**こういう**ニュースはうれしい。 4. トム：日本のスポーツクラブの先輩と後輩の関係って面白いね。 　　山田：うん、**ああいう**関係って、他の国ではあまり見られないだろうね。

⑪ Sentence と言える {だろう / でしょう} 👔

本文	・スポーツについての一般的な考え方を分かりやすく表している**と言えるだろう**。　【読: *ll*.41-42】
説明	This pattern is used when the speaker is quite certain that his/her statement is correct but wants to soften the statement so as not to appear too assertive. This is a formal expression.
英訳	It probably can be said that ~ ; It is probably all right to say that ~
文型	S-plain と言えるだろう
例文	1. 奈良は日本で一番歴史の古い町の一つ**と言えるでしょう**。 2. 日本語を勉強している外国人は多くなってきている**と言えるだろう**。 3. 現代は、コンピュータがなければ暮らしにくい時代になった**と言えるだろう**。

⑫ X は Y (という) ことなの {である / だ} 👔

本文	・スポーツで大切なことは、～について考え方も学ぶ**ことなのである**。　【読: *ll*.42-43】
説明	This structure is used to indicate what X is or what X means. なのだ makes the statement more emphatic. である is a formal form of だ。
英訳	X is Y; X means that Y
文型	a. **Type 1** b. Nのことなのである : 日本人のことなのである
例文	1. 外国語を勉強するということは、他の国の文化を勉強する**ということなのだ**。 2. お金持ちになることは、幸せになれる**ということなのだろうか**。 3. バレンタインデーにチョコレートをくれたということは、彼女は君(you)が好きだ**ということなんだよ**。

⑬ ～ん {だけど / ですが} 📖

本文	・空手部に入ろうかと思ってる**んだけど**、どう思う？　【会1: *l*.4】 ・ちょっと心配してる**んだけど**…。　【会1: *ll*.6-7】 ・私、留学生のミラーと申しますが、実は、空手部に入りたい**んですが**。　【会2: *l*.19】 ・僕は本当は剣道部に入りたかった**んだけど**、剣道は道具にお金がかかるから、～　【会3: *ll*.46-47】
説明	S んだけど / ですが is used as a preliminary remark by the speaker to inform the hearer of the speaker's desire, the current situation, etc. before (a) asking a question related to that desire/situation, (b) asking for an opinion or for advice, or (c) making a request. This phrase can also be used to extend an invitation or an offer. When making a request, the request is often unstated, as shown below. 　・もらったメールを間違って消してしまったんですが、（もう一度送ってもらえませんか。） 　　(I mistakenly deleted the email you'd sent me. (Could you resend it to me?)) んだけど is more casual than んですが.
英訳	but (in English, ø in most situations)　(See p.126, 言語ノート6「が and けれども」.)
文型	**Type 2a**

例文	1. 大阪まで新幹線で行きたい**ん**で**す**が、いくらでしょうか。 2. 先生、この文法がよく分からない**ん**で**す**が…。 3. 友達の誕生日にプレゼントを送りたい**ん**だ**けど**、何がいいと思う？ 4. 私は野球を見るのが好き**な**ん**だけど**、トムさんはスポーツは何が好き？ 5. この映画、面白そう**な**ん**だけど**、一緒に見に行かない？

⓮ それで

本文	・**それで**、ちょっと心配してる**ん**だ**けど**…。　【会1: *ll*.6-7】
説明	それで is a sentence-initial conjunction. It precedes a fact, conclusion, decision, etc. In "S_1。それで、S_2," S_1 is the cause/reason for the information stated in S_2. それで cannot be used when S_2 is the speaker's judgment, request, or command. In this situation, だから should be used, as shown in the following examples: 　・トムは明日試験がある。{だから / **✗**それで}、今日のパーティーには来ないと思う。 　・明日は大事な文法を教えます。{だから / **✗**それで}、休まないで下さい。 Note that だから can be used in situations where それで is used.
英訳	because of that; so; that's why; for that reason
文型	S_1。それで、S_2。
例文	1. 今日は試験が二つもあったんです。**それで**、昨日はコンサートに行けませんでした。 2. 子供の時、アニメが大好きだったんだ。**それで**、日本語を勉強しようと思ったんだ。 3. 昨日はとても天気が悪くて、寒かった。**それで**、試合(game)を見に来た人が少なかった。 4. A：明日から春休みなんです。 　　B：ああ、**それで**、みんなうれしそうにしているんですね。

⓯ Question Word 〜ても

本文	・どこの道場に行っ**ても**、先輩と後輩の関係は厳しいんじゃないかな。　【会1: *ll*.8-9】
説明	When ても is used with a Question Word, the phrase means "no matter" or "without regard to."
英訳	no matter what/who/when/where/how
文型	a. QW (Prt) ＋ {V/A}-*te* も：何を見ても；いつ聞いても；どんなに/いくら頑張っても；どんなに/いくら暑くても b. QW (Prt) ＋ {ANa/N} ＋ でも：どんなに/いくら不便でも；誰が先生でも
例文	1. 世界中、**どこ**に行っ**ても**、マクドナルドが食べられる。 2. この漢字は**何**回覚え**ても**、すぐに忘れてしまう。 3. 彼はギターがとても上手だ。**どんな**曲(tune)**でも**弾ける。 4. 試合(game)に負けて**どんなに**くやしく**ても**、泣いてはいけない。 5. この問題は**いくら**考え**ても**分からない。

⓰ ～うちに

本文	・日本にいる**うちに**経験してみたら？　【会1: ll.11-12】 ・僕は日本に留学している**うちに**、日本のスポーツを経験してみようと～　【会3: l.53】
説明	（ない）うちに is used when someone does something before a situation or state changes. 間に is used in similar situations, but it cannot be used with the negative forms of verbs, as seen below: ・忘れない{うちに／**✕**間に}今日習ったことを復習した。 Another difference between the two phrases is that うちに always implies that it is not possible, easy or a good idea to do something after the time specified by the うちに clause. However, this is not always the case with 間に. Thus, if it is not a problem for the speaker to go to Japan after finishing his Japanese class, 間に should be used, as shown below: ・日本語の勉強をしている<u>間に</u>日本に行ってみたい。
英訳	while ～ still　～ないうちに = before（something happens）
文型	a. V-plain.nonpast うちに:{覚えている／時間がある／雨が降らない／忘れない}うちに b. A-plain.nonpast うちに:{温かい／若い}うちに c. ANa なうちに:元気なうちに d. Nのうちに:{子供の／大学生の／休みの}うちに （N cannot be an event or action noun, such as 試合, 試験, 勉強 and 買い物.）
例文	1. 日本にいる**うちに**、色々な所に旅行に行きたい。 2. 熱い**うちに**、どうぞ召し上がって下さい。 3. 暑くならない**うちに**、犬の散歩をしてきた方がいいよ。 4. 子供の**うちに**外国語を勉強すると発音がよくなるそうだ。 5. 両親は、元気な**うちに**外国に旅行することにした。

⓱ できれば；できたら

本文	・それから、**できれば**、今日、練習を見学させていただけませんか。　【会2: l.33】
説明	The phrase literally means "if possible." It is also used when the speaker asks a favor of someone in a less direct way. できれば is slightly more formal than できたら.
英訳	if possible; if you don't mind; if it's all right
例文	1. **できれば**医者になりたいが、授業料が高いので難しいかもしれない。 2. スミスさん、**できれば**、この英語、直してくれると助かるんだけど。 3. 先月貸した本、**できたら**明日までに返してもらいたいんだけど。 4. ケーキは私が焼くから、山下さんは、**できたら**果物（fruits）を持って来てくれない？

⓲ ～たばかり

本文	・実は、僕も習い始め**たばかり**なんですよ。　【会3: l.40】
説明	V-plain.past ばかり indicates that someone has just done something or something has just happened. The noun-modification form is ばかりの.
英訳	have just V-ed
文型	a. V-plain.past ばかりだ:食べたばかりだ；読んだばかりだ b. V-plain.past ばかりのN:買ったばかりの自転車；生まれたばかりの子猫
例文	1. 今、食べ**たばかり**ですから、お腹がいっぱいで、何も食べられません。 2. この建物はでき**たばかり**だから、新しくて、とてもきれいだ。 3. 日本に来**たばかり**の頃は、日本の習慣がよく分からなくて困った。 4. 先週、1年生になっ**たばかり**の学生のためのオリエンテーションがあった。

漢字表

■ RW　読み方・書き方を覚える漢字

1	学ぶ	まなぶ	読
2	現代	げんだい	読
3	番組	ばんぐみ	読
4	代表的（な）	だいひょうてき（な）	読
5	国内ᴿ	こくない	読
6	試合	しあい	読
7	選手	せんしゅ	読
8	勝つ	かつ	読
9	成長ｽﾙ	せいちょうｽﾙ	読
10	例ᴿえば	たとえば	読
11	笑顔	えがお	読
12	大声	おおごえ	読
13	負ける	まける	読
14	表現ｽﾙ	ひょうげんｽﾙ	読
15	絶対	ぜったい	読
16	礼	れい	読
17	～に向かって	～にむかって	読
18	Verb合う	～あう	読
19	表す	あらわす	読
20	正ᴿしい	ただしい	読
21	育つ/育てる	そだつ/そだてる	読
22	通う	かよう	読
23	能力	のうりょく	読
24	彼	かれ	読
25	後ろ	うしろ	読
26	与える	あたえる	読
27	-部	-ぶ	会1
28	関ᴿ係	かんけい	会1
29	部員	ぶいん	会2
30	半年	はんとし	会3
31	速い	はやい	会2

■ R　読み方を覚える漢字

1	お年寄り	おとしより	読
2	種類	しゅるい	読
3	健康	けんこう	読
4	お互いに	おたがいに	読
5	尊敬ｽﾙ	そんけいｽﾙ	読
6	含む	ふくむ	読
7	精神	せいしん	読
8	折る	おる	読
9	打つ	うつ	読
10	投げる	なげる	読
11	驚く	おどろく	読
12	席	せき	読
13	迷う	まよう	読
14	一般的（な）	いっぱんてき（な）	読
15	相談ｽﾙ	そうだんｽﾙ	会1
16	先輩	せんぱい	会1
17	後輩	こうはい	会1
18	道具	どうぐ	会3

太字：新しい漢字
＿＿＿：新しい読み方
▨▨▨：前に習った単語
ᴿ：前にRで習った漢字

日本語の数字と単位(unit of measure)

1. 数字の数え方

一兆　一千億　百億　十億　一億　一千万　百万　十万　一万　千　百　十　一

1) 世界の人口(population)は約65億(6,500,000,000)人です。
2) 日本の人口は約1億2千万(120,000,000)人です。
3) 世界で一番長い川はナイル川で6,650キロ(メートル)あります。
4) 世界で一番高い山はエベレストで8,848メートルあります。
5) 世界の海で一番深い所は10,920メートルです。
6) 小錦という相撲力士は身長(height)が184センチで、体重(body weight)は285キロ(グラム)あったそうです。

2. 小数(decimal)の言い方　．＝点(point)

0.5 ＝ れい<u>てん</u>ご　　　1.3＝いっ<u>てん</u>さん(いち<u>てん</u>さん)
4.8＝よん<u>てん</u>はち　　　9.76＝きゅう<u>てん</u>ななろく

1) 私の小テストの点数(score)は18.5点でした。満点(perfect score)は20点です。
2) 今の気温は摂氏33.4度(Celsius 33.4)です。とても暑いです。
3) 円周率(π)は3.1415926535....です。
4) 今、100メートルの世界記録(world record)は9.69秒(second)です。

3. 分数(fraction)の言い方　　[denominator] 分の [numerator]

½＝に分のいち　　⅔＝さん分のに　　⅘＝ご分のよん

1) 日本の面積(square measure)はアメリカの約$1/25$です。
2) カップに水を$1/3$ぐらい入れてください。
　　注：$1/2$は半分ということが多い。

4. 倍数(multiple)の言い方

2倍　　3倍　　4倍　　5倍　　100倍　　100万倍

1) アメリカの面積は日本の面積の約25倍です。
2) 大学に入ってから、高校の時の3倍ぐらい勉強しています。

5. パーセントの言い方

1割＝10%　　　1.5割＝15%　　　2割＝20%

1) コンピュータがセールで2割引き(-%off)で買えた。
2) この大学では、日本語を勉強している学生の3割ぐらいが、JETプログラムに申し込む(to apply)ようです。

第 **5** 課

日本の
食べ物

1 下の写真の食べ物の名前を [＿＿＿＿] から選んで、（　　　　）に書きなさい。

> 表現 >>> Aの上にBがのっている食べ物（food with B on top of A）
> Aの中にBが入っている食べ物（food with B inside A）

うどん	そば	ラーメン	お好みやき	たいやき
寿司	牛丼	たこやき	せんべい	

（　　　　　　　　）　　　（　　　　　　　　　）　　　（　　　　　　　　　）

▶ スープの中に黄色い麺(noodle)が入っていて、上に野菜や肉がのっている食べ物

▶ 日本に昔からある少し色が黒い麺

▶ 日本に昔からある色が白い麺

（　　　　　　　　）　　　（　　　　　　　　　）　　　（　　　　　　　　　）

▶ ご飯の上に生(raw)の魚や卵などがのっている食べ物

▶ ご飯の上に牛肉や野菜がのっている食べ物

▶ 中にキャベツ(cabbage)が入っているピザのような食べ物

（　　　　　　　　）　　　（　　　　　　　　　）　　　（　　　　　　　　　）

▶ お米(rice)から作られるおかし

▶ 中にタコ(octopus)が入っている丸い食べ物

▶ 鯛という魚の形をしたあん(red bean paste)が入っている食べ物

2 ①～⑤の言葉の意味を調べて、その味(taste)がする食べ物の例を一つ書きなさい。

日本語	①甘い あま	②辛い から	③塩辛い しお から	④酸っぱい す	⑤苦い にが
私の国 の言葉					
食べ物の例					

3 下の表を完成しなさい(to complete)。
　　　　かんせい

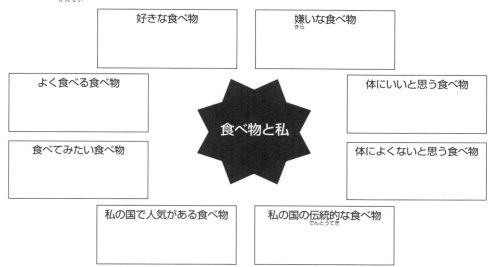

好きな食べ物　　　　嫌いな食べ物
　　　　　　　　　　　　きら

よく食べる食べ物　　　　　　　　体にいいと思う食べ物

食べ物と私

食べてみたい食べ物　　　　　　　体によくないと思う食べ物

私の国で人気がある食べ物　　　私の国の伝統的な食べ物
　　　　　　　　　　　　　　　　でんとうてき

4 上の表に書いた食べ物の中から一つ選んで、その食べ物について、1のように説明しなさい。

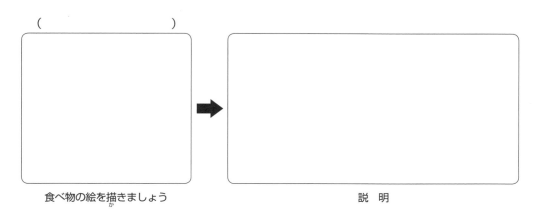

(　　　　　　　　　　　)

食べ物の絵を描きましょう　　　　　　　　　説　明
　　　　か

インスタントラーメン発明物語

1 　世界中の人々に広く親しまれている食べ物、インスタントラーメン。世界ラーメン協会のデータによると、2008年に全世界で消費されたインスタントラーメンは、936.0億食だそうです。世界で一番インスタントラーメンをたくさん食べる国は中国で451.7億食、その次はインドネシアの137.0億食、日本の51.0億食、アメリカの43.2億食、ベトナムの39.1億食、韓国の

5 33.4億食と続きます。一人当たりの消費量が最も多いのは韓国で、韓国人一人が食べたインスタントラーメンは1年に約69食ということです。日本では、1年に一人当たり約40食を食べています。

　インスタントラーメンには袋入りラーメンとカップラーメンがありますが、多く食べられているのは、カップラーメンの方です。皆さんも一度は食べたことがあるのではないでしょうか。

10 カップにお湯を入れて3分待てば食べられるカップラーメンは、値段の安さ、簡単さ、種類の多さなどで、特に若者に人気が高く、一人暮らしをしている日本の学生の中には、カップラーメンに毎日のようにお世話になっている人もいると聞きます。

　現在、東南アジアをはじめ南米、ヨーロッパ、アフリカなど世界80か国以上の国で食べられているカップラーメンですが、皆さんはこれが日本でできたということを知っていましたか。

15 カップラーメンは、今から30年以上も前に安藤百福という人によって発明されました。安藤が一番初めに作ったカップラーメンは「カップヌードル」と言います。

　安藤は「カップヌードル」を発明する13年前に、世界で初めて袋入りのインスタントラーメンも考えた人で、「ラーメンの父」と呼ばれています。1910年に生まれた安藤は、戦後あまり食べ物がない時代に人々がラーメンの屋台の前に長い列を作っているのを見て、家でお湯さえあれ

20 ばすぐ食べられるラーメンを作りたいと思ったそうです。何回も失敗をくり返しましたが、48歳の時、ついに「チキンラーメン」という袋入りインスタントラーメンの商品化に成功し、そのラーメンは大ヒットしました。ところが、安藤の成功を見て他の会社でもインスタントラーメンを

発明 はつめい	物語 ものがたり	全- ぜん-	消費 しょうひ	億 おく	続き つづき	当たり あ	量 りょう	約- やく-	袋 ふくろ
お湯 ゆ	値段 ねだん	若者 わかもの	一人暮らし ひとりぐ	現在 げんざい	東南アジア とうなん			南米 なんべい	-か国 こく
-以上 いじょう	戦後 せんご	時代 じだい	列 れつ	失敗 しっぱい	くり返し かえ	-歳 さい	商品 しょうひん	-化 か	成功 せいこう

作り始めたため、2年ぐらいの間にインスタントラーメンを作る会社の数がとても増えて、競争
が激しくなってしまいました。それで、安藤は日本国内から世界に目を向けたのです。

25　　「おいしさに国境はない」と信じた安藤は、インスタントラーメンは国際的な商品になるに
違いないと思いました。しかし、文化が違えば食習慣も違います。例えば、日本人は箸でラーメ
ンを食べますが、箸を使わない国の人達もいます。「文化、伝統、習慣の違いを理解しなければ、
国境を越えられない」と考えた安藤は、インスタントラーメンを世界に広げるヒントを見つける
ため、1966年にアメリカに行きました。そして、この旅行で得たヒントをもとに、5年後にカッ
30　プラーメンを作り出したのです。

　　では、カップラーメンがどうやって生まれたか、この話の続きは、マンガで読んでみましょう。

参考資料：世界ラーメン協会HP
http://instantnoodles.org/jp/
noodles/expanding-market.html

数 <small>かず</small>	増えて <small>ふ</small>	競争 <small>きょうそう</small>	向けた <small>む</small>	国境 <small>こっきょう</small>	信じた <small>しん</small>	国際的 <small>こくさいてき</small>	（食）習慣 <small>しょく しゅうかん</small>	伝統 <small>でんとう</small>
広げる <small>ひろ</small>	見つける <small>み</small>	得た <small>え</small>	-後 <small>ご</small>					

単語表

▶太字＝覚える単語

1	発明	はつめい	VN	invention｜（〜を）発明する	
2	物語	ものがたり	N	tale; story	Ttl
3	（〜に）親しむ	したしむ	u-Vi	to get familiar with｜親しまれている（ru-Vt）to be popular（among people）	
4	協会	きょうかい	N	association｜世界ラーメン協会（N）World Instant Noodle Association	1
5	全-	ぜん-	Pref	whole; entire; all; full	
6	消費	しょうひ	VN	consumption; spending｜（〜を）消費する	
7	億	おく	N	one hundred million	
8	-食	-しょく	Ctr	[counter for packaged food]	2
9	インドネシア		N	Indonesia	3
10	ベトナム		N	Vietnam	4
11	（〜が）続く	つづく	u-Vi	to continue; last｜続き（N）continuation（of a story）	
12	量	りょう	N	quantity; amount	5
13	約-	やく-	Pref	about; approximately	6
14	袋	ふくろ	N	bag; sack; pouch｜袋入りラーメン（N）a package of instant noodles	8
15	値段	ねだん	N	price	10
16	若者	わかもの	N	young people	
17	一人暮らし	ひとりぐらし	N	single life; living alone｜一人暮らしをする（Phr）to live alone	11
18	現在	げんざい	Adv	at present; now｜現在（N）the present time	
19	東南アジア	とうなんアジア	N	Southeast Asia	
20	南米	なんべい	N	South America	
21	ヨーロッパ		N	Europe	
22	-か国	-かこく	Ctr	[counter for countries]	13
23	戦後	せんご	N	postwar	18
24	時代	じだい	N	times; period	
25	屋台	やたい	N	street stall; stand	
26	列	れつ	N	line（of people, etc.）; queue	19
27	失敗	しっぱい	VN	failure｜（〜に）失敗する	20
28	（〜を）くり返す	くりかえす	u-Vt	to repeat; do something over again	
29	商品	しょうひん	N	product; merchandise	
30	成功	せいこう	VN	success｜（〜に）成功する to succeed; be successful	21
31	大ヒット	だいヒット	VN	great hit（success）｜（〜が）大ヒットする	22
32	数	かず	N	number｜-数（すう）（Suf）the number of 〜	
33	（〜が）増える	ふえる	ru-Vi	to increase（in number/amount）	
34	競争	きょうそう	VN	competition｜（〜と）競争する	23
35	激しい	はげしい	A	severe; intense	
36	（〜に〜を）向ける	むける	ru-Vt	to turn（one's eyes, etc.）to; look at	24
37	国境	こっきょう	N	a nation's border	
38	（〜を / と）信じる	しんじる	ru-Vi	to believe; trust	
39	国際的（な）	こくさいてき（な）	ANa	international	25

40	しかし		Conj	but; however	
41	習慣	しゅうかん	N	habit; custom ｜ 食習慣（N）eating customs/habits	26
42	伝統	でんとう	N	tradition	27
43	（〜を）越える	こえる	ru-Vt	to cross; pass	
44	（〜を）広げる	ひろげる	ru-Vt	to spread; expand	
45	（〜を）見つける	みつける	ru-Vt	to find (out); discover	28
46	（〜を）得る	える	ru-Vt	to get; obtain; acquire	
47	-後	-ご	Suf	(hours, days, years, etc.) later	29
48	（〜を）作り出す	つくりだす	u-Vt	to create	30

言語ノート

⑤ 日本語の文字表記（ひょうき）

　日本では中学校を卒業するまでに、ひらがな、カタカナの他に約2,000の漢字を勉強します。そのうちの1,945字は常用（じょうよう）漢字と言って、新聞や雑誌には普通（ふつう）この漢字が使われています。常用漢字の他に人名（じんめい）や地名（ちめい）によく使われる漢字も入れて約2,000字を知っていれば、普通（ふつう）の日本語の文書（ぶんしょ）を読むことが出来ます。

　形が複雑で覚えにくい字もあるし、読み方も一つだけではないため、漢字が苦手だと言う学習者は多いです。しかし、漢字は読み方が分からなくても意味が分かるので、とても便利な表記（ひょうき）なのです。また、日本語には同じ音で違う意味を表す言葉がたくさんありますが、漢字を使うと意味がすぐに分かります。

　　　　例：にわにはにわにわとりがいる → 庭には二羽 鶏がいる

　日本語能力試験の2級（きゅう）に合格するためには、約1,000の漢字を覚えなくてはいけません。これは日本人が小学校の6年間に勉強する漢字の数とだいたい同じです。

　その他、日本語を書く時には、1、2、3のようなアラビア数字（すうじ）やⅠやⅡのようなローマ数字も使われますし、CDやDVD、Tシャツのようにアルファベットも使います。このように、日本語は色々な種類の文字を使って書く、ユニークな言語なのです。

▪ 表記（ひょうき）　orthography　▪ 日本語能力試験（のうりょく）　Japanese Language Proficiency Test
▪ 文書（ぶんしょ）　document　▪ 2級（きゅう）　Level 2　▪ 数字　numeral, figure　▪ だいたい　roughly

カップヌードル

カップにお湯を入れて3分待てば、肉や野菜や卵の入ったおいしいラーメンの出来上がり！1971年9月、カップヌードルの登場に日本の消費者はびっくりした。現在、世界中で食べられているカップラーメンの元祖「カップヌードル」は誰が発明したのだろうか。その前のインスタントラーメンはどうやって生まれたのだろうか。さあ、カップヌードル誕生物語の始まり、始まり〜。

誕生：birth
元祖：origin
登場：appearance

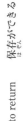
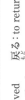

保存ができる：to keep well
戻る：to return
方法：method
だまされる：to be deceived
麺：noodles

©藤井龍二／PHP研究所／
『マンガで読む「ロングセラー商品」誕生物語』
10-19頁

一九五八年八月二十五日
世界で一番最初の
インスタントラーメンの
商品化に成功。

名前は「チキンラーメン」
会社の名前は
日清食品にした。

油であげる：to deep fry with oil

スープは
チキン味だ。

それに
うちの子が
肉が嫌いだから
それを食べたら
肉が食べられる
ようにしたら

麺にスープが
あると
壊れにくい
だ。

麺を油で
あげれば
いいんだ。

やったぁ！
できたぁ！

麺を油であげて

麺の形は丸くしよう。

一九六六年
安藤はアメリカで
インスタント
ラーメンを売る
アイディアを考えて
アメリカに行って
みることにした。

アメリカは
ファーストフードの国だ。
何か新しいアイディアが
得られるに違いない。

ダメージを受ける：to be damaged

しかし
ほとんどのラーメンは
味も質も悪いもんだった。
それで、インスタント
ラーメンというイメージが
悪くなってしまった。
日清食品のイメージも大きい
ダメージを受けた。

まもなく
日清食品の
ラーメンは関西と
関東で
他の会社の
ラーメンの方が
よく売れた。

関東

安くて
おいしくて速くできる
日清のチキンラーメンは
大ヒット！
ものすごく売れた。

初めのころのTVCM
日清ラーメン

ところが、他の会社も
チキンラーメンを作って売り始めた。
百社以上のメーカーが競争して
チキンラーメンを売り出したのだ。

質が悪い：of poor quality

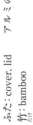

ふた：cover, lid　アルミの紙：aluminum foil　陶器：pottery
竹：bamboo

どんぶり：big bowl

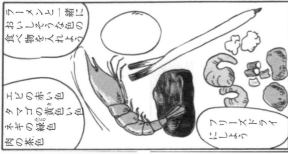

太さ：thickness

入れ物：container

発泡スチロール：styrofoam

会話文 ▶説明する / 考えを言う

1 | 会話文 **1** | マイクが友人の勇太と日本のファーストフードについて話している。

マイク： 日本の若い人達が好きな食べ物って、何？

勇　太： うーん、アメリカと同じで、やっぱりファーストフードかなあ。

マイク： あ、そう。じゃあ、ハンバーガーとかピザとか？

5 勇　太： うん、若い人達はそうゆうの好きだよ。

マイク： ふうん、日本人もそうなんだ。日本のハンバーガーってアメリカのと同じ？

勇　太： だいたい同じだけど、肉の代わりにえびや豆腐を使うとか、パンの代わりにご飯を使っ
たライスバーガーとか、アメリカの店にはないメニューもあるよ。

マイク： へえ、パンの代わりにご飯を使うなんて、日本人らしいね。

10 勇　太： そうだね。アメリカと違って、やっぱり日本はご飯の国だからね。ご飯を使った
ファーストフードも人気があるよ。

マイク： おにぎりとか？

勇　太： うん、おにぎりもだけど、牛丼もハンバーガーの店みたいに、全国にチェーン店があ
るんだ。

15 マイク： 牛丼って？

勇　太： 牛丼ってのは、ご飯の上に料理した牛肉とか玉ねぎがのってる食べ物だよ。ご飯の上
に何かのってるのを「丼もの」って言うんだけど、日本人は、こういう食べ方が好き
なんだ。天丼とか、カツ丼とか、親子丼とかね。

マイク： へえ、そう。他にはどんな日本的なファーストフードがあるの？

20 勇　太： うん。「安くて速い」っていうキーワードで言うなら、そば、うどん、ラーメンも日本
のファーストフードって言えるんじゃないかなあ。

マイク： なるほどね。僕、ラーメン大好きだから、アメリカにも、もっとラーメンの店ができ
たらいいのになあ。

| 友人 | 全国 | 牛肉 | -的 |
| ゆうじん | ぜんこく | ぎゅうにく | てき |

| 会話文2 | アメリカの寿司屋のカウンターで、トムと日本から来たトムの友人の姉の道子が話している。 |

25　道　子：　混んでいますねえ。それに、お客さんはほとんどアメリカ人だし。寿司ってアメリカ
　　　　　　　でも人気があるんですね。

　　　ト　ム：　そうですね。最近よくSUSHIっていう文字を見るようになった気がします。スーパー
　　　　　　　でもパックに入った寿司を売る店が多くなったし。

　　　道　子：　トムさんは、寿司の人気の理由は何だと思いますか。

30　ト　ム：　うーん、まず、おいしくてヘルシーなことかなあ。それから、カウンターに座って注文
　　　　　　　すれば、目の前で食べたい寿司を作ってくれるのも人気の理由なんじゃないでしょうか。

　　　道　子：　そうですね。料理を作っている人がお客さんと話をしながら料理するというのは、他
　　　　　　　のレストランでは、あまりありませんよね。

　　　ト　ム：　ええ、作っているところが見られるのは楽しいですよ。

35　道　子：　それは、日本人も同じです。

　　　ト　ム：　それから、ドラゴンロールとかスパイダーロールとか、面白い名前のアメリカ的な寿司
　　　　　　　があるのも人気の理由の一つのような気がします。

　　　道　子：　なるほど。ユニークさが大事なのは、アメリカらしいですね。

　　　ト　ム：　寿司は、日本では高いんですか？

40　道　子：　前はちょっと高かったんですが、回転寿司ができてから、安くておいしい寿司が食べ
　　　　　　　られるようになりました。

　　　ト　ム：　えっ、回転寿司って？

　　　道　子：　寿司がのったお皿がベルトコンベアにのって流れてくるんです。それで、自分の好き
　　　　　　　な寿司が目の前に来たら、それを取って食べるんです。回転っていうのは、何かが回
45　　　　　　るという意味なんですよ。

　　　ト　ム：　へえ、ハイテクで面白そうですね。食べに行ってみたいなあ。アメリカには回転寿司は
　　　　　　　ないのかなあ。

　　　道　子：　この間、テレビでカリフォルニアやニューヨークの回転寿司レストランを紹介してい
　　　　　　　ましたよ。

50　ト　ム：　ほんとですか。じゃ、寿司ももうすぐアメリカのファーストフードになるかもしれま
　　　　　　　せんね。

　　　道　子：　そう思いますか。実は、お寿司は、江戸時代の日本では、ファーストフードだったそ
　　　　　　　うです。

　　　ト　ム：　へえ、そうなんですか。面白いですね。

| 混んで | お客 | 座って | 回転 | お皿 | 流れて | 回る | 紹介 |
| こ | きゃく | すわ | かいてん | さら | なが | まわ | しょうかい |

単語表

▶太字＝覚える単語

1	友人	ゆうじん	N	friend [more formal than 友達]	1
2	そうゆう		DemA	colloquial form of そういう	5
3	だいたい		Adv	mostly; roughly	
4	えび		N	shrimp	
5	豆腐	とうふ	N	tofu; soybean curd	7
6	やっぱり / やはり		Adv	all in all; as was expected; as suspected	10
7	おにぎり		N	rice ball	12
8	牛丼	ぎゅうどん	N	bowl of rice topped with beef	
9	全国	ぜんこく	N	the whole country	
10	チェーン店	チェーンてん	N	(fast-food) chain store	13
11	牛肉	ぎゅうにく	N	beef	
12	玉ねぎ	たまねぎ	N	onion	
13	(〜の上に〜が)のる		u-Vi	to be put (on top of something)	16
14	丼もの	どんぶりもの	N	bowl of rice with food on top	17
15	天丼	てんどん	N	bowl of rice topped with deep-fried prawns	
16	カツ丼	カツどん	N	bowl of rice topped with pork cutlet	
17	親子丼	おやこどん	N	bowl of rice topped with chicken and eggs	18
18	うどん		N	thick white noodles	20

会話文２

19	カウンター		N	counter seat	24
20	(〜が)混む	こむ	u-Vi	to get crowded	25
21	ヘルシー (な)		ANa	healthy	30
22	目の前で	めのまえで	Phr	right in front of you	31
23	ユニーク(な)		ANa	unique	38
24	回転寿司	かいてんずし	N	conveyor-belt sushi bar	40
25	ベルトコンベア		N	conveyor belt	
26	(〜が)流れる	ながれる	ru-Vi	to flow	43
27	回転	かいてん	VN	rotating; spinning | (〜が)回転する	
28	(〜が)回る	まわる	u-Vi	to rotate; spin	44
29	ハイテク		N	high technology	46
30	江戸	えど	N	Edo (the former name for Tokyo) | 江戸時代 (N) the Edo Period	52

内容質問

📖 読み物とマンガを読んだ後で、考えてみよう。

1. 袋入りラーメンとカップラーメンとどちらの方がよく食べられていますか。それはどうしてですか。

2. 11-12行目の「カップラーメンに毎日のようにお世話になっている」というのは、どういう意味ですか。

3. 24行目の「世界に目を向ける」というのは、どういう意味ですか。

4. 25行目の「おいしさに国境はない」というのは、どういう意味ですか。

5. 28行目の「国境を越える」というのは、どういう意味ですか。そのためには何をしなければいけませんか。

6. カップラーメンは誰が発明しましたか。

 a. この人のニックネームは何ですか。

 b. この人は、どうしてインスタントラーメンを作ろうと思ったのですか。

 c. この人は、どうしてインスタントラーメンを外国でも売ろうと思ったのですか。

 d. この人は、何をしにアメリカに行きましたか。

 e. この人は、どうして世界の国の中からアメリカを選んだと思いますか。

7. マンガを思い出して（to recall）、答えなさい。

 a. インスタントラーメン発明者の子供が嫌いだった食べ物は何ですか。

  1. 豚肉 2. 牛肉 3. とり肉 4. 野菜 5. えび

 b. 袋入りラーメンの麺の形はどんな形ですか。

  1.   2. ■ 3. ◆ 4.

 c.「カップヌードル」が誕生した（to be born）のは、その時何がなかったからですか。

  1. コーヒーカップ 2. どんぶり 3. お皿 4. 箸 5. ふた

 d.「カップヌードル」のカップは何でできていますか。

  1. プラスチック 2. アルミホイル 3. ガラス 4. 発泡スチロール 5. セラミック

 e.「カップヌードル」のお湯はどこに入りますか。

  1.   2.   3.   4.

 f. カップヌードルの中に入っていない色はどれですか。

  1. 赤 2. 黄色 3. 紫 4. 茶色 5. 黒 6. 緑

◉ 会話文1：マイクと勇太の会話

1. 日本には、ハンバーガーの他にどんなファーストフードがありますか。

2. 「丼もの」というのは、どんな食べ物ですか。

3. 「親子丼」という丼ものは、どうしてそんな名前になったと思いますか。

4. 「日本はご飯の国」というのは、どういう意味だと思いますか。
   「あなたの国は何の国」と言うことが出来ますか。

◉ 会話文2：トムと道子の会話

1. トムさんと道子さんはどんなスピーチレベルで話していますか。それはどうしてですか。

2. トムさんは、アメリカで寿司が人気がある理由を三つ挙げて (to list) います。それは何ですか。

3. 46行目の「ハイテク」はカタカナ語です。「回転寿司」はどうして「ハイテク」なのでしょうか。

▶▶▶ みんなで話してみよう。

1. ファーストフードと呼ばれる食べ物には、どんな特徴がありますか。

2. あなたの国でファーストフードと呼ばれている物には、どんな食べ物がありますか。
   それには1.で話し合ったファーストフードの特徴がありますか。

3. 道子さんが「寿司は江戸時代のファーストフードだったそうです」と言っていますが、どうして
   寿司はファーストフードだったと思いますか。

4. あなたなら、どんな「丼もの」を作って食べてみたいですか。

5. 健康のためには運動することも食べ物に気をつけることも大切ですが、あなたはどちらの方が大
   切だと思いますか。どうしてそう思うか、例を挙げて (to provide) 説明して下さい。

会話練習 1 丁寧度 ★★

モデル会話 日本の大学で留学生と先生が寿司について話す。 🎧

先　生： 寿司ってリューさんの国でも人気があるそうですね。

学　生： はい。最近はスーパーでも、パックに入った寿司を売っているんですよ。

先　生： へえ。じゃ、日本のことをよく知らない人達でも寿司を食べているということですか。

学　生： さあ、それはちょっと分かりませんが、私の友達はみんな寿司が大好きです。

先　生： そうですか。

学　生： でも、私の国の寿司は、日本で食べる寿司とちょっと違うんです。

先　生： へえ、何が違うんですか。

学　生： ご飯があまりおいしくないような気がします。

先　生： えっ、そうなんですか。

学　生： はい。私は寿司はご飯がとても大切だと思うから、残念です。

先　生： そうですね。寿司のご飯は魚と同じぐらい大切ですからねえ…。

練習問題 日本の大学でアメリカ人の学生が、先生にアメリカの食習慣について話す。

先　生： 最近、アメリカでも魚や豆腐を＿＿＿＿＿＿＿＿＿＿人が増えてきた＿＿＿＿＿＿＿＿＿＿＿＿。

学　生： はい。

先　生： アメリカでも、ヘルシーな食べ物が人気が出てきたという＿＿＿＿＿＿＿＿＿＿＿＿＿＿＿。

学　生： そうですね。でも、まだ、一般的には、日本人の方が健康的な食べ物を＿＿＿＿＿＿＿＿＿＿

　　　　 ような＿＿＿＿＿＿＿＿＿＿＿。

先　生： そうですか。

学　生： はい。日本料理には、魚や豆腐や野菜を使った料理がたくさんありますが、(先生：ええ)

　　　　 アメリカの一般的な料理には肉を使ったものが多いんです。

先　生： ああ、ハンバーガーとかフライドチキンとかステーキとか。

学　生： はい、そうです。私もアメリカにいた時は、よく食べていました。最近は魚の方が好きにな

　　　　 りましたが…。

先　生： そうですか。

▶▶▶ パートナーと練習してみましょう。学生が先生に質問しなさい。

先　生： ＿＿＿＿＿さんの国でよく食べられている食べ物って何ですか。

学　生： ＿＿＿＿＿＿＿＿＿＿＿＿＿＿＿＿＿＿＿＿＿＿＿＿＿＿＿＿＿＿＿＿＿＿。

先　生： (あいづち)＿＿＿＿＿＿＿＿＿＿か。

学　生： ＿＿＿＿＿＿＿＿＿＿＿＿＿＿＿＿＿＿＿＿＿＿＿＿＿＿＿＿＿＿＿＿＿＿。

　　　　 {＿＿＿＿＿＿＿＿気がします/＿＿＿＿＿＿＿＿でしょうね}。

先　生： (あいづち)

モデル会話 勇太がマイクにスポーツについて聞く。 🎧

勇　太： マイクが好きなスポーツって何？

マイク： うーん、剣道かな。

勇　太： へえー。どうして？

マイク： 日本の武道って、強くなることの他に、何か大切なことが学べるような気がするから。

勇　太： ふーん。例えば？

マイク： うーん、例えば、試合が終わったら、相手に礼をするとか。

勇　太： ああ、相手を尊敬する気持ちってこと？

マイク： うん。尊敬したり感謝したりする気持ちを大切にしているっていうところがいいかな。

勇　太： そっか。なるほどね。

練習問題 モニカがはるかに日本のファーストフードについて聞く。

モニカ： はるかが好きな_____？

はるか： _____、えびバーガー_____。

モニカ： えっ、えびのバーガー？

はるか： うん。肉じゃなくてえびだから、えびバーガー。

モニカ： _____。肉の代わりにえびを使うなんて、日本人_____ね。

はるか： _____ね。

モニカ： 日本人は、他の国の料理を日本的にするのが上手な_____。

はるか： そっか。なるほどね。

モニカ： 私の国にもえびバーガーが_____いいのになあ。私、えび、大好きなんだ。

▶▶ パートナーと練習してみましょう。AがBに聞きなさい。

A ： Bが好きな_____って何？

B ： うーん、_____かな。

A ： （あいづち）_____。

B ： うん。_____。

A ： _____気がする。

B ： （あいづち）

ペアワーク　丁寧度 ★

▶▶パートナーと、自分の国の「ファーストフード」や「食文化」や「食習慣」について話し合いなさい。授業で読んだり話したりしたことをもとにして、自分の意見(opinion)を言いなさい。

▶▶パートナーと、「スポーツ」について話し合いなさい。自分の国で人気があるスポーツや人気がないスポーツについて、その理由を考えて、自分の意見を言いなさい。

ロールプレイ　丁寧度 先輩 ★　後輩 ★★

▶▶先輩(日本人)とクラブの後輩(留学生)が回転寿司の店について話している。

後　輩(留学生)
あなたは日本に留学している学生で、大学のクラブに入っています。先輩(日本人)に回転寿司の店に誘われました。あなたは回転寿司の店に行ったことがないので、どんな店か聞いて下さい。

先　輩(日本人)
あなたは日本人の学生で、大学のクラブに入っています。クラブの留学生の後輩を回転寿司の店に誘って下さい。食べ方も教えてあげて下さい。

©David Lisbona 2006 "Running sushi"

文法ノート

① Number + Counter 当たり

本文	・一人当たりの消費量が最も多いのは韓国で、～ 【読: *l.*5】 ・日本では、1年に一人当たり約40食を食べています。 【読: *ll.*6-7】
説明	当たり is used with 一 (or 1) and a counter to mean "per." Sometimes numbers other than one are used, as in Ex. 3.
英訳	per ～ ; a ～ ; for a ～
文型	a. Number＋Counter 当たり Number＋Counter: 1時間当たり10ドル b. Number＋Counter 当たりのN: 一人当たりのコスト
例文	1. 夏休みに1か月アルバイトをして15万円もらった。1日当たり5千円もらったことになる。 2. 子供が10人います。みかんは30個ありますから、一人当たり何個食べられますか。 3. マラソンの選手は100メートル当たり16秒 (second) ぐらいで走るそうです。この速さで42.195キロ走り続けるんだから、すごいですね。

② Sentence のは X の方だ

本文	・多く食べられているのは、カップラーメンの方です。 【読: *ll.*8-9】
説明	The structure S のは X の方だ is used to emphasize that it is X that makes the proposition in S true.
英訳	It is X that S.
文型	**Type 2a**
例文	1. 彼が住みたがっているのは関東だが、私が住みたいのは関西の方だ。 2. 背が高いのは弟の方だ。でも、足が速いのは僕の方だ。 3. ひらがなとカタカナでは、難しいのはカタカナの方だ。 4. あのレストランは静かだ。でも、食べ物がおいしいのはこのレストランの方だと思う。

❸ Number (+Counter) ({ぐらい/くらい}) は ; Noun (だけ) は

本文	・皆さんも一度は食べたことがあるのではないでしょうか。 【読: *l.*9】
説明	When the particle は follows a quantifier (i.e., a word of quantity such as 3本 and 少し), it adds the meaning "at least." だけは and ぐらいは (or くらいは) after a noun have the same meaning.
英訳	at least
文型	a. Number (＋Counter) は　　 b. N だけは　　 c. N {ぐらい / くらい} は
例文	1. 1週間に1回はプールで泳ぐようにしている。 2. この町は車がないと生活が出来ないから、どの家でも1台か2台は車がある。 3. 仕事が忙しくても、昼ご飯だけは食べて下さいね。 4. 30人もパーティに誘ったから、10人ぐらいは来てくれるだろう。 5. くだけた話し方はまだあまり慣れていないけれど、少しは話せるようになった。

④ Noun をはじめ

本文	・東南アジアをはじめ南米、ヨーロッパ、アフリカなど～ 【読: *l.*13】
説明	Noun をはじめ is used to present a primary example when mentioning a group of things or people.
英訳	beginning with ～ ; starting with; including
文型	N をはじめ

例文	1. 日本には、本州**をはじめ**四つの大きな島がある。
	2. 私の家族は、父**をはじめ**みんな辛いものが大好きだ。
	3. 日本に留学中は、ホームステイの家族**をはじめ**色々な人にお世話になった。

❺ 〜以上／〜以下

本文	・世界80か国**以上**の国で食べられているカップラーメンですが、〜 【読: *ll*.13-14】
	・カップラーメンは、今から30年**以上**も前に〜発明されました。 【読: *l*.15】
説明	X以上 and X以下 means "equal to or more than X" and "(equal to or) less than X," respectively. A Number + Counter or a demonstrative pronoun such as これ and それ commonly occurs before 以上 and 以下. When the topic is academic grades, grade symbols such as C and B can be used (e.g., C以上).
英訳	以上 = or more 以下 = less than; or less
文型	a. Number (+ Counter) 以上/以下: 3年生以上; 1万円以下; 4以上
	b. Demonstrative pronoun 以上/以下: これ以上; それ以下
例文	1. 健康のためには、毎日6時間**以上**寝るようにした方がいいそうだ。
	2. もうこれ**以上**は食べられません。
	3. アメリカではR指定(R-rated)の映画は、18歳**以上**の人しか見られません。
	4. あまりお金がないので、プレゼントは50ドル**以下**の物にしようと思う。
	5. コースを開く(to open)ためには、学生が五人**以上**必要です。それ**以下**の場合は、キャンセルです。

❻ Noun さえ Verb ば

本文	・家でお湯**さえ**あれ**ば**すぐ食べられるラーメンを作りたい〜 【読: *ll*.19-20】
説明	Noun さえ with a verb conditional form is used when the condition presented in the clause is the only condition to make the statement in the main clause true. さえ replaces the particles が and を in this structure; however, when other particles occur with さえ here, they do not drop, as shown in the following examples.
	・お金が<u>さえ</u>あれば; 友達と<u>さえ</u>話せれば
英訳	if 〜 only 〜; if 〜 just 〜; as long as
文型	N さえ V-cond: お金さえあれば; お酒さえ飲まなければ
例文	1. 私は、愛(love)**さえ**あれ**ば**幸せです。
	2. 一緒に住んでくれるルームメート**さえ**見つかれ**ば**、いつでも引っ越せる。
	3. いい友達**さえ**いれ**ば**、他に欲しいものはありません。
	4. 雪**さえ**降らなけれ**ば**、車の運転は怖くない。
	5. お酒**さえ**飲まなけれ**ば**、何を飲んでも食べてもいいですよ。

❼ ついに

本文	・**ついに**「チキンラーメン」という袋入りインスタントラーメンの〜 【読: *l*.21】
説明	The adverb ついに indicates that something happens or something expected doesn't happen, after waiting for it, longing for it, expecting it to happen, making an effort to make it happen, or after struggling/suffering in a hard situation, for a long time.
英訳	at last; finally; in the end; after all
例文	1. 4年間頑張って勉強して、**ついに**卒業の日が来た。うれしいけれど、ちょっと寂しい。
	2. 2007年の夏、子供達は**ついに**ハリーポッターの最後のストーリーを読むことが出来た。
	3. 兄は長い間頑張ってきたが、**ついに**プロのフットボール選手になる夢をあきらめた。
	4. 20年も乗っていた車が**ついに**動かなくなってしまった。

⑧ {Noun/*no*-Adjective} 化（か）（する）

本文	・インスタントラーメンの商品**化**に成功し、〜　【読: *l*.21】
説明	The suffix 化 is affixed to nouns and no-adjectives and adds the meaning "-ization," as in "mechanization" and "digitization."
英訳	〜化する = -ize; make; become; change to 〜化 = -ization; making 〜; becoming 〜; changing to 〜
文型	a. N + 化: 日本化; 専門化; 機械化（きかい）（mechanization）; カタカナ化 b. ANo + 化: 一般化; 最適化（さいてき）（optimization）
例文	1. 日本の有名な小説がハリウッドで映画**化**されることになった。 2. この大学は外国人の学生が多くて、国際**化**（こくさい）が進んで（すす）（to advance）いる。 3. 「デスノート」というマンガはアニメ**化**もゲーム**化**もされました。 4. 一人の人しか言わないことを一般**化**するのは、よくありませんよ。 5. 英語の言葉をカタカナ**化**すると、元（もと）の言葉が全然分からなくなる場合がある。例えば「テーマ（theme）」とか「アワー（hour）」のような言葉だ。

⑨ ところが

本文	・**ところが**、安藤（あんどう）の成功を見て他の会社でもインスタントラーメンを作り始めたため、〜　【読: *ll*.22-23】
説明	ところが is a sentence-initial conjunction used when something takes place which is unexpected from the preceding context. The sentence after ところが represents an event or action the speaker cannot control, as shown in the following examples: ・友達が電話をしてと言ったから、電話をした。ところが、友達は家にいなかった。 ・友達が電話をしてと言った。{でも /✖ところが} 私は電話しなかった。
英訳	however; but; nevertheless
文型	S₁。ところが、S₂。
例文	1. 先生のオフィスアワーに研究室に行った。**ところが**、先生はいらっしゃらなかった。 2. 天気予報（よほう）は、今日は雨だと言っていた。**ところが**、とてもいい天気になった。 3. 試験のために徹夜（てつや）をするつもりでコーヒーをたくさん飲んだ。**ところが**、すぐ寝てしまった。 4. 山田：旅行どうだった？ 　田中：うん、スーツケースを持って空港（くうこう）まで行ったんだ。**ところが**、飛行機（ひこうき）がキャンセルになって行けなくなっちゃったんだ。

⑩ 〜に違いない

本文	・インスタントラーメンは国際的な商品になる**に違いない**と思いました。　【読: *ll*.25-26】
説明	This structure indicates that the speaker is certain that something is true or is the case. It is used primarily in written language.
英訳	must; I'm sure/certain that 〜; It is certain that 〜; I'm certain that 〜; be sure to V
文型	**Type 3**
例文	1. スミスさんは日本に10年も住んでいたから、日本語が上手に話せる**に違いない**。 2. あの二人はとても仲（なか）が良（よ）かったから、卒業した後、結婚した**に違いない**。 3. あのアパートには大学生がたくさん住んでいるから、うるさい**に違いない**。 4. 昨日、弟の友達がたくさん来ていたから、このゲームを壊（こわ）したのは、弟達**に違いない**。

⑪ ～をもとに（して）

本文	・この旅行で得たヒント**をもとに**、5年後にカップラーメンを作り出したのです。　【読: *ll.*29-30】
説明	をもとにして is a compound particle meaning "based on." して here is optional. The noun-modification form is をもとにした.
英訳	based on
文型	a. N をもとに（して）　　　　b. N₁ をもとにした N₂
例文	1. 加藤先生は大学院の時に書いた論文**をもとに**本を書きました。 2. 日本のマンガ**をもとにして**たくさんのアニメやゲームが作られている。 3. 自由と独立（independence）という考え**をもとに**その憲法（constitution）が作られた。 4. これは、私の子供の時の経験**をもとにした**小説です。

⑫ Noun と {同じで / 違って}

本文	・アメリカ**と同じで**、やっぱりファーストフードかなあ。　【会1: *l.*3】 ・アメリカ**と違って**、やっぱり日本はご飯の国だからね。　【会1: *l.*10】
説明	The comparison phrases と同じで and と違って mean "just like ～" and "unlike ～," respectively. Note that the particle　と　is used when X and Y are in a reciprocal relationship, as seen in the following examples: ・X は Y と {同じだ／違う／似ている}。 (X is {the same as/different from/similar to} Y.) ・X は Y と {結婚した／けんかした／話し合った／別れた}。 　(X {married/had a fight with/discussed something with/separated from} Y.)
英訳	N と同じで = just like N　　　N と違って = unlike N; different from N
文型	N と {同じで／違って}
例文	1. 母**と同じで**、私もえび（shrimp）のアレルギーがあるので、えびは食べられないんです。 2. 数学**と同じで**、物理も公式（formula）を勉強しなくてはならない。 3. スノーボードはスキー**と違って**、スティックを使わずにすべります（to slide）。 4. 多くの国**と違って**、日本では20歳にならないと投票（voting）できない。

⑬ Noun らしい

本文	・パンの代わりにご飯を使うなんて、日本人**らしい**ね。　【会1: *l.*9】 ・ユニークさが大事なのは、アメリカ**らしい**ですね。　【会2: *l.*38】
説明	In addition to the meaning "seem," N らしい means that something/someone is representative of N. X は N らしい often conveys the idea that X has the positive characteristics of N. ・ビリーは言うことがかわいくて子供らしい。 ・この町は昔の城下町（castle town）らしい雰囲気（atmosphere）が残っている。 らしい is an *i*-adjective. Thus, the noun-modification form and the adverbial form are らしい and らしく, respectively.
英訳	so much like ～ ; typical of ～ ; typical ～ ; -like
文型	N らしい: 男らしい; 日本らしい
例文	1. 剣道はとても日本**らしい**スポーツだと思う。 2. 田中さんは長い間アメリカに住んでいたので、あまり日本人**らしくない**。 3. 今年の夏は寒い日が続いて（to continue）、ぜんぜん夏**らしくありません**。 4. 「男**らしい**」とか「女**らしい**」という言葉は、あまり好きではありません。誰でも、その人**らしく**生きれ（to live）ばいいのではないでしょうか。 5. 何か言いにくいことがある時、最後まで言わないのは日本人**らしい**話し方だ。

⑭ Noun + 的

本文	・他にはどんな**日本的**なファーストフードがあるの？ 【会1: *l.*19】 ・面白い名前のアメリカ**的**な寿司があるのも〜 【会2: *ll.*36-37】
説明	The suffix 的 is attached to nouns in order to change them to *na*-adjectives. When these adjectives modify nouns, な is sometimes omitted (Ex.5).
英訳	-ic; -ive; -al; -like
文型	N + 的：アメリカ的；文学的；書き言葉的；一般的
例文	1. 京都や奈良は歴史**的**な建物がたくさんある伝統**的**な町です。 2. オリンピックをすることに決まってから、その国は国際**的**になってきた。 3. 私は技術**的**なことはよく分からないので、他の人に聞いて下さい。 4. 一般**的**に日本語は難しい言語と考えられているが、本当は難しくない。 5. この本は、話し言葉**的**表現で書かれているので、とても分かりやすい。

⑮ Sentence たらいいのに（なあ）

本文	・アメリカにも、もっとラーメンの店ができ**たらいいのになあ**。 【会1: *ll.*22-23】
説明	たらいいのに（なあ）is used to express the speaker's wish, which, in this structure, is usually counterfactual. なあ makes the wish more emotive. Verbs are commonly in the potential form and refer to the speaker's action.
英訳	I wish; I hope
文型	S-plain.past らいいのに（なあ）
例文	1. 漢字がもっと簡単に覚えられ**たらいいのになあ**。 2. 寮の部屋がもっと静かだっ**たらいいのに**。うるさくて勉強が出来ない。 3. 寂しいなあ。恋人（sweetheart）ができ**たらいいのになあ**。

⑯ ほとんど

本文	・お客さんは**ほとんど**アメリカ人だし。 【会2: *l.*25】
説明	ほとんど means "almost all; most of." Thus, it is used only when the amount of something is the issue. Note that ほとんど cannot be used in the following examples: ・Tom almost drowned. → トムはもうちょっとでおぼれるところだった。 （✘ トムはほとんどおぼれた。） ・I'd almost forgotten the appointment. → もう少しで約束を忘れるところだった。 （✘ 私はほとんど約束を忘れた。）
英訳	ほとんど = almost all; most of (it/the time/etc.) ほとんど〜ない = hardly (ever); rarely; almost no (thing) ほとんどの N = almost all N; most of N
文型	a. ほとんど V　　　b. ほとんどの N
例文	1. 量（amount）は多かったけれど、お腹がすいていたから、**ほとんど**食べてしまった。 2. 昨日は疲れていたから、1日中**ほとんど**寝ていました。 3. おいしい料理だったが、お腹が痛くて**ほとんど**食べられなかった。 4. 寝られなくなるので、私は**ほとんど**コーヒーは飲まない。 5. 彼はこの大学の有名人だ。**ほとんど**の人が彼のことを知っている。 6. 今日の試験の**ほとんど**の問題が、宿題と同じだった。

⓱ ～（ような）気がする

本文	・最近よく SUSHI っていう文字を見るようになった**気がします**。　【会2: *l.27*】
説明	ような気がする indicates that the speaker is not certain about something, but has a feeling that it's true. ような can be dropped without a change in meaning.
英訳	I feel that ～ ; have a feeling that ～ ; have the impression that ～ ; it seems to me that ～
文型	**Type 2b**
例文	1. この頃前より日本語が話せるようになってきた**ような気がします**。 2. 先生の説明を聞いて、分かった**ような気がした**けど、家に帰ってもう一度勉強し直した (to study over) ら、また分からなくなってしまった。 3. 誰かがドアをノックした**ような気がする**から、ちょっと見てくれない？ 4. この辺 (around here) は、あまり安全じゃない**気がする**。 5. 2年生の日本語より3年生の日本語の方が簡単な**気がする**。

⓲ Verb ところ

本文	・作っている**ところ**が見られるのは楽しいですよ。　【会2: *l.34*】
説明	When used with verbs, ところ indicates a point in time. Depending on the tense of the preceding verb, it can be（a）the moment just before the action begins,（b）a moment in the midst of the action, or（c）the moment just after the action finishes. When the particle に follows ところ, the ところ clause is a time clause（Exs. 2 and 3）. When the ところ clause is the object or subject of such verbs as 見る and 撮る, ところ indicates the scene in which the action takes place（Exs. 4 and 5）.
英訳	V-non-past ところ =（when）～ is about to V V-*te* いるところ =（when）～ is V-ing;（while）～ is V-ing;（when）～ is in the midst of V-ing V-past ところ =（after）～ have just V-ed
文型	a. V-non-past ところ: 見るところ;話すところ b. V-*te* いるところ: 食べているところ;考えているところ c. V-past ところ: 食べたところ;できたところ
例文	1. これから公園へサッカーをしに行く**ところ**です。 2. 友達の携帯に電話をかけている**ところ**にその友達が現れた (to appear) ので、びっくりした。 3. ちょうど勉強が終わった**ところ**に友達から電話がかかってきた (to get a call)。 4. ここからペンギン (penguin) が水の中で泳いでいる**ところ**が見られます。 5. 子犬が寝ている**ところ**を写真に撮った。とてもかわいい写真が撮れた。

漢字表

■**RW** 読み方・書き方を覚える漢字

1	発明スル	はつめいスル	読
2	物語	ものがたり	読
3	全-	ぜん	読
4	**億**	おく	読
5	**続**く	つづく	読
6	-当たり	-あたり	読
7	約-	やく-	読
8	若者	わかもの	読
9	**現在**	げんざい	読
10	東南アジア	とうなんアジア	読
11	南米	なんべい	読
12	-か国	-かこく	読
13	**以上/以下**	いじょう/いか	読
14	時代	じだい	読
15	**失敗**スル	しっぱいスル	読
16	くり返す	くりかえす	読
17	～化スル	～かスル	読
18	**成功**スル	せいこうスル	読
19	**数**	かず	読
20	増える	ふえる	読
21	向ける	むける	読
22	**信**じる	しんじる	読
23	～に違いない	～にちがいない	読
24	広げる	ひろげる	読
25	見つける	みつける	読
26	**得**る	える	読
27	-後	-ご	読
28	友人	ゆうじん	会1
29	全国	ぜんこく	会1
30	-的	-てき	会1
31	(お)**客**	(お)きゃく	会2
32	～気がする	～きがする	会2
33	**流**れる	ながれる	会2
34	**回転**スル	かいてんスル	会2
35	回る	まわる	会2

■**R** 読み方を覚える漢字

1	消**費**スル	しょうひスル	読
2	**量**	りょう	読
3	**袋**	ふくろ	読
4	(お)**湯**	(お)ゆ	読
5	**値段**	ねだん	読
6	一人暮らし/暮らす	ひとりぐらし/くらす	読
7	戦後	せんご	読
8	列	れつ	読
9	-歳	-さい	読
10	**商品**	しょうひん	読
11	**競争**スル	きょうそうスル	読
12	国**境**	こっきょう	読
13	国際的(な)	こくさいてき(な)	読
14	習**慣**	しゅうかん	読
15	伝**統**	でんとう	読
16	牛肉	ぎゅうにく	会1
17	混む	こむ	会2
18	**座**る	すわる	会2
19	**皿**	さら	会2
20	**紹介**スル	しょうかいスル	会2

太字：新しい漢字
――：新しい読み方
▨▨▨：前に習った単語

文化
ノート
1

お米の話
こめ

　日本人の主食はお米ですが、お米の漢字は、八と十と八を組み合わせてできていることを知っていましたか。もみ（お米の種）からお米ができるまでに、色々な世話を八十八回もしなければならないから「米」と書くようになったと言われています。お米を作るのは本当に大変なので、昔の子供達はご飯つぶを一つでも残したりすると、罰があたって目が見えなくなるとおじいさんやおばあさんに叱られました。お米を作ることは「稲作」と呼ばれ、お米ができるまでには、色々な段階があります。

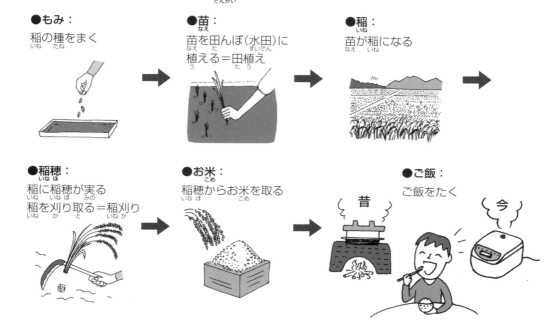

●もみ：
稲の種をまく

●苗：
苗を田んぼ（水田）に植える＝田植え

●稲：
苗が稲になる

●稲穂：
稲に稲穂が実る
稲を刈り取る＝稲刈り

●お米：
稲穂からお米を取る

●ご飯：
ご飯をたく

昔　今

　梅雨があって雨がたくさん降り、夏暑いという日本の気候は稲作にとても適しています。おいしいお米をたくさん作るために、人々は昔からいつも毎日の天気をとても心配していました。日本人が誰かと会った時に一番初めに天気の話をするのは、いつもお米がたくさんできるようにと祈っていて、それが習慣になってしまったからかもしれません。

　ところで、アメリカのことを「米国」と言うことがありますが、これはお米とは全然関係がありません。アメリカを漢字で書く時は「亜米利加」と書きますが、その二番目の文字を使って「米国」と言うようになったのです。漢字を使うとあまりスペースがいらないので、この言い方は新聞などでよく使われます。例えば、「日米関係」と書いてあったら、それは「日本とアメリカの関係」という意味で、「米大学」と書いてあったら「アメリカの大学」という意味です。日本が「お米の国」なのに、アメリカを「米国」と書くのは面白いですね。この「米〜」という書き方はニュースなどでよく見るので、覚えておいて下さい。

- お米 rice　- 主食 staple food　- 組み合わせる to combine　- 種 seed　- ご飯つぶ grain of rice
- 罰があたる to be punished by God　- 段階 stage　- 適する to be appropriate　- 祈る to wish/pray

が and けれども (uses and meanings other than "but")

In certain uses, が and けれども (and variations such as けれど and けど) are equivalent to "but" in English. However, these expressions have other meanings and functions. Sentences (a)–(e) present a set of examples where が, けれど and けど are not interpreted as "but."

a. 日本には東京のような、世界によく知られている都市がたくさんありますが、皆さんはどんな都市の名前を聞いたことがありますか。(L.1 読, *p.4, ll.2-3*)

b. 昔話は名所や地名に関係があるとおっしゃいましたけれど、そういう話はその地方の人達しか知らないんですか。(L.1 会1, *p.8, ll.23-24*)

c. スピーチスタイルには、「とてもくだけた話し方」から「とても丁寧な話し方」まで色々なレベルがありますが、どの部分が違うでしょうか。(L.2 読, *p.28, ll.9-10*)

d. 木村大介と申しますが、久美さんはいらっしゃいますか。(L.2 会1, *p.34, l.5*)

e. 英語のクラスのレポートを書いたんだけど、ちょっとこの部分を読んでもらえない?(L.3 会1, *p.61, l.4*)

The function of が, けれど and けど in the above sentences is to introduce S_2 and to connect S_1 closely to S_2. In such situations, these conjunctions are necessary. Without them the sentence flow is interrupted.

The sentences (f)–(l), which end with が, けれど and けど, present other situations where these conjunctions should not be interpreted as "but."

f. まず、先生のご専門の昔話について、お聞きしたいんですが…。(L.1 会1, *p.8, l.5*)

g. 日本にはたくさん昔話があるそうですが…。(L.1 会1, *p.8, l.7*)

h. はい、小林でございますが。(L.2 会1, *p.34, l.4*)

i. あのう、今、ちょっと外に出ているんですけれど…。(L.2 会1, *p.34, l.12*)

j. ねえ、ショーン君、ちょっとお願いがあるんだけど。(L.3 会1, *p.61, l.2*)

k. 実は、今度の発表のトピックについてご相談したいんですが。

l. 先生、この点数(score)、間違っていると思うんですけど。

が and けれど in (f)–(i) are used to elicit responses from the hearer. けど and が are also used to soften the tone of a request ((j) and (k)) or an otherwise strong or confrontational statement ((l)). Additionally, が and けど in Sentences (m) and (n) correspond more closely to "and," and cannot be interpreted as "but." The conjunctions here indicate that S_1 provides supplementary information on the common topic in S_1 and S_2.

m. このバッグは私が作ったものですけど、全部、紙でできています。

n. オノマトペも副詞の一つですが、その中にも名詞修飾が出来るものがあります。

(L.11 言語ノート12, *p.265*)

In summary, が, けれども, けれど and けど have a variety of uses in addition to their function corresponding to "but" in English. In some situations, there is no equivalent expression in English for these conjunctions. The most common uses for the conjunctions discussed above are:
(1) When the speaker introduces S_2 with an introductory remark (i.e., S_1), as in (a)–(e). In this use, Sentences 1 and 2 are closely linked.
(2) When the speaker is eliciting a response from the hearer (as in (f)–(i)), or softening the tone of a request as in (j) and (k) or an otherwise strong or confrontational statement (as in (l)).
(3) When the speaker presents S_1 as supplementary information on the common topic in S_1 and S_2, as in (m) and (n).

第6課

日本人と宗教
しゅうきょう

本文を読む前に

1 ☐ の中の分からない単語の意味を調べて、○の中に適当な (appropriate) アルファベットを入れ、表を完成しなさい (to complete)。

a.仏様 ほとけさま	b.宗教 しゅうきょう	c.お寺	d.神棚 かみだな	e.神社 じんじゃ	f.仏壇 ぶつだん	g.鳥居 とり い

	神道 しんとう	◯	仏教 ぶっきょう	
◯	◯	場所	◯	
	◯	祭壇 さいだん	◯	例 a.

2 あなたの国や地方には、どんな宗教的行事や習慣がありますか。二つ書きなさい。

行事/習慣の名前	い　つ	何のために、どんなことをする？

3 あなたの国や地方には、どんな迷信 (superstition) がありますか。二つ書きなさい。

読み物・1

日本人の生活と宗教

1　日本語には「苦しい時の神頼み」という言葉がある。何か苦しい事や困った事があると「神様、仏様、どうか助けて下さい」と言って一生懸命お願いするけれど、何もない時は、神様や仏様のことはあまり考えていないという意味である。また、家の中に神棚と仏壇のどちらも置いてあって、朝晩、神様と仏様の両方にお祈りをする人々もいる。神道も仏教も共に生活の中にあるのだ。

5　一つの神だけを信じている一神教の人がこのことを聞いたら、どうして神様と仏様を同時に祭ることが出来るのか不思議に思うかもしれない。

神棚

仏壇

神社の鳥居

　日本人の生活を見ると、神棚と仏壇を祭る他にも、もっと色々な宗教的習慣や行事があることに気がつくだろう。まず、お正月には「初詣」といって、人々は神社やお寺にお参りに行き、お守りやお札をもらう。そして、それを車につけたり財布の中に入れたりして、不幸が起きない

10　ように、幸福が来るようにと願う。2月には「節分」という行事があって、「鬼は外、福は内」と大声で叫びながら、豆をまく。これは、幸福は家の中に、不幸は外に、と祈る行事だ。また、春と秋のお彼岸や8月のお盆は、先祖を敬う日として、多くの人がお墓参りに行く。

　その他、11月には「七五三」という行事があり、男の子の場合は3歳と5歳、女の子の場合は3歳と7歳になると、親が子供を神社に連れて行く。元気な子供に育ったことを神様に感謝し、そし

15　て、これからも健康に育つようにと神様に祈るのだ。

お守り

七五三

節分

| 宗教 しゅうきょう | 苦しい くる | 仏 ほとけ | 置いて お | 両方 りょうほう | お祈り いの | 神道 しんとう | 仏教 ぶっきょう |
| 不思議 ふしぎ | 神社 じんじゃ | お参り まい | 不幸 ふこう | 幸福 こうふく | 願う ねが | 祈る いの | |

12月には、クリスマスの行事を楽しむ。キリスト教信者ではない人でも、クリスマスツリーを飾ったり、クリスマスプレゼントを交換し合ったりして、クリスマスを祝う。また、結婚する時には、式を教会で挙げる人もいれば、お寺や神社で挙げる人もいる。そして、死んだら、たいてい仏教式のお葬式をしてもらって、お墓に入る。

20　日本ではなぜこのように色々な宗教が共に存在することが出来るのだろうか。これは、日本に昔からある神道について考えてみれば、分かるかもしれない。神道というのは多神教で、日本では昔から海や山や木や石など、周りの色々な物や場所に神様がいると考えられてきた。720年に書かれた「日本書紀」という古い歴史の本には、そんな神々についての物語がたくさんある。その神話の神様達は、楽しく歌ったり踊ったり、怒って喧嘩したりして、とても人間的だ。日本

25　全国にはそんな神様を祭った神社がたくさんあって、日本人は何かがあると、その色々な神様のところにお参りに行く。

　　例えば、家やビルを建てる時は土地の神様に、いい高校や大学に合格したい時は受験の神様に、恋人が欲しい時は縁結びの神様のところに行ってお祈りをする。目的によって、それぞれお参りに行く神様が違うのだ。最近では、インターネットビジネスのための「ITの神様」なんていう神

30　様も現れたらしい。

　　このように、神道は、自然や場所、物など、あらゆるところに神様が存在するという日本人の宗教的意識を作ったと考えられる。だから、外国から他の宗教や新しい神様が入ってきても、自然に受け入れられたのかもしれない。そして、神道が人々の生活の中で生き続けてきたように、仏教やキリスト教の行事なども、日本人の生活の一部になっているのだ。

35　宗教についてのある調査で「あなたは何か宗教を熱心に信じていますか」という質問に「はい」と答えた人は、日本国民全体の9%だけだったらしい。それでは、91%の人は宗教を全然信じていないと言えるだろうか。実は、日本人は宗教を強く信じているという意識はなくても、毎日の生活の中でお参りしたり祈ったり祝ったりするなど、宗教的習慣や行事を大切にしている。そして、そんな人々の生活が、神様や仏様が一緒に存在できる社会を作っていると言えるのではない

40　だろうか。

キリスト教	信者	交換	祝う	式	教会	-式	存在	石
きょう	しんじゃ	こうかん	いわ	しき	きょうかい	しき	そんざい	いし
歴史	神話	怒って	建てる	土地	受験	恋人	現れた	意識
れきし	しんわ	おこ	た	とち	じゅけん	こいびと	あらわ	いしき
受け入れ	生き	一部	調査	熱心	国民			
うけい	い	いちぶ	ちょうさ	ねっしん	こくみん			

単語表

▶太字＝覚える単語

1	宗教	しゅうきょう	N	religion	F
2	苦しい	くるしい	A	hard; difficult	
3	神頼み	かみだのみ	VN	praying to God for help ｜ 神頼みする ｜ 苦しい時の神頼み（Phr）Men pray to God only when they are in trouble.	1
4	仏（様）	ほとけ（さま）	N	Buddha; Buddha image	
5	どうか（〜下さい）	（〜ください）	Adv	please	
6	一生懸命（な）	いっしょうけんめい（な）	ANa	very hard; with utmost effort	2
7	神棚	かみだな	N	household Shinto altar	
8	仏壇	ぶつだん	N	family Buddhist altar	3
9	朝晩	あさばん	Adv	morning and evening	
10	両方	りょうほう	N	both	
11	（〜に）祈る	いのる	u-Vt	to pray; wish ｜ お祈りをする（Phr）to pray	
12	神道	しんとう	N	Shintoism	
13	仏教	ぶっきょう	N	Buddhism	
14	共に	ともに	Adv	both	4
15	一神教	いっしんきょう	N	monotheism	
16	同時に	どうじに	Phr	at the same time	
17	（〜を）祭る	まつる	u-Vt	to deify; enshrine	5
18	不思議（な）	ふしぎ（な）	ANa	wonderful; strange; mysterious	6
19	初詣	はつもうで	N	one's first visit to a shrine in the New Year	
20	神社	じんじゃ	N	shrine	
21	お参り	おまいり	VN	visiting (a shrine, a person's grave, etc.) ｜ （〜に）お参りする	8
22	お守り	おまもり	N	good-luck charm	
23	お札	おふだ	N	talisman issued at a Shinto shrine	
24	（〜に〜を）つける	つける	ru-Vt	to attach; put something on	
25	不幸	ふこう	N	unhappiness; bad luck	
26	（〜が）起きる	おきる	ru-Vi	to happen; take place; get up	9
27	幸福	こうふく	N	happiness	
28	（〜を/と）願う	ねがう	u-Vt	to hope	
29	節分	せつぶん	N	the day before the first day of spring	
30	鬼は外、福は内	おにはそと、ふくはうち	Phr	Out with the demons and in with good fortune!	10
31	豆	まめ	N	parched beans; bean	
32	（〜を）まく	まく	u-Vt	to cast; scatter	11
33	（お）彼岸	（お）ひがん	N	the equinoctial week	
34	（お）盆	（お）ぼん	N	Festival of the Dead	
35	先祖	せんぞ	N	ancestor	
36	（〜を）敬う	うやまう	u-Vt	to respect; honor	
37	（お）墓	（お）はか	N	grave ｜ （お）墓参りに行く（Phr）to visit a person's grave	12
38	キリスト教	キリストきょう	N	Christianity	
39	信者	しんじゃ	N	believer; follower	16
40	（〜を）飾る	かざる	u-Vt	to decorate	

41	交換	こうかん	VN	exchange｜(〜を／と)交換する	
42	(〜を)祝う	いわう	u-Vt	to celebrate; congratulate	17
43	式	しき	N	ceremony｜式を挙げる (Phr) to hold a ceremony	
44	教会	きょうかい	N	church	18
45	-式	-しき	Suf	style	
46	(お)葬式	(お)そうしき	N	funeral	
47	お墓に入る	おはかにはいる	Phr	to be buried (in a grave)	19
48	存在	そんざい	VN	existence; being｜(〜が)存在する	20
49	多神教	たしんきょう	N	polytheism	21
50	石	いし	N	stone	22
51	神々	かみがみ	N	gods	23
52	神話	しんわ	N	myth; mythology	24
53	(〜を)建てる	たてる	ru-Vt	to build	
54	土地	とち	N	land; locality	
55	受験	じゅけん	VN	taking an (entrance) examination｜(〜を)受験する	27
56	縁結び	えんむすび	N	matchmaking	28
57	IT	アイティー	N	information technology	29
58	(〜が)現れる	あらわれる	ru-Vi	to appear; emerge	30
59	あらゆる		An	all; every (possible)	31
60	意識	いしき	N	consciousness; awareness	32
61	(〜を)受け入れる	うけいれる	ru-Vt	to accept	
62	(〜が)生きる	いきる	ru-Vi	to live; exist	33
63	一部	いちぶ	N	part (of something)	34
64	調査	ちょうさ	VN	investigation; survey｜(〜を)調査する to investigate; examine; inquire	
65	熱心(な)	ねっしん(な)	ANa	devoted; enthusiastic	35
66	国民	こくみん	N	the people of a country; citizens	
67	それでは		Conj	then; if so; if that's the case	36

日本の神話 「天の岩戸（あまいわと）」

日本の神話には、ギリシャ神話のように、人間的な神様がたくさん出てきて活躍する面白い話が多く残っている。その中に天照大神（あまてらすおおみかみ）という神様についての有名な話がある。どんな話か読んでみよう。

昔々、大昔、日本には天照大神（あまてらすおおみかみ）という、神様の中で最も偉（えら）い太陽の神様がいて、高天原（たかまがはら）という昔の日本を治めていました。天照大神（あまてらすおおみかみ）には須佐之男命（すさのおのみこと）という弟の神様がいたのですが、須佐之男（すさのお）はとても乱暴で悪いことばかりするので、人々はとても困っていました。

ある日、須佐之男（すさのお）は天照（あまてらす）の侍女（じじょ）を間違って殺してしまいました。それを知った天照（あまてらす）は弟の乱暴に怒って岩の中に隠れてしまい、昼だった世界は急に夜のように暗くなってしまいました。太陽の神様の天照（あまてらす）が岩の中に隠れて外に出て来ないため、世界は何日も真っ暗な日が続きました。困ってしまった他の神様達は、天照（あまてらす）に岩の外に出て来てもらおうと、彼女が隠れている岩戸（いわと）の前でお酒を飲みながら歌ったり踊ったり笑ったり

して、大騒（おおさわ）ぎをしました。そうすれば、天照（あまてらす）はみんなが何をしているんだろうと思って外に出て来ると考えたわけです。神様達は真っ暗な中で、一生懸命（いっしょうけんめい）歌ったり踊ったり、笑ったりしました。

外の大騒（おおさわ）ぎを不思議に思った天照（あまてらす）が少しだけ岩戸（いわと）を開けてみると、その瞬間（しゅんかん）を待っていた力持（ちからも）ちの神様が岩戸（いわと）を全部開けて、天照（あまてらす）を岩の外に出してしまいました。天照（あまてらす）が外に出て来たので、世界は明るくなって、また昼が戻ってきたそうです。

この話は、昔の人が日食（にっしょく）を説明するために作った神話ではないかと言われている。何も知らなかった昔の人々にとって、日食（にっしょく）はとても怖（こわ）いことだったのだろう。また、この神話からも分かるように、昔から神様は日本人にとって、人間と同じように笑ったり怒ったり喧嘩（けんか）したりする親（した）しみやすい存在だったのだ。

この天照大神（あまてらすおおみかみ）を祭る神社は、日本全国に一万八千ぐらいあると言われていて、毎年多くの人々がお参りに訪（おとず）れる。天照大神（あまてらすおおみかみ）は二十一世紀の現在でも大忙（おおいそが）し！ということだ。

殺して	岩	急に	真っ暗	彼女	戻って	世紀
ころして	いわ	きゅうに	まっくら	かのじょ	もどって	せいき

単語表

▶太字＝覚える単語

1	ギリシャ神話	ギリシャしんわ	N	Greek mythology	1
2	大昔	おおむかし	Adv	in ancient times	5
3	**偉い**	えらい	A	great; admirable; respectable; (person) in a high position	
4	太陽	たいよう	N	the sun	6
5	(〜を)治める	おさめる	ru-Vt	to rule (a country)	7
6	乱暴(な)	らんぼう(な)	ANa	violent; rough; rude	8
7	侍女	じじょ	N	lady attendant; maid	
8	(〜を)殺す	ころす	u-Vt	to kill	10
9	岩	いわ	N	rock ｜ 岩戸 (N) rock door (to a cave)	11
10	(〜に)隠れる	かくれる	ru-Vi	to hide oneself; be hidden	
11	急(な)	きゅう(な)	ANa	sudden; abrupt	12
12	大騒ぎ	おおさわぎ	VN	making great noise (yelling, cheering and laughing) ｜ 大騒ぎする	18
13	**瞬間**	しゅんかん	N	moment; instant	
14	力持ち	ちからもち	N	muscleman; strong person	23
15	日食	にっしょく	N	solar eclipse	27
16	親しみやすい	したしみやすい	A	approachable (person/things)	31
17	(〜を)訪れる	おとずれる	ru-Vi	to visit; call (on a person, at a place)	33
18	世紀	せいき	N	century	
19	大忙し(の)	おおいそがし(の)	ANo	very busy	34

会話文 ▶グラフを使って説明する／自分の意見を言う

1 | 会話文 1 | パーティではるかとモニカが宗教について話している。

はるか : 今、宗教的行事と信仰というトピックでリサーチをしているんだけど、ちょっとモニ
カの意見を聞いてもいい？

モニカ : うん、私でよければ、もちろん。

5 はるか : 日本人は子供が生まれた時は神社に行ってお参りして、結婚式はキリスト教式で挙げて
死んだら仏教式のお葬式をするっていう人、結構いるんだけど、それについてモニカ
は、どう思う？

モニカ : うーん、そうねえ。こんなこと言っていいかどうか分かんないけど、実は私はそれは
とても変だと思っているんだ。キリスト教信者じゃない人がキリスト教の教会で結婚
10 式をするっていうのは、私の国では考えられないから。

はるか : やっぱり、そう思う？ 私も変だと思うんだけど、でも、私の友達にも結婚式は絶対教
会でしたいと思っている人、結構いるんだ。キリスト教信者じゃないのに。

モニカ : へえ、どうして？

はるか : ロマンチックだし、ウェディングドレスもきれいだし…。

15 モニカ : へえ、そう？　私は着物の方がきれいだと思うけど…。

はるか : じゃ、モニカは着物を着て神道式で結婚式を挙げてみたい？

モニカ : ううん、それはちょっと…。両親が熱心なプロテスタントの信者だから、絶対許して
くれないと思う。

はるか : そうでしょ、やっぱり。いろんな宗教的行事が混ざっている日本の習慣は特別なのかなあ。

20 モニカ : さあ、そうでもないかもしれないよ。私の国でも信仰に関係なく楽しまれている宗教
的行事があるから。例えば、セントパトリックデーとかイースターとかハロウィーン
とか。

はるか : へえ、そうなんだ。ね、そのことについてもう少し、詳しく話してくれない？

モニカ : うん、いいよ。

| 意見 | 結構 | 許して |
| いけん | けっこう | ゆる |

| 会話文 2 | モニカが森田先生に研究発表について相談する。 |

モニカ： 森田先生、「日本の宗教」について研究発表をしようと思っているんですが、分からないことがあるんです。教えていただけませんか。

森　田： ええ、いいですよ。何でしょうか。

モニカ： 2008年の文化庁の調査を見ると、日本の宗教人口は全部で二億一千百万人ぐらいだそうです。でも、この数は日本の人口の2倍ぐらいになるんですが、どうしてでしょうか。

森　田： なかなか面白いことに気がつきましたね。日本人の中には色々な宗教的行事に参加する人が結構いるから、宗教人口が日本の人口より多くなってしまうんですよ。

モニカ： そう言えば、私のホストファミリーは、お正月には神社に初詣に行って、お彼岸にはお墓にお参りに行くようですが、それは、仏教も神道も信じているということでしょうか。

森　田： 初詣やお彼岸のお墓参りなどは、年中行事の一つとして習慣的に行われているようですね。宗教的な行事という意識はあまり持っていないんではないでしょうか。

モニカ： そうですか。それは、日本人は信仰心がないということでしょうか。

森　田： いや、そうではないと思いますよ。これは私の個人的な意見ですが、特に何かの宗教は信じていなくても、神様の存在を信じている人は結構多いんじゃないでしょうか。この考えには、反対する人もいるかもしれないけど、私はそう思います。

モニカ： あっ、私も森田先生のご意見に賛成です。日本では、毎日の生活の中に宗教的な考えや習慣が自然に生きているって感じがします。色々な所に神様がいるみたいな。

森　田： 私もそう思いますよ。今度の発表は、日本の宗教について色々なデータやグラフを使って紹介すると面白いんじゃないですか。

モニカ： そうですね。頑張ります。どうもありがとうございました。

| 人口 | -倍 | 参加 | 個人 | 反対 | 賛成 |
| じんこう | ばい | さんか | こじん | はんたい | さんせい |

会話文 **3** モニカが「日本の宗教」について発表する。

　　図1の円グラフは文化庁が2008年に行った日本の宗教人口についての調査結果を表した
ものです。これによると、日本の信者数は二億一千百万人で、日本の全人口の約2倍となっ
50　ています。この調査から、日本人の中には一つ以上の宗教を信じている人がたくさんいると
いうことが分かります。

　　また、信者数ですが、まず神道系が50％で半分ぐらい、次に仏教系が44％で、キリスト
教系の信者は1％ぐらいです。その他の宗教の信者数の割合は5％となっています。この結果
から、神道と仏教を同時に信じている人が多いだろうということが考えられます。

55　　私はこの円グラフには、神様は一人だけではないという日本人の宗教的意識がよく表れて
いると思います。

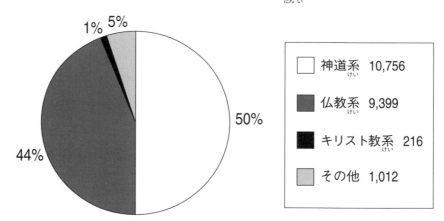

2008年　日本の信者数21,100　（単位：万人）

□ 神道系	10,756
■ 仏教系	9,399
■ キリスト教系	216
□ その他	1,012

50%
1%　5%
44%

図1：日本の宗教信者数　（2008年文化庁調べ）

図	結果	割合	表れて
ず	けっか	わりあい	あらわ

単語表

▶太字＝覚える単語

会話文1

1	意見	いけん	N	opinion	Ttl
2	信仰	しんこう	VN	(religious) faith; belief ｜ (〜を)信仰する ｜ 信仰心(N) (religious) piety	2
3	(〜を)許す	ゆるす	u-Vt	to allow; permit	17
4	(〜が)混ざる	まざる	u-Vi	to mix; blend	19

会話文2

5	文化庁	ぶんかちょう	N	the Agency for Cultural Affairs	
6	人口	じんこう	N	population （used only for people）	29
7	-倍	-ばい	Suf	〜times	30
8	参加	さんか	VN	participation ｜ (〜に)参加する	31
9	年中行事	ねんちゅうぎょうじ	N	yearly event	36
10	個人	こじん	N	individual ｜ 個人的(な) (ANa) personal	39
11	反対	はんたい	VN	opposition; being against ｜ (〜に)反対する ｜ 反対(の) (ANo) the opposite (direction); the reverse (side)	41
12	賛成	さんせい	VN	agreeing; approval ｜ (〜に)賛成する	42
13	感じがする	かんじがする	Phr	to feel	43

会話文3

14	図	ず	N	figure; chart; drawing	
15	円	えん	N	circle ｜ 円グラフ(N) pie chart	
16	結果	けっか	N	result	48
17	-系	-けい	Suf	system; lineage; family; group	52
18	割合	わりあい	N	ratio; percentage	53
19	(〜に)表れる	あらわれる	ru-Vi	to appear	55
20	単位	たんい	N	unit (of measure); credit	57

内容質問

📖 読み物１を読んだ後で、考えてみよう。

1. 「苦しい時の神頼み」というのは、どういう意味ですか。

2. 一神教の人にとって、日本人の生活のどんなところが不思議に思えるのでしょうか。

3. 日本人は何月にどんな行事をしますか。どうしてその行事をしますか。

4. お守りやお札は何のための物ですか。

5. 日本の結婚式はどんな所で行われますか。お葬式は一般的にどんな宗教で行いますか。

6. 「日本書紀」というのは、どんな本ですか。

7. 神社は日本全国にたくさんありますが、そこにはどんな神様がいますか。人々はどんな時に、そこに行きますか。

8. 神道は日本人のどんな宗教的意識を作りましたか。

9. 日本ではどうして様々な宗教が同時に存在することが出来るのでしょうか。

10. あなたが日本の神社にお参りに行くとしたら、どんな神様に何をお願いしに行きたいですか。

📖 読み物２を読んだ後で、考えてみよう。

1. この神話は何のために作られたのでしょうか。

2. この神話からどんなことが分かりますか。

3. この神話を自分の言葉で説明して下さい。

① 天照大神という神様は＿＿＿＿＿＿＿＿＿＿＿＿＿＿＿＿＿＿＿＿＿＿＿＿＿＿＿＿＿＿。
  ⬇

② 天照の弟の須佐之男はとても乱暴な神様で、ある日、＿＿＿＿＿＿＿＿＿＿＿＿＿＿。
  ⬇

③ 天照大神は怒って、＿＿＿＿＿＿＿＿＿＿＿＿＿＿＿＿＿＿＿＿＿＿＿＿＿＿＿＿＿＿。
  ⬇

④ 天照大神が岩の中に隠れた後、世界は＿＿＿＿＿＿＿＿＿＿＿＿＿＿＿＿＿＿＿＿＿。
  ⬇

⑤ 困った神様達は＿＿＿＿＿＿＿＿＿＿＿＿＿＿＿＿＿＿＿＿＿＿＿＿＿＿＿＿＿＿＿＿。
  ⬇

⑥ 最後に＿＿＿＿＿＿＿＿＿＿＿＿＿＿＿＿＿＿＿＿＿＿＿＿＿＿＿＿＿＿＿＿＿＿＿＿。

▶▶▶ みんなで話してみよう。

1. 日本人は苦しい時によく神頼みをしますが、あなたは苦しい時に何をしますか。

2. あなたの国や町で行われる行事は宗教に関係していますか。その行事ではどんなことをしますか。

3. あなたはどんなギリシャ神話を知っていますか。ギリシャ神話にはどんな話がありますか。

4. あなたの国にも神話がありますか。それはどんな話ですか。

5. 世界の国の中には、宗教について話すことが難しい国もありますが、日本では宗教について話すことはタブーではありません。それはなぜだと思いますか。あなたの国では宗教や信仰について話すことは大丈夫ですか。

▶▶興味を持っているトピックについて調査をして、グラフを使って発表しましょう。
きょうみ
下の発表例を参考にしなさい (to refer to) 。
さんこう

発 表 例

1   私は＿＿＿＿＿＿＿に興味があるので、今日はこのグラフを使って、＿＿＿＿＿＿＿について

調べたことを発表したいと思います。

　このグラフは、＿＿＿＿＿＿＿が、＿＿＿＿＿＿＿年に行った、＿＿＿＿＿＿＿についての

調査結果を表したものです。

5   まず、＿＿＿＿＿＿＿が＿＿＿＿＿＿＿で、次に＿＿＿＿＿＿＿が＿＿＿＿＿＿＿で、

＿＿＿＿＿＿＿は＿＿＿＿＿＿＿となっています。

{ この結果から、＿＿＿＿＿＿＿は＿＿＿＿＿＿＿ということが {言えます／考えられます}。

この調査で、＿＿＿＿＿＿＿ということが分かりました。 }

私は＿＿＿＿＿＿＿は、＿＿＿＿＿＿＿と思い {ます／ました}。

Ａ：折れ線グラフの例
　　　おせん

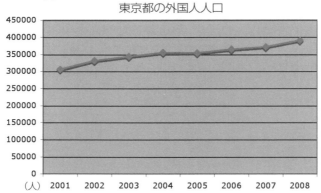

（2008年東京都総務局調べ）
そうむきょく

Ｂ：棒グラフの例
　　　ぼう

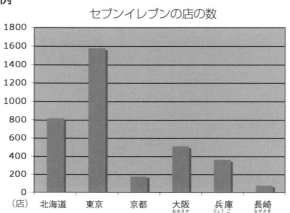

（2008年セブンイレブン・ジャパン調べ）

発表の後で　　丁寧度 ▶ ★★

▶▶クラスメートの発表を聞いて、その発表内容について質問したり、意見を言ったりしましょう。

（1）発表内容について質問する。

　　_____というのは、どういう意味ですか。

　　_____は、_____という{意味 / こと}でしょうか。

（2）相手Aの意見を聞く。

　　Aさんは、_____について、どう思いますか。

（3）自分の意見を言う。

　　これは、私の個人的な考えですが、_____。

　　私は、_____と思います。_____からです。

　　_____は、_____んじゃないでしょうか。

　　私は、_____と思うんですが…。

　　_____は、_____んじゃないかと思うんですが…。

　　_____は、_____ような気がするんですが…。

（4）相手の意見に賛成する。

　　私もそう思います。

　　私も_____さんと同じ{意見 / 考え}です。

　　私 {も / は}、_____という_____さんの意見に賛成です。

　　あっ、_____さんもそう思いますか。私も_____と思います。

（5）相手Aの意見を認め（to acknowledge）ながら、違う考えを言う。

　　私は、Aさんの考えとは少し違って、_____と思います。

　　Aさんの{言うことも / 考えも}分かりますが、私は_____と思います。

　　Aさんの{言うことも / 考えも}分かりますが、私はそうではないと思います。

　　Aさんの{言うことも / 考えも}分かりますが、そうではないかもしれませんよ。

文法ノート

❶ ～に気がつく

本文	・もっと色々な宗教的習慣や行事があること**に気がつく**だろう。【読1: *ll*.7-8】 ・なかなか面白いこと**に気がつきました**ね。【会2: *l*.31】
説明	～に気がつく can be preceded by nouns or sentences, and means "notice N" or "realize/notice that S." The first sentence in 本文 above is an example of S ことに気がつく, and the second sentence is an example of N に気がつく. Note that the こと in the two sentences are different. The first こと is a nominalizer meaning "that," and the second こと is a noun meaning "thing." (See p.150, 言語ノート7「もの and こと」.)
英訳	notice (that ～); realize that ～
文型	a. N に気がつく b. S ことに気がつく : **Type 2c**
例文	1. 試験が終わってから、答えを間違えたこと**に気がつきました**。 2. 家に帰って初めてかばんの中の財布がなくなっていること**に気がついた**。 3. 引っ越す前は、アパートの前の道がこんなにうるさいこと**に気がつかなかった**。 4. 人は失敗して初めて、自分のしたことが間違っていたこと**に気がつく**。

❷ Verb-non-past ように（と）{願う/祈る}

本文	・これからも健康に育つ**ように**と神様に**祈る**のだ。【読1: *l*.15】
説明	S ように（と） is used with such verbs as 願う "hope" and 祈る "pray," and expresses the speaker's hope or desire that what is stated in the sentence will become reality.
英訳	～ように（と）願う = hope that ～　　～ように（と）祈る = pray that ～
文型	V-non-past.plain ように（と）{願う/祈る}
例文	1. 子供達が幸せな人生（life）が送れる**ように**と願っています。 2. 多くの人々が早く世界が平和になる**ように**願っている。 3. 弟が大学の入学試験に合格できる**ように**と毎日祈っています。 4. 毎年お正月に神社に行って、今年も大きな病気をしない**ように**神様に**祈る**ことにしている。

❸ Noun も Verb ば、Noun も Verb

本文	・式を教会で挙げる人も**いれば**、お寺や神社で挙げる人も**いる**。【読1: *l*.18】
説明	This sentence structure is used to present some members in a group, things in a category, actions someone takes, characteristics of something/someone, etc., among others. Although the form of the verb here is conditional, the meaning is not conditional in this usage. The structure "N₁ も V-plain し、N₂ も V" is similar in meaning. 　・寿司が好きな人もいるし、嫌いな人もいる。(=Ex. 1) 　・この教科書は、会話も練習できるし、文化も学べます。(=Ex. 2)
英訳	some do ～ and others do ～; do ～ and ～ among other things; sometimes ～ and sometimes ～; there are times when ～ and times when ～; ～ and also ～; ～ and ～ as well
文型	N₁ も V-cond、N₂ も V
例文	1. 寿司が好きな人も**いれば**、嫌いな人も**います**。 2. この教科書は、会話も練習でき**れば**、文化も学べます。 3. このリゾートはきれいな海で泳ぐことも出来**れば**、山にハイキングに行くことも出来る。 4. 田中先生の研究室には、百年以上前の辞書も**あれば**、最近の映画のDVDもある。

④ 〜のだろうか 👔

本文	・日本では、なぜこのように色々な宗教が共に存在することが出来る**のだろうか**。 【読1: *l*.20】
説明	Sentence の {だろう / でしょう} か is a self-addressed question. The question can be either a yes-no question or a wh-question.
英訳	I wonder 〜
文型	**Type 2b**
例文	1. 漢字を練習する時いつも、どうしてこんなにたくさん漢字がある**のだろうか**と思う。 2. なぜ彼は私のことを愛して (to love) くれない**のだろうか**。私は彼がこんなに好きなのに。 3. 田中さんは1日中咳をしている。熱もあるようだ。病院に行かなくて大丈夫な**のだろうか**。

⑤ {そんな / こんな / あんな} Noun

本文	・古い歴史の本には、**そんな**神々についての物語がたくさんある。 【読1: *l*.23】 ・日本全国には**そんな**神様を祭った神社がたくさんあって、〜 【読1: *ll*.24-25】
説明	そんな, こんな and あんな are synonymous with そういう, こういう and ああいう, respectively. (See L4, 文法ノート⑩) そんな, こんな, etc. are slightly more colloquial than そういう, こういう, etc.
英訳	そんな / あんな ＝ that kind of 〜; 〜 like that　　　こんな ＝ this kind of 〜; 〜 like this
文型	{そんな / こんな / あんな} N: そんな映画; こんな問題; あんなシャツ
例文	1. A: スミスさんは、将来日本の会社で働くのが夢なんだって。 　　 B: へー、スミスさんが**そんな**夢を持っているなんて、全然知らなかった。 2. 絶対に怒らない人がいるのだろうか。私は絶対に**そんな**人はいないと思う。 3. 田中さんが昨日着ていたような、**あんな**シャツが欲しいなあ。 4. ちょっと聞いてみて。最近、**こんな**音楽が人気があるんだって。

❻ それぞれ

本文	・目的によって、**それぞれ**お参りに行く神様が違うのだ。 【読1: *ll*.28-29】
説明	それぞれ is used to focus on each individual or thing in a group of people or things, and means "each (one of them)." In some contexts a more natural interpretation may be "one's own" rather than "each one's." (Ex. 3)
英訳	each; one's own; in one's own way
文型	a. それぞれ Predicate: それぞれ自分の経験を話す; それぞれおいしい b. それぞれの N: それぞれの国; それぞれの考え
例文	1. 学校が終わって、子供達は**それぞれ**自分の家に帰って行った。 2. ここはセルフサービスですから、**それぞれ**自分の好きな食べ物を取って食べて下さい。 3. **それぞれ**の国には、**それぞれ**の文化や習慣がある。

❼ 〜らしい

本文	・「IT の神様」なんていう神様も現れた**らしい**。 【読1: *ll*.29-30】 ・「はい」と答えた人は、日本国民全体の9％だけだった**らしい**。 【読1: *ll*.35-36】
説明	The auxiliary *i*-adjective らしい is used to express the speaker's conjecture based on what he/she has learned through an information source or his/her own observation.
英訳	seem; apparently; I heard that 〜; it looks like
文型	**Type 3**

例文	1. 来月山田先生が結婚する**らしい**ですよ。 2. 昨日、日本で大きい地震があった**らしい**ですね。田中さんのご家族は大丈夫でしょうか。 3. スミスさんの日本のホームステイの家族はとてもよかった**らしい**。 4. 先輩によると、あの先生の授業は大変**らしい**。 5. 道子さんはちょっと冷たそうに見えるけど、本当はとても優しい人**らしい**。

❽ Verb-*masu* 続ける

本文	・神道が人々の生活の中で生き**続けて**きたように、仏教やキリスト教の行事なども〜 【読1: *ll*.33-34】
説明	V-*masu* 続ける means "continue doing something." This phrase is used when the subject continues doing something volitionally.
英訳	continue to; continue V-ing; go on V-ing; keep (on) V-ing; all the way; all the time
文型	V-*masu* 続ける
例文	1. 外国語が上手になりたかったら、あきらめないで毎日勉強し**続ける**ことが大切です。 2. 朝から晩までコンピュータのスクリーンを見**続けて**いるので、目が悪くなってしまった。 3. 赤ちゃんが朝まで泣き**続けた**ので、お母さんは全然寝られなかった。

❾ 〜ばかり

本文	・須佐之男はとても乱暴で悪いこと**ばかり**するので、〜 【読2: *ll*.8-9】
説明	ばかり is used to express the idea that someone does one thing all the time and does nothing else, or that someone chooses just one thing among others when doing something, as shown in the following examples: ・政夫はマンガ**ばかり**読んでいる。 　((a) Masao does nothing but read comics. (=All Masao does is read comics.)　(b) Masao reads only comics. (= When Masao reads, he reads nothing but comics.)) ・アンは日本語の勉強**ばかり**している。 　((a) Ann does nothing but study Japanese. (=All Ann does is study Japanese.)　(b) Ann studies only Japanese. (= When Ann studies, she studies nothing but Japanese.)) ばっかり is more colloquial than ばかり.
英訳	nothing but 〜; always; all the time
文型	a. N (Prt) ばかり V: アニメばかり見る；美代子とばかり踊る b. VN ばかりする: 勉強ばかりする c. V-*te* ばかりいる: 遊んでばかりいる
例文	1. たけしさんはコンピュータゲーム**ばかり**していて全然勉強しないそうです。 2. 弟は肉**ばっかり**食べて、野菜や果物 (fruit) は全然食べようとしません。 3. 勉強**ばかり**して運動しないというのは健康によくありませんよ。 4. ルームメートは、毎日寝て**ばっかり**いる。授業に行かなくてもいいのかなあ。 5. 赤ちゃんが泣いて**ばかり**いるので、母親になったばかりの洋子さんはとても困っている。

❿ 真(っ) + *i*-Adjective-stem / Noun

本文	・世界は何日も**真っ暗**な日が続きました。　【読2: *ll*.14-15】 ・神様達は**真っ暗**な中で、一生懸命歌ったり踊ったり〜 【読2: *ll*.20-21】
説明	The prefix 真 + Adjective indicates that the degree of something is very high or is at the highest level. The prefix 真 + Noun indicates the center of a space or time span. The English translation of 真 varies according to the word which follows it. A glottal stop (っ) precedes the sounds [k], [s] and [sh]. Exceptions are: 赤 → 真っ赤；青 → 真っ青；北 → 真北；昼間 → 真っ昼間

英訳	very; pure; totally; right; mid-
文型	a. 真(っ)＋A-stem: 真っ暗；真っ白（例外：真新しい） b. 真(っ)＋N: 真上；真夏；真冬；真東；真南；真向かい；真横；真先
例文	1. **真っ赤**な夕日（the evening sun）が海に沈んで（to set）いく。 2. 橋（bridge）の上から**真下**にある川を見ると、とても怖い。 3. 夕べ隣の人が**真夜中**（midnight）までパーティーをしていてうるさかったので、全然寝られなかった。

⑪ 〜わけだ

本文	・そうすれば、天照は〜外に出て来ると考えた**わけです**。　【読2: *ll*.18-20】
説明	わけだ is used in the following situations: (a) when the speaker provides the reason for a previous statement（本文 and Ex.1）; (b) when the speaker reaches a logical conclusion from what he/she has learned from the hearer or has discovered（Ex. 2）; (c) when the speaker understands the reason for what he/she has learned from the hearer or what he/she has discovered（Exs. 3〜5）.
英訳	The reason is that 〜; It means that 〜; That's why 〜; No wonder 〜; Naturally
文型	**Type 2a**
例文	1. 東京は電車や地下鉄やバスが便利な街なので、車がなくても生活できるという**わけです**。 2. A : 1月から6月までの半年間、日本に留学することになりました。 　 B : じゃあ、夏休みはアメリカに戻って来る**わけです**ね。 3. あっ、ヒーターが止まっている。寒い**わけだ**。 4. A : スミスさんは、日本に20年も住んでいたんですよ。 　 B : なるほど、それで日本語がとても上手な**わけです**ね。 5. A : ロボットが作った商品を、ここで私達がチェックするんです。 　 B : あー、最後にチェックするのは、やっぱり人間な**わけです**ね。

⑫ Noun でよければ

本文	・うん、私**でよければ**、もちろん。　【会1: *l*.4】
説明	Xでよければ presents a condition for doing something. It is also used when the speaker politely offers something to the hearer.
英訳	if 〜 is all right; if 〜 works; if 〜 is acceptable; if you don't mind
文型	Nでよければ
例文	1. この辞書**でよければ**、どうぞ。 2. 今日は忙しいけど、来週の日曜日**でよければ**、一緒に行けるよ。 3. 何もないんだけど、コーヒー**でよければ**、すぐ入れられるよ。飲む？

⑬ 結構

本文	・死んだら仏教式のお葬式をするっていう人、**結構**いるんだけど、〜　【会1: *l*.6】 ・私の友達にも結婚式は絶対教会でしたいと思っている人、**結構**いるんだ。　【会1: *ll*.11-12】 ・神様の存在を信じている人は**結構**多いんじゃないでしょうか。　【会2: *l*.40】
説明	The adverb 結構 indicates that the speaker feels that the degree/level/amount/etc. of something is not high but is higher than average.
英訳	fairly; pretty; rather; quite

| 文型 | a. 結構 {A/ANa + Da}：結構おいしい；結構不便だ |
| | b. 結構 Verb Phrase: 結構上手に書く；結構誰とでも話す；結構昔からある |

例文	1. この辞書のサイトは**結構**便利なので、よく使う。
	2. 先週から始まったドラマは**結構**面白い。
	3. 子供は5歳ぐらいになれば、一人で**結構**何でも出来るようになる。

⑭ なかなか Adjective

本文	・**なかなか**面白いことに気がつきましたね。　【会2: *l.*31】
説明	The adverb なかなか is synonymous with 結構. The major difference is that なかなか is not usually used with adjectives and adverbs with negative meanings, such as つまらない "boring" and 不便だ "inconvenient." Note that なかなか also indicates that the speaker is impressed by the way something/someone is or the way someone does something.
英訳	quite; fairly; pretty; considerably
文型	a. なかなか {A/ANa + Da}：なかなか広い；なかなかきれいだ
	b. なかなか Adv: なかなか上手に
例文	1. この携帯電話のコマーシャルは**なかなか**面白い。犬が話すのがとてもかわいい。
	2. この間の旅行は**なかなか**楽しかった。泊まったホテルも**なかなか**よかったし、料理も結構おいしかった。
	3. 私は絵を描くのは得意じゃないけれど、これは**なかなか**上手に描けたと思う。

⑮ そう言えば

本文	・**そう言えば**、私のホストファミリーは、お正月には神社に初詣に行って、～　【会2: *l.*33】
説明	The conjunctive phrase そう言えば is used when the speaker is reminded of something by the hearer's remark or the speaker's own remark.
英訳	That reminds me; Now I remember; indeed
文型	そう言えば、S。
例文	1. A：今日、田中さん、クラス休んだね。
	B：**そう言えば**、昨日、お腹が痛いって言ってたよ。病気かもしれないね。
	2. A：昨日、友達の誕生パーティに行ってきたんだ。
	B：あっ、**そう言えば**、明日は母の誕生日だ。忘れてた！
	3. A：ねえ、あの人、どこかで見たことない？
	B：**そう言えば**、昔、どこかで会ったことがあるような気がする。

⑯ ～ということ

本文	・一つ以上の宗教を信じている人がたくさんいる**ということ**が分かります。　【会3: *ll.*50-51】
	・神道と仏教を同時に信じている人が多いだろう**ということ**が考えられます。　【会3: *l.*54】
	・この結果から、＿＿は、＿＿＿**ということ**が {言えます/考えられます}。　【発1: *l.*7】
	・この調査で、＿＿**ということ**が分かりました。　【発1: *l.*8】
説明	ということ changes a sentence into a noun clause, but does not add any meaning. S ということ can be marked by が, を, etc. S ということ is usually used in written language.
英訳	that; V-ing
文型	S-plain ということ

例文	1. この本を読むと、昔のギリシャにも日本のように色々な神様がいた**ということ**がよく分かる。 2. 日本語の授業で、日本には宗教的習慣や行事はたくさんあるが、宗教に熱心な信者はあまりいない**ということ**を学んだ。 3. この大学はレベルが高い**ということ**で知られている。 4. ファーストフードの特徴は色々あるが、まず、速くて安い**ということ**が言えるだろう。 5. 奨学金をもらうためには、なぜ日本に留学したいか**ということ**について、エッセーを書かなくてはいけない。

⑰ 〜は〜となっている 🎴

本文	・日本の信者数は二億一千百万人で、日本の全人口の約2倍**となっています**。　【会3: ll.49-50】 ・その他の宗教の信者数の割合は5%**となっています**。　【会3: l.53】 ・＿＿＿＿は＿＿＿＿＿**となっています**。　【発1: l.6】
説明	となっている indicates that what is stated in the preceding sentence is something beyond the speaker's control. The preceding statements are often findings or matters decided by others. The structure of the sentence before となっている is "A は B." Note that だ does not occur after B.
英訳	happen to be; It turns out that 〜; It's been decided that 〜; The rule is that 〜
文型	A は B となっている (B is a noun or a noun equivalent, which includes "Number+Counter" and "N + Prt.")
例文	1. この映画は午後7時から**となっています**。 2. 調査によると、この大学での大学院生の割合は25%**となっています**。 3. そのスピーチコンテストに出られるのは、日本に1年以上住んだことがない外国人だけ**となっている**。

漢字表

■RW 読み方・書き方を覚える漢字

1	苦しい	くるしい	読1
2	置く	おく	読1
3	両方	りょうほう	読1
4	気がつく	きがつく	読1
5	神社	じんじゃ	読1
6	信者	しんじゃ	読1
7	式/-式	しき/-しき	読1
8	教会	きょうかい	読1
9	石	いし	読1
10	神話	しんわ	読1
11	建てる	たてる	読1
12	土地	とち	読1
13	受験スル	じゅけんスル	読1
14	現れる	あらわれる	読1
15	受け入れる	うけいれる	読1
16	生きる	いきる	読1
17	一部	いちぶ	読1
18	調査スル	ちょうさスル	読1
19	熱心(な)	ねっしん(な)	読1
20	国民	こくみん	読1
21	急(な)	きゅう(な)	読2
22	彼女	かのじょ	読2
23	世紀	せいき	読2
24	意見	いけん	会1
25	人口	じんこう	会2
26	-倍	-ばい	会2
27	参加スル	さんかスル	会2
28	個人	こじん	会2
29	反対スル	はんたいスル	会2
30	賛成スル	さんせいスル	会2
31	図	ず	会3
32	結果	けっか	会3
33	表れる	あらわれる	会3

■R 読み方を覚える漢字

1	宗教	しゅうきょう	読1
2	仏	ほとけ	読1
3	祈る/お祈り	いのる/おいのり	読1
4	神道	しんとう	読1
5	仏教	ぶっきょう	読1
6	不思議(な)	ふしぎ(な)	読1
7	お参りスル	おまいりスル	読1
8	不幸	ふこう	読1
9	幸福	こうふく	読1
10	願う	ねがう	読1
11	交換スル	こうかんスル	読1
12	祝う	いわう	読1
13	存在スル	そんざいスル	読1
14	歴史	れきし	読1
15	怒る	おこる	読1
16	恋人	こいびと	読1
17	意識	いしき	読1
18	殺す	ころす	読2
19	岩	いわ	読2
20	真(っ)-	ま(っ)-	読2
21	戻る	もどる	読2
22	結構	けっこう	会1
23	許す	ゆるす	会1
24	割合	わりあい	会3

太字：新しい漢字

＿＿＿：新しい読み方

▨▨▨：前に習った単語

あなたの国や地方にはどんな迷信がありますか。日本には面白い迷信がたくさんあります。昔からある日本の代表的な迷信を紹介しますので、あなたの国の迷信と比べてみて下さい。どの迷信が宗教に関係があるかも考えてみましょう。

文化ノート2 日本の色々な迷信

数字の迷信

① 四や九の数字はよくないことがあると考えられている。だから病院には四や九の番号の部屋がない。四は「し」と発音して「死」と同じ音、九は「く」と発音して「苦」と同じ音のため。

② 厄年にはよくないことがある。男性の厄年は25歳、42歳、61歳、女性の厄年は19歳、33歳、37歳と言われている。特に、男性の42歳は「死に」と同じ音、女性の33歳は「散々」と同じ音なので、とても悪いことが起きると言われている。厄年の始まる前に人々はよく神社に行ってお守りをもらう。

③ 八は日本のラッキーナンバー！八の字は「末広がり」と言って、上が狭くて下が広がっている形をしているので、将来はもっとよくなるという意味を表す。また、八は「富士山」の形に似ていることも日本人が八が好きな理由である。

動物の迷信

① キツネ (fox) やタヌキ (raccoon) は人をだます (to deceive) から、気をつけた方がいい。

② 白いヘビ (snake) は 神様のお使い (messenger) だから、白いヘビを見るといいことがある。

③ 朝のクモ (spider) はいいことのサインだから殺してはいけない。夜のクモは悪いことのサインだから、すぐ殺した方がいい。

④ 食べてからすぐに横になる (to lie down) と、牛になる。

⑤ ナマズ (catfish) があばれる (to behave violently) と地震が起きる。

天気の迷信

① 靴を足で投げ飛ばして (to fling away) 上を向いた (to turn up) ら、明日は晴れ。下を向いたら、明日は雨。

② 天気雨（天気がいいのに雨が降っている）は、「キツネ (fox) の嫁入り (wedding)」。

③ カミナリ (thunder) が鳴る (to roll) とおへそ (belly button) を取られるので、すぐにお腹を隠す (to hide) こと。

その他の迷信

① 入れたお茶の中に茶柱 (stalk) が立っていたら、何かいいことがある。

② 誰かの噂をする (to gossip) と、噂をされた人はくしゃみ (sneezing) をする。

③ 新年に富士山やタカ (hawk) やなすび (eggplant) の夢を見ると、その年はいいことがある。

④ 夜、口笛を吹く (to whistle) のはよくない。

⑤ 夜、爪 (fingernail) を切ってはいけない。親が死ぬ時に会えなくなるから。

7 もの and こと

もの and こと are both translated as "thing" in English, but they are used to refer to very different kinds of things and, therefore, are not interchangeable.

もの is generally used to refer to objects, i.e., things which one can see, touch, taste, or smell, as shown in the following examples.

- 日本ではどんな<u>もの</u>を食べましたか。
- 東京には面白い<u>もの</u>がたくさんあります。
- この部屋の<u>もの</u>に触らないで下さい。

For solid objects, the kanji 物 is sometimes used instead of もの. It is customary to use 物 for certain words (e.g., 食べ物, 飲み物, 着物 and 乗り物).

こと, on the other hand, is used to refer to something which is not an object, as shown in the following examples.

- 日本ではどんな<u>こと</u>をしましたか。 [activity]
- 友達から面白い<u>こと</u>を聞きました。 [news; information]
- 困った<u>こと</u>が起こりました。 [happening; problem]

こと is also used to change verbs, phrases and sentences into noun equivalents, as shown below. (The こと in this use is called a nominalizer. When こと is used as a nominalizer it is always written in *hiragana*, while こと in other situations may be written as 事).

- <u>走ること</u>は体にいい。 (<u>Running</u> is good for your body.)
- 問題は<u>授業料が高いこと</u>だ。 (The problem is <u>that the tuition is expensive</u>.)
- <u>作文の宿題があったこと</u>を忘れていた。 (I'd forgotten <u>that there was a writing assignment</u>.)

The nominalizer こと and "Noun のこと" often appear in sentence patterns, as seen in the following:

- 日本語を話す<u>ことが出来る</u>。 [ability]
- 中国へ行った<u>ことがある</u>。 [experience]
- 喫茶店で勉強する<u>ことがある</u>。 [occasional act]
- 来年、日本へ行く<u>ことにした</u>。 [a decision made by the speaker]
- 毎週月曜日に友達と会話の練習をする<u>ことになった</u>。

  [a decision made by someone with or without the speaker]
- できるだけ漢字を書く<u>ことにしている</u>。 [a rule made by the speaker]
- 毎週ビデオを見る<u>ことになっている</u>。 [a rule made by someone with or without the speaker]
- 「手を貸す」<u>というの</u>は他の人の仕事を手伝う<u>こと</u>だ。 [meaning]
- 「スタバ」<u>(というの)</u>は「スターバックス」<u>のこと</u>だ。 [meaning]
- 私は両親にガールフレンド<u>のこと</u>を話した。 ["(various things) about"]

もの also appears in sentence patterns.

- 学生は勉強する<u>ものだ</u>。 (Students should study.)
- 子供の時はよく妹とけんかをした<u>ものだ</u>。 (When I was a child, I often used to fight with my sister.)

第7課

日本の
ポップカルチャー

本文を読む前に

1 あなたはどんな日本のポップカルチャーに興味がありますか。下の棒グラフ (bar graph) を完成しなさい (to complete)。また、日本のポップカルチャーについて知っていることを書きましょう。

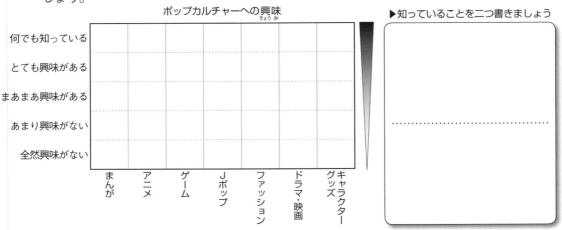

ポップカルチャーへの興味

	何でも知っている	とても興味がある	まあまあ興味がある	あまり興味がない	全然興味がない

まんが　アニメ　ゲーム　Jポップ　ファッション　ドラマ・映画　キャラクターグッズ

▶知っていることを二つ書きましょう

2 手塚治虫という人についての話(手塚治虫物語)を見て、下の表を完成しなさい (to complete)。

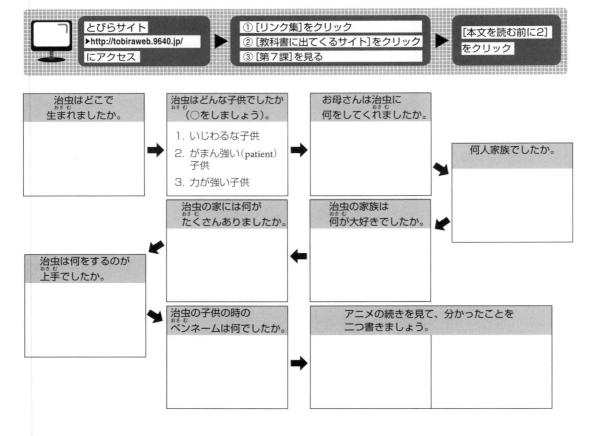

とびらサイト
▶http://tobiraweb.9640.jp/
にアクセス

① [リンク集]をクリック
② [教科書に出てくるサイト]をクリック
③ [第7課]を見る

[本文を読む前に2]
をクリック

治虫はどこで
生まれましたか。

治虫はどんな子供でしたか
(○をしましょう)。

1. いじわるな子供
2. がまん強い (patient)
   子供
3. 力が強い子供

お母さんは治虫に
何をしてくれましたか。

何人家族でしたか。

治虫の家には何が
たくさんありましたか。

治虫の家族は
何が大好きでしたか。

治虫は何をするのが
上手でしたか。

治虫の子供の時の
ペンネームは何でしたか。

アニメの続きを見て、分かったことを
二つ書きましょう。

152

読み物・1

マンガの神様：手塚治虫
てづかおさむ

1　今、世界中で日本のマンガ、アニメ、ゲーム、キャラクターグッズ、Jポップなどのポップカルチャー・ファンが増えている。海外で「MANGA」といえば日本マンガのことを、「ANIME」と言えばディズニーなどのアニメーションではなく日本アニメのことを言う。また、日本で生まれたテレビゲームも「VIDEO GAME」として世界中に広まった。日本のポップカルチャーは

5　様々な国の経済や文化やファッションに影響を与え、ビジネスとしても大きいマーケットになっているのだ。

　では、そのポップカルチャーの元になっているものは何だろうか。それは、日本のストーリーマンガだと言えるかもしれない。今、日本のストーリーマンガは世界中で楽しまれていて、アジア、オセアニア、ヨーロッパなど色々な国の言葉に翻訳されて本になり、読者を広げている。そ

10　して、多くのアニメやテレビ番組やゲームなどがマンガの原作を元にして作られるため、マンガ、アニメ、映画、ドラマ、ゲームなどのファンがそれぞれお互いに影響を与え合いながら、ファンを増やしている。日本のストーリーマンガはメディアコンテンツとして、大きいビジネスになっているのだ。

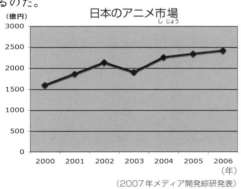

日本のアニメ市場
（億円）

（2007年メディア開発綜研発表）

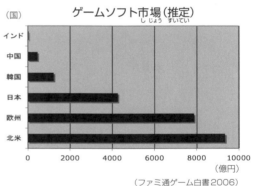

ゲームソフト市場（推定）
（国）

（ファミ通ゲーム白書2006）

　その上、日本のマンガは欧米人の本の読み方さえ変えようとしている。アメリカでは2002年

15　に日本の少年マンガ週刊誌、次の年には少女向けのマンガ週刊誌が出版された。それまで欧米の本や雑誌は右から左にページをめくる読み方が一般的だったが、マンガファンの「右上から左下に読む日本のマンガと同じスタイルにしてほしい」というリクエストで、アメリカで売られる日本のマンガ雑誌も、日本と同じように左から右にページを開くスタイルで作られるようになったのだ。

20　それでは、日本マンガの魅力は何だろうか。そのことを考える時、一番初めに思い浮かぶのが手塚治虫の名前だ。昔は日本でも、マンガは子供のためのものと思われていたが、手塚はそれ

広まった	様々	経済	影響	元	読者	増やして	欧米	少年
少女	-向け	出版	開く					

を小説や映画と同じような物語の表現方法の一つとして確立し、大人でも楽しんで読めるものに変えた。現在の日本のストーリーマンガの元を作ったのだ。

　手塚治虫は第二次世界大戦後、医学部を卒業して医学博士になったが、医者にはならずに漫画家
25　になった。そして、1989年に60歳で亡くなるまで700以上の作品を残した。本名は治だが、子供の頃から虫が好きだったので、ペンネームを治虫にしたそうだ。ベレー帽をかぶり丸い眼鏡をかけた丸い鼻がトレードマークで、彼のマンガには、自分と同じような人物がよく出て来る。

手塚治虫の写真

手塚が描いた自分自身のマンガ
©Tezuka Productions

鉄腕アトム
©Tezuka Productions

　手塚が描いたマンガの中で初めてテレビアニメになったのは、「鉄腕アトム」という少年ロボットが活躍するSFマンガだ。60年代に子供達の人気を集め、その後の日本のSFアニメブー
30　ムのきっかけにもなった。アジアの国々や、ヨーロッパ、アメリカのテレビでも放送されたので、知っている人も多いはずだ。その他にも、『ジャングル大帝』『リボンの騎士』『どろろ』『火の鳥』『ブッダ』『ブラックジャック』『アドルフに告ぐ』など、アニメや映画になったり、世界中の言葉に翻訳された手塚作品はたくさんある。

　手塚のマンガには、宗教、哲学、医学、芸術、歴史、SF、宇宙、自然など様々なテーマがあり、
35　難しい言葉や理論ではなくて、面白くて楽しい絵と分かりやすい言葉で、命の大切さ、自然の大きさ、戦争の無意味さ、人類の未来などについて教えてくれる。手塚のマンガの特徴であるオノマトペがたくさん入ったマンガを笑いながら読んでいるうちに、読者は人間が生きることや死ぬことについて深く考えさせられてしまうのだ。

　手塚がすばらしいのは、マンガを描くだけでなく、自分の後に続く漫画家達も育てたことだ。
40　彼は漫画家になるのを夢見て自分のところに集まって来た若者に、住む場所や仕事の世話などをして、多くの漫画家を育て、世の中に送り出した。そして、手塚や手塚に育てられた人達のマンガを読んで、次の世代の漫画家達が育っていった。現在の日本人漫画家で手塚の影響を受けていない人はいないはずだ。人々は、愛情と尊敬と、人間を超えた才能を持った人という気持ちを込めて、手塚治虫を『マンガの神様』と呼ぶ。もし、手塚治虫が存在しなかったら、今のアニメや
45　マンガのブームはなかったかもしれない。手塚の残したものが、今、世界中に影響を与えていることを、彼は空の上でどう思っているだろうか。

方法	第二次世界大戦	医学	-家	亡くなる	作品	頃	虫	丸い	鼻	人物
活躍	-年代	放送	芸術	命	戦争	人類	深く	世の中	愛情	超えた

単語表

▶太字＝覚える単語

1	キャラクターグッズ		N	pop character merchandise	
2	Jポップ	ジェイポップ	N	short for Japanese pop（refers to Japanese popular music/musicians）	1
3	**（〜が）広まる**	**ひろまる**	u-Vi	to spread widely; get around	4
4	**様々（な）**	**さまざま（な）**	ANa	various	
5	**経済**	**けいざい**	N	economy	
6	**影響**	**えいきょう**	VN	influence; effect; impact ｜（〜に）影響する ｜（〜に）影響を与える（Phr）to have an influence/impact ｜（〜に）影響を受ける（Phr）to be influenced/affected	5
7	**元**	**もと**	N	origin; root	7
8	ストーリーマンガ		N	story manga［a style of manga using a time-control technique on each double-page spread］	8
9	**翻訳**	**ほんやく**	VN	written translation ｜（〜を〜に）翻訳する	
10	**読者**	**どくしゃ**	N	reader	9
11	**原作**	**げんさく**	N	original work	10
12	**（〜を）増やす**	**ふやす**	u-Vt	to increase	
13	コンテンツ		N	contents（of a medium such as film, manga, game, etc.）	12
14	**欧米**	**おうべい**	N	Europe and the US ｜ 欧米人（N）Europeans and Americans	14
15	**少年**	**しょうねん**	N	young boy	
16	週刊誌	しゅうかんし	N	weekly magazine	
17	**少女**	**しょうじょ**	N	young girl	
18	**出版**	**しゅっぱん**	VN	publication; publishing ｜（〜を）出版する（used only for books, magazines and newspapers）	15
19	**（ページを）めくる**		u-Vt	to flip（a page）	16
20	**（〜を）開く**	**ひらく**	u-Vt	to open（a book）	18
21	**魅力**	**みりょく**	N	attraction; fascination	
22	**（〜が）思い浮かぶ**	**おもいうかぶ**	u-Vi	to come to one's mind	20
23	**方法**	**ほうほう**	N	method; way; plan	
24	**確立**	**かくりつ**	VN	establishment ｜（〜を）確立する	22
25	**第二次世界大戦**	**だいにじせかいたいせん**	N	World War II	
26	医学	いがく	N	medical science ｜ 医学部（N）the medical department（for a university）	
27	博士	はかせ/はくし	N	doctor（Dr.）	
28	**-家**	**-か**	Suf	specialist ｜ 漫画家（N）manga artist; animator	24
29	**（〜が）亡くなる**	**なくなる**	u-Vi	to die［euphemism］	
30	**作品**	**さくひん**	N	（a piece of）work	
31	本名	ほんみょう	N	one's real name	25
32	虫	むし	N	bug	
33	ベレー帽	ベレーぼう	N	beret	
34	丸い	まるい	A	circular; round	26
35	鼻	はな	N	nose	
36	**人物**	**じんぶつ**	N	figure; character（from history, drama, novel, etc.）	27
37	SF	エスエフ	N	science fiction	
38	**-年代**	**-ねんだい**	Suf	the（1960）s	29
39	きっかけ		N	trigger	

40	放送	ほうそう	VN	broadcast; broadcasting ｜（～を）放送する	30
41	哲学	てつがく	N	philosophy	
42	芸術	げいじゅつ	N	(fine) art; the arts	
43	宇宙	うちゅう	N	universe	
44	テーマ		N	theme	34
45	理論	りろん	N	theory	
46	命	いのち	N	life	35
47	無意味（な）	むいみ（な）	ANa	meaningless	
48	人類	じんるい	N	mankind; human beings	
49	未来	みらい	N	future [a more distant future than 将来]	
50	オノマトペ		N	onomatopoeia [a word that imitates the sound it is describing]	36
51	深い	ふかい	A	deep	38
52	すばらしい		A	wonderful; superb; great	
53	（～の）後に続く	あとにつづく	Phr	to follow after（a person, thing, etc.）	39
54	（～を）夢見る	ゆめみる	ru-Vt	to dream	40
55	世の中	よのなか	N	society; the world	41
56	世代	せだい	N	generation	42
57	愛情	あいじょう	N	love; affection	
58	（～を）超える	こえる	ru-Vt	to exceed; surpass	
59	才能	さいのう	N	ability; talent	
60	（～に）気持ちを込める	きもちをこめる	Phr	to put one's mind/feelings（into something）	43

言語ノート

8

連濁：「゛」のつく言葉
れん　だく

　日本語には二つの言葉が一つの言葉になった時、後ろの言葉の初めの音に「゛」がつくことがよくあります。これは連濁と呼ばれています。例えば、「昔＋話＝昔話」「恋＋人＝恋人」「人＋型＝人型」「興味＋深い＝興味深い」「回転＋寿司＝回転寿司」などです。「人＋人」や「国＋国」も「人々」、「国々」となります。他にも例がたくさんあります。下の言葉を読んでみましょう。

> 手＋紙＝手紙、島＋国＝島国、露天＋風呂＝露天風呂、アニメ＋好き＝アニメ好き、
> 一人＋暮らし＝一人暮らし、二人＋部屋＝二人部屋、アマゾン＋川＝アマゾン川

　二つの言葉が一つの言葉になっても、後ろの言葉の発音が変わらないこともあります。
（1）後ろが外来語（loan words）の場合：
　　　空手クラブ、電気ストーブ、留学生センター、野菜サラダ、3分間スピーチ
（2）後ろが漢語（Chinese origin words）の場合：
　　　ユーラシア大陸、関東地方、日本国内、野球選手、入学試験、観光客、学生生活
　　　（「会社」は漢語ですが例外（exception）で、旅行＋会社＝旅行会社となります。）

　その他にも、「子供達」「読み書き」「礼儀正しい」など、「゛」がつかない例もたくさんあって、連濁に完全な規則（perfect rules）はないと言われています。だから、連濁になる言葉だけよく覚えておきましょう。

読み物・2

日本語のオノマトペ

1　「雨がザーザー降る」とか「赤ちゃんがよちよち歩く」という面白い言葉を聞いたことがありますか。こんな言葉を使ったことがありますか。「ザーザー」や「よちよち」のような音や様子を表す言葉をオノマトペと言います。日本語のオノマトペには、擬声語＝動物や人間の声を表す言葉、擬音語＝物の音を表す言葉、擬態語＝動作や様子を表す言葉、の三つの種類があります。

5　次の言葉はどの種類に入ると思いますか。

　　1. 犬がワンワン（と）ほえる。　　　　2. チャイムがピンポンと鳴る。
　　3. お腹がすいてぺこぺこだ。　　　　4. 水をごくごく（と）飲んでいる。
　　5. 待たされてイライラした。　　　　6. ドアがバタンと閉まった。

　日本語は、オノマトペが世界一多い言葉だと言われていますが、どうしてこのように多く使
10　われるのでしょうか。実は、日本語はもともと動詞の数が少ない言葉で、例えば「笑う」という動詞に当たる言葉は日本語には「笑う」しかありませんが、英語にはlaugh, smile, giggle, grin, guffawと色々あります。この英語を日本語で表すとそれぞれ「笑う」「にっこり / にこにこ笑う」「クスクス笑う」「にやりと笑う」「げらげら笑う」となり、「笑う」の前にオノマトペをつけて表現することになります。オノマトペは動詞にバリエーションをつけるために使われる表現なのです。
15　また、オノマトペはフォーマルな場面で話す時や文を書く時にはあまり使われないという傾向もあります。

　ところで、オノマトペがとてもたくさん使われているのが、日本のマンガです。次のページのマンガにあるそれぞれのオノマトペは、どんな様子を表しているでしょうか。ちょっと考えてみてください。「シーン」というのは、音のない様子を表した言葉で、漫画家の手塚治虫が作った
20　と言われています。世界16か国で読まれている日本の人気マンガ「ワンピース」の中で「シーン」という言葉がどのように翻訳されているかを見てみると、英語版ではHMMMMMと全然違う意味になっていて、スペイン語版では何も書いてないそうです。中国語や韓国語やアラビア語では、何と書いてあるのでしょうか。みなさんは「シーン」を自分の国の言葉で表現するとしたら、どんな言葉を使ってみたいですか。

25　オノマトペは面白くて簡単そうに見えますが、実は、使い方にはとても複雑なルールがあるのです。例えば、初めに挙げた例を見て下さい。動詞の前に「と」があるものとなくてもいいもの、「する」と一緒に使われるもの、ひらがな書きとカタカナ書きのものなど、色々な例がありますね。

| 降る | 様子 | 動作 | 鳴る | 閉まった | 世界一 | 当たる | 傾向 | 挙げた |
| ふ | ようす | どうさ | な | し | せかいいち | あ | けいこう | あ |

また、清音か濁音かでもイメージが違ってきますし、長音があるか、促音(小さい「っ」)があるかでも、聞いた感じはずいぶん変わります。下の例の右と左ではどんな違いを感じますか。

30　　　例：ころころ　vs.　ごろごろ　　　　し〜ん　　vs.　しん

　　　　さらさら　vs.　ざらざら　　　　ブーブー　vs.　ブッブッ

　　　　しとしと　vs.　じとじと　　　　ワッハッハ　vs.　ハハハ

　　　オノマトペが上手に使えるようになると、もっと日本語らしい話し方になります。それから、いい言葉が見つからない時に、イメージを音に置きかえて表現することで、こちらの言いたいこ
35　とが相手に伝わることもあります。皆さんも機会があったら、「どんどん」オノマトペを使ってみて下さい。

··

▶実際のマンガのオノマトペの例：

　1) それぞれのマンガのオノマトペはどんな様子や音を表していると思いますか。

　2) 1b、2b、3a、4aのマンガは右と左のどちらのコマ(frame)から読まなくてはいけませんか。

1 a.

b.

©手塚治虫『ブッダ Vol.3―賢者への道の巻』
潮出版社(希望コミックス CASUAL)
/ 2002 / P.295,296

2 a.

b.

©二ノ宮知子
『のだめカンタービレ　第1巻』
講談社 / 2002 / P.38, P.99

| 伝わる | 機会 |
| つた | きかい |

3 a.

©藤沢とおる『GTO　第3巻』
講談社 / 2002 / P.16, P.57

4

a. 　b. 　c.

©津田雅美『彼氏彼女の事情　第1巻』
白泉社（花とゆめCOMICS）/
1996 / P.18, P.52, P.136

5

a. 　c.

b. 　d.

©植田まさし『コボちゃん　第21巻』
蒼鷹社（Soyosha Comics）/
1989 / P.28, P.39, P.82, P.96

練 習　　□□□□の中から適当なオノマトペを選んで＿＿に番号を入れなさい。同じ言葉を二回使ってはいけません。

1. (1) 田中さんはいつも大きい声で＿＿＿＿＿＿と笑う。

   (2) 洋子さんは友達と＿＿＿＿＿＿笑いながら、楽しそうに話している。

   (3) つとむ君は今日１日中＿＿＿＿＿＿していた。何かいいことがあったに違いない。

   (4) 佐藤さんはいつも＿＿＿＿＿＿していて、ちょっと変だ。

   (5) 和子さんが、口を大きく開けて＿＿＿＿＿＿と楽しそうに笑っている。

（1）クスクス	（2）にこにこ	（3）ゲラゲラ	（4）にやにや	（5）アハハ

2. (1) 友子さんは、悲しくて、＿＿＿＿＿＿泣いている

   (2) ネコがかわいい声で＿＿＿＿＿＿と鳴いている。

   (3) 赤ちゃんがミルクが欲しくて、＿＿＿＿＿＿と泣いている。

   (4) 弟が友達にいじめられて、＿＿＿＿＿＿している。

   (5) 子供達は試合に負けてくやしくて、大きい声で＿＿＿＿＿＿と泣いている。

（1）ニャーニャー	（2）めそめそ	（3）オギャーオギャー	（4）しくしく	（5）エーンエーン

3. (1) 赤ちゃんが＿＿＿＿＿＿と気持ちよさそうに寝ている。

   (2) ルームメートが＿＿＿＿＿＿といびきをかいて寝ている。

   (3) 夜から朝まで一度も起きずに＿＿＿＿＿＿と寝られた。

   (4) 疲れていたので、電車の中で＿＿＿＿＿＿してしまった。

（1）ぐっすり	（2）グーグー	（3）すやすや	（4）うとうと

4. (1) 体が＿＿＿＿＿＿して、頭が痛い。

   (2) セーターが古くなって＿＿＿＿＿＿する。

   (3) 熱いコーヒーを飲んで、舌(tongue)が＿＿＿＿＿＿する。

   (4) 緊張して胃(stomach)が＿＿＿＿＿＿する。

（1）ちくちく	（2）ひりひり	（3）ぞくぞく	（4）きりきり

適当	番号	悲しく	鳴いて
てきとう	ばんごう	かな	な

■ 人の気持ちや様子を表すオノマトペ

眠 る

- ●うとうと(する)
- ●グーグー
- ●ぐっすり
- ●すやすや

痛 み

- ●がんがん(する)
- ●ずきずき(する)
- ●ちくちく(する)
- ●ひりひり(する)
- ●ぞくぞく
- ●きりきり

泣 く

- ●エーンエーン
- ●オイオイ
- ●オギャーオギャー
- ●しくしく
- ●めそめそ

笑 う

- ●クスクス
- ●にこにこ(する)
- ●ゲラゲラ
- ●にやにや(する)
- ●アハハ

単語表

▶太字＝覚える単語

1	様子	ようす	N	aspect; state; appearance	2
2	擬声語/擬音語	ぎせいご/ぎおんご	N	phonomime (= onomatopoeia)	3
3	擬態語	ぎたいご	N	phenomime	
4	**動作**	どうさ	N	actions; movements; motions	4
5	**(〜に)入る**	はいる	u-Vi	to be included; enter; join	5
6	(〜が)ほえる		ru-Vi	to bark	
7	(〜が)鳴る	なる	u-Vi	to ring	6
8	世界一	せかいいち	Adv	the -est 〜 in the world; No. 1 in the world	9
9	もともと		Adv	originally; from the start	
10	動詞	どうし	N	verb	10
11	(〜に)バリエーションをつける		Phr	to add variation	14
12	**傾向**	けいこう	N	trend; tendency	15
13	-版	-ばん	Suf	edition; version	21
14	(例を)挙げる	あげる	ru-Vt	to give (an example)	26
15	清音	せいおん	N	unvoiced sound	
16	濁音	だくおん	N	voiced sound	
17	**イメージ**		N	image; impression	
18	長音	ちょうおん	N	prolonged sound	28
19	(〜を〜に)置きかえる	おきかえる	ru-Vt	to replace	34
20	(〜が〜に)伝わる	つたわる	u-Vi	to come across; be passed along; be introduced	
21	**機会**	きかい	N	chance; opportunity	35
22	適当(な)	てきとう(な)	ANa	appropriate; suitable	
23	(〜が)鳴く	なく	u-Vi	to sing [birds]; cry [animals]	
24	いびき		N	snore ｜ いびきをかく (Phr) to snore	練

会話文 ▶困った状況を説明する / 苦情や不平を言う
くじょう ふへい

1 | 会話文 1 | マイクが大家さんに借りている部屋の状況について説明する。
おおや

マイク ： 大家さん、ちょっとよろしいですか。

大 家 ： ああ、マイクさん、こんばんは。どうしましたか。

マイク ： あのう、ちょっと困ったことがあるんですが…。

5 大 家 ： また、どこか壊れたんですか。
こわ

マイク ： いえ、そうじゃなくて、あ、それもあるんですが…。

   実は、先週隣に引っ越して来た学生が夜中にうるさくて、寝られないんですよ。
   となり ひ こ

大 家 ： ああ、小林君ね。
こばやし

マイク ： ええ、毎晩友達が来て、夜中まで大声でワイワイ話すし、音楽はガンガンうるさいし、

10 階段をバタバタ上がり下りするし。この間、一度注意したんですけど、全然静かにし

   てくれなくて…。

大 家 ： へえ、彼はまじめそうに見えたけどねえ。

マイク ： まじめじゃありませんよ。まだ、学生のくせによくお酒、飲んでますよ。タバコもプ

   カプカ吸ってるし。
   す

15 大 家 ： あ、そう。ちょっと注意しなければいけないなあ。

マイク ： とにかく、夜中は静かにするように言っていただけませんか。

大 家 ： 分かりました。よく注意しておきます。ところで、何か壊れたって言いませんでしたか？
   こわ

マイク ： ああ、トイレです。壊れたわけじゃないんですが、パイプからゴボゴボと変な音が聞
   こわ

   こえるんです。水もよく流れないみたいだし。

20 大 家 ： ああ、そう。何かつまっているのかもしれないから、明日、見てみますよ。

マイク ： はい、よろしくお願いします。すみません、いつも、お願いばかりして。

大 家 ： いえ、いいですよ。マイクさんは毎月遅れないで家賃を払ってくれるし、部屋はきれ
   やちん

   いに使ってくれるし、いい人に部屋を借りてもらったと思っているんですよ。

マイク ： そうですか。ありがとうございます。じゃ、すみませんが、よろしくお願いします。

| 状 況 | 夜中 | 階段 | 上がり下り | 静か | 払って |
| じょうきょう | よなか | かいだん | あ お | しず | はら |

| 会話文 2 | 日本の雑誌を読んでいたモニカがはるかに質問する。 |

モニカ　：　ね、はるかの血液型、何型？

はるか　：　えっ、血液型？　Ａ型。どうしてそんなこと聞くの？

モニカ　：　今、「血液型で分かる性格」っていう記事、読んでたんだ。

はるか　：　ああ、それで。

30　モニカ　：　血液型で性格が分かるなんて、面白いよね。でも、当たるのかなあ？　Ａ型の人はまじ
　　　　　　　めで協調性がある。Ｂ型は楽天的でマイペース、Ｏ型はおおらかで負けず嫌い。ＡＢ
　　　　　　　型は個性的で二つの性格を持つ傾向があるって、書いてあるよ。本当かなあ。

はるか　：　さあ、私は全然信じてないけど、結構信じてる人、いるかも。血液型に関係したことっ
　　　　　　　て、日本では、すごく人気があるし。

35　モニカ　：　へえ、どんな？

はるか　：　例えば、血液型占いとか。どの血液型とどの血液型の恋人はいいとか悪いとか、占うんだ。
　　　　　　　それに、「Ｂ型人間との付き合い方」なんて本や、血液型のランキングもあるらしいよ。

モニカ　：　へえ、ランキングって、何のランキング？

はるか　：　なんでも！　例えば「もてる血液型は、男性の場合、１位がＯ型、２位がＡ型、３位が
40　　　　　　ＡＢ型で、４位がＢ型」なんだって。その他、将来お金持ちになれる血液型のランキン
　　　　　　　グとか、風邪をひきやすい血液型なんてのもあるらしいよ。

モニカ　：　うっそ〜！　それって、変だよね。血液型でそんなこと分からないよ。

はるか　：　うん、私もそう思う。人間には４種類の人しかいないなんて、ありえないよね。

モニカ　：　そうだよね。この間、友達にモニカはＯ型でしょって言われちゃったんだ。

45　はるか　：　へえ、どうして？

モニカ　：　負けず嫌いだからって。ちょっとムッときた。

はるか　：　モニカは負けず嫌いってわけじゃないけど、がんばりやさんだし、それに、おおらか
　　　　　　　だよね。

モニカ　：　ええ〜、そうかなあ。でも、私、自分が何型か知りたくなってきた。

50　はるか　：　今、血液型に関係したことはなんでもビジネスになるんだって。日本の血液型占いって、
　　　　　　　アジアの国々でも結構流行ってるみたいだよ。

モニカ　：　へえ、そうなんだ。将来血液型占いって、日本のポップカルチャーの一つになるかもね。

はるか　：　あ、そうかも！　モニカ、いいこと言うね。

| 血液 | 性格 | 当たる |
| けつえき | せいかく | あ |

単語表

▶太字＝覚える単語

会話文1

1	苦情	くじょう	N	complaint; grievance	
2	不平	ふへい	N	discontent; dissatisfaction	Ttl.
3	**夜中**	**よなか**	N	late at night	7
4	ワイワイ		Adv	boisterously; rowdily; noisily	
5	ガンガン		Adv	sound of loud music	9
6	階段	かいだん	N	stairs	
7	バタバタ		Adv	sound of feet slapping rapidly against a surface	
8	上がり下り	あがりおり	VN	going up and down｜（〜を）上がり下りする	10
9	**まじめ（な）**		ANa	serious; earnest	12
10	（タバコを）プカプカ吸う	プカプカすう	Phr	to puff（at a cigarette）	13
11	ゴボゴボ		Adv	sound of gushing water	18
12	（〜が）つまる		u-Vi	to be clogged	20

会話文2

13	**血液型**	**けつえきがた**	N	blood type｜血液（N）blood	26
14	**性格**	**せいかく**	N	character; personality	28
15	**（〜が）当たる**	**あたる**	u-Vi	to come true; guess correctly	30
16	協調性	きょうちょうせい	N	cooperation｜協調性がある（Phr）to work well with others	
17	楽天的（な）	らくてんてき（な）	ANa	optimistic	
18	マイペース（な）		ANa	（do one's work）at one's own pace or in one's own way	
19	おおらか（な）		ANa	broad-minded; generous	
20	負けず嫌い（な）	まけずぎらい（な）	ANa	hating to lose; competitive	31
21	個性的（な）	こせいてき（な）	ANa	（person）with a great deal of personality	32
22	占い	うらない	N	fortune-telling｜占う（u-Vt）to tell fortunes	36
23	**（〜と）付き合う**	**つきあう**	u-Vi	to associate/keep company with	37
24	（〜に）もてる		ru-Vi	to be popular（with women, men, etc.）	
25	**-位**	**-い**	Suf	rank	39
26	ありえない		Phr	No way! ; That can't be（true）. [colloquial]	43
27	ムッとくる		Phr	to tick me off [colloquial]	46
28	がんばりや（さん）		N	hard worker	47
29	**（〜が）流行る**	**はやる**	u-Vi	to flourish; be in fashion; be popular	51
30	明るい△	あかるい	A	cheerful（personality）	
31	恥ずかしがりや△	はずかしがりや	N	shy person	
32	がんこ（な）△		ANa	stubborn; hardheaded	
33	我慢強い△	がまんづよい	A	patient	
34	積極的（な）△	せっきょくてき（な）	ANa	outgoing; active	
35	消極的（な）△	しょうきょくてき（な）	ANa	passive	
36	悲観的（な）△	ひかんてき（な）	ANa	pessimistic	

内容質問

📖 読み物1を読んだ後で、考えてみよう。

1. 日本のポップカルチャーは世界のどんな分野(area)に影響を与えていますか。

2. 筆者(書いた人)はポップカルチャーの元になるものは何だと考えていますか。それはどうしてですか。

3. なぜ日本のマンガはメディアコンテンツとして大きいビジネスになっていますか。

4. 最近の欧米のマンガ雑誌は、どんなスタイルで作られていますか。なぜそうなりましたか。

5. 手塚マンガの魅力や特徴を三つ以上挙げなさい。

6. 手塚が残したものを二つ以上挙げなさい。

7. 人々は、なぜ手塚のことを「マンガの神様」と呼びますか。

8. 40行目の「住む場所や仕事の世話をする」というのは、何をしてあげることですか。

9. 41行目の「世の中に送り出した」というのは、どういう意味ですか。

10. 46行目の「空の上」というのは、どういう意味ですか。

📖 読み物2を読んだ後で、考えてみよう。

1. 日本語には、なぜオノマトペが多いのでしょうか。

2. フォーマルな場面では、なぜオノマトペはあまり使われないのだと思いますか。

3. ＿＿＿には動物の名前を入れて、〜〜〜にはオノマトペを □ から選んで入れて下さい。

| ジュージュー　　ワイワイ　　ゲロゲロ　　ピョンピョン |

a. ＿＿＿が〜〜〜鳴いている。

b. ＿＿＿が肉を〜〜〜焼いている。

c. ＿＿＿が〜〜〜飛んでいる。

d. ＿＿＿が〜〜〜さわいでいる。

▶▶▶ みんなで話してみよう。

1. 日本のアニメ市場(market)やゲームソフト市場について、p.153のグラフからどんなことが言えますか。

2. 手塚マンガの中で、何か読んだもの、知っているものがあったら、簡単に説明して下さい。

3. 手塚マンガの色々なトピックの中で、あなたは何に興味がありますか。どうしてですか。

4. あなたの国の言葉にはオノマトペがありますか。あったら、簡単に説明して下さい。

5. あなたは自分の血液型を知っていますか。

   知っている人：あなたの性格は、会話文に説明してある自分の血液型の性格と似て(to be similar)いますか。

   知らない人：会話文に説明してある性格の特徴から、自分の血液型が何型だと思いますか。

会話練習 1 丁寧度 ▶ 大家 ★★　勇太 ★★★

モデル会話 部屋を借りている勇太が大家さんに困った状況を説明する。 🎧

勇 太： すみません、ちょっとよろしいですか。

大 家： ええ、何ですか。

勇 太： 実は、ちょっと困っているんです。

大 家： えっ、どうしたんですか。

勇 太： あのう、下の部屋の人がうるさいんですが…。

大 家： ああ、下の人ですか。

勇 太： ええ。夜中の2時頃に帰って来て、大声で電話で話すし、シャワーをジャージャーあびるし、

　　　　ガンガンと大きい音で音楽を聞くし…。

大 家： それは、困りますね。ちょっと注意しないといけないなあ。

勇 太： すみませんが、夜中は静かにするように言ってもらえませんか。

大 家： 分かりました。下の人と話してみましょう。

勇 太： すみませんが、よろしくお願いします。

練習問題 学生が先生に教科書が買えない状況を話す。

学 生： 先生、＿＿＿＿＿＿＿＿＿＿＿＿＿＿＿＿＿＿＿＿＿＿。

先 生： ええ、何ですか。

学 生： ＿＿＿＿＿＿＿＿＿＿＿＿＿＿＿＿＿＿＿＿＿＿んです。

先 生： えっ、どうしたんですか。

学 生： あのう、大学の本屋に教科書を買いに行ったんですが、＿＿＿＿＿＿＿＿＿＿＿＿＿＿ん

　　　　です。どうしたらいいでしょうか。

先 生： そうですか。他の本屋にも行ってみましたか。

学 生： ええ。他の所にも行ってみたんですが、＿＿＿＿＿＿＿＿＿＿＿し、＿＿＿＿＿＿＿＿し…。

先 生： それは、困りましたね。じゃ、私が大学の本屋に電話をかけて聞いてみましょう。

学 生： ＿＿＿＿＿＿＿＿＿＿＿＿＿＿＿＿＿＿＿＿＿＿。

▶▶▶ パートナーと練習してみましょう。
**　　AがBに困った状況を説明しなさい。BはAを助けてあげなさい。**

A： すみません、ちょっとよろしいですか。

B： ええ、何ですか。

A： 実は、ちょっと困っているんです。

B： えっ、どうしたんですか。

A： あのう、＿＿＿＿＿＿＿＿＿＿＿＿＿＿＿＿＿＿＿＿＿んです。

B： ＿＿＿＿＿＿＿＿＿＿＿＿＿＿＿＿＿＿＿＿＿＿＿＿＿＿＿＿。

A： ＿＿＿＿＿＿＿＿＿んですが＿＿＿＿＿＿＿＿＿＿し、＿＿＿＿＿＿＿し…。

B： それは、＿＿＿＿＿＿＿＿。＿＿＿＿＿＿＿＿＿＿＿＿＿＿ましょう。

A： すみませんが、よろしくお願いします。

モデル会話 モニカがはるかにプリンタの問題について話す。 🎧

はるか： どうしたの？

モニカ： 今、2階のコンピュータルームでレポートをプリントしてたんだけど。

はるか： うん。

モニカ： プリンタが壊れちゃって。キーキーって音がして、動かなくなっちゃった。

はるか： えー、ほんと？

モニカ： レポート、今日の4時までに出さなきゃいけないのに。困っちゃう。

はるか： 困ったね。あっ、図書館のプリンタが使えるかもしれないよ。行ってみたら？

モニカ： そうだね。そうしてみる。ありがとう。

練習問題 マイクが勇太にコンピュータのサーバの問題について話す。

勇　太： ＿＿＿＿＿＿＿＿＿＿？

マイク： 今、コンピュータルームに行って来た＿＿＿＿＿＿＿＿＿＿＿＿＿＿＿＿＿＿＿＿＿。

勇　太： ＿＿＿＿＿＿＿＿＿＿。

マイク： サーバがダウンしてて、明日まで＿＿＿＿＿＿＿＿＿＿＿＿＿＿＿＿＿＿って。

勇　太： ＿＿＿＿＿＿＿＿＿＿＿＿？

マイク： 今日中に、調べておきたいことがあった＿＿＿＿＿。困るなあ。

勇　太： そうだね。あっ、＿＿＿＿＿＿＿＿＿＿＿＿＿＿＿＿＿＿＿＿＿＿。

▶▶▶ パートナーと練習してみましょう。
　　　BがAに困った状況を説明しなさい。AはBにアドバイスをしなさい。

A： どうしたの？

B： ＿＿＿＿＿＿＿＿＿＿＿＿＿＿＿＿＿＿＿＿＿＿＿＿＿＿＿んだけど。

A： うん。

B： ＿＿＿＿＿＿＿＿＿＿＿＿＿＿＿＿＿＿＿＿＿＿＿＿＿＿＿。

A： えー、ほんと？

B： ＿＿＿＿＿＿＿＿＿＿＿＿＿＿＿＿＿のに。＿＿＿＿＿＿＿＿＿＿＿＿＿＿。

A： 困ったね。＿＿＿＿＿＿＿＿＿＿＿＿＿＿＿＿＿＿＿＿＿＿＿＿＿。

ペアワーク　｜丁寧度 ▶★

▶▶今までに経験したことのある困った状況について、パートナーに説明しなさい。

ロールプレイ 1 ｜丁寧度 ▶★

▶▶留学生ＡとＢが日本の大学の寮の部屋で話している。

留学生Ａ
あなたは日本の大学に留学している学生です。体の一部が痛くて、起きてしまいました。どこがどう痛いのか、ルームメートのＢに説明して下さい。 ＊教科書にあるオノマトペを使って説明しましょう。

留学生Ｂ
あなたは日本の大学に留学している学生です。ルームメートのＡがどこか痛いそうです。どこがどう痛いのか聞いて下さい。そして、どうしたらいいかアドバイスをしてあげて下さい。

ロールプレイ 2 ｜丁寧度 ▶★★

▶▶日本のユースホステルで、ホステルのマネージャーに客の留学生が困った状況を説明している。

客
あなたは日本の大学に留学している学生です。大学が休みなので、日本国内を旅行しています。お金もないし、色々な人と知り合い(acquaintance)になりたいので、ユースホステルに泊まっています。でも、同じ部屋の人にちょっと困っています。ホステルのマネージャーに状況を説明して、注意してもらって下さい。

ユースホステルのマネージャー
あなたは日本のユースホステルの 日本人のマネージャーです。お客さんの苦情を聞いて下さい。そして、問題のある人に話をすると言って下さい。

文法ノート

❶ Sentence。{では/それでは/じゃ}、Sentence。

本文	・**では**、そのポップカルチャーの元になっているものは何だろうか。　【読1: *l*.7】 ・**それでは**、日本マンガの魅力は何だろうか。　【読1: *l*.20】
説明	では is an abbreviated form of それでは. それでは literally means "if that is the case" and それ refers to what is stated in the preceding sentence(s). それ では and で は are usually used in written language or formal spoken language. In ordinary or casual conversation, the contracted form それじゃ or じゃ is used.
英訳	If that's the case; If so; In that case; Then; Well then
文型	S$_1$。{では/それでは}、S$_2$。
例文	1. A: 先生、すみません。実は、金曜日に就職のための面接があって、クラスを休まなくてはいけないので、試験が受けられないんですが。 　　B: そうですか。**じゃ**、前の日の木曜日に、研究室に受けに来て下さい。 　　A: はい。**それでは**、木曜日の先生のオフィスアワーに研究室にうかがいます。 2. 日本の「オタク文化」は世界中に広がり (to spread)、日本を代表する文化の一つになったという人もいる。**では**、オタク文化がこのように世界に広がった理由は何だろうか。

❷ その上 👔

本文	・**その上**、日本のマンガは欧米人の本の読み方さえ変えようとしている。　【読1:*l*.14】
説明	その上 is used when the speaker wants to emphasize an additional piece of information. S$_2$ usually contains the particle も or まで.
英訳	on top of that; in addition (to that); what's more; besides; moreover
文型	S$_1$。その上、S$_2$。
例文	1. 運動は体にいい。**その上**、心の健康にもいい。 2. 最近のケータイは写真が撮れるだけでなく、メールも出来る。**その上、**インターネットやテレビも見られる。これは、もう電話じゃない。 3. 日本語の漢字は音読みと訓読みがあって、覚えるのが大変だ。**その上、**「一人」とか「今日」のような特別な読み方の漢字もあるので、漢字の勉強に時間がかかる。

❸ Noun (Particle) さえ 👔

本文	・日本のマンガは欧米人の本の読み方**さえ**変えようとしている。　【読1: *l*.14】
説明	さえ is an emphatic particle. In non-conditional clauses it means "even." When さえ is used, the particle が never occurs, を usually does not occur, へ and the directional に are optional, and the other particles, including the locational に, で, と and から, are mandatory.
英訳	even
文型	N (Prt) さえ：先生さえ；アフリカ (へ/に) さえ；小学校からさえ
例文	1. 忙しすぎて、寝る時間**さえ**ありません。 2. トムさんは日本食が大好きだそうだ。納豆**さえ**食べるらしい。 3. 私は旅行が大好きで世界中を旅行した。南極 (the Antarctic) (へ/に) **さえ**行ったことがある。 4. あの人は動物の言葉が分かるんです。猫や犬と**さえ**会話が出来るんですよ。 5. 会議には世界中から人々が集まった。一番遠いロシアから**さえ**参加者 (participants) があった。

❹ ～向け

本文	・次の年には少女**向け**のマンガ週刊誌が出版された。　【読1: *l*.15】

説明	The suffix 向け adds the meaning "made for; for the use of; directed toward." 向け is often affixed to nouns which refer to people, countries and organizations.
英訳	for; made for; for the use of; directed to
文型	a. N向けだ　　　　b. N向けにV　　　c. N₁向けのN₂
例文	1. このサイトは携帯電話向けだから、コンピュータでは見にくい。 2. 子供向けに作られた映画の中にも、大人が見ても楽しいものがたくさんある。 3. 日本経済新聞やウォールストリートジャーナルには、ビジネス向けの記事が多い。 4. 日本の電車やバスにあるシルバーシートというのは、お年寄りや体の弱い人向けの席のことです。

⑤ 〜である 🔖

本文	・手塚のマンガの特徴であるオノマトペが〜　【読1: *ll*.36-37】
説明	である is the formal plain form of だ and can be affixed to nouns as well as to stems of *na*-adjectives and *no*-adjectives. である is used in formal writing. In very formal speech the polite form であります may be used. Compare the following forms: 　　である（formal plain affirmative）　　であります（formal polite affirmative） 　　ではない（formal plain negative）　　ではありません（formal polite negative） である can occur before nouns in relative clauses while だ cannot. 　・田中先生は私の日本語の先生{だ／である}。→私の日本語の先生{である／の／✗だ}田中先生 　　（Mr. Tanaka, who is my Japanese teacher） である can also occur in other situations where だ cannot be used. 　・彼はフランス人{である／Φ／✗だ}{らしい／かもしれない／に違いない}。
英訳	be
文型	a. Affirmative: である／であった　　　　b. Negative: ではない／ではなかった c. {N/ANa/ANo}{である／であった／ではない／ではなかった}N
例文	1. 哲学者（philosopher）のパスカルは、人間は考える葦（a thinking reed）であると言った。 2. こんなにたくさんの人が読んでいるのだから、面白い本であるに違いない。 3. あの話は本当ではないと言われていたが、最近、本当だということが分かった。 4. 子供の頃嫌いであった食べ物が、大人になって好きになるという話をよく聞く。 5. 新型ではないケータイを使っているので、ケータイでEメールが出来ない。

⑥ Verb-*masu* 出す

本文	・多くの漫画家を育て、世の中に送り出した。　【読1: *l*.41】
説明	V-*masu* 出す has two meanings: 　(1) Someone makes something available/accessible which hasn't existed or hasn't been available or accessible. 　　　Exs. 生み出す（to create）; 見つけ出す（to find out）; 掘り出す（to dig up/out） 　(2) Someone begins something or something begins: 　　　Exs. 笑い出す（to start laughing）; 動き出す（to begin to move） V出す differs from V始める in that V出す is used for abrupt and non-volitional actions while V始める is used for both volitional and non-volitional actions but not for actions which begin abruptly, as the following examples show: 　・和男は急に{怒り出した／??怒り始めた}。（Kazuo suddenly began to get angry.） 　・田中さんを待っていないで、{食べ始めましょう／✗食べ出しましょう}。 　　（Let's start eating without waiting for Mr. Tanaka.）
英訳	V out; begin to V; start to V; begin V-ing; start V-ing
文型	V-*masu* 出す

例文	1. ピクニックの途中で (halfway)、急に雨が降り**出した**。 2. 赤ちゃんが泣き**出した**ので、お母さんは急いでミルクをあげた。 3. インスタントラーメンを作り**出した**のは、安藤百福という人です。 4. 図書館で1時間ぐらいかかって、ついにその本を探し**出した**時は、うれしかった。

⑦ 〜ない〜は {ない/いない}

本文	・現在の日本人漫画家で手塚の影響を受けてい**ない**人**はいない**はずだ。　【読1: *ll*.42-43】
説明	This construction is used to create sentences containing double negatives. V ない N は (い) ない い is equivalent to "all Ns V."
英訳	V-*nai* ない N は {ない/いない} = There is no N which/who does not V
文型	V-*nai* ない N は {ない/いない}：読めない漢字はない；分からない人はいない
例文	1. このクラスには、宿題をし**ない**学生**はいない**。休む時に、先生に連絡し**ない**学生も**いない**。 2. アニメが好きな若者で、宮崎駿のアニメを見たことが**ない**人**はいない**。 3. 酸素 (oxygen) や水を必要とし**ない**生物 (life form) **は**地球には**いない**。 4. やま**ない**雨は**ない**んですよ。落ち込んでいないで元気を出しましょう。

❽ X は Y に当たる；Y に当たる X

本文	・「笑う」という動詞**に当たる**言葉は日本語には「笑う」しかありませんが、〜　【読2: *ll*.10-11】
説明	に当たる in this context means "be equivalent to; correspond to." It is often used to contrast words/ phrases in two languages or organizations/professional titles in two countries.
英訳	X は Y に当たる = X corresponds to Y; X is equivalent to Y; X is equal to Y Y に当たる Z は X だ = the Z which is equivalent to Y is X; the Z which corresponds to Y is X
文型	N_1 は N_2 に当たる
例文	1. 日本の環境省はアメリカの Environmental Protection Agency **に当たる**。 2. 日本語の「いただきます」や「ごちそうさま」**に当たる**言葉は英語にはない。 3. 彼女は私の母の姉の娘 (daughter) ですから、私のいとこ**に当たります**。 4. 英語の president **に当たる**言葉は、日本語の場合、会社では「社長」、大学では「学長」、米国政府 (government) では「大統領」です。呼び方が違うので気をつけて下さい。

⑨ Sentence (という) ことになる

本文	・「笑う」の前にオノマトペをつけて表現する**ことになります**。　【読2: *ll*.13-14】
説明	S (という) ことになる is usually preceded by a topic phrase (Ex. 1), a conditional clause (Ex. 3), or a reason clause (Ex. 2), and indicates that the (non-)action, event or situation stated in the preceding phrase/clause leads to a logical conclusion or a certain situation.
英訳	end up (with); mean that 〜; cause
文型	**Type1**, **Type 2c** or **Type 3** (Any forms are acceptable.)
例文	1. メールが戻って来たということは、このアドレスはもう使われていない**ということになる**。 2. 家賃が上がったので、引っ越さなければならない**ことになって**しまった。 3. 今のうちに勉強しておかないと、後で卒業できないという**ことになる**かもしれない。

❿ 〜 (という) 傾向が {ある/見られる}

本文	・あまり使われ**ない**という**傾向も**あります。　【読2: *ll*.15-16】
説明	This construction is used when someone or something has a tendency to do something. It is commonly used in written language and formal speech. という is optional.

英訳	have a tendency to ; have an inclination to; There is a tendency to; tend to
文型	a. {V/A}-plain.non-past（という）傾向がある　　　　b. ANaな傾向がある　　　　c. Nの傾向がある
例文	1. 日本の学生は高校まではよく勉強するが、大学に入ってからはあまり勉強しない**傾向がある**。 2. 日本人は自分の家族のことを誰かに話す時、あまりいいことを言わない**傾向がある**。 3. 初めにくだけた話し方で日本語を覚えてしまった人は、助詞(particle)をよく間違える**傾向がある**。 4. 若い人の方が、年を取った人より、ファーストフードをよく食べる**という傾向が見られる**。

⓫（もし）Sentence としたら、

本文	・自分の国の言葉で表現する**としたら**、どんな言葉を使ってみたいですか。　【読2: *ll*.23-24】
説明	Sとする means "to assume/suppose that S." Thus, S としたら literally means "if I/we/you suppose that S." This construction is usually used to present a hypothetical situation. It can also be used for an actual situation（see Ex. 3）, in which case the speaker is presenting the situation as if it were hypothetical in order to indicate something indirectly. もし here is optional. It emphasizes that the speaker is presenting the situation as a hypothetical one.
英訳	Suppose ~; If ~; If you were to ~; If ~ was/were ~; If ~ V-ed; If ~ did not V
文型	S-plain.non-past としたら
例文	1. **もし**タイムマシーンが**ある**としたら、どの時代に行って、誰に会ってみたいですか。 2. これらの辞書の中で、**もし**どれか一つを**選ぶ**としたら、やはり電子辞書にするだろう。 3. この問題が分からない**としたら**、それはあまり勉強しなかったということですよ。

⓬ Noun が〜する

本文	・頭**が**がんがん**する**。　　【人の気持ちや様子を表すオノマトペ】 ・指(finger)**が**ずきずき**する**。　【人の気持ちや様子を表すオノマトペ】
説明	This construction with onomatopoetic phrases is used to describe one's physiological/psychological state or the way something feels or looks.
英訳	Note: There is no general structure or phrase in English which is equivalent to this construction. In English the equivalent ideas are expressed using adjectives or verbs (and sometimes verb plus adverb).
文型	N が［onomatopoeia］する
例文	1. 机**が**ガタガタ**して**、書きにくい。 2. お星さま(star)**が**キラキラ**して**、きれいだなあ。 3. 面接の前は緊張して心臓(the heart)**が**ドキドキ**した**。 4. 歯**が**シクシク**する**。歯医者に行かなきゃなんないけど、いやだなあ。 5. 明日から夏休みが始まると思うと、心**が**うきうき**する**。

⓭〜くせに

本文	・まだ、学生の**くせに**よくお酒、飲んでますよ。　【会1: *l*.13】
説明	The conjunction くせに is used when something commonly expected from information in the subordinate clause (i.e., the くせに phrase/clause) does not happen or is not the case. In most situations, くせに expresses the speaker's anger, frustration or disagreement. This emotion is not directed toward the speaker himself/herself, but toward the hearer or a third person. When くせに is used, the subject of the main clause and that of the subordinate clause must be the same. Thus, くせに cannot be used in the following sentence: 　・メアリーはまだ学生{**なのに**/**✗**のくせに}、両親は彼女に高い車を買ってやった。
英訳	although ~; in spite of the fact that ~; and yet ~
文型	**Type 2b**

例文	1. 兄は自分で料理しない**くせに**、いつも私の作ったものに文句を言う。 2. 妹は怖くて夜眠れなくなる**くせに**、ホラームービーばかり見ている。 3. トムさんは貧乏な**くせに**、ガソリンをたくさん使う高いスポーツカーに乗っている。 4. 昔は、「男の**くせに**泣くのはよくない」とか「女の**くせに**強すぎる」とか言いましたが、今ではそう思う人は少なくなってきたと思います。

⑭ 話し言葉の縮約形（contracted forms）

本文	・よくお酒、飲ん**でます**よ。　【会1: *l*.13】 ・記事、読ん**でたんだ**。　【会2: *l*.28】
説明	In casual conversation contracted forms are commonly used.
文型	a. 〜てる＝〜ている（〜てます＝〜ています）；〜てた＝〜ていた b. 〜じゃ＝〜では c. 〜なくちゃ＝〜なくては（いけない/ならない）；〜なきゃ＝〜なければ（いけない/ならない） d. 〜ちゃう＝〜てしまう；〜ちゃった＝〜てしまった e. 〜とく＝〜ておく；〜といた＝〜ておいた f. 〜たげる＝〜てあげる；〜たげた＝〜てあげた g. 〜といたげる＝〜ておいてあげる
例文	1. レポート、今、書い**てる**とこ（ろ）だから、書き終わったら見てくれる？ 2. この部屋**じゃ**小さすぎて、30人も集まるパーティなんて出来ないなあ。 3. 友達を空港まで送っ**たげ**なきゃいけないから、明日は、早く起き**なくちゃ**。 4. 先生の言ったこと、ノートに書い**とか**ないと、忘れ**ちゃう**よ。 5. 飲み物、買っ**といた**から、何も持って来なくていいよ。 6. 私も宿題を出しに行か**なくちゃ**いけないから、マイクの宿題も出し**といたげる**。

⑮ 〜（という）わけ｛ではない/じゃない｝

本文	・壊れた**わけじゃない**んですが、パイプからゴボゴボと変な音が〜　【会1: *l*.18】
説明	（という）わけではない is used to deny a statement. The use of という does not change the statement's meaning.
英訳	It's not that 〜; It doesn't mean that 〜; I don't mean that 〜; It's not true that 〜; It's not the case that 〜
文型	a. 〜わけ｛ではない/じゃない｝ 　｛V/A｝-plain（という）わけではない 　ANa｛な/だった/じゃない/じゃなかった｝わけではない 　N/ANo｛<u>という</u>/だった/じゃない/じゃなかった｝わけではない b. 〜というわけ｛ではない/じゃない｝: **Type 3**
例文	1. 漢字が苦手だと言っても、全然書けない**わけではない**。 2. 試験の点がよければいい成績が取れる**というわけではない**。宿題やプロジェクトも大切だ。 3. お金のためだけに働いている**わけではない**けれど、給料は高い方がいい。 4. この料理はまずい**わけではない**けど、油（oil）が多いから、あまり食べられない。 5. あの人が嫌いな**わけではない**んですが、デートしたいとは思いません。

漢字表

■ RW　読み方・書き方を覚える漢字

1	広まる	ひろまる	読1
2	様々(な)	さまざま(な)	読1
3	経済	けいざい	読1
4	元	もと	読1
5	読者	どくしゃ	読1
6	増やす	ふやす	読1
7	少年	しょうねん	読1
8	少女	しょうじょ	読1
9	-向け	-むけ	読1
10	開く	ひらく	読1
11	方法	ほうほう	読1
12	医学	いがく	読1
13	-家	-か	読1
14	作品 R	さくひん	読1
15	虫	むし	読1
16	丸い	まるい	読1
17	人物	じんぶつ	読1
18	-年代	-ねんだい	読1
19	命	いのち	読1
20	戦争 R	せんそう	読1
21	未来	みらい	読1
22	深い	ふかい	読1
23	世の中	よのなか	読1
24	様子	ようす	読2
25	閉まる	しまる	読2
26	世界一	せかいいち	読2
27	～に当たる	～にあたる	読2
28	伝わる	つたわる	読2
29	番号	ばんごう	練習
30	悲しい	かなしい	練習
31	夜中	よなか	会1
32	静か(な)	しずか(な)	会1
33	払う	はらう	会1
34	性格 R	せいかく	会2
35	当たる	あたる	会2

■ R　読み方を覚える漢字

1	影響スル	えいきょうスル	読1
2	欧米	おうべい	読1
3	出版スル	しゅっぱんスル	読1
4	第二次世界大戦	だいにじせかいたいせん	読1
5	亡くなる	なくなる	読1
6	-頃	-ころ	読1
7	鼻	はな	読1
8	活躍スル	かつやくスル	読1
9	放送スル	ほうそうスル	読1
10	芸術	げいじゅつ	読1
11	人類	じんるい	読1
12	愛情	あいじょう	読1
13	超える	こえる	読1
14	降る	ふる	読2
15	動作	どうさ	読2
16	鳴る	なる	読2
17	傾向	けいこう	読2
18	挙げる	あげる	読2
19	機会	きかい	読2
20	適当(な)	てきとう(な)	練習
21	鳴く	なく	練習
22	状況	じょうきょう	会1
23	階段	かいだん	会1
24	血液(型)	けつえき(がた)	会2

太字：新しい漢字
＿＿＿：新しい読み方
▨：前に習った単語
ᴿ：前にRで習った漢字

文化ノート3 カワイイニッポン!

日本の「オタク文化」はよく知られていますが、日本には「カワイイ文化」というのもあることを知っていますか。例えば、世界中で大人気のハローキティは日本で生まれた「カワイイ文化」の代表的なキャラクターです。キティちゃんのイラストは、文房具(school supplies)から洋服、時計、車まで色々なものに使われていますね。あなたの周りにもキティちゃんグッズを持っている人がいませんか。

「かわいい」という言葉はどんなものに使われるのでしょうか。子イヌや子ネコ? 赤ちゃんの手? フリルのたくさんついた(frilly)洋服?

日本では、小さいものや、丸くてフワフワしていてやわらかそうな感じのものを「かわいい」と表現する傾向があります。そして、どんなものにでも動物やマンガ的なかわいいシンボルキャラクターを作って楽しみます。下のかわいいキャラクター達は何のシンボルか分かりますか。(a)～(e)から選んでみましょう。

①　②　③　④　⑤

(a) 日清食品の「チキンラーメン」のキャラクター「ひよこちゃん」。

(b) もっと本を読もうと言っている、新潮文庫(SHINCHO paperback)のキャラクター、「Yonda?」。

(c) 滋賀県にある彦根市のキャラクター、「ひこにゃん」。

(d) ダイキンのエアコン「うるるとさらら」のキャラクター「ぴちょんくん」。

(e) 洋菓子メーカー不二家のキャラクター。1958年生まれ永遠の(eternal)6歳、身長100cm、体重15kg、名前は「ペコちゃん」。

これらのキャラクターについて、もっと知りたい人はインターネットで調べてみて下さい。

第 **8** 課

日本の
伝統芸能
げ い の う

1 日本の代表的な伝統芸能(traditional performing arts)には、次のようなものがあります。

① 能

② 狂言 ©茂山狂言会

③ 歌舞伎

④ 文楽

次の文は、上のどの伝統芸能についての説明ですか。インターネットなどで調べて番号を入れなさい。

> 説明が難しいですから、読解補助ツール(reading-aid tool)を使って読みましょう。(See L.3「本文を読む前に」。)同じテキストが http://tobiraweb.9640.jp/preactivity/08/performance.html にあります。

(　)	「能」と「能」の間に演じられる喜劇。日常生活に見られる「笑い」がテーマ。演じる時に、化粧をしたり、面をつけたりしない。音楽もあまりない。
(　)	人形を使って演じられる江戸時代の悲劇。男女の恋愛が多い。普通は三人で一つの人形を動かす。「浄瑠璃」と呼ばれる伝統的な音楽で物語を表す。
(　)	「能面」と呼ばれる面をつけて演じられる悲劇。幽玄の世界を表す。ゆっくりした歌や動きが特徴。男性だけで演じられ、女性の役も男性がする。
(　)	顔を白くする化粧や独特のジェスチャーが特徴。音楽も歌も動作もダイナミックでにぎやかなものが多い。男性だけで演じられ、女性の役も男性がする。

2 あなたの国の代表的な伝統芸能を一つ選んで、下の表を完成しなさい(to complete)。
①～③は選んだ伝統芸能に合うこと全部に○をしましょう。

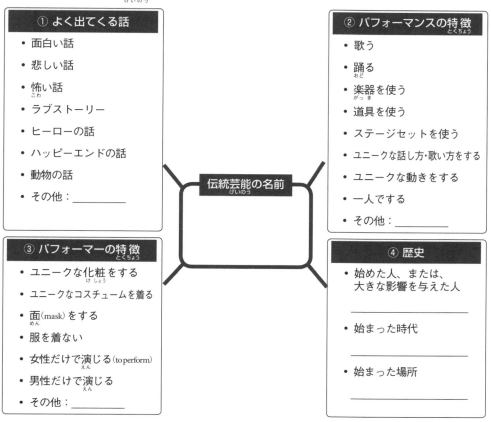

① よく出てくる話
- 面白い話
- 悲しい話
- 怖い話
- ラブストーリー
- ヒーローの話
- ハッピーエンドの話
- 動物の話
- その他：_____

② パフォーマンスの特徴
- 歌う
- 踊る
- 楽器を使う
- 道具を使う
- ステージセットを使う
- ユニークな話し方・歌い方をする
- ユニークな動きをする
- 一人でする
- その他：_____

伝統芸能の名前

③ パフォーマーの特徴
- ユニークな化粧をする
- ユニークなコスチュームを着る
- 面(mask)をする
- 服を着ない
- 女性だけで演じる(to perform)
- 男性だけで演じる
- その他：_____

④ 歴史
- 始めた人、または、大きな影響を与えた人

　_____

- 始まった時代

　_____

- 始まった場所

　_____

3 日本の『桃太郎』のように、あなたの国で多くの人に知られている有名な話を一つ選んで、主な登場人物(characters in a play)を二人挙げ、その二人が話の中ですることを三つ以上挙げて、書きなさい。

話のタイトル 『　　　　　　　　　　』

登場人物

すること
-
-
-

-
-
-

狂言と笑い
きょうげん

1　日本語では、笑いは様々な表現で表わされます。例えば、大声で笑う時は「ゲラゲラ」笑い、

　恥ずかしそうに小さい声で笑う時は「クスクス」笑います。他にも「きゃっきゃっ」と笑ったり、

　「ワハハ」と笑ったりしますが、皆さんは、これらの「笑い」には不思議な力があることを知っ

　ていますか。実は、「笑い」は人間の健康と深い関係があり、その効果は科学的にも証明されて

5　いるのです。

　　糖尿病 (diabetes) という病気は、血液中の血糖値 (blood-sugar level) が高くなることによって起こ
とうにょうびょう　　　　　　　　　　　　　　けっとうち

　る病気ですが、ある科学者が、面白い話を聞かせた後の患者と難しい講義を聞かせた後の患者の

　血糖値を比べるという実験をしてみました。すると、難しい講義を聞いた後では平均123ミリグ
けっとうち

　ラムも上がった血糖値が、面白い話を聞いて笑った後では、平均77ミリグラムしか上がらなかっ
　　　　　　　　けっとうち

10　たという結果が出たそうです。

　　また、血液の中には、キラー細胞 (natural killer cells) と呼ばれるユニークな名前の細胞があります。
さいぼう

　この細胞は名前の通り、ウイルスや癌細胞を壊す力を持っていて、キラー細胞が増えれば増える
さいぼう　　　　　　　　　　がん　こわ

　ほど、多くの悪い細胞が減るのですが、「笑い」にはこのキラー細胞を増やす効果があるという
　　　　　　　さいぼう

　ことも分かりました。

15　さて、人間の健康にとって大切な行為である「笑い」、これを取り入れた日本の伝統芸能と言
　　　　　　　　　　　　　　　　　　こうい　　　　　　　　　　　　　　　　　　げいのう

　えば、一番に「狂言」が挙げられます。狂言というのは、歌や踊りがあまり出てこない、言葉
　　　　　きょうげん

　を中心とした劇で、14世紀頃に劇の形が完成しました。狂言には、主人と家来、親と子、
　　　　　　　　　　　　　　　　　　　　　　　　　きょうげん　　　　　　　　けらい

　山伏など色々な人物が登場しますが、どの人物もどこにでもいる普通の人達ばかりで、スーパー
やまぶし

　マンのような超人的なヒーローは出てきません。また、悲劇の主人公のような人物も出てきませ
　　　　　ちょうじん

20　ん。この普通の人達が、失敗したり、うそをついたり、困ったりする様子を、言葉や動作でユー

　モラスに表現しているのが狂言です。
　　　　　　　　　　　きょうげん

　　また、狂言には、話の途中で強い人と弱い人の立場が逆になってしまうという風刺的な面白
　　　きょうげん　　　　　　　　　　　　　　　　　　　　　　　　　　　　　　　　　ふうし

　さもあります。例えば、「主人」は自分の「家来」に簡単にだまされてしまいますし、偉そう
　　　　　　　　　　　　　　　　　けらい

　にしていた「親」が「子供」にからかわれたり、超人的な力を持っているはずの山伏が実際は
　　　　　　　　　　　　　　　　　　　　　ちょうじん　　　　　　　　　　　　やまぶし

恥ずかし は	効果 こうか	科学 かがく	証明 しょうめい	起こる お	患者 かんじゃ	講義 こうぎ	実験 じっけん	平均 へいきん
上がった あ	通り とお	減る へ	取り入れた とい	踊り おど	中心 ちゅうしん	劇 げき	完成 かんせい	登場 とうじょう
普通 ふつう	悲劇 ひげき	主人公 しゅじんこう	途中 とちゅう	立場 たちば	逆 ぎゃく	偉そう えら		

25 無力で弱かったりするという話がよく出てきます。

　　昔の日本は身分の差が大きく厳しい上下関係がありました。しかし、狂言の中では、身分が高くて立派だと思われている人が、バカなことをして身分が低い人に笑われるという話がよく出てきます。昔の人々は、狂言の中に偉い人や超人的な人が自分達と変わらない普通の人として描かれている点に、面白さを感じたのではないでしょうか。

30 　　代表的な狂言の一つ、「ぶす」という話を紹介しましょう。ある日、主人が二人の家来に、自分の留守中に「ぶす」という名前のおそろしい毒が入っている桶には絶対に近づかないようにと言って出かけます。しかし、「見てはいけない」と言われてますます見たくなってしまった二人は、我慢できずに桶のふたを開けてみました。すると、桶の中から、甘くておいしそうなにおいがしてきました。実は、桶に入っていたのは「おそろしい毒」ではなくて「甘くておいしい黒砂

35 糖」だったのです。もちろん、二人はそれを全部食べてしまいました。

　　さて、二人は主人に謝ったと思いますか。いいえ、二人は逆に、主人が大切にしていた掛け軸を破ったり、高い茶碗を割ったりしました。そして、主人が帰って来ると、泣きながら「大変悪いことをしてしまったので、ぶすを食べて死のうと思ったけれど死ねなかった」と言いました。自分が出かけている間に黒砂糖を食べられないように、毒だと言って、家来をだまそうとした主

40 人。しかし、逆に家来に黒砂糖を全部食べられてしまい、その上、大事な掛け軸を破られ、高い茶碗も割られてしまったのです。

　　皆さんはこの話のどんなところが面白いと思いますか。皆さんの体の中のキラー細胞は増えたでしょうか。このように「笑い」は伝統芸能の中にも生きています。そして、芸術の中の「笑い」も、毎日の日常生活の中で生まれる「笑い」も、効果は同じです。皆さんも、身近な健康法とし

45 て、「笑い」を見直してみませんか。

能舞台

狂言「ぶす」

©茂山狂言会

身分	立派	低い	点	留守	毒	近づかない	甘くて	謝った
みぶん	りっぱ	ひくい	てん	るす	どく	ちか	あま	あやま
破った	割った	日常	身近	-法	見直して			
やぶ	わ	にちじょう	みぢか	ほう	みなお			

単語表

1	伝統芸能	でんとうげいのう	N	traditional performing arts	F
2	狂言	きょうげん	N	kyogen (play) [comical plays performed during Noh intermissions]	Ttl
3	恥ずかしい	はずかしい	A	to be shy; be embarrassed; be ashamed	2
4	科学	かがく	N	science | 科学的（な）(ANa) scientific | 科学者（N）scientist	
5	証明	しょうめい	VN	proof | （〜を）証明する	4
6	（〜が）起こる	おこる	u-Vi	to occur; happen	6
7	患者	かんじゃ	N	patient	
8	講義	こうぎ	N	lecture	7
9	実験	じっけん	VN	experiment; test | 実験（を）する (Phr) to experiment	
10	平均	へいきん	N	average; mean	8
11	（〜が）上がる	あがる	u-Vi	to rise; go up	9
12	細胞	さいぼう	N	cell (of living things)	11
13	ウイルス		N	virus	
14	癌	がん	N	cancer	12
15	（〜が）減る	へる	u-Vi	to decrease	13
16	行為	こうい	N	act; conduct	
17	（〜を）取り入れる	とりいれる	ru-Vt	to adopt; take in	15
18	踊り	おどり	N	dance | 踊る (u-Vt) to dance	16
19	中心	ちゅうしん	N	center	
20	劇	げき	N	play (performed on stage)	
21	完成	かんせい	VN	completion | （〜が）完成する to complete; be completed	
22	主人	しゅじん	N	master; head of household; owner (of shops); one's husband	
23	家来	けらい	N	subordinate warrior; servant	17
24	山伏	やまぶし	N	itinerant Buddhist monk	
25	登場	とうじょう	VN	entering (on stage); appearing (on screen) | 登場する | 登場人物 (N) characters (in a play or novel)	18
26	超人的（な）	ちょうじんてき（な）	ANa	superhuman	
27	悲劇	ひげき	N	tragedy	
28	主人公	しゅじんこう	N	main character	19
29	ユーモラス（な）		ANa	humorous	20
30	途中で	とちゅうで	Phr	on the way; halfway	
31	立場	たちば	N	position; standpoint	
32	風刺	ふうし	VN	satire | （〜を）風刺する	22
33	（〜を）だます		u-Vt	to deceive	
34	偉そうにする	えらそうにする	Phr	to act important	23
35	（〜を）からかう		u-Vt	to tease	24
36	無力	むりょく	N	powerless	25
37	身分	みぶん	N	one's social position/status	26
38	立派（な）	りっぱ（な）	ANa	splendid; fine; prominent; admirable	
39	バカなことをする		Phr	to do a foolish thing	27

40	（〜を）描く	えがく	u-Vt	to depict; describe	29
41	留守	るす	N	being away from home	
42	毒	どく	N	poison	
43	桶	おけ	N	wooden bucket	
44	（〜に）近づく	ちかづく	u-Vi	to get closer; come near; approach	31
45	我慢	がまん	VN	patience; tolerance｜（〜を/に）我慢する to have patience/put up with（something or someone)	
46	ふた		N	lid; cover	
47	におい		N	smell｜においがする (Phr) to smell	33
48	黒砂糖	くろざとう	N	brown sugar	34
49	掛け軸	かけじく	N	Japanese scroll painting or calligraphy	36
50	（〜を）破る	やぶる	u-Vt	to tear	
51	茶碗	ちゃわん	N	rice bowl; teacup (for tea ceremony)	
52	（〜を）割る	わる	u-Vt	to break (a glass, window, plate, etc.)	37
53	日常	にちじょう	N	daily routine; daily ~	
54	身近（な）	みぢか（な）	ANa	close to someone; handy; easily accessible	
55	-法	-ほう	Suf	way; method	44

言語ノート

ノ形容詞（*no*-adjective）

　日本語にはよく知られている「イ形容詞（*i*-adjective）」「ナ形容詞（*na*-adjective）」の他に、もう一つ、あまり知られていない形容詞があります。「本当」「最高」「特別」などがその例です。このような形容詞は、名詞を修飾する時（when they modify nouns）、「の」を付けるので「ノ形容詞」（この教科書での記号はANo）と呼ぶことにします。（例：本当の話、最高のプレゼント）　「ノ形容詞」は名詞を修飾する時に「の」を使いますが、名詞ではありません。理由は、「ノ形容詞」は人やものの性質（nature; property）や状態（state）を表わす言葉で、名詞のように主語（subject）や目的語（object）になることは出来ないからです。（例えば、「本当を話す」や「最高が好きだ」とは言えません。）

　「ノ形容詞」が動詞（verb）や他の形容詞を修飾する時は、「ナ形容詞」と同じように、「に」が付きます。（例：本当に困っている、最高にうれしい）　また、「ノ形容詞」は後ろに「だ」「です」「だった」「じゃない」などが付くことも「ナ形容詞」と同じです。（例：本当だ、最高だった）「ノ形容詞」と「ナ形容詞」は、双子の兄弟（twin brothers）のように大変よく似ている（to look alike）のです。

会話文 ▶ストーリーを話す

| 1 | 会話文 | 狂言の「くさびら」という話について勇太がモニカに話す。 |

モニカ： 勇太君、何見てるの？

勇　太： あ、モニカ。これ、「狂言」の写真集。

モニカ： 狂言って、日本の伝統芸能の？

5 勇　太： うん。

モニカ： 狂言って、確か日本の昔のコメディなんだよね。

勇　太： うーん。確かに喜劇なんだけど、でもちょっと違うような気もするんだ。

モニカ： ふうん。でも、笑える話なんでしょ。

勇　太： うん。笑えることは笑えるんだけど、その笑いに深さがあるような気がするんだよ。

10 モニカ： ふうん。深さのある笑い？

勇　太： うん、例えば、この写真の「くさびら」っていう話、山伏ときのこの話なんだけど。

モニカ： 山伏って？

勇　太： 簡単に言うと、山で仏教の修行をしている人。その修行のおかげで、スーパーマンみ
　　　　 たいな力を持っていると考えられているんだ。

15 モニカ： へえ。で、それはどんな話なの？

勇　太： うん、家の中に、きのこがどんどん生え出して困った村人が、山伏に助けて下さいっ
　　　　 て頼みに行くんだ。

モニカ： ふうん、それで？

勇　太： それで、その山伏が自分の祈りの力できのこを消そうとするんだけど、祈れば祈るほ
20　　　 ど、きのこが増えちゃうんだよ。

モニカ： え〜。それじゃ、逆じゃない…。

勇　太： そうなんだよ。で、最後は、山伏が自分の祈りのせいでもっと増えちゃったきのこ達
　　　　 に追いかけられて、逃げ出しちゃうっていう話。

モニカ： えっ、きのこが追いかけるの？

25 勇　太： そうなんだよ。このきのこは、実は、普通のきのこじゃなくて、目とか鼻とか手足
　　　　 まであるんだ。

モニカ： わあ〜。SFみたいだね。

勇　太： うん。山伏の祈っている様子とか、山伏が祈るたびにますます増えてしまうきのことか、

| 写真 | 確か | 喜劇 | 生え | 村人 | 追いかけ | 逃げ |
| しゃしん | たし | きげき | は | むらびと | お | に |

きのこに追いかけられて山伏が逃げ出す場面とか、すっごく面白くて笑えるんだ。

30　モニカ ： ほんと、面白そう。

　　勇　太 ： でも、よく考えたら、自信満々だったのに失敗した山伏がかわいそうになっちゃって。

　　モニカ ： そうねえ。

　　勇　太 ： 自分に自信を持つことも大切だと思うけど、自分の本当の力を知ることも大切だなっ

　　　　　　て、結構、考えさせられちゃった。

35　モニカ ： うーん。話を聞いてたら、私も観たくなってきちゃった。

　　勇　太 ： うん、ぜひ、観てみたらいいよ。DVDがあるはずだから。

　　モニカ ： そうね。探してみる。ありがとう。

ストーリーを紹介する	モニカが狂言「くさびら」のストーリーを発表する。

40　　　今日は、日本の伝統芸能の一つである「狂言」の中の
「くさびら」という話を皆さんに紹介したいと思います。こ
の「くさびら」は、家の中にきのこがどんどん生え出して
きたので、困ってしまった村人が、山伏にきのこを消して
もらおうとする話です。山伏というのは、山で仏教の修行
をしている人のことで、登場人物は、村人と山伏ときのこ
45　です。では、始めます。

くさびら　　©茂山狂言会

　　　ある日、突然、村人の家の中に、きのこがニョキニョキ生え出しました。びっくりした村人は、
きのこを一生懸命抜きましたが、1本抜くたびに、また新しいきのこがニョキニョキ生えてきて
しまいます。困った村人達は、山伏にお願いして助けてもらうことにしました。自分には特別な
力があると信じている山伏は、「私が祈って、きのこを消してあげよう」と言って村人の家にやっ
50　て来ました。

　　　ところが、このきのこは普通のきのこではなく、目や鼻や手足のようなものがあるのです。こ
れを見た山伏はとても驚きましたが、きのこを消すために「ボロンボロ、ボロンボロ」と祈り始
めました。しかし、山伏が祈れば祈るほど、消えるはずのきのこが消えずに、逆に増えてしまい
ます。山伏は一生懸命祈りましたが、きのこはどんどん増え続け、とうとう家中がきのこでいっ
55　ぱいになってしまいました。それでも、山伏が祈り続けていると、今度はきのこ達が動き出し、
「かみつくぞ！ かみつくぞ！」と言いながら山伏を追いかけ始めました。

　　　山伏は怖くて怖くて、祈ってなんていられません。そして、とうとう「助けてくれ、助けてく
れ」と言いながら逃げ出してしまいました。おしまい。

自信	観たく	探して	突然	抜き	怖くて
じ しん	み	さが	とつぜん	ぬ	こわ

単語表

▶太字＝覚える単語

会話文

1	写真集	しゃしんしゅう	N	book of photographs	3
2	確か	たしか	Adv	If I remember correctly; if I'm not mistaken | 確か（な）(ANa) certain; sure	6
3	喜劇	きげき	N	comedy	7
4	きのこ		N	mushroom	11
5	修行	しゅぎょう	VN	training and practicing religion, martial arts, etc. with an austere manner or attitude | (〜の)修行をする	13
6	(〜が)生える	はえる	ru-Vi	to sprout; come up; grow (plant, hair, etc.)	16
7	村	むら	N	village | 村人(N) village people	16
8	(〜を)消す	けす	u-Vt	to remove; erase; turn off; put out (fire)	19
9	(〜を)追いかける	おいかける	ru-Vt	to run after; chase	
10	逃げる	にげる	ru-Vi	to run away	23
11	自信	じしん	N	self-confidence | 自信満々(な)(ANa) with abundant self-confidence	
12	かわいそう(な)		ANa	poor; pitiable	31
13	(〜を)観る	みる	ru-Vt	to see/watch (a play, movie, sports game, etc.)	35

ストーリーを紹介する

14	突然	とつぜん	Adv	suddenly	
15	ニョキニョキ		Adv	springing up rapidly	46
16	(〜を)抜く	ぬく	u-Vt	to pull out	47
17	やって来る	やってくる	irr-V	to come; come up; show up	49
18	家中	いえじゅう	N	the whole house	
19	(〜が〜で)いっぱいになる		Phr	to be filled up; be full	54
20	それでも		Conj	but (still); even so	55
21	(〜に)かみつく		u-Vi	to bite	
22	-ぞ		Prt	[express assertion (used mainly by men)]	56
23	Verbてくれ		Phr	[a phrase used to make blunt informal commands or requests]	57
24	おしまい		N	the end; closing	58

内容質問

 読み物を読んだ後で、考えてみよう。

1. 笑うことは、何と関係がありますか。その例として、どんなことが紹介してありますか。

2. 血液の中には、どんな細胞がありますか。笑うこととその細胞にはどんな関係がありますか。

3. 日本の伝統芸能の狂言というのは、どんな劇ですか。狂言の特徴を三つ以上挙げて下さい。

4. 狂言には、どんな風刺的な面白さがありますか。

5. 主人は出かける時に、二人の家来に何をしてはいけないと言って出かけましたか。

6. 二人の家来は、主人が出かけた後、何を見てしまいましたか。二人は見たものをどうしましたか。

7. 二人はその後、何をしましたか。なぜそんなことをしたと思いますか。

8. 主人が帰って来てから、家来達は主人に何と言いましたか。

9. 主人は、なぜ家を出る時、家来達にうそをついたと思いますか。

10. この話の中で本当にだまされた人は誰だったと思いますか。どんな点が風刺的だと思いますか。

> **act**
>
> 読み物にある「ぶす」の話を演じて(to act)みましょう。
>
> （登場人物）主人、家来A、家来B

 会話文を読んだ後で、考えてみよう。

1. 狂言はコメディですが、勇太は、狂言はただの面白い話と何が違うと言っていますか。

2. 山伏というのは、どんな人ですか。今の日本にいると思いますか。

3. 村人達はどんなことに困って、山伏に何を頼みましたか。それは成功しましたか。

4. 勇太は山伏がかわいそうな感じがすると言っていますが、それはなぜですか。

> **act**
>
> 会話文にある「くさびら」の話を演じて(to act)みましょう。
>
> （登場人物）村人、山伏、きのこ

▶▶▶ みんなで話してみよう。

1. 日本の伝統芸能のビデオを借りて、観てみましょう。
   どれが一番面白かったですか。どれを実際に観てみたいと思いましたか。

2. a. 自分の国や出身地方の伝統芸能について話しなさい。
   b. それは日本の伝統芸能とどんなところが似て(to be similar)いますか。どんなところが違いますか。

3. 勇太の意見についてどう思いますか。自信を持つことと、自分の本当の力を知ることと、どちらの方が大切だと思いますか。

▶▶ パートナーに「3匹（びき）のこぶた」の話を紹介しなさい。

A ： Bさん、「3匹（びき）のこぶた」っていう話、知ってる？

B ： ううん、知らない。どんな話？

A ： 「3匹（びき）のこぶた」っていうのは、こぶたとオオカミの話なんだ。

B ： 「こぶた」って？

A ： 「こぶた」は、ぶたの子供のこと。

B ： ああ、ぶたの子供ね。じゃ、ぶたの子供とオオカミの話か。

A ： うん、そう。

B ： へえー、面白そう。どんなストーリー？

A ： 昔、ある森（もり）に、3匹（びき）のこぶたがお母さんと一緒に住んでいたんだ。

B ： うん。

A ： みんなで楽しく暮らしていたんだけど、大きくなったこぶた達は、ある日、それぞれ自分の
家を作ることにして、…

B ： うん。それから？

A ： ＿＿＿＿＿＿＿＿＿＿＿＿＿＿＿＿＿＿＿＿＿＿＿＿＿＿＿＿＿＿＿。

B ： へえー。

A ： ＿＿＿＿＿＿＿＿＿＿＿＿＿＿＿＿＿＿＿＿＿＿＿＿＿＿＿＿＿＿＿。

B ： うん。

A ： ＿＿＿＿＿＿＿＿＿＿＿＿＿。おしまい。

B ： ふうん。最後がハッピーエンドでよかった。

A ： うん。そうだね。

▶▶▶ 下のパターンを使って、自分が知っている話をパートナーにしてみましょう。

A ： Bさん、「＿＿＿＿＿＿＿＿」っていう話、知ってる？
　　　Bさん、「＿＿＿＿＿＿＿＿」っていう映画、見た？
　　　Bさん、「＿＿＿＿＿＿＿＿」っていう本、読んだ？

B ： ううん、どんな話？

A ： 「＿＿＿＿＿＿＿＿」っていうのは、＿＿＿＿＿＿＿＿の話なんだ。

B ： へえー、＿＿＿＿＿＿＿＿。どんなストーリー？

A ： ＿＿＿＿＿＿＿＿＿＿＿＿＿＿＿＿＿＿＿＿＿＿＿＿＿＿＿＿＿＿＿。

B ： うん。それから？

A ： ＿＿＿＿＿＿＿＿＿＿＿＿＿＿＿＿＿＿＿＿＿＿＿＿＿＿＿＿＿＿＿。

B ： へえー。

A ： ＿＿＿＿＿＿＿＿＿＿＿＿＿＿＿＿＿＿＿＿＿＿＿＿＿＿＿＿＿＿＿。

B ： うん。

A ： ＿＿＿＿＿＿＿＿＿＿＿＿＿＿＿＿＿＿＿＿＿＿＿＿＿＿。おしまい。

B ： ＿＿＿＿＿＿＿＿＿＿＿＿＿＿＿＿＿＿＿＿＿＿＿＿＿＿＿＿＿。

　　　（何かコメントする）

A ： ＿＿＿＿＿＿＿＿＿＿＿＿＿＿＿＿＿＿＿＿＿＿＿。

ペアワーク 2 丁寧度(ていねいど) ★★

▶▶下の絵を見て、パートナーに発表形式(けいしき)(form)でストーリーを紹介しなさい。

赤ずきんちゃん

導入(どうにゅう)(introduction)

私は「赤ずきんちゃん」という話を紹介したいと思います。

これは、小さい女の子が森(もり)の中に住んでいるおばあさんに食べ物を持って行って、オオカミに食べられてしまうという話です。

登場人物は、赤ずきんちゃん、お母さん、おばあさん、オオカミ、猟師(りょうし)(hunter)です。では、始めます。

あらすじ(plot summary)

下の表現を使ってみましょう。順番(じゅんばん)(order)は違ってもいいです。

ある日 _____

それで _____

さて _____

ところが _____

すると _____

とうとう _____

その時 _____

おかげ / せい _____

最後の言葉

〈めでたし、めでたし〉

〈おしまい〉

▶▶クラスメートに自分が知っている話を紹介しましょう。下の発表例を参考にしなさい（to refer to）。
さんこう

導入（introduction）
どうにゅう

私は、「　　　　　　　　　」という話を紹介したいと思います。

これは、_____という話です。

（話の内容を１文か２文で簡単に紹介する）
ないよう

登場人物は、_____です。

では、始めます。

あらすじ（plot summary）

下の表現を使ってみましょう。順番（order）は違ってもいいです。
じゅんばん

ある日 _____

それで _____

さて _____

ところが _____

すると _____

とうとう _____

その時 _____

おかげ / せい _____

最後の言葉

〈めでたし、めでたし〉

〈おしまい〉

文法ノート

❶ Noun は Noun {と / に} 関係がある

本文	・「笑い」は人間の健康と深い**関係があり**、その効果は科学的にも証明されているのです。 【読：*ll.*4-5】
説明	This sentence pattern is used to show that X is related in some way to Y. The particle after the first noun can be either と or に. When this pattern is used in relative clauses, の is commonly used after 関係 in place of が. (In general, の often replaces the particle が in relative clause constructions.)
英訳	X は Y {と / に} 関係がある ＝X is related in some way to Y; X has something to do with Y
文型	a. N_1 は N_2 {と / に} 関係がある　　　　b. N_1 {と / に} 関係 {が / の} ある N_2
例文	1. 経済は政治 (politics) と深い**関係がある**。 2. そのトピックに**関係のある**本はこの列にありますよ。 3. 授業に**関係のない**質問はしないようにしましょう。 4. それは、僕には**関係がない**から、知らないなあ。

❷ ～（こと）によって

本文	・「血糖値 (blood-sugar level)」が高くなる**ことによって**起こる病気ですが、～ 【読：*ll.*6-7】
説明	によって indicates the cause, the means, or the agent in passive sentences.
英訳	because; because of; due to; by V-ing; by means of; via; through; by
文型	a. N によって　　　　b. ～ことによって : **Type 2c**
例文	1. ハイブリッドの車が増えた**ことによって**、町の空気がきれいになってきました。 [cause] 2. 地球温暖化 (global warming) **によって**北極 (the North Pole) の氷 (ice) が溶けて (to melt) いるらしい。 [cause] 3. インターネットで調べる**ことによって**、世界中で今起こっていることを知ることが出来る。 [means] 4. 言葉は、話したり読んだり書いたりする**ことによって**学んでいくのです。 [means] 5. 万有引力の法則 (the law of universal gravitation) はニュートン**によって**発見されました (to be discovered)。 [agent]

③ すると

本文	・比べるという実験をしてみました。**すると**、難しい講義を聞いた後では、～ 【読：*l.*8】
説明	すると connects two sentences, S_1 and S_2, in the following situations: (1) The action in S_1 causes what is said in S_2. (Exs. 1 and 2) (2) The action in S_1 leads to the discovery of what is said in S_2. (Ex. 3) (3) From the information implied in S_1, the speaker confirms that S_2 is the case. (Ex. 4)
英訳	then
文型	S_1。 すると、 S_2。
例文	1. 青と黄色の絵の具 (colors) を混ぜます (to mix)。**すると**、緑色になります。 2. かめ (turtle) は一生懸命走って行きました。**すると**、うさぎ (rabbit) が途中で寝ているのが見えました。 3. このアイコンをクリックして下さい。**すると**、コンピュータの画面 (screen) の文字が大きくなります。 4. A：田中さんは、明日の会議に出られないそうですよ。 　　B：**すると**、誰か他の人が出なくてはいけないということですね。

❹ ～通り（に）

本文	・この細胞は名前**の通り**、ウイルスや癌細胞を壊す力を持っていて、～ 【読：*l.*12】

説明	When 通り is modified by a verb or a noun, it means "the way; as someone does; as something indicates." 通り can also be used as a suffix, in which case 通り is directly affixed to nouns and the pronunciation changes to どおり.
英訳	the way; as; exactly like; following; according to
文型	a. V-plain 通り（に）：言う通り（に）；聞いた通り（に）；教えてもらった通り（に）；思った通り（に） b. Nの通り（に）：約束の通り（に）；説明の通り（に）；計画の通り（に） c. N通り（に）：約束通り（に）；説明通り（に）；計画通り（に）
例文	1. 母が教えてくれた**通り**作ったら、おいしいケーキができた。 2. 空手部では、先輩に言われた**通り**にしないと、怒られてしまう。 3. 日本のファミリーレストランの店員は、みんなマニュアルの**通り**に話すから、ロボットみたいだ。 4. 指示（instruction）**通り**に、ここに答えを書いて下さい。

❺ ～ば～ほど

本文	・キラー細胞が増えれ**ば**増える**ほど**、多くの悪い細胞が減るのですが、～　【読: *ll.*12-13】 ・祈れ**ば**祈る**ほど**、きのこが増えちゃうんだよ。　【会: *ll.*19-20】 ・山伏が祈れ**ば**祈る**ほど**、消えるはずのきのこが消えずに、逆に増えてしまいます。【ス: *ll.*53-54】
説明	This structure is used when the more something happens or is in some state, the more another thing happens or is in some state.
英訳	The (more) ～, the (more) ～
文型	a. {V/A}-cond {V/A}-plain ほど (When V is a *suru*-verb, the second VN is usually omitted.)：食べれば食べるほど；勉強すれば（勉強）するほど；安ければ安いほど b. ANa なら ANa なほど：便利なら便利なほど c. {ANa/NP} であれば（{ANa/NP} で）あるほど：便利であれば（便利で）あるほど；いい学生であれば（いい学生で）あるほど
例文	1. 外国語は話せ**ば**話す**ほど**、上手になります。そして、読め**ば**読む**ほど**、単語が増えます。 2. 運動すれ**ば**（運動）する**ほど**、健康になれるし、やせられるから、運動は一石二鳥ですね。 3. アパートは駅に近けれ**ば**近い**ほど**家賃が高くなり、逆に、駅から遠けれ**ば**遠い**ほど**安くなる。 4. 親が立派であれ**ば**ある**ほど**、子供はプレッシャーを感じてしまうようだ。 5. いい大学であれ**ば**ある**ほど**入るのが難しいです。

❻ さて

本文	・**さて**、人間の健康にとって大切な行為である「笑い」、～　【読: *l.*15】 ・**さて**、二人は主人に謝ったと思いますか。　【読: *l.*36】
説明	さて always occurs at the beginning of a sentence and signals that (a) the speaker/writer is beginning a new topic (the new topic and the previous topic may be part of the same discourse), (b) the speaker/writer is going to ask a question about the information just provided, or (c) the speaker is leaving. さて is not used in casual situations.
英訳	well; now; well now
文型	(S₁。) さて、S₂。
例文	1. 今、観たビデオから、文楽や歌舞伎は江戸時代に一般の人々にも広がったということが分かります。**さて**、次に紹介するのは、これも江戸時代に一般の人にも楽しまれるようになった茶道です。 2. ある日、うさぎ（rabbit）とかめ（turtle）が競走（race）をしました。**さて**、どちらがレースに勝ったでしょうか。 3. **さて**、もう遅いですから、今日はこれで失礼します。

❼ Nounを中心{と/に}する

本文	・「狂言」というのは、歌や踊りがあまり出てこない、言葉**を中心とした**劇で、〜 【読: *ll.*16-17】
説明	Nを中心{と/に}する literally means "to make N the center." This phrase is usually used in two forms: (a) Nを中心{と/に}(して) to modify verbs, and (b) Nを中心{と/に}した to modify nouns. The phrase indicates that something takes place around N or with N as the center/focus, or that someone does something focusing on N.
英訳	(centering) around; focusing on; mainly; with N as the center/focus/leader/etc.
文型	a. Nを中心{と/に}(して)　　b. N_1を中心{と/に}したN_2 (=N_1中心のN_2)
例文	1. 古代(ancient times)のヨーロッパはローマ**を中心として**発展した(to develop)。 2. 地球や火星、木星、金星などの惑星(planets)は、太陽**を中心として**回っている。 3. 宗教に熱心な信者は、宗教活動**を中心に**生活をしている。 4. 台風が近づいているため、九州**を中心に**大雨が降っている。 5. 私は、最近、日本の若者言葉**を中心とした**言葉の研究をしています。

❽ 逆〜

本文	・強い人と弱い人の立場が**逆に**なってしまうという風刺的な面白さもあります。【読: *ll.*22-23】 ・二人は**逆に**、主人が大切にしていた掛け軸を破ったり、高い茶碗を割ったりしました。【読: *ll.*36-37】 ・しかし、**逆に**家来に黒砂糖を全部食べられてしまい〜 【読: *l.*40】 ・え〜。それじゃ、**逆**じゃない…。 【会: *l.*21】
説明	逆 is used to indicate that X's way of doing something is the opposite of Y's way of doing it, or that the way X is or the way X happens is the opposite of the way Y is or the way Y happens. In different contexts, 逆 indicates that X's way of doing something, the way X is or the way X happens is the opposite of the way which is common, expected or intended.
英訳	逆だ = be opposite; the other way 逆にV= in the opposite direction; the other way; the wrong way; contrary to one's expectation; contrary to one's intention; conversely 逆のN = opposite N; the reverse of N
文型	a. Xは逆だ　　b. 逆にV　　c. 逆のN
例文	1. 日本と私の国は、朝と夜が**逆だ**。今、こちらは午後9時だが、日本は午前10時だ。 2. 私と両親の考えはいつも**逆だ**。どうしてこんなに意見が違うのだろう。 3. ダイエットのために運動を始めたら、お腹がすいてたくさん食べてしまい、**逆に**太ってしまった。 4. 日本語で数字(numeral)を100から**逆に**数えて(to count)みて下さい。 5. 一方通行(one way)の道だということを知らないで、**逆の**方向(direction)に進んで(to go forward)しまい、警察につかまってしまった。

❾ 〜はず

本文	・超人的な力を持っている**はず**の山伏が実際は無力で弱かったりするという話が〜 【読: *ll.*24-25】 ・ぜひ、観てみたらいいよ。DVDがある**はず**だから。 【会: *l.*36】 ・山伏が祈れば祈るほど、消える**はず**のきのこが消えずに、逆に増えてしまいます。【ス: *ll.*53-54】
説明	The dependent noun はず indicates that the speaker/writer or someone he/she empathizes with (e.g., the main character in a story) believes or expects that what is stated before はず is true based on his/her knowledge or memory at the moment of speech or at the time of the event stated in the main clause. The negative form can be either 〜ないはずだ or 〜はずがない. However, the sense of negation is stronger in はずがない. When S はずだ modifies a noun, の must be used between はず and the noun.
英訳	should; I expect that 〜; I believe that 〜
文型	**Type 2b**

例文	1. あの映画は面白い**はず**だよ。映画専攻の友達が3回も観たって言ってたから。 2. その本なら、大学の図書館に行けば、ある**はず**だよ。僕も前に借りたことがあるから。 3. 田中さんからメールの返事が来ない。送った**はず**のメールが届か (to reach) なかったようだ。 4. 今月の家賃を払った**はず**なのに、大家さんにまだもらっていないと言われた。変だなあ。 5. その野球選手は、道具を作ってくれた人達のことを考えたら、バットを折ったり、グローブを投げたりするなんて出来る**はず**がないと言った。

❿ ～点

本文	・普通の人として描かれている**点**に、面白さを感じたのではないでしょうか。　【読: *ll.*28-29】
説明	点 is used to mean "point" (in the sense of a single fact, idea, or opinion in an argument, discussion, etc.), "aspect," or "viewpoint/standpoint."
英訳	point; aspect; standpoint; viewpoint; respect　　S(という)点が = the fact that ～ N{という/の}点で(は) = in terms of ～; with regard to ～; with respect to ～　S(という)点で = in that ～
文型	a. S + という点：Type 1　　b. S + 点：Type 2c　　c. DemA点：その点　　d. N{という/の}点
例文	1. この**点**について、もう一度、説明していただけませんか。 2. この留学プログラムは、ホームステイが出来るという**点**が、セールスポイントですね。 3. 店に行かなくても買い物が出来るという**点**が、ネットショッピングに人気がある**点**です。 4. サービスという**点**では、日本のデパートは最高だ。 5. この車はガソリンがなくても走れるという**点**で環境 (environment) にいいですが、値段が高いです。

⓫ ますます

本文	・しかし、「見てはいけない」と言われて**ますます**見たくなってしまった二人は、～　【読: *ll.*32-33】 ・山伏の祈っている様子とか、山伏が祈るたびに**ますます**増えてしまうきのことか、～　【会: *l.*28】
説明	ますます occurs with verbs, the adverbial forms of adjectives and adverbs. It indicates that something happens to an even greater (or lesser) degree than before. ますます is not used for future controllable actions, as seen below: ・{もっともっと/✕ますます}がんばって下さい。 ・漢字を{もっともっと/✕ますます}勉強します。
英訳	more and more; -er and -er; increasingly; even more; even -er; still more; still -er
文型	a. ますます(～)V：ますます減る；ますます雪が降る；ますます興味をなくす b. ますますA-stem くなる：ますます寒くなる　　　c. ますますANa になる：ますます元気になる d. ますますAdv：ますますゆっくり
例文	1. 漢字を覚えれば覚えるほど、単語の数が**ますます**増えて、**ますます**日本語が分かるようになりますよ。 2. 台風が近づいてきたので、風が**ますます**強くなってきた。 3. デートをし始めて、彼のことが**ますます**好きになった。 4. 歌の次にダンスが始まりました。すると、**ますます**たくさんの人が集まって来ました。

⓬ Verb-*masu* 直す

本文	・皆さんも、身近な健康法として、「笑い」を見**直して**みませんか。　【読: *ll.*44-45】
説明	直す, when attached to the *masu*-stems of verbs, creates compound verbs with the meaning "again; re-."
英訳	again; re-V
文型	V-*masu* 直す：書き直す；読み直す；考え直す

	1. この作文は、コンピュータで書き**直して**、来週の月曜日に出して下さい。
例文	2. 分からない時は、もう一度、読み**直して**みるといいですよ。
	3. ビデオの日本語が分からなかったので、もう一度、聞き**直した**ら、今度はよく分かった。
	4. 今、ちょっと忙しくて、電話で話してられないから、後で私からかけ**直して**もいい？

⑬ ～**ことは**～（が／けれど）

本文	・笑える**ことは**笑える**んだけど**、その笑いに深さがあるような気がするんだよ。　【会: *l.*9】
説明	This structure is used when the speaker/writer admits that a proposition is true but wants to qualify the proposition with an additional remark.
英訳	It is certainly true that ～ , but; indeed ～ , but; do V ～ , but; ～ IS/ARE/WAS/etc. ～ , but
文型	a. {V/A}-plain.aff ことは {V/A}-plain.aff: 行くことは{行く／行った}が; 行ったことは行ったが; 安いことは{安い／安かった}が; 安かったことは安かったが b. ANa {な／だった}ことは ANa {だ／だった}が: 便利なことは便利{だ／だった}が; 便利だったことは便利だったが c. NP は NP {だ／だった}が: いい人はいい人{だ／だった}が d. NP {だった}ことは NP {だ／だった}が: いい人だったことはいい人だったが
例文	1. 黒澤明の「七人の侍」という映画は面白い**ことは**面白い**けど**、ちょっと長すぎると思う。 2. 作文を書いた**ことは**書いた**けれど**、まだ間違いがたくさんあるから書き直さなくてはいけない。 3. 私はテニスをする**ことは**します**が**、あまり上手じゃありません。 4. このアパートは駅に近くて便利な**ことは**便利だ**けれど**、家賃がとても高いです。 5. あの人は、いい人**は**いい人だ**けど**、ちょっとがんこ(stubborn)だね。

⑭ **おかげ；せい**

本文	・その修行の**おかげ**で、スーパーマンみたいな力を持っていると考えられているんだ。　【会: *ll.*13-14】 ・山伏が自分の祈りの**せい**でもっと増えちゃったきのこ達に追いかけられて、～　【会: *ll.*22-23】
説明	Both おかげ and せい are dependent nouns indicating cause. The former is used when the cause brings about a desirable result, and the latter when the cause brings about an unwanted result.
英訳	because; due to
文型	**Type 2b**
例文	1. 友達が手伝ってくれた**おかげ**で、仕事が早く終わった。 2. 大学院で勉強できるのは、授業料を払ってくれる兄の**おかげ**だ。 3. 昨日、学校へ行く途中で交通事故にあった(to encounter traffic accident)が、シートベルトの**おかげ**で、命が助かった。 4. ゆうべ飲み過ぎた**せい**で、朝から頭がガンガンする。 5. 1日中コンピュータを使っている**せい**で、目が悪くなってしまった。 6. A：チームが負けたのは、ピッチャーが弱かった**せい**だ。 　 B：そんなことないよ。ピッチャーだけの**せい**じゃないよ。

⑮ **どんどん**

本文	・きのこが**どんどん**生え出して困った村人が、～　【会: *l.*16】 ・この「くさびら」は、家の中にきのこが**どんどん**生え出してきたので、～　【ス: *ll.*40-42】 ・山伏は一生懸命祈りましたが、きのこは**どんどん**増え続け、～　【ス: *l.*54】

説明	どんどん expresses the idea that something proceeds from one stage to another or continues to happen at a fast pace with no delay, or that someone keeps doing something with no hesitation. In some situations, both ますます and どんどん can be used. For example, ますます can be used in place of どんどん in Exs. 1, 2 and 3, although ますます does not convey the idea that something happens at a fast pace. Thus, ますます cannot replace どんどん in Ex. 2, where the point of the sentence is the fact that the ice in Greenland is melting at a fast pace. ますます cannot be used in Ex. 4, either, because this is a future controllable action. (See 文法ノート⓫ above.)
英訳	at a fast pace; one after another; keep V-ing vigorously; with no hesitation; with no delay
文型	どんどんV
例文	1. 『とびら』で勉強するようになって、学生たちは日本語がどんどん上手になってきた。 2. 地球温暖化(global warming)のせいで、グリーンランドの氷(ice)がどんどん溶けて(to melt)いるそうだ。 3. 日食(solar eclipse)を見ているうちに、どんどん空が暗くなってきて、ついに真っ暗になってしまった。 4. 分からなかったら、どんどん質問して下さい。フィードバックもどんどんして下さいね。

⓰ 〜たびに

本文	・山伏が祈るたびにますます増えてしまうきのことか、〜　【会:l.28】 ・1本抜くたびに、また新しいきのこがニョキニョキ生えてきてしまいます。　【ス:ll.47-48】
説明	たびに expresses the idea that each time someone does something, something else takes place. When たびに is modified by a noun, the noun refers to an action (e.g., 旅行、計算(calculation))、event (e.g., お祭り、テスト)、or a certain time (e.g., クリスマス、休み).
英訳	every time; each time; on every 〜; whenever
文型	a. V-plain.non-past たびに　　　　b. Nのたびに
例文	1. 私はもう5回も日本に行っています。行くたびに、新しいことを学んで帰ります。 2. ポチは僕が大学に入る前はまだ子犬だったのに、休みに家に帰るたびに、どんどん大きくなっている。 3. 私の大学のチームは試合に出るたびに、負けてしまう。もっと強くなってほしいなあ。 4. 母が病気なので、休みのたびに家に帰るようにしています。 5. 彼は、デートのたびにおいしいレストランに連れて行ってくれる。

⓱ とうとう

本文	・きのこはどんどん増え続け、とうとう家中がきのこでいっぱいになってしまいました。【ス:ll.54-55】 ・とうとう「助けてくれ、助けてくれ」と言いながら逃げ出してしまいました。【ス:ll.57-58】
説明	とうとう indicates that an expected situation has occurred after an extended period of time. The adverb ついに is similar to とうとう and can be used in place of とうとう. ついに is more formal. (See L.5, 文法ノート❼)
英訳	finally; at (long) last; eventually; in the end; after all
文型	とうとうV
例文	1. とうとう博士論文(dissertation)が完成した。5年もかかってしまった。 2. 子供の時から長い間練習し続けて、とうとうオリンピックに参加することが出来た。 3. 彼は、その数学の問題を何時間も考えたが、答えが分からなかったので、とうとうあきらめてしまった。 4. 彼は医者のアドバイスを聞かないでタバコを吸い続け、とうとう肺ガン(lung cancer)になってしまった。 5. 15年も飼っていた犬が、年を取ってとうとう死んでしまったので、とても悲しい。

漢字表

■ RW　読み方・書き方を覚える漢字

1	効果	こうか	読
2	科学(者)	かがく(しゃ)	読
3	起こる	おこる	読
4	実験	じっけん	読
5	上がる	あがる	読
6	～通り(に)	～とおり(に)	読
7	減る	へる	読
8	取り入れる	とりいれる	読
9	中心	ちゅうしん	読
10	完成スル	かんせいスル	読
11	登場スル	とうじょうスル	読
12	主人公	しゅじんこう	読
13	立場	たちば	読
14	逆	ぎゃく	読
15	低い	ひくい	読
16	～点	～てん	読
17	近づく	ちかづく	読
18	日常	にちじょう	読
19	-法	-ほう	読
20	Verb直す	～なおす	読
21	写真ᴿ	しゃしん	会
22	確か(な)	たしか(な)	会
23	生える	はえる	会
24	村	むら	会
25	自信	じしん	会

■ R　読み方を覚える漢字

1	恥ずかしい	はずかしい	読
2	証明スル	しょうめいスル	読
3	患者	かんじゃ	読
4	講義	こうぎ	読
5	平均	へいきん	読
6	踊り / 踊る	おどり / おどる	読
7	劇	げき	読
8	普通	ふつう	読
9	悲劇	ひげき	読
10	途中	とちゅう	読
11	偉い / 偉そうにする	えらい / えらそうにする	読
12	身分	みぶん	読
13	立派(な)	りっぱ(な)	読
14	留守	るす	読
15	毒	どく	読
16	甘い	あまい	読
17	謝る	あやまる	読
18	破る	やぶる	読
19	割る	わる	読
20	身近(な)	みぢか(な)	読
21	喜劇	きげき	会
22	追いかける	おいかける	会
23	逃げる	にげる	会
24	観る	みる	会
25	探す	さがす	会
26	突然	とつぜん	ス
27	抜く	ぬく	ス
28	怖い	こわい	ス

太字：新しい漢字

＿＿＿：新しい読み方

▨▨▨：前に習った単語

ᴿ：前にRで習った漢字

現在の日本には様々な音楽があふれて(to overflow)います。世界の若者に大人気のJポップ、アニメソング、太鼓や三味線や琴などを使った日本の伝統音楽、それから、クラシック、ロック、ジャズなどなど。日本は世界中で最も音楽の種類の多い国の一つと言えるでしょう。しかし、日本人に「あなたの心に残る日本の歌は何ですか」と聞くと、子供の時に覚えた歌を挙げる人が多いのではないでしょうか。大人でも子供でも男性でも女性でも、メロディーを聞いたら誰でもすぐに歌える歌。日本にはそんな歌がたくさんあります。特に季節や自然の歌が多いのですが、その中から春の歌を1曲紹介します。やさしいメロディーですから、先生や日本人の友達に歌ってもらってから、一緒に歌ってみませんか。ちょっと難しいですが、歌詞(song lyrics)の意味も考えてみましょう。

春が来た

作詞：高野辰之　作曲：岡野貞一

はるがきた　はるがきた　どこにきた

やまにきた　さとにきた　のにもきた

〈三番〉
鳥がなく　鳥がなく
どこでなく　里でなく
山でなく　里でなく
野でもなく

〈二番〉
花が咲く　花が咲く
どこに咲く　花が咲く
山に咲く　里に咲く
野にも咲く

〈一番〉
春が来た　春が来た
どこに来た
山に来た　里に来た
野にも来た

その他にも簡単ですぐに歌える日本の歌がたくさんあります。日本人に教えてもらったり、ネットで探したりして、歌ってみて下さい。

春の歌：「さくらさくら」「春の小川」「春よ来い」「ひなまつり」「鯉のぼり」「おぼろ月夜」
夏の歌：「茶摘み」「ほたる来い」「てるてる坊主」「われは海の子」「夏は来ぬ」
秋の歌：「紅葉」「虫のこえ」「七つの子」「夕焼け小焼け」「赤とんぼ」
冬の歌：「雪」「たき火」「お正月の歌」「故郷」
その他：「鳩ぽっぽ」「シャボン玉」「めだかの学校」「どんぐりころころ」

第9課

日本の
教育
きょういく

本文を読む前に

1 小学校、中学校、高校でどんな科目（subject）を勉強しましたか。表の左に日本の一般的な学校の科目があります。表の右にあなたの勉強した学校の一般的な科目を入れなさい。分からない言葉は自分で調べてみましょう。

■ 日本の小学校　6年間	■（　　　　　　）の小学校（　　）年間
国語、算数、社会、理科、生活／道徳 音楽、図画工作、家庭科、体育	

■ 日本の中学校　3年間	■（　　　　　　）の中学校（　　）年間
国語、数学、社会（歴史、地理など）、理科、 英語、音楽、美術、技術家庭科、保健体育	

■ 日本の高校　3年間	■（　　　　　　）の高校（　　）年間
必修（mandatory）科目：現代国語、古典、数学、英語、 　　歴史（日本史、世界史）、理科（科学、生物、化学、物理） 選択（elective）科目：音楽、体育、美術、書道	

2 大学に入るための試験や大学生活について、下の表を完成しなさい。

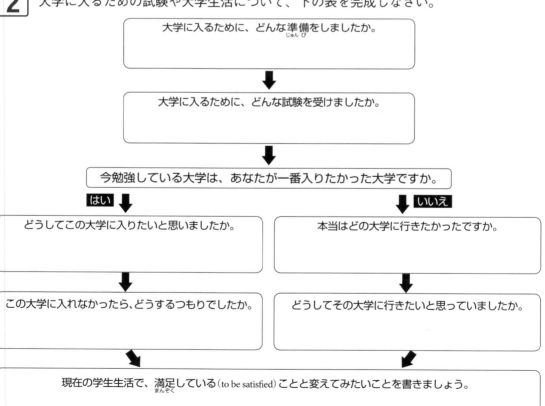

大学に入るために、どんな準備をしましたか。

↓

大学に入るために、どんな試験を受けましたか。

↓

今勉強している大学は、あなたが一番入りたかった大学ですか。

はい ↓

どうしてこの大学に入りたいと思いましたか。

↓

この大学に入れなかったら、どうするつもりでしたか。

いいえ ↓

本当はどの大学に行きたかったですか。

↓

どうしてその大学に行きたいと思っていましたか。

↓

現在の学生生活で、満足している（to be satisfied）ことと変えてみたいことを書きましょう。

3 皆さんの大学にはどんな学部(college; school)がありますか。それは日本語で何というか知っていますか。下の表を見ながらあなたの今勉強している学部と学科(department)/専攻を探しなさい。漢字をよく見ると、読み方が分からなくても何を勉強する学部や学科か分かるはずです。辞書で調べないで、まず漢字を見て意味を考えてみましょう。

注 この学部の表は、日本の一般的な大学の例をもとにしましたが、大学によって学部の言い方や分類(classification)の仕方が違うので、気をつけて下さい。

■ 日本の大学の学部・学科 ■

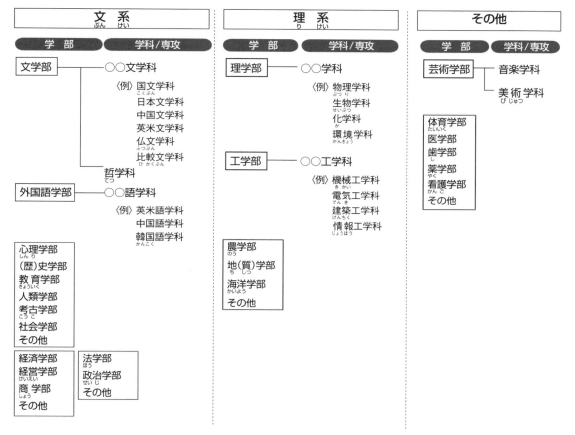

質問1：今、あなたが勉強している学部と学科/専攻は何ですか？

＿＿＿＿＿大学/大学院＿＿＿＿＿学部＿＿＿＿＿学科/専攻

質問2：卒業するために必要な単位(credit)数は何単位ですか。　＿＿＿＿＿単位

日本の教育の現状

1　　皆さんの国の教育制度は、現在、どのような制度になっていますか。どんないい点、どんな問題点がありますか。自分達が受けてきた教育に満足していますか。この課では、教育について考えてみましょう。まず始めに、日本の教育制度や現在の状況について紹介しますので、その後で皆さんの国の教育について話し合ってみて下さい。

5　　日本の教育制度は、6・3・3・4制と言われ、小学校が6年、中学校が3年、高校が3年、そして、大学が4年となっている。それぞれに公立と私立があり、小学校と中学校は義務教育だが、高校からは行っても行かなくてもよい。しかし、高校進学率は約98%なので、実際には高校に行かない人はほとんどいない。4年制の大学への進学率はだいたい50%ぐらいだが、短大や専門学校への進学率も含めると80%近くの高校生が、上の学校に進む。義務教育の後でも進学率が高い日本だが、教育の現状

10　には問題点も多く、特に以下の三つのことが挙げられる。

    1.「学歴社会」と「受験戦争」

    2.「いじめ」や「登校拒否」

    3.「偏差値教育」対「ゆとり教育」

　　1番の「受験戦争」というのは、中学や高校や大学の入学試験に合格するための競争は戦争のよう

15　だという意味だ。入学試験は普通1年に1回しか受けられない。生徒達はその1回のチャンスのために、学校の後も塾に通ったりして、一生懸命に勉強する。そして、大学の入学試験に失敗した高校生は、もう一度、次の年の試験に挑戦するために「浪人生」になることが多い。「浪人」というのは、もともと「主人のいない侍」のことを意味したが、今は、希望の大学に入れなかったために予備校に行ったりしながら受験勉強をしている人達のことを指す。その他、受験の厳しさを表す言葉には「四当五

20　落」や「受験地獄」という表現もある。前者は、毎日4時間しか寝ずに勉強すれば大学に合格できるが、5時間以上寝たら試験に落ちるという意味、後者は、受験で苦しむのは地獄のようだという意味だ。そんな受験生がいる家庭では、家族も必死に協力する。自分達が見たいテレビを我慢したり、夜中まで勉強する子供のために夜食を用意したりして、受験生が勉強しやすい環境を作るのだ。また、受験に縁起の悪い言葉「すべる」「落ちる」などは使わないように気をつけ、受験の神様が祭ってある神社

教育	現状	制度	満足	-制	公立	私立	義務	進学	-率	含める
きょういく	げんじょう	せいど	まんぞく	せい	こうりつ	しりつ	ぎむ	しんがく	りつ	ふく
進む	学歴	生徒	希望	指す	厳しさ	前者	後者	苦しむ	家庭	必死
すすむ	がくれき	せいと	きぼう	さす	きび	ぜんしゃ	こうしゃ	くるしむ	かてい	ひっし
協力	用意	環境								
きょうりょく	ようい	かんきょう								

25　に行って合格を祈るといったこともする。

　　では、どうして日本ではこのような厳しい受験の状況が生まれたのだろうか。理由の一つとして
「学歴社会」が挙げられるだろう。日本では、有名大学出身者はいい会社に就職しやすく、地位も早く
上がり、給料もたくさんもらえるという傾向がある。一方、あまり有
名ではない大学を出た人、あるいは、大学に行っていない人は、どん
30　なに能力のある人でも、能力のあることをなかなか認めてもらえない。
つまり、学歴社会とは、その人がどんな学校を卒業したかによって人
生が決まる社会、いい大学に入れば将来、幸せになる可能性も高くな
るという社会なのだ。そこで、親達は自分の子供を塾に行かせ、受験
をしなくても有名私立大学に進めるエスカレーター式の小学校や中学
35　校に入れようとする。2008年の文部科学省（文科省）の統計では、小
学生の約37%、中学生の約62%、高校生の約43%が塾に通ってい
るそうだ。

　　このような現状がある一方、今のような学歴社会をいいことだとは思っていない日本人もたくさん
いる。子供が学校や塾の勉強で忙しすぎて、子供らしく外で遊ぶ時間がないことを心配する人、学歴
40　だけで能力を判断されることをよくないと思っている人は多い。日本では以前は、首相になる人はほ
とんど東京大学（東大）出身者ばかりだったが、最近は東大出身者以外の人も首相になるようになった。
このことを歓迎する人が多いのも、学歴社会が決してよく思われていないからだろう。

　　2番目の問題は「いじめ」と「登校拒否」だ。「いじめ」では、ひどい場合はいじめられた子供が自殺
してしまうことさえある。「登校拒否」というのは、いじめられたとか学校の勉強についていけない
45　という理由で、学校に行かなくなってしまうことだ。これらの問題の原因はたくさんあって複雑だが、
日本社会の「他人と同じようであることが求められる」「他人と違うことがあまりいいことだと思われ
ない」という意識と受験教育のプレッシャーが、いじめや登校拒否の主な原因だと言われている。

　　上に挙げたような問題から、日本の教育制度を見直そうと1980年代に「ゆとり教育」が取り入れ
られた。しかし、これが別の大きな問題を生み出す原因になってしまった。「受験のために偏差値
50　（学力を表す数字）を上げることを目的とした教育」に対して、「もっと子供達の心を成長させるプレッ
シャーのない教育」という考えで始められた「ゆとり教育」が、日本の子供達の学力を低下させてし

就職 しゅうしょく	地位 ちい	給料 きゅうりょう	一方 いっぽう	認めて みとめて	人生 じんせい	幸せ しあわせ	可能性 かのうせい	統計 とうけい	判断 はんだん
以前 いぜん	以外 いがい	決して けっして	自殺 じさつ	原因 げんいん	求め もとめ	他人 たにん	主な おもな	別の べつの	生み うみ
学力 がくりょく	数字 すうじ	対して たいして	低下 ていか						

まったのだ。以前は世界でもトップレベルだった学力が、今ではとても低くなってしまい、アジアの国で4番目か5番目ぐらいにまで下がってしまった。ゆとり教育で学校で教える内容が減らされたため、その教育を受けた子供達は常識的に誰でも知っているはずのことでさえ知らないという現象も出てきた。例えば、円周率は一般的には3.14だが、「ゆとり教育」では円周率は3まで覚えておけばいいといったことを始めたのだ。その結果、自分の子供達の学力低下を心配した親達は、いい大学に合格するためには義務教育だけに頼ることは出来ないと思い、ますます子供を塾に送るようになった。悪循環と言えるだろう。そこで、2007年に「ゆとり教育」が見直されることになり、文科省で新しい教育の方法が話し合われている。

　以上述べたように、日本の教育には様々な問題が存在するが、いい点もある。それは、日本国民である限り、誰でも、どこに住んでいても、どんな状況でも、義務教育が受けられるということだ。日本語の読み書きは大変難しいにもかかわらず、文字を読んだり書いたり出来ない日本人はほとんどいないし、計算が出来ない人も0％に近い。

　また、義務教育で使われる教科書は全部、国の検定を受けていて、日本国民に与えられる基本的な教育には、住む所などで大きい差は出ない。誰でも教育が平等に受けられるというのは、日本の教育制度のすばらしい点の一つだ。問題は色々あるが、全体的には日本の教育レベルは高いと言えるだろう。

　教育の問題はどの国でも最も難しい問題の一つで、なかなかいい解決方法は見つからないようです。これを機会に、皆さんも自分の国の教育を見直して、いい点と問題点を挙げ、できればどうやって解決したらいいかも考えてみてはどうでしょうか。

下がって	内容	減らされ	常識	頼る	述べた	限り	計算	教科書
さ	ないよう	へ	じょうしき	たよ	の	かぎ	けいさん	きょうかしょ
基本	平等	解決						
き ほん	びょうどう	かいけつ						

204

単語表

▶太字＝覚える単語

1	**教育**	きょういく	VN	education | （〜を）教育する to train; educate	F
2	現状	げんじょう	N	present condition; status quo	Ttl
3	制度	せいど	N	system; institution | -制（Suf）system	
4	問題点	もんだいてん	N	the point at issue	1
5	満足	まんぞく	VN	contentment; satisfaction | （〜に）満足する to be satisfied (with ~)	2
6	公立	こうりつ	N	public (institution)	
7	私立	しりつ	N	private (institution)	
8	**義務**	ぎむ	N	duty; obligation | 義務教育（N）compulsory education	6
9	**進学**	しんがく	VN	going on（to the next stage of education）| （〜に）進学する	7
10	-率	-りつ	Suf	rate; percentage	
11	短大	たんだい	N	junior college	
12	専門学校	せんもんがっこう	N	vocational/technical school	
13	（〜を）含める	ふくめる	ru-Vt	to include	8
14	（number/quantity）近く	-ちかく	Suf	almost; nearly	
15	（〜に）進む	すすむ	u-Vi	to go on（to a university）; make progress; advance	9
16	学歴	がくれき	N	academic/educational background	11
17	**いじめ**		N	bullying | （〜を）いじめる（ru-Vt）to bully	12
18	登校拒否	とうこうきょひ	N	refusal to go to school [psychological problem]	
19	偏差値	へんさち	N	deviation score indicating the degree of difficulty of each school's entrance exam	
20	〜対〜	〜たい〜	N	~ versus ~	13
21	ゆとり		N	room; space; time（to spare）	
22	生徒	せいと	N	student（usually at junior/senior high school）	15
23	**挑戦**	ちょうせん	VN	try; challenge | （〜に）挑戦する	
24	浪人	ろうにん	VN	waiting for another chance to enter a university | 浪人する | 浪人生（N）student waiting for another chance to enter a university	17
25	侍	さむらい	N	Japanese warrior	
26	意味	いみ	VN	meaning | （〜を）意味する	
27	**希望**	きぼう	VN	hope; wish | （〜を）希望する	
28	予備校	よびこう	N	preparatory school for university entrance examinations	18
29	（〜を）指す	さす	u-Vt	to point; indicate	19
30	地獄	じごく	N	hell	20
31	（〜で/に）苦しむ	くるしむ	u-Vi	to suffer	21
32	家庭	かてい	N	home; family	
33	**必死（の）**	ひっし（の）	ANo	desperate; frantic	
34	協力	きょうりょく	VN	cooperation | （〜に）協力する	22
35	夜食	やしょく	N	night meal	
36	**用意**	ようい	VN	preparation | （〜を）用意する	
37	受験生	じゅけんせい	N	student preparing for an examination	
38	**環境**	かんきょう	N	environment	23
39	縁起の悪い	えんぎのわるい	Phr	unlucky	

40	すべる		u-Vi	to slide; skate; be slippery | 試験にすべる (Phr) to fail in a test	24
41	出身者	しゅっしんしゃ	N	alumnus	
42	地位	ちい	N	(social) position; status	27
43	(〜を)認める	みとめる	ru-Vt	to recognize; notice; admit	30
44	人生	じんせい	N	one's life	31
45	幸せ	しあわせ	N	happiness | 幸せ(な) (ANa) happy	
46	可能性	かのうせい	N	possibility; potentiality	32
47	文部科学省/文科省	もんぶかがくしょう/もんかしょう	N	Ministry of Education, Culture, Sports, Science and Technology [often shortened to 文科省]	
48	統計	とうけい	N	statistics	35
49	判断	はんだん	VN	judgment | (〜を)判断する	
50	以前	いぜん	Adv	before	
51	首相	しゅしょう	N	prime minister	40
52	東大	とうだい	N	short for 東京大学 (University of Tokyo)	41
53	歓迎	かんげい	VN	welcome | (〜を)歓迎する	42
54	自殺	じさつ	VN	suicide | 自殺する to commit suicide	43
55	(〜に)ついていく		u-Vi	to follow; keep up	44
56	原因	げんいん	N	cause; origin	45
57	他人	たにん	N	other people; others	
58	(〜を)求める	もとめる	ru-Vt	to seek; request; demand	46
59	主(な)	おも(な)	ANa	main; leading; major	47
60	別(の)	べつ(の)	ANo	another; different; extra	
61	(〜を)生む	うむ	u-Vt	to produce; bear	49
62	学力	がくりょく	N	academic ability	
63	数字	すうじ	N	numeral; figure	
64	(〜を)上げる	あげる	ru-Vt	to raise; elevate; increase	50
65	低下	ていか	VN	falling; declining | (〜が)低下する	51
66	今では	いまでは	Adv	now; nowadays	52
67	(〜が)下がる	さがる	u-Vi	to drop; go down	
68	(〜を)減らす	へらす	u-Vt	to reduce; cut down	53
69	常識	じょうしき	N	common sense; common knowledge | 常識的(な) (ANa) common-sense; ordinary	
70	現象	げんしょう	N	phenomenon	54
71	円周率	えんしゅうりつ	N	Pi (3.1415926…)	55
72	(〜に)頼る	たよる	u-Vt	to rely on; depend on	
73	悪循環	あくじゅんかん	N	vicious circle	57
74	(〜を/について)述べる	のべる	ru-Vt	to state; express | 以上、述べたように (Phr) as stated/described above	60
75	読み書き	よみかき	N	reading and writing	62
76	計算	けいさん	VN	calculation; count | (〜を)計算する to calculate	63
77	検定	けんてい	VN	giving official approval; inspecting | (〜を)検定する	
78	基本	きほん	N	foundation; basis | 基本的(な) (ANa) fundamental; basic	64
79	平等(な)	びょうどう(な)	ANa	equal; even | 平等 (N) equality; impartiality	65
80	解決	かいけつ	VN	solution; closure of problem | (〜を)解決する to solve; resolve; settle	67
81	〜を機会に	〜をきかいに	Phr	taking this opportunity	68

会話文 ▶ほめる / ほめられる

1 | **会話文 1** | 同級生の鈴木はるかと高橋勇太が、授業の前に教室で話している。
どうきゅうせい　すずき　　　　　たかはしゆうた

はるか： 高橋君、弟さんが京都大学の医学部に合格したんだって。すごいね。
　　　　たかはし

勇太： いやあ、すごいって言っても、1年、浪人してるからね。
　　　　　　　　　　　　　　　　　　　　ろうにん

はるか： 浪人したって、京大の医学部にはなかなか入れないよ。
　　　　ろうにん　　きょうだい

5 勇太： でも弟のクラスメートは、去年、浪人しないでストレートで合格したらしいから、それ
　　　　　　　　　　　　　　　　ろうにん
　　　　に比べれば…。

はるか： でも、すごいよ。ご両親も喜んでいらっしゃるでしょう？

勇太： そうだね。まあ、京大は公立だから私立に行くより学費も安いし、よかったかな。
　　　　　　　　　　　きょうだい　　　　　　　　　　　　　　がくひ
　　　　でも、せっかく入れたんだから、将来はいい医者になってもらいたいなあ。

10 | **会話文 2** | はるかが、同級生の西川道子と大学の食堂で話している。
どうきゅうせい　にしかわみちこ

道子： ねえ、はるか、ゼミの今度のレポート、何について書くか決めた？

はるか： うん、アメリカと日本の教育制度の違いについて書こうと思っているんだけど。

道子： ああ、はるかはアメリカに行ったことがあるから、アメリカのこと、よく知ってるしね。

はるか： 行ったって言っても、夏休みに1か月ホームステイしただけだから、そんなに知って
15　　　るってわけじゃないんだ。いろいろ調べなくちゃいけないから、大変。

道子： あ、そう。ところで、はるかのそのカバン、おしゃれでいいねえ。

はるか： ああ、これ？　先週バーゲンで買ったの。

道子： えっ、バーゲン？　いいなあ、その色。どの洋服にでも合いそうだし。

はるか： うん。本もたくさん入るから、便利なことは便利かな。でも、ちょっと重いんだ。
20　　　道子のそのセーターも、いいじゃない。よく似合ってる。

道子： そう？　これ、姉のなんだけど、ちょっと借りちゃった。姉は働いてるから、色々な
　　　　洋服を持ってるんだ。そのおかげで、私もちょっとだけおしゃれが出来るってわけ。
　　　　でも、自分のじゃないから、あんまり自由に着られないんだけど。

| **会話文 3** | 日本に留学して帰って来たロバートが、日本語の先生と話している。

25 先生： ロバートさん、ずいぶん日本語が上手になって、帰って来ましたね。

ロバート： いいえ、まだまだです。日本に行ったばかりの頃は全然思うように話せなくて困りました。

| 去年 | 喜んで | 食堂 | 洋服 | 似合って | 自由 |
| きょねん | よろこ | しょくどう | ようふく | にあ | じゆう |

先　生：　そうですか。ロバートさんの日本での経験について書いた作文も読みましたけど、

　　　　　書くのも上達しましたね。

ロバート：　本当ですか。先生にそう言っていただけると嬉しいです。みんな先生のおかげです。

30　　　　　これからも頑張りますので、よろしくお願いします。

| 会話文 4 | 日本に留学して帰って来たエミリーが、日本語の先生と話している。 |

先　生：　エミリーさん、ずいぶん日本語が上手になりましたね。

エミリー：　え、本当ですか。ありがとうございます。この大学で勉強したおかげで、日本の大学

　　　　　の日本語のクラスでも、一番上のレベルに入ることが出来ました。

35　先　生：　そうですか。それはよかったです。日本では「日本語が上手ですね」ってほめられた

　　　　　でしょう。

エミリー：　ええ、よく…。でも、どうやって返事をしていいか分からなくて、ちょっと困りました。

先　生：　そうですね。ほめられた時の答え方は難しいですね。エミリーさんはどう返事したん

　　　　　ですか。

40　エミリー：　初めは「いいえ、まだまだです」って言ってたんです。でも、一番上のクラスで勉強

　　　　　しているのに、そう言うのも変かなと思って、途中から相手の人によって返事の仕方

　　　　　を変えるようにしました。

先　生：　それは、いいことですよ。会話は状況や相手によってどんどん変わりますからね。

エミリー：　そうですね。先生、それで、実は、一つ気がついたことがあるんです。

45　先　生：　何でしょうか。

エミリー：　日本人はほめられると、たいていまず謙遜するんですが、謙遜しないでお礼を言う時

　　　　　もあるんですね。でも、そんな時でも、ほめられたことについて何かちょっとよくな

　　　　　いことを付け加えて、謙遜の気持ちを表すということが分かったんです。

先　生：　面白いことに気がつきましたね。その通りです。せっかくほめてもらったのだから、

50　　　　　すぐに否定しないで、まず相手のほめ言葉を受け入れるんですね。でも謙遜の気持ち

　　　　　も表したいので、何かちょっとマイナスのことも付け加えるんです。

エミリー：　そのようですね。誰かをほめるたびに、その人は「ありがとう」って言っているにも

　　　　　かかわらず、ほめられたことについてよくないことを言うので、ちょっと変だなって

　　　　　思ってたんですけど、最近は日本人の謙遜の習慣が分かるようになりました。

55　先　生：　エミリーさんは日本で、様々なことを学んできたようですね。

エミリー：　はい、日本に留学できて本当によかったと思います。

返事　　仕方　　否定
へんじ　　しかた　　ひてい

208

単語表

▶太字＝覚える単語

会話文1

1	同級生	どうきゅうせい	N	classmate	1
2	京都大学/京大	きょうとだいがく/きょうだい	N	Kyoto University〔often shortened to 京大〕	2
3	ストレートで		Phr	straight（out of high school）	5
4	（〜を）喜ぶ	よろこぶ	u-Vt	to be delighted（about 〜）; be glad	喜び（N）joy; delight	7
5	学費	がくひ	N	tuition; school expenses	8

会話文2

6	ゼミ		N	short for ゼミナール（seminar）	11
7	おしゃれ（な）		ANa	stylish; fashionable	おしゃれをする（Phr）to dress（oneself）up	16
8	バーゲン		N	sale; bargain	17
9	洋服	ようふく	N	（Western）clothes	18
10	（〜が/に）似合う	にあう	u-Vi	to become; match; suit	20

会話文3

11	ずいぶん		Adv	a lot; very much	25
12	まだまだ		Adv	still some way to go before goal; still more to come	26
13	上達	じょうたつ	VN	improving; advancing（skill, proficiency, etc.）| （〜が）上達する	28

会話文4

14	返事	へんじ	VN	reply; answer	（〜に）返事する	37
15	謙遜	けんそん	VN	modesty; humbleness	謙遜する to be modest; be humble	
16	（お）礼	（お）れい	N	expression of gratitude	46
17	（〜を）付け加える	つけくわえる	ru-Vt	to add（one thing to another）	48
18	その通りだ	そのとおりだ	Phr	That's right.	49
19	否定	ひてい	VN	denial; negative	（〜を）否定する to deny	
20	ほめ言葉	ほめことば	N	words of praise	50

内容質問

📖 読み物を読んだ後で、考えてみよう。

1. 日本では入学試験は1年に何回受けられますか。あなたの国ではどうですか。

2. 「浪人生」というのは何をしている人ですか。「浪人」という言葉はもともとはどんな意味でしたか。

3. 「受験戦争」「四当五落」「受験地獄」という言葉の意味について説明しなさい。

4. 受験生にとって、「すべる」「落ちる」という言葉は、なぜ縁起が悪いのでしょうか。

5. エスカレーター式の学校というのは、どういう学校のことですか。あなたの国にもありますか。

6. 学歴社会というのは、どんな社会のことですか。

7. 「登校拒否」というのは、どういう理由でどうなることですか。

8. 「ゆとり教育」というのは、どういう教育ですか。「受験教育」と何が違いますか。

9. 57行目に「悪循環」という言葉がありますが、何が「悪循環」なのですか。

10. 日本で受けられる教育について、いい点を二つ挙げなさい。

▶▶▶ 「教育」について話し合ってみよう。

1. あなたの国の教育や教育制度について説明して下さい。

   a. どんな制度ですか。義務教育は何年ですか。

   b. どんな点がいいですか。

   c. どんな点が問題ですか。どんな解決方法があると思いますか。

2. あなたの国の教育は平等に与えられていますか。誰でも同じような教育を受けることが出来ますか。

3. 教科書について説明して下さい。

   a. あなたの国では、学校やクラスによって使う教科書が違いますか、同じですか。

   b. 教科書が違うこと、または同じことについて、あなたはどう思いますか。

   c. 教科書は検定を受けていますか、いませんか。

   d. 誰が教科書を選びますか。

4. あなたの国は学歴社会ですか。そうではありませんか。なぜそう思うか例を挙げて説明して下さい。

5. 「いじめ」について話してみましょう。

   a. あなたの国には「いじめ」がありますか。

   b. どんな「いじめ」がありますか。

   c. どんな子供がいじめられますか。いじめられた子供はどうしますか。

   d. 「いじめ」はなくなると思いますか。「いじめ」をなくすために、何をしたらいいと思いますか。

▶▶▶ 「ほめること」について話し合ってみよう。

1. エミリーさんは、日本人はほめられた時どのように返事をすると言っていますか。

2. なぜ、日本人はそのような返事の仕方をすると思いますか。それについてどう思いますか。

3. あなたの国ではほめられた時、どのように返事をしますか。その返事の仕方は日本では大丈夫だと思いますか。

4. あなたの文化では、謙遜の気持ちを持つことと自信を持つこととどちらが大切だと考えられていますか。

会話練習 1 丁寧度 ▶ 先生 ★★ 　学生 ★★★

モデル会話 先生が学生の日本語をほめる。 🎧

先　生：モニカさん、このごろ、ずいぶん日本語が上手になってきましたね。

モニカ：えっ、本当ですか。

先　生：ええ。

モニカ：先生にそう言っていただけると嬉しいです。でも、まだまだです。

先　生：いいえ、自分の意見も日本語で上手に言えるようになったし。

モニカ：ありがとうございます。みんな先生のおかげです。

先　生：ハハハ、お世辞(social compliment)も上手になりましたね。これからも頑張って下さいね。

モニカ：はい、頑張ります。

練習問題 先生が学生の日本語での発表をほめる。

先　生：マイクさん、今日の発表、＿＿＿＿＿＿＿＿＿＿＿＿＿＿＿＿＿＿＿。

マイク：＿＿＿＿＿＿＿＿＿＿＿＿＿＿＿＿＿。

先　生：ええ。

マイク：＿＿＿＿＿＿＿＿＿＿＿＿＿＿＿＿＿＿＿＿＿＿＿＿。でも、まだまだです。

先　生：いいえ、聞いていて分かりやすかったし、それに、＿＿＿＿＿＿＿＿＿＿し。

マイク：＿＿＿＿＿＿＿＿＿＿＿＿＿＿＿。実は、昨日、日本人の友達に聞いてもらって、少し練習した

んです。

先　生：＿＿＿＿＿＿＿＿＿＿。これからも頑張って下さいね。

マイク：＿＿＿＿＿＿＿＿。

▶▶▶ パートナーと練習してみましょう。先生が学生の日本語をほめなさい。

先　生：｛＿＿＿＿＿＿＿とてもよかったですよ／＿＿＿＿＿＿なってきましたね｝。

学　生：えっ、｛そうですか／本当ですか｝。

先　生：ええ。

学　生：先生にそう言っていただけると嬉しいです。でも、＿＿＿＿＿＿＿＿。

先　生：いいえ、＿＿＿＿＿＿＿＿。

学　生：ありがとうございます。＿＿＿＿＿＿＿＿。

先　生：＿＿＿＿＿＿＿＿。これからも頑張って下さいね。

学　生：はい、頑張ります。

モデル会話 勇太がマイクをほめる。 🎧

勇 太： 今日「教育問題」について発表したんだって？ どうだった？

マイク： 実は、先生にほめられちゃった。

勇 太： えっ、{ほんと / まじ}？ {よかったね / すごいね / やったね}。

マイク： うん、でも、ちょっと文法を間違えちゃったんだけど…。

勇 太： 大丈夫だよ、発表はやっぱり内容が一番大切だから。

マイク： うん。

勇 太： マイクの発表が、すごくよかったんだよ。

マイク： そうかなあ？ ありがとう。

練習問題 はるかがモニカをほめる。

はるか： 昨日、スピーチコンテストに出たんだって？ ＿＿＿＿＿＿＿＿＿＿？

モニカ： 実は、優勝しちゃった (to win first prize) んだ。

はるか： ＿＿＿＿＿＿＿＿＿＿？ ＿＿＿＿＿＿＿＿＿＿＿＿＿＿。

モニカ： でも、優勝って言っても、コンテストに出たのは10人だけだったから、そんなに大きい

コンテストじゃなかったんだ。

はるか： ＿＿＿＿＿＿＿＿＿＿＿＿＿＿＿＿＿＿＿＿＿＿＿。

モニカ： そうかなあ？ ありがとう。

▶▶▶ パートナーと練習してみましょう。AがBをほめなさい。

A： ＿＿＿＿＿＿＿＿＿＿＿んだって？ どうだった？

B： 実は、＿＿＿＿＿＿＿＿＿＿＿＿。

A： えっ、{ほんと / まじ}？ ＿＿＿＿＿＿＿＿＿＿＿。

B： でも、＿＿＿＿＿＿＿＿＿＿＿＿＿＿＿＿＿。

A： ＿＿＿＿＿＿＿＿＿＿＿＿＿＿＿＿＿＿＿。

B： そうかなあ？ ありがとう。

ペアワーク　丁寧度 ▶ ★

▶▶A：パートナーの持ち物、服、いい点などをほめなさい。

　B：ほめられたら、それについてお礼を言ってから、ほめられたことや物ついて、謙遜の気持ち
　　を加えなさい（to add）。

ロールプレイ　1　丁寧度 ▶ 先生 ★★　　学生 ★★★

▶▶大学で日本語を勉強している学生が、自分の日本語の先生に道で会う。

学　生
あなたは大学で日本語を勉強している学生です。大学の日本語の先生に道で会いました。先週の宿題は作文でした。

先　生
あなたは大学で日本語を教えている先生です。道で学生に会いました。先週の宿題は作文で、この学生はとても上手に書いていました。まず、上手に書けていたことをほめてあげて下さい。そして、何がよかったかも言ってあげて下さい。

ロールプレイ　2　丁寧度 ▶ 日本の会社員 ★★　　学生 ★★★

▶▶日本の会社がスポンサーになっている日本語スピーチコンテストで、コンテストに出た学生と
　スポンサーの会社の社員が話している。

学　生
あなたは大学で日本語を勉強している学生です。日本語のスピーチコンテストで優勝しました（to win first prize）。その後、コンテストに出た人達のためのパーティに行きました。コンテストのスポンサーだった日本の会社の会社員と話して下さい。

会社員
あなたは日本人の会社員です。今、外国で仕事をしています。今日は、あなたの会社がスポンサーになっている日本語のスピーチコンテストに行きました。コンテストの後のパーティで、優勝した学生と話して下さい。 まず、スピーチがとてもよかったことをほめてあげて下さい。何がよかったかも言ってあげて下さい。それから、日本語の勉強を始めた理由は何か、将来どんな仕事をしたいかなどを聞いて下さい。

文法ノート

❶ ～ても～なくても

本文	・小学校と中学校は義務教育だが、高校からは行っても行かなくてもよい。【読: ll.6-7】
説明	X ても X なくても means "whether X or not."
英訳	whether ～ or not
文型	a. V-te も V-nai なくても　　b. A-te も A-nai なくても　　c. {ANa/ANo/N} でも {ANa/ANo/N} {じゃ/で} なくても
例文	1. この漢字の書き方は、覚えても覚えなくてもいいです。 2. 書いてあることが分かっても分からなくても、とにかく最後まで読んでみましょう。 3. 犬は外でトイレをするから、天気がよくてもよくなくても、毎日散歩に連れて行かなくてはいけない。 4. このアパートは家賃が安いから、静かでも静か{じゃ/で}なくても、借りようと思っています。 5. この映画は子供でも子供{じゃ/で}なくても、楽しめます。

❷ 前者は～、後者は～。

本文	・前者は、毎日4時間しか寝ずに勉強すれば大学に合格できるが、～【読: ll.20-21】 ・後者は、受験で苦しむのは地獄のようだという意味だ。【読: l.21】
説明	This sentence structure is used to refer separately to the two things, people, etc. mentioned in the previous sentence.
英訳	The former ～ and the latter ～
文型	前者は (～) {V-te/A-te/ANa で /N で}、後者は～
例文	1. 日本の代表的な伝統芸能に、能と狂言がある。前者は悲劇で後者は喜劇だ。 2. 日本のお城と言えば、姫路城や大阪城が有名だ。前者は兵庫県にあって、後者は大阪府にある。 3. 手塚治虫が描いたマンガでは「ジャングル大帝」や「ブラックジャック」が人気がある。前者は白いライオンの話で、後者はどんな病気でも治す (to cure) ことが出来る医者の話だ。

❸ ～といった Noun

本文	・受験の神様が祭ってある神社に行って合格を祈るといったこともする。【読: ll.24-25】
説明	といった X is used to present examples of X. X is always a noun or a noun phrase. Nouns, phrases or sentences can precede といった. When nouns precede といった, usually two or more nouns are presented, but when sentences or phrases precede といった, usually only one sentence or phrase is presented. などの N and のような N are similar to といった N, but they are usually preceded by nouns or noun phrases, not by sentences.
英訳	like; such as
文型	a. N₁ {や/、} N₂ ({や/、} N₃ ～) といった {N/NP} b. S₁-plain (、S₂-plain、～) といった {N/NP} c. Phrase₁ (、Phrase₂、～) といった {N/NP}
例文	1. この大学には、韓国、中国、台湾といったアジアの国々からの留学生がたくさんいる。 2. 日本語が上手に話せるようになるには、丁寧な話し方やくだけた話し方、敬語といったスピーチレベルが違う話し方の練習もしなければならない。 3. どの国の言葉でも、丁寧になればなるほど文が長くなるといった傾向がある。

❹ 一方（で）、; Sentence 一方（で）

本文	・**一方**、あまり有名ではない大学を出た人、あるいは、大学に行っていない人は、～ 【読: ll.28-29】 ・このような現状がある**一方**、今のような学歴社会をいいことだとは思っていない日本人もたくさんいる。 【読: ll.37-38】
説明	The conjunction 一方 is used to present two contrastive situations or two concurrent states, events or actions. 一方 can be used either as a sentence-initial conjunction or a sentence-final conjunction. In the latter case, で may follow いっぽう. 一方 is usually used in written language.
英訳	a. S₁。一方、S₂。 = on the other hand b. S₁ 一方（で）、S₂。 = while; when; at the same time; on the other hand
文型	a. S₁。一方、S₂。 b. S₁ 一方（で）、S₂。: **Type 2c** c. VNの一方（で）: 増加(increase)の一方（で）
例文	1. 日本の義務教育は小学校が6年、中学校が3年である。**一方**、私の国では、小学校だけが義務教育で、中学校からは行っても行かなくてもいい。しかし、ほとんどの子供達は中学校に進学する(to go on to)。 2. カタカナは外国から日本に入ってきた言葉や、動物、花の名前など、特別な名詞(noun)に使われます。**一方**、ひらがなは、助詞(particle)や文末、送り仮名などに使われることが多いです。 3. 日本に留学したいと思う**一方**、外国に住むことに不安もある。 4. 子供達の学力が低下する**一方で**、受験戦争はますます激しくなっている。 5. 勉強が忙しい**一方で**、学費(tuition)のためにアルバイトもしなければならないから、毎日本当に大変だ。

❺ あるいは

本文	・一方、あまり有名ではない大学を出た人、**あるいは**、大学に行っていない人は、～ 【読: ll.28-29】
説明	あるいは is used to connect alternatives. It is usually used in formal speech or written language.
英訳	or; either ~ or ~
文型	a. N₁（、N₂、～）、あるいは Nₙ: 日本、韓国、あるいは中国 b. S₁ か、あるいは、S₂ か: **Type 3**
例文	1. 将来は、ヨーロッパ、**あるいは**、アジアで仕事ができたらいいと思っている。 2. この大学では、日本語、**あるいは**、英語で卒業論文を書くことになっている。 3. メールを出すか、**あるいは**、電話をするか、どちらでもいいが、とにかく連絡しなくてはいけない。 4. 就職しようか、**あるいは**、大学院に進んで勉強を続けようか、今、迷っている。

❻ なかなか～ない

本文	・能力のあることを**なかなか**認めてもらえ**ない**。 【読: l.30】 ・**なかなか**いい解決方法は見つから**ない**ようです。 【読: l.67】 ・浪人したって、京大の医学部には**なかなか入れない**よ。 【会1: l.4】
説明	なかなか with the negative form of a verb means "not easily" or "not readily." Usually, it is used when something desirable doesn't happen easily or when something that is supposed to happen doesn't happen. Compare the following sentences: ・このドアはなかなか開かない。 (in situations where you want to open the door) ・このドアは{簡単には /✖なかなか}開かないようにした。 　　　　　　　　　　(in situations where you do not want the door to open easily)
英訳	not easily; not readily; difficult to ~ ; slow to; to refuse to

文型	なかなかV-*nai*ない
例文	1. バスが**なかなか**来**ない**。授業に遅れてしまいそうだ。困ったなあ。 2. 1年生の時は漢字が**なかなか**覚えられ**ません**でしたが、今は、あまり時間をかけずに覚えられます。 3. もう10年もピアノを練習しているが、**なかなか**上手に弾け**ない**。 4. コンサートが**なかなか**始まら**ない**ので、客が怒り出した。 5. 今年は12月になっても**なかなか**寒くなら**ない**。地球温暖化(global warming)のせいだろうか。

❼ つまり

本文	・**つまり**、学歴社会とは、その人がどんな学校を〜という社会なのだ。　【読: *ll*.31-33】
説明	つまり is used to rephrase or restate what has just been mentioned or stated.
英訳	That is (to say); in other words; namely; (That) means; You mean 〜?
文型	a. N$_1$/NP$_1$、つまり、N$_2$/NP$_2$ b. N/NP(というの)は、つまり〜{だ/(という)ことだ}
例文	1. 来週、母の弟、**つまり**、叔父が中国から遊びに来ます。 2. 両親は20年前、**つまり**、私の生まれた年に結婚した。 3. 日本の伝統芸能の狂言というのは、**つまり**、日本の昔のコメディなんですね。 4. 受験戦争というのは、**つまり**、いい学校に入るために、戦争のように勉強で競争することです。 5. 登校拒否というのは、**つまり**、いじめなどの理由で学校に行かなくなるという意味です。

❽ そこで

本文	・**そこで**、親達は自分の子供を塾に行かせ、〜小学校や中学校に入れようとする。　【読: *ll*.33-35】
説明	そこで is used to indicate an action (to be) taken because of the situation presented in the previous sentence. それで (See L.4, 文法ノート⓮) can be used in place of そこで; however、そこで can replace それで only when the action in S$_2$ is controllable, as shown below: ・日本のアニメを日本語で見たいと思った。{そこで/それで}、日本語を勉強することにした。 ・昨日とても天気が悪くて、寒かった。{それで/✕そこで}、試合を見に来た人が少なかった。
英訳	because of that; therefore; so
文型	S$_1$、そこで、S$_2$。
例文	1. 学生達は、先生とだけでなく、一般の日本人とも日本語で話したいはずです。**そこで**、日本人の留学生のグループとパーティをすることにしました。 2. 将来、小学校の先生になりたいと思っています。**そこで**、ボランティアで子供達を教えてみることにしました。 3. もうすぐクリスマスです。**そこで**、日本のホストファミリーに何かプレゼントを送りたいと思っているのですが、どんな物を送ったらいいでしょうか。 4. 一生懸命に就職活動をしたが、日本の会社に就職できなかった。**そこで**、大学院に進むことにした。

❾ 〜以外{のNoun/ に}

本文	・最近は東大出身者**以外**の人も首相になるようになった。　【読: *l*.40】
説明	X以外のY means "Y excluding X." の Y is often omitted (Ex. 1). X以外に means "besides X." に is sometimes omitted (Ex. 4).
英訳	but; except; other than; besides
文型	a. {N$_1$/DemP}以外のN$_2$: 日本人以外の人；これ以外の問題 b. {N/DemP}以外に: スポーツ以外に；それ以外に

例文	1. 私はウニ (sea urchin) **以外の**寿司は、何でも食べられる。 2. A：今度のミーティングは金曜日でいいですか。 　　B：あ、すみません。その日はちょっと…。それ**以外の**日にしていただけませんか。 3. このクラスは、田中さん**以外**は、誰も外国に行ったことがないそうだ。 4. 週末は、勉強**以外に**、テニスをしたり映画を見たりします。 5. 私は楽器 (instrument) は、ギター**以外**弾いたことがない。

⑩ 決して〜ない

本文	・このことを歓迎する人が多いのも、学歴社会が**決して**よく思われてい**ない**からだろう。【読: *l*.41】
説明	決して with negative endings of verbs, adjectives, etc. expresses strong negation of an idea, situation, possibility, etc. or strong prohibition.
英訳	never; by no means; not 〜 at all; not 〜 in the least; definitely not
文型	a. 決して V-*nai*{ない／なかった}；決して V-*masu*{ません／ませんでした} b. 決して A-*nai*{ない／なかった／ありません／ありませんでした} c. 決して {ANa/ANo/N}{では／じゃ}{ない／なかった／ありません／ありませんでした}
例文	1. どんなに大変でも、日本語の勉強は**決して**やめ**ない**。 2. 今日の試験は**決して**やさしくあり**ませんでした**が、みんなよくできていました。 3. 彼は**決して**悪い人間では**ない**。ちょっとわがままな (selfish) だけだ。 4. 危ないですから、このフェンスの中に**決して**入っては**いけません**よ。

⑪ Sentence という理由で 👔

本文	・勉強についていけない**という理由で**、学校に行かなくなってしまうことだ。　【読: *l*.43-44】
説明	という理由で (lit. for the reason that 〜) is used to present the reason for a state, event, or action stated in the main clause. This phrase is usually used in written language.
英訳	because
文型	S-plain という理由で
例文	1. アルバイトで忙しい**という理由で**、学校を休む学生がいます。 2. 登録した (to register) 学生が少ない**という理由で**、その授業はキャンセルされてしまいました。 3. このゲーム機は、安くて使いやすい**という理由で**、よく売れているそうだ。 4. 日本では外国人だ**という理由で**、アパートを貸してもらえないことがあるらしい。信じられない。

⑫ 〜ら

本文	・これ**ら**の問題の原因はたくさんあって複雑だが、〜 【読: *l*.44】
説明	The plural marker ら is often used with demonstrative pronouns and certain personal pronouns. Personal pronouns with ら are not used in situations where politeness must be shown.
英訳	these; those; they; -s; and others
文型	a. Demonstrative pronoun ら：これら；それら；あれら（These can be used in polite speech.） b. Personal pronoun ら：彼ら；彼女ら；僕ら；君ら
例文	1. これ**ら**の問題についてもっと話し合ってみる必要がある。 2. それ**ら**の点についてもう一度調べてみるつもりです。 3. 彼**ら**が言っていることはよく分からない。私達の考えに反対なのだろうか。

⓭ 〜に対して

本文	・「受験のために〜教育」**に対して**、「もっと子供達の心を成長させる〜教育」〜 【読: ll.49-51】
説明	に対して is used when contrasting two actions, states, situations, etc. (See L.10, 文法ノート⓮ for other uses of に対して.)
英訳	whereas; on the other hand; in contrast
文型	a. Nに対して　　　　b. Sのに対して：**Type 2a**
例文	1. 男の子が興味を持つオタク文化**に対して**、カワイイ文化は女の子に人気があるようだ。 2. 日本語は文法が難しいの**に対して**、中国語は発音が難しい。 3. 中学生の約6割が塾に行っているの**に対して**、4割は家で勉強している。 4. B型の性格は楽天的 (optimistic) なの**に対して**、A型はまじめな性格だと言われている。 5. 日本ではケータイでメールをする人が多い。それ**に対して**、アメリカではコンピュータでメールをする人が多い。

⓮ 〜限り

本文	・日本国民である**限り**、誰でも、〜受けられるということだ。　【読: ll.59-60】
説明	X限り is used when something is the case or is true as long as the condition X holds true. 限り is also used to indicate the extent to which one can do something or one knows something (e.g., as far as one can; as far as one knows).
英訳	as long as; as far as; while; until; unless; as much as (one can)
文型	a. V-plain限り：いる限り；見た限り；やめない限り；できる限り b. Nで {ある / ない} 限り：人間である限り；子供でない限り c. ANoで {ある / ない} 限り：本当である限り；本当でない限り (The use of i-/na- adjectives here is very limited.)
例文	1. 私の知っている**限り**、外国人が使いやすい日本語の辞書はないんですよ。 2. 明日までにこのレポートを翻訳するのは結構大変ですが、できる**限り**頑張ってみます。 3. プレイスメントテストに合格しない**限り**、上のレベルのクラスには入れません。 4. この大学の学生である**限り**、大学が決めたルールは守らなくてはいけません。

⓯ 〜にもかかわらず

本文	・日本語の読み書きは大変難しい**にもかかわらず**、〜はほとんどいないし、〜 【読: ll.60-62】
説明	XにもかかわらずY means "Y in spite of (the fact that) X." This sentence construction is used when Y is the case even though Y is usually not expected from X.
英訳	in spite of (the fact that 〜); despite (the fact that 〜); although; though; nevertheless
文型	**Type 3**
例文	1. 雨が強く降ってきた**にもかかわらず**、サッカーの試合は続けられた。 2. 問題が難しかった**にもかかわらず**、試験はよくできた。 3. 彼女は外国人 (である)**にもかかわらず**、日本人より日本の文化を愛して (to love) いる。 4. オオカミ (wolf) 少年の言ったことは本当だった**にもかかわらず**、その前に何回もうそをついていたので、誰も少年の言うことを信じなかった。

⑯ **せっかく**

本文	・ **せっかく**入れたんだから、将来はいい医者になってもらいたいなあ。【会1: *l*.9】 ・ **せっかく**ほめてもらったのだから、すぐに否定しないで、まず相手のほめ言葉を〜 【会4: *ll*.49-50】
説明	せっかく is used in the following situations: (1) when the speaker/writer does something with a lot of effort or at great pain and therefore he/she wants to make use of it; or, in spite of the effort or pain, he/she cannot make use of it; (2) when a given opportunity is a rare one and therefore he/she wants to make use of it; or, in spite of this opportunity, he/she cannot make use of it. せっかく often appears with のだから or のに. せっかく with の can also modify nouns.
英訳	with effort; at great pain; take the trouble to do 〜; 〜, which is a rare occasion/event/etc.
文型	a. せっかくV{のだから/のに}　　　　b. せっかくのN c. せっかく{ですが/ですけど/だけど/etc.}　　d. せっかく{です/だ}から
例文	1. **せっかく**日本語を3年も勉強したのだから、ぜひ一度、日本に行ってみたいです。 2. **せっかく**ケーキを焼いたのに、誰も食べてくれなかったから、がっかりした。 3. **せっかく**日本に行ったのに、ホームステイが出来なくて、残念だった。 4. **せっかく**の野球の試合が雨で中止になって(to be called off)しまった。 5. A: 今夜、私の家に食事にいらっしゃいませんか。 　　B: ありがとうございます。でも、**せっかく**ですが、今日は仕事が忙しくて…。

⑰ **〜{と/って}言っても**

本文	・ すごいって**言っても**、1年、浪人してるからね。【会1: *l*.3】 ・ 行ったって**言っても**、夏休みに1か月ホームステイしただけだから、〜 【会2: *l*.14】
説明	と言っても is used when clarifying what has just been said in order to avoid misunderstanding. って is used in place of と in casual conversation or writing.
英訳	although 〜 say/said that 〜; even though 〜 say/said that 〜
文型	**Type 1**
例文	1. 春だと**言っても**、寒くてまだセーターを着ている。 2. 漢字が読めると**言っても**、まだ300ぐらいしか読めませんから、新聞の内容は全然分かりません。 3. この文法は難しいと**言っても**、全然分からないわけではない。 4. 大学に近くて便利だって**言っても**、家賃が高すぎるから、この部屋は借りられない。 5. 子供だと**言っても**、バカにしてはいけない。

⑱ **思うように〜ない**

本文	・ 日本に行ったばかりの頃は全然**思うように**話せ**なくて**困りました。【会3: *l*.26】
説明	This phrase means that something is not in accord with the speaker's/writer's (or the subject's) wish or desire. The verb potential form is usually used in this structure.
英訳	not 〜 as one wishes
例文	1. 予定が**思うように**進ま**ない**ので、とても困っている。 2. 人の前では自分の考えが**思うように**言え**ない**。 3. 子供の時、ピアノを一生懸命に練習したけど、**思うように**弾け**なかった**ので、やめてしまった。

漢字表

■ RW　読み方・書き方を覚える漢字

1	教育	きょういく	読
2	制度/‐制	せいど/‐せい	読
3	問題点	もんだいてん	読
4	満足スル	まんぞくスル	読
5	公立	こうりつ	読
6	私立	しりつ	読
7	進学スル	しんがくスル	読
8	進む	すすむ	読
9	落Rちる	おちる	読
10	前者	ぜんしゃ	読
11	後者	こうしゃ	読
12	苦しむ	くるしむ	読
13	協力スル	きょうりょくスル	読
14	用意スル	よういスル	読
15	地位	ちい	読
16	一方	いっぽう	読
17	人生	じんせい	読
18	幸Rせ（な）	しあわせ（な）	読
19	可能性	かのうせい	読
20	以前	いぜん	読
21	〜以外	〜いがい	読
22	決して〜ない	けっして〜ない	読
23	原因	げんいん	読
24	他人	たにん	読
25	求める	もとめる	読
26	主（な）	おも（な）	読
27	別（の）	べつ（の）	読
28	生む	うむ	読
29	数字	すうじ	読
30	上げる	あげる	読
31	〜に対して	〜にたいして	読
32	低下スル	ていかスル	読
33	下がる	さがる	読
34	内容	ないよう	読
35	減らす	へらす	読
36	計算スル	けいさんスル	読
37	平等（な）	びょうどう（な）	読
38	解決スル	かいけつスル	読
39	去年	きょねん	会1
40	喜Rぶ	よろこぶ	会1
41	洋服	ようふく	会2
42	自由（な）	じゆう（な）	会2
43	返事スル	へんじスル	会4
44	仕方	しかた	会4

■ R　読み方を覚える漢字

1	現状	げんじょう	読
2	義務	ぎむ	読
3	‐率	‐りつ	読
4	含める	ふくめる	読
5	学歴	がくれき	読
6	生徒	せいと	読
7	希望スル	きぼうスル	読
8	指す	さす	読
9	厳しい	きびしい	読
10	家庭	かてい	読
11	必死（の）	ひっし（の）	読
12	環境	かんきょう	読
13	就職スル	しゅうしょくスル	読
14	給料	きゅうりょう	読
15	認める	みとめる	読
16	統計	とうけい	読
17	判断スル	はんだんスル	読
18	自殺スル	じさつスル	読
19	学力	がくりょく	読
20	常識	じょうしき	読
21	頼る	たよる	読
22	述べる	のべる	読
23	〜限り	〜かぎり	読
24	教科書	きょうかしょ	読
25	基本	きほん	読
26	食堂	しょくどう	会2
27	似合う	にあう	会2
28	否定スル	ひていスル	会4

太字：新しい漢字

＿＿＿：新しい読み方

▨▨▨▨：前に習った単語

R：前にRで習った漢字

文化
ノート
5

日本人の
ジェスチャー

　あなたの国では、誰かにほめられた時どんなジェスチャーをしますか。日本では、顔の前で手をヒラヒラと左右に速く動かすことがあります。これは「いいえ、違います」という意味のジェスチャーで、ほめられて謙遜している動作です。「くさいよ～！」という意味ではありません。その他、「いやあ」などと言いながら、頭をかいたりすることもありますが、これは「ほめられて恥ずかしい」という気持ちを表すジェスチャーです。

　よく聞く笑い話に、日本では「こっちに来て！」と言いたい時、手の平（palm）を下に向けて上下にふるので、日本人がアメリカのレストランでウエイターを呼びたい時にそうしたら、彼がもっと遠くに行ってしまったというのがあります。アメリカではこのジェスチャーは「あっちに行け！」という意味です。西洋（the West）では人を呼ぶ時は、たいてい手の平を上にして指を自分の方に向けて曲げます。でも、このジェスチャーを日本でしても、日本人には何のことか分かりません。

　ジェスチャーというのは、国によってとても違います。下に日本のジェスチャーのイラストがありますが、それぞれどんな意味を表していると思いますか。（＊答えはこのページの一番下）

①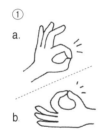
a.

b.

②

③

④

　その他、(a)～(d)の時、日本人はどんなジェスチャーをするか知っていますか。あなたの国ではどうですか。

　　(a)　初めて会った時の挨拶の仕方

　　(b)　お腹がすいた時

　　(c)　座っている人の前を通る（to pass by）時

　　(d)　「静かにしなさい」と言いたい時

　どうですか？　ジェスチャーというのは、それぞれの国の文化がよく表れていてとても面白いですね。でも、自分の国では使えるジェスチャーでも、他の国ではとても失礼だったり、変な意味を表したりすることがよくあります。ジェスチャーの違いは、外国語を勉強する時、言葉だけでなくその国の文化もよく知らなければいけないということを教えてくれます。

　　　　答え：①a. OKの意味　b. お金の意味　　②自分のこと　　③頼んでいる　　④ダメと言っている

10 という

という, which is derived from と言う (to say (that~)), is used in many ways. The most common uses are shown below. (The という introduced here is always written in *hiragana*.)

(1) N₁ という N₂

This noun-phrase structure is used to refer to a specific person or thing (N₁) in a general set or category of people or things (N₂). For example, (a) refers to a specific kind of food called "natto" in the category "foods," and (b) refers to a specific person called Mr./Ms. Nakamura in the category "people." Thus, this structure indicates the general category that N₁ belongs to.

    a. 納豆という食べ物
       なっとう

    b. 中村さんという人 (the person with the name (lit. called) Mr. Nakamura)
       なかむら

The difference between (c) and (d) is that (c) is used when both the speaker and the hearer know Mr./Ms. Nakamura while (d) is used when the speaker believes that the hearer doesn't know Mr./Ms. Nakamura.

    c. 中村さんに会いました。
       なかむら

    d. 中村さんという人に会いました。
       なかむら

(2) S という N

This noun-phrase structure is used to indicate the specific content of N. The specific content is expressed in S. Some examples follow.

    e. ジョンとエミリーが結婚するという {うわさ (rumor) / 知らせ (news) / 事実 (fact)}
                               し   じじつ

    f. 地球温暖化がますます (increasingly) ひどくなるという {意見 / 考え / 問題}
      おんだん か

    g. 入学試験で失敗するかもしれないという {気持ち / 心配}

However, when N is something perceptible (e.g., something one can see, hear, or smell), という is not used, as shown in the following examples.

    h. 子供たちがサッカーをしている {∅/~~という~~} 写真

    i. ドアをノックする {∅/~~という~~} 音

    j. 魚を焼く {∅/~~という~~} におい (smell)
       や

(3) Other uses

という also occurs in structures which provide the meaning/definition of a word, as in (k), or the meaning/implication of someone's action (or non-action) or the state of something, as in (l) and (m).
(See p.20 文法ノート⑬ in L.1 for more examples.)

    k. 「フリーター」というのはアルバイトやパートタイムで仕事をしている人のことだ。

    l. 先生が何も言わなかったということは、明日小テストはないということだね。

    m. 電気が消えているということは、誰もいないということです。

第 **10** 課

日本の
便利な店

本文を読む前に

1 下のカテゴリーについて、あなたのオリジナルランキング表を作りなさい。

	▶よく買い物に行く店	▶近くにあってほしい店
1		
2		
3		

	▶自動販売機(vending machine)でよく買うもの はんばい き	▶自動販売機で売ってほしいもの はんばい き
1		
2		
3		

2 日本とあなたの国のコンビニエンスストアについて、下の表を完成しなさい。日本の
コンビニエンスストアについては、「とびらサイト」のリンク集の中から1店選んで調
べましょう。
しゅう　　　　　　　　　　　　　　　　　　　　てん

とびらサイト
▶http://tobiraweb.9640.jp/
にアクセス
→
① [リンク集]をクリック
② [教科書に出てくるサイト]をクリック
③ [第10課]を見る
→
[本文を読む前に2]
をクリック

日本のコンビニの名前

あなたの国のコンビニの名前

買えるもの	買い物の他に出来ること (三つ以上)
食べ物・飲み物(三つ以上)	
その他(三つ以上)	

VS.

日本のコンビニと違うこと
(二つ以上)

読み物

自動販売機大国ニッポン
たいこく

1　　東京の街を歩く。次々と目に入ってくるカラフルなデザインの自動販売機。日本を訪れた外国
　人は自動販売機が街中にある風景に驚くらしい。アメリカでは自動販売機はたいてい建物の中に
　あって、外に置かれていることはほとんどないが、日本ではどこにでも自動販売機がある。街の
　中だけでなく、田舎の誰も通らないような道や、山の中にさえ、自動販売機が置いてあるほどだ。

5　　自動販売機はどこの国でも発達しているわけではなく、100万台以上ある国は世界でもアメリ
　カと日本、そしてドイツだけだ。2005年のデータでは、アメリカが世界一（783万台）で、日本
　が世界二位（558万台）だったが、人口と国の広さを考えた場合、普及率は日本が世界一と言える
　だろう。自動販売機による売り上げも日本が世界一で、日本一忙しい自動販売機は、1台で1か
　月に2万5000本の飲み物を売り、その売り上げは300万円にもなるという。

10　　「お茶を買ったら温かかった」「自動販売機が話してびっくりした」というのは外国人からよく
　聞く話だ。日本の自動販売機は、夏には冷たい飲み物、冬には温かい飲み物というように、気温
　の変化に合わせて、飲み物を冷たくしたり、温かくしたりして出してくれる。また、話す自動販
　売機もある。例えば、ある飲み物のメーカーが関西地区に置いている「おしゃべり自動販売機」
　は、関西弁で話をするそうだ。お客が自動販売機の前に立つと、「いらっしゃいませ」ではなく
15　「まいど！」と言い、おつりがない時は「すんません。今、つり銭切らしてますねん」と、まる
　で関西人のように話すらしい。

　　この他にも、ひいたばかりの豆でコーヒーを入れるとか、冷凍食品を電子レンジで温めてから
　出す、カップラーメンにお湯を入れて出すといった自動販売機もあって、日本の自動販売機は驚
　くほど賢い。自動販売機で売っている商品も色々で、飲み物や食品は言うまでもなく、タバコか
20　らマンガ、週刊誌、CD、花、ネイルアート、ストッキング、おもちゃ、そして名刺までもある。

　　では、日本では、なぜこのように広く自動販売機が普及したのだろうか。一番の理由は、犯罪
　が少なくて安全だということだろう。泥棒にとって無人の販売機は「ここにはお金が入っている
　から、盗んで下さいよ」と言っているように見える。したがって、犯罪が多く危険な所では、販
　売機は壊され、中の現金はすぐに盗まれてしまう。日本は以前ほど安全ではなくなったと言われ
25　ているが、海外の多くの国と比べれば、まだそれほど危険というわけではない。だから、自動販
　売機が外に置いてあっても、壊されるようなことはほとんどないのだ。

自動 じどう	販売機 はんばいき	街 まち	次々 つぎつぎ	訪れた おとずれた	風景 ふうけい	通らない とおらない	-位 い	普及 ふきゅう	売り上げ うりあげ
温か あたたか	冷たい つめたい	変化 へんか	地区 ちく	冷凍 れいとう	食品 しょくひん	電子 でんし	温めて あたためて	犯罪 はんざい	安全 あんぜん
危険 きけん	壊され こわされ	現金 げんきん	盗まれて ぬすまれて						

『自動販売機の文化史』という本の著者である鷲巣力氏は、日本が自動販売機大国となった理由として、「技術に対する信頼感」と「自動化を好む社会」の二つを挙げている。確かに日本の高い技術力は世界的にも認められていて、日本製のものは車でも冷蔵庫でも性能がよく、なかなか壊れない。したがって、機械に対する信頼も高い。また、日本人は自動化されたものが好きだというのも事実だろう。タクシーに乗れば、ドアが自動で開いたり閉まったりするし、電車の切符を自動改札機に入れれば、すぐに改札を通ることが出来るし、手をたたけば電気がつく電気スタンドまでもある。

　ビジネスという点から考えると、コストがあまりかからないことも自動販売機が普及した理由の一つだ。自動販売機は、無人で24時間ものを売ることが出来る上に、街の中に置いてあるから商品の宣伝にも役に立つというわけだ。面白いことに、パリの街の主な通りには自動販売機が1台もないそうだ。日本が自動販売機大国になったのには、日本社会の特徴や日本人の考え方が大きく影響しているのかもしれない。

　自動販売機はいつでも利用できて便利だという一方で、エネルギーの無駄遣いとか未成年者でも酒やタバコが買えるなどといった批判がある。だが、このような批判に対しては、すでに様々な対策がとられている。例えば、省エネ対策の代表的なものには、エコベンダーと呼ばれる缶入りの飲み物のための自動販売機がある。エコベンダーは、夏の間(7月～9月)は午前中に商品を冷やしておき、電力消費がピークになる午後には冷やすのをやめるという省エネ型自動販売機で、現在、ほとんど日本全国で使われている。このシステムの導入によって、1年の電力消費量が10%～15%減ったそうだ。未成年に酒やタバコを売らない対策としては、深夜の販売を規制するとか、IDカードや特別なICカードがないと買えないようにするといったことが行われている。

　日本中のどんな所にもあって、日本の特徴の一つと言える自動販売機。ある調査によると、日本人の8割以上が生活に必要なものだと答えている。最近では飲み物を買うと募金が出来る「チャリティー自販機」も増えているそうだ。便利なだけでなく、楽しくて、社会の役にも立つ自動販売機！これからも日本の自動販売機はどんどん進化を続けていくだろう。将来、どんな自動販売機が出てくるか楽しみである。

コウノトリ支援の自販機

参考：『自動販売機の文化史』/鷲巣力(著)/2003年/集英社新書

著者	-氏	信頼(感)	好む	-製	壊れ	機械	事実	宣伝	役に立つ	通り
ちょしゃ	し	しんらい(かん)	この	せい	こわ	きかい	じじつ	せんでん	やく た	とお
特徴	利用	批判	対策	省エネ	缶	冷やして	電力	導入	深夜	規制	-割
とくちょう	りよう	ひはん	たいさく	しょう	かん	ひ	でんりょく	どうにゅう	しんや	きせい	わり

単語表

▶太字＝覚える単語

1	**販売**	はんばい	VN	selling; sale｜（〜を）販売する｜自動販売機（N）vending machine	F
2	-大国	-たいこく	Suf	major power; giant	Ttl
3	**街**	まち	N	town; city	
4	**次々（と/に）**	つぎつぎ（と/に）	Adv	one after another	
5	**目に入る**	めにはいる	Phr	to come into view	
6	カラフル（な）		ANa	colorful	
7	**（〜を）訪れる**	おとずれる	ru-Vi	to visit; call（on a person, at a place）	1
8	**風景**	ふうけい	N	scenery	2
9	**（〜を）通る**	とおる	u-Vi	to pass（by）; go through; walk along	4
10	**普及**	ふきゅう	VN	spread; popularization｜（〜が）普及する to become widespread; become popular（not used for the spread of information）	7
11	**売り上げ**	うりあげ	N	sales	8
12	**びっくり**		VN	startle; surprise｜（〜に）びっくりする to be surprised	10
13	**変化**	へんか	VN	change｜（〜が）変化する	
14	**（飲み物/食べ物を）出す**	だす	u-Vt	to serve	12
15	**地区**	ちく	N	district; area	
16	**おしゃべり**		VN	chat｜おしゃべりする to have a chat	13
17	-弁	-べん	Suf	dialect｜関西弁（N）Kansai dialect	14
18	**おつり**		N	change（money）｜つり銭（せん）（N）change（money）	
19	**（〜を）切らす**	きらす	u-Vt	to be out of; run out of	15
20	豆をひく	まめをひく	Phr	to grind（coffee）beans	
21	**冷凍**	れいとう	VN	freezing; refrigeration｜（〜を）冷凍する｜冷凍食品（N）frozen food	
22	**食品**	しょくひん	N	food	
23	**電子レンジ**	でんしレンジ	N	microwave oven	
24	**（〜を）温める**	あたためる	ru-Vt	to warm（up）; heat（up）	17
25	**賢い**	かしこい	A	wise; clever	19
26	ネイルアート		N	（finger）nail art	
27	**名刺**	めいし	N	business card	20
28	**犯罪**	はんざい	N	crime	21
29	**無人（の）**	むじん（の）	ANo	unmanned	22
30	**危険（な）**	きけん（な）	ANa	dangerous; perilous	23
31	**現金**	げんきん	N	cash	24
32	文化史	ぶんかし	N	cultural history	
33	**著者**	ちょしゃ	N	author	
34	-氏	-し	Suf	Mr./Ms.	27
35	**信頼**	しんらい	VN	trust; reliance｜（〜を）信頼する｜信頼感（N）trust	
36	**自動（の）**	じどう（の）	ANo	automatic｜自動化する（VN）to automate	
37	**（〜を）好む**	このむ	u-Vt	to like; prefer（written language）	28
38	-製	-せい	Suf	-made; -make; made in 〜	

227

39	性能	せいのう	N	efficiency; performance	29
40	機械	きかい	N	machine	30
41	事実	じじつ	N	fact; truth	31
42	改札	かいさつ	N	ticket validation; ticket check-in | 改札機（N）automatic ticket gate	
43	（〜を）たたく		u-Vt	to strike; clap | 手をたたく（Phr）to clap one's hands	
44	電気スタンド	でんきスタンド	N	lamp	32
45	宣伝	せんでん	VN	advertising; promotion; publicity | （〜を）宣伝する to publicize; advertise	
46	（〜の）役に立つ	やくにたつ	u-Vi	to be useful (for 〜)	
47	パリ		N	Paris	
48	通り	とおり	N	street	36
49	利用	りよう	VN	use; usage | （〜を）利用する to make (good) use of; put something to (good) use	
50	エネルギー		N	energy	
51	無駄遣い	むだづかい	VN	wasteful use; waste | （〜を）無駄遣いする	
52	未成年者	みせいねんしゃ	N	minor; under age people	39
53	批判	ひはん	VN	criticism | （〜を）批判する	
54	すでに		Adv	already	40
55	対策	たいさく	N	countermeasure | 対策をとる（Phr）to take measures to meet the situation	
56	省エネ	しょうエネ	N	energy saving	
57	エコベンダー		N	eco-vendor	
58	缶	かん	N	can | 缶入り（の）（ANo）canned	41
59	（〜を）冷やす	ひやす	u-Vt	to cool; refrigerate; chill	
60	電力	でんりょく	N	electric power	43
61	導入	どうにゅう	VN	introduction; installation | （〜を）導入する to introduce; import (method; system; technology, etc.)	44
62	深夜	しんや	N	midnight | 深夜（Adv）late at night	
63	規制	きせい	VN	regulation | （〜を）規制する	45
64	-割	-わり	Suf	unit of ten percent [10割 = 100%]	48
65	募金	ぼきん	VN	contribution (of money); solicitation (of money) （〜を〜に）募金する	50
66	進化	しんか	VN	evolution | （〜が）進化する to evolve; develop	52
67	楽しみ	たのしみ	N	enjoyment; pleasure	53
68	コウノトリ		N	stork	
69	支援	しえん	VN	support | （〜を）支援する	54

会話文 ▶情報を求める / 伝える

会話文 1 マイクが友人の勇太とキャンパスで話している。

勇　太： 先生から聞いたんだけど、日本でインターンシップするんだって？

マイク： うん、そうなんだ。

勇　太： 前から日本で働きたいって言ってたから、よかったね。

5　マイク： ありがとう。

勇　太： 楽しみだろう？

マイク： うん、仕事は。でも、一人暮らしすることになりそうだから、それがちょっと心配で。
　　　　 僕は全然料理が出来ないから。

勇　太： 心配することないよ。日本には一人暮らしの強い味方、コンビニがあるからね。

10　マイク： え、コンビニ？　アメリカのコンビニは、サンドイッチかホットドッグぐらいしか売っ
　　　　 てないけど。

勇　太： そうだよね。でも、日本のコンビニは、どちらかというとスーパーのような所なんだ。
　　　　 店は小さいけど、食料品から生活用品、雑誌、CD、映画のチケットまで何でも売って
　　　　 るんだ。

15　マイク： へええ、アメリカとずいぶん違うんだね。

勇　太： うん。聞いたところによると、一つの店に3000点ぐらいの商品が置いてあるらしいよ。

マイク： へえ、すごいね。何が一番よく売れるの？

勇　太： 一番人気があるのは、お弁当とおにぎりなんだって。

マイク： お弁当って、ごはんとおかずが入ったランチボックスのこと？

20　勇　太： そう。いろいろな種類があるし、おいしいし、洋食も和食も
　　　　 あるから、マイクも困らないと思うよ。

マイク： へえ、いいねえ。それなら料理が出来なくても困らないかも。

勇　太： 安心した？　今、日本では、学生や独身のサラリーマンがアパートを探す時、近所に
　　　　 コンビニがあることが一番大切なんだって。

25　マイク： なるほどね。でも、スーパーの方が安いんじゃないの？

勇　太： 確かにスーパーの方が安いかもしれないけど、でも、コンビニは24時間開いている店
　　　　 が多いし、コンビニでしか売ってないオリジナル商品もあるし…。すぐに欲しいもの
　　　　 が買えて便利だから「安くても遠いスーパーより、高くても近くのコンビニ」ってい
　　　　 う人、多いよ。

30　マイク： そうか。僕が住むアパートの近くにも、コンビニあるといいなあ。

情報	味方	食料品	用品	洋食	和食	安心	独身	近所	遠い
じょうほう	みかた	しょくりょうひん	ようひん	ようしょく	わしょく	あんしん	どくしん	きんじょ	とお

マイク：　先生、日本のコンビニってすごく便利らしいですね。

森　田：　ええ、便利なだけじゃなく、結構面白いんですよ。実は、私は大学の時、コンビニで
　　　　　アルバイトをしていたんです。

35　マイク：　そうですか。どんな仕事をなさっていたんですか。

森　田：　レジに立ったり、1日に何度も商品を並べ替えたり、なくなった商品を注文したり、
　　　　　掃除したり。忙しかったですよ。

マイク：　そうですか。コンビニのバイトって、色々なことをするんですね。

森　田：　ええ。実は、コンビニっていうのは、買う人の心理がよく研究された店なんです。

40　マイク：　へえ、そうなんですか。例えば、どういうことでしょうか。

森　田：　そうですね、例えば、日本のコンビニは普通の店よりも明るいんですけど、これは
　　　　　どうしてだと思いますか。

マイク：　明るいと、きれいに見えるからですか。

森　田：　それもあるだろうけど、人間には明るい所に集まるという習性があるらしいんですよ。
45　　　　魚や虫が明るい所に集まるのと同じようにね。だから、その習性を利用しているんで
　　　　　す。

マイク：　そうなんですか。知りませんでした。さっき、1日に何度も商品を並べ替えたとおっ
　　　　　しゃっていましたが、それも消費者心理と何か関係があるんですか。

森　田：　ええ、あるんですよ。私がアルバイトをしていた店では、1日に4回、朝、昼、夕方、
50　　　　そして深夜と棚に並べるものを替えていましたよ。

マイク：　それは商品がなくなるからですか。

森　田：　いいえ、コンビニでは、例えば、朝はサラリーマンや高校生、昼はOLを中心とした
　　　　　若い女性というように、時間によってお客さんが違うからなんですね。

マイク：　なるほど。お客さんが違えば、売れるものが違うから、並べるものも替えた方がいい
55　　　　というわけですね。

森　田：　その通りです。

マイク：　コンビニの仕事もビジネスという点から考えると、奥が深いんですね。勉強になりま
　　　　　した。どうもありがとうございました。

並べ　　替えた　　心理　　消費者　　夕方
なら　　か　　　　しんり　しょうひしゃ　ゆうがた

単語表

▶太字＝覚える単語

会話文1

1	情報	じょうほう	N	information	Ttl
2	味方	みかた	N	friend; supporter	9
3	食料品	しょくりょうひん	N	foodstuff; groceries	
4	生活用品	せいかつようひん	N	daily commodities	13
5	聞いたところによると	きいたところによると	Phr	according to what I've heard	
6	- 点	- てん	Ctr	[counter for（kinds of）commercial goods]	16
7	（〜が）売れる	うれる	ru-Vt	to sell; be in demand	17
8	おにぎり		N	rice ball	18
9	おかず		N	accompaniment for rice dishes; side dish	19
10	洋食	ようしょく	N	Western food	
11	和食	わしょく	N	Japanese food	20
12	安心	あんしん	VN	peace of mind; reassurance ｜ 安心する to feel relieved	
13	独身（の）	どくしん（の）	ANo	single; unmarried	
14	近所	きんじょ	N	neighborhood; vicinity	23

会話文2

15	レジ		N	cashier; short for レジスター（cash register）	
16	（〜を）並べ替える	ならべかえる	ru-Vt	to rearrange	36
17	心理	しんり	N	mentality; psychology	39
18	習性	しゅうせい	N	acquired trait; second nature	44
19	消費者	しょうひしゃ	N	consumer	48
20	夕方	ゆうがた	N	evening ｜ 夕方（Adv）in the evening	49
21	棚	たな	N	shelf	
22	（〜に〜を）並べる	ならべる	ru-Vt	to place; line up; set up	
23	（〜を）替える	かえる	ru-Vt	to exchange; replace	50
24	OL	オーエル	N	female office worker	52
25	奥が深い	おくがふかい	Phr	very deep; complex	57

内容質問

📖 読み物を読んだ後で、考えてみよう。

1. 自動販売機が発達している国には、日本の他にどんな国がありますか。どうしてその国で発達していると思いますか。

2. 日本にはどんな機能(function)を持つ自動販売機がありますか。三つ挙げなさい。

3. 日本で自動販売機が発達した理由は何ですか。四つ挙げなさい。

4. パリの街にはどうして自動販売機がないと思いますか。

5. 自動販売機のいい点と問題点を挙げなさい。問題点にはどんな対策がとられていますか。

👂 会話文を読んだ後で、考えてみよう。

1. 日本のコンビニではどんな商品が売られていますか。

2. 日本のコンビニでは、お客さんを集めるためにどんなことをしていますか。

3. あなたの国にはコンビニがありますか。どんな商品が置いてありますか。どんな人達がよくコンビニを使っていますか。

▶▶▶ みんなで話してみよう。

1. 何かを買う時、あなたはお店と自動販売機とどちらで買う方が好きですか。それはどうしてですか。

2. 自動販売機で売らない方がいいと思うもの、売っていても買いたくないものは何ですか。どうしてそう思うか理由も話し合いましょう。

3. 本文で読んだ他に、自動販売機にはどんないい点と問題点があると思いますか。問題を解決するためには、どんな対策が必要だと思いますか。

いい点　　　　　　　　問題点　　　　　　　　対策

4. あなたが自動販売機をデザインするとしたら、どんな自動販売機を作ってみたいですか。絵に描いてみましょう。

- 何を売ってみたい？
- どこに置きたい？
- どうして？
- 名前は？

会話練習　1　丁寧度　先生 ★★　学生 ★★★

モデル会話 マイクが先生に先生の子供時代の話を聞く。🎧

マイク： 先生、この間、勇太さんから聞いたんですが、先生は子供の時、柔道をやっていらっしゃっ
　　　　たそうですね。

先　生： ええ。実は、私は子供の頃、よく病気になって学校を休んだんですよ。

マイク： そうなんですか。

先　生： ええ。その頃、私の家の近くに柔道をやっていてとても元気な子供がいてね。

マイク： ええ。

先　生： 柔道をやれば、うちの子供も元気になるんじゃないかって、両親が私にも習わせることに
　　　　したんですよ。

マイク： へえー、そうだったんですか。

練習問題 モニカが先生に大学時代の話を聞く。

モニカ： 先生、＿＿＿＿＿＿、勇太さん＿＿＿＿＿＿＿＿＿＿、先生は大学生の時、狂言のクラブに入っ
　　　　て＿＿＿＿＿＿＿＿＿＿＿＿＿＿＿＿＿＿＿。

先　生： ええ。でも、実は、私は若い頃は日本の伝統芸能にあまり興味がなかったんです。

モニカ： ＿＿＿＿＿＿＿＿。

先　生： でも、その時仲が良かった留学生の友達が、日本の伝統文化を勉強したいと言って、狂言の
　　　　クラブに入ることにしたんですよ。

モニカ： ＿＿＿＿＿＿＿＿＿＿＿＿＿＿。それで、先生も？

先　生： ええ、それで、私も一緒に入ることにしたんです。

モニカ： ＿＿＿＿＿＿＿＿＿＿＿＿＿＿＿＿＿＿＿。

▶▶▶ パートナーと練習してみましょう。
**　　　最近ニュースなどでよく聞くトピックや授業で習った内容などについて話しなさい。**

学　生： この間、＿＿＿＿＿＿{聞いた / 習った / 調べた}んですが、＿＿＿＿＿＿そうですね。

先　生： ええ。＿＿＿＿＿＿＿＿。

学　生： ＿＿＿＿＿＿＿＿＿＿＿。　（コメントしたり、質問したりする）

先　生： ＿＿＿＿＿＿＿＿＿＿＿。

学　生： ＿＿＿＿＿＿＿＿＿＿＿。

モデル会話　マイクがはるかに自動販売機について聞く。🎧

マイク：　この間、先生から聞いたんだけど、日本は「自動販売機大国」なんだって？

はるか：　うん。私が聞いたところによると、お客と会話をする自動販売機もあるらしいよ。

マイク：　へえ、すごい！ ねっ、日本って自動販売機が外にもあるよね。大丈夫（だいじょうぶ）なの？

はるか：　うん、日本は結構安全だからね。

マイク：　え？ 安全って？

はるか：　犯罪が少ないっていうこと。

マイク：　ああ。

はるか：　外に自動販売機を置いといても、機械が壊されて中のお金が盗まれることはあまりないんだって。

マイク：　なるほど。外にお金の入った機械が置いとけるなんて、ずいぶん安全なんだね。

練習問題　マイクがはるかにラーメンについて聞く。

マイク：　＿＿＿＿＿＿＿＿＿＿＿＿＿＿＿＿＿、日本のラーメンが宇宙食（うちゅうしょく）になった＿＿＿＿＿＿？

はるか：　うん。私が＿＿＿＿＿＿＿＿＿＿＿＿＿、安藤百福（あんどうももふく）さんの会社が作ったらしいよ。名前は、「スペース・ラム」だって。

マイク：　へえ、＿＿＿＿＿＿＿＿。どんな味なんだろう。

はるか：　カップヌードルのスープがベースで、しょうゆ味とかカレー味とかがあるらしいよ。

マイク：　ふうん。宇宙（うちゅう）でラーメン食べるってどんな感じかな。＿＿＿＿＿＿＿＿＿＿＿＿＿＿＿＿＿。

はるか：　もっとおいしく感じるかもね。

マイク：　＿＿＿＿＿＿＿＿＿＿＿＿＿。

▶▶ 下のパターンを使って、パートナーと練習してみましょう。
最近ニュースなどでよく聞くトピックや授業で習った内容などについて話しなさい。

A ：　この間、＿＿＿＿＿＿＿ ｛聞いた / 習った / 調べた｝ んだけど、＿＿＿＿＿＿＿んだって？

B ：　うん。｛私 / 僕｝ が ｛聞いた / 習った / 調べた｝ ところによると、＿＿＿＿＿＿＿。

A ：　＿＿＿＿＿＿＿。　（コメントしたり、質問したりする）

B ：　＿＿＿＿＿＿＿。

A ：　＿＿＿＿＿＿＿。

ペアワーク

丁寧度 ▶ ★

▶▶最近のニュース、他の人から聞いたこと、授業で習ったことなどについて、パートナーと話しなさい。

ロールプレイ 1

丁寧度 ▶ 先生 ★★ 学生 ★★★

▶▶大学で日本語を勉強している学生が、先生とコンビニについて話している。

学 生

あなたは大学で日本語を勉強している学生です。
他の人から、日本語の先生が大学生の時、コンビニでアルバイトをしていたことを聞きました。
そのことを先生に確認して (to confirm) 下さい。
そして、コンビニについて質問して下さい。

先 生

あなたは大学で日本語を教えている先生です。
あなたは大学生の時、コンビニでアルバイトをしていました。学生が、そのことを聞いて、コンビニについて質問します。答えてあげて下さい。

⊗ 授業で習った内容を参考にしましょう (to refer to)。

ロールプレイ 2

丁寧度 ▶ ★

▶▶日本語を勉強している学生が、自分の大学に留学している日本人の留学生と自動販売機について話している。

学 生

あなたは大学で日本語を勉強している学生です。
日本人の留学生の友達に、日本の自動販売機について質問して下さい。

留学生（日本人）

あなたは外国の大学に留学している日本人です。
日本語を勉強している友達が、日本の自動販売機について質問します。色々教えてあげて下さい。

⊗ 授業で習った内容を参考にしましょう (to refer to)。

文法ノート

❶ ～ほど～

本文	・田舎の誰も通らないような道や、山の中に**さえ**、自動販売機が置いてある**ほど**だ。　【読: l.4】 ・日本の自動販売機は驚く**ほど**賢い。　【読: ll.18-19】 ・日本は以前**ほど**安全ではなくなったと～、まだそれ**ほど**危険というわけではない。　【読: ll.24-25】
説明	The particle ほど is used to express the degree of a state. When a sentence precedes ほど, the element just before ほど is a verb.
英訳	to the extent that ～ ; so～ that ～ (almost) ～; not as ～ as N; to (this/that) degree; (this/that) much
文型	a. V-plain.non-past ほど: 死ぬほど; 寝られないほど; 驚くほど b. N ほど: スミスさんほど; 日本語ほど　　c. DemP ほど: これほど; それほど; あれほど
例文	1. 私達は話も出来ない**ほど**疲れていた。/疲れていて話も出来ない**ほど**だった。 2. このカレーは涙 (tear) が出る**ほど**からい。/このカレーはからくて涙が出る**ほど**だ。 3. フォトショップを使うと、写真の編集 (editing) が驚く**ほど**簡単に出来る。 4. 私はチョコレートが死ぬ**ほど**好きだ。毎日でも食べられる。 5. 日本語は、話せることは話せるが、通訳 (interpretation) が出来る**ほど**ではない。 6. 私は日本語が上手に話せることは話せるが、スミスさん**ほど**ではない。 7. これ**ほど**すばらしい絵を見たことがない。

❷ Sentence という。

本文	・1か月に2万5000本の飲み物を売り、その売り上げは300万円にもなる**という**。　【読: ll.8-9】
説明	という indicates that what is said in the preceding sentence is not firsthand information.
英訳	It is said that ～; They say that ～
文型	S-plain という
例文	1. ロンドンの大英博物館 (The British Museum) には、約700万点のコレクションがある**という**。 2. 聖徳太子という人物は、一度に十人の人が話していることが分かった**という**。 3. 世界で最も観光客が多い国はフランスで、1年に700万人以上の人が訪れる (to visit) **という**。

❸ Noun に合わせて; Noun₁ に合った Noun₂

本文	・気温の変化**に合わせて**、飲み物を冷たくしたり、温かくしたりして出してくれる。　【読: ll.11-12】
説明	The literal meaning of X に合わせて is "fitting/matching/adjusting something to X." It is often used to mean "making something suitable for X" or "according to X." The noun-modification form is X に合った.
英訳	N に合わせて = making ～ suitable for N; according to N N₁ に合った N₂ = N₂ suitable for N₁
文型	a. N に合わせて: 学生のレベルに合わせて b. N₁ に合った N₂: 学生のレベルに合ったカリキュラム
例文	1. 病状 (the condition of the patient) **に合わせて**、いろいろな薬が使われる。 2. 人々の生活の変化**に合わせて**、家の形も変わってきました。 3. このリストの中から、予算 (budget) **に合った**商品を選ぶことが出来ます。 4. 子供には、子供の年齢 (age) **に合った**本を与えた方がいいですよ。

❹ まるで～よう {に/な/だ}

本文	・**まるで**関西人**のように**話すらしい。　【読: ll.15-16】
説明	This structure is used to introduce a simile, i.e., to describe a thing, person, action, etc. by comparing it with a similar thing, person, action, etc. まるで is an emphatic marker.

英訳	as if ～〔were/-ed〕; just like
文型	a. まるで V-plain ように：まるで{知っている/知らない/知っていた/知らなかった}ように b. まるで N{の/じゃない/だった/じゃなかった}ように：まるで子供{の/じゃない/だった/じゃなかった}ように c. Noun-modification form：～ような N d. Sentence-ending form：～ようだ
例文	1. 冬の間、カエル(frog)は、**まるで**死んだ**ように**動きません。 2. まだ春なのに、今日は**まるで**夏の**ように**暑い。 3. このロボットは、**まるで**人間の**ように**歩くことが出来ます。

⑤ 言うまでもない；～は言うまでもなく、～も 👔

本文	・飲み物や食品は**言うまでもなく**、タバコからマンガ、～名刺**まで**もある。　【読：*ll*.19-20】
説明	This phrase is used when the speaker mentions something obvious or something assumed to be known to the hearer. It is commonly used in written language.
英訳	Needless to say; It goes without saying that～; It is obvious that ～; not to mention ～; let alone ～
文型	a. (X は) 言うまでもなく、S。：言うまでもなく、夏は暑い；東京は言うまでもなく、人が多い b. S {こと/の} は言うまでもない。：地震が怖いのは、言うまでもない c. N₁ は言うまでもなく N₂ も
例文	1. 明日の試験では、**言うまでもなく**、文法の問題が出ます。 2. 図書館では静かにしなくてはいけないことは、**言うまでもない**。 3. 世界で人気がある日本のポップカルチャーには、アニメは**言うまでもなく**、ファッションや音楽などもある。

⑥ Noun まで(も)～

本文	・タバコからマンガ、～、おもちゃ、そして名刺**まで**もある。　【読：*ll*.19-20】 ・手をたたけば電気がつく電気スタンド**まで**もある。　【読：*ll*.32-33】
説明	まで(も) is used to present something which is considered to be beyond one's expectation or imagination.
英訳	even; to even
文型	a. N まで(も)：話すロボットまで(も)ある b. N₁ から N₂ まで(も)：ラップからクラシック音楽まで(も) c. N₁ だけでなく N₂ まで(も)：子供だけでなく大人まで(も)
例文	1. 日本のトイレには、お湯がお尻(bottom)を洗うトイレから、ふたが自動で開くトイレ**まで**もある。 2. この教科書では、漢字や文法だけでなく、日本の現代の文化から歴史**まで**も学べる。 3. 最近では、歩くだけでなく、サッカーをするロボット**まで**ある。

❼ Noun₁ でも Noun₂ でも

本文	・日本製のものは車でも冷蔵庫でも性能がよく、なかなか壊れない。　【読：*ll*.29-30】
説明	X でも Y でも is used to provide examples for the statement in the sentence. This structure implies that there are also things other than the examples which make the statement true. Note that X も Y も (both X and Y) does not carry such an implication.
英訳	including X and Y; whether (it is) X or Y
文型	N₁ でも N₂ でも：漢字でもカタカナでも；子供でも大人でも
例文	1. 健康のためには、肉でも、野菜でも、何でもバランスよく食べなくてはいけませんよ。 2. 「となりのトトロ」でも「風の谷のナウシカ」でも、宮崎駿のアニメはみんなすばらしい。 3. このゲームは、子供でも大人でも楽しむことが出来ます。 4. コンビニには、生活用品でも食べ物でも雑誌や新聞でも、何でも置いてある。

⑧ したがって 👔

本文	・泥棒にとって無人の販売機は「～～～」と言っているように見える。**したがって**、犯罪が多く危険な所では、販売機は壊され、中の現金はすぐに盗まれてしまう。　【読: *ll*.22-24】 ・日本製のものは車でも冷蔵庫でも性能がよく、なかなか壊れない。**したがって**、機械に対する信頼も高い。　【読: *ll*.29-30】
説明	したがって indicates that the following statement is a/the logical consequence of what is stated in the preceding sentence. It is usually used in written language.
英訳	therefore; accordingly; consequently; as a result; so
文型	S₁ (reason/cause)。したがって、S₂ (consequence)。
例文	1. オリンピックは4年に1度行われることになっています。**したがって**、次のオリンピックは今回のオリンピックから4年後です。 2. 英語は世界で最も使われている言葉の一つだ。**したがって**、英語を義務教育の中に入れている国は多い。 3. コーヒーにはたくさんカフェインが入っている。**したがって**、飲み過ぎると寝られなくなる。

❾ ～（という）のは事実だ 👔

本文	・また、日本人は自動化されたものが好きだ**というのも事実**だろう。　【読: *ll*.30-31】
説明	S（という）のは事実だ is used when the speaker wants to claim that something is true or is a fact, or when he/she admits that something is true or is a fact. The presence of という does not change the meaning.
英訳	It is {true/a fact} that ～
文型	a. ～というのは事実だ: **Type 1** b. ～のは事実だ: **Type 2a**
例文	1. この教科書を使うようになって、学生達の日本語がどんどん上達した (to improve)**というのは事実**だ。 2. 東京は物価 (prices) が高いことだけでなく、土地も狭いので、暮らしにくい**というのは事実**だ。 3. 私が彼のことが好きだ**というのは事実**だが、将来彼と結婚しようと思っているわけではない。

❿ Noun という点から考えると 👔

本文	・ビジネス**という点から考えると**、コストがあまりかからないことも～　【読: *l*.34】 ・コンビニの仕事もビジネス**という点から考えると**、奥が深いんですね。　【会2: *l*.57】
説明	という点から考えると is used to indicate someone's view from the standpoint of X. Examples of X include business, environment, education, etc.
英訳	to view from the standpoint of ～; from the perspective of ～
文型	Nという点から考えると:環境という点から考えると;健康という点から考えると
例文	1. 教育**という点から考えると**、マンガにはいい点と悪い点がある。 2. 便利さ**という点から考えると**、このアパートが一番だ。 3. 面白さ**という点から考えると**、この小説はあまり面白くないが、でも、歴史的なことが分かるので勉強になる。 4. 教育の平等**という点から考えると**、現在の教育制度には問題がある。

⓫ Sentence 上に 👔

本文	・無人で24時間ものを売ることが出来る**上に**、街の中に置いてあるから商品の宣伝にも役に立つというわけだ。　【読: *ll*.35-36】
説明	The conjunction 上に introduces additional information emphatically.

英訳	in addition to ～; besides ～; not only ～ but also; moreover; ～ as well
文型	**Type 2b**
例文	1. 最近の子供は、外で遊ばない**上に**本も読まないらしい。 2. このクラスは毎月試験がある**上に**宿題もたくさんあるから、とても大変だ。 3. 東京は人が多い**上に**、物価（prices）が高い。だから、住みにくい。 4. このホテルは静かな**上に**、サービスがとてもいい。 5. アインシュタインは物理学者（physicist）だった**上に**、音楽家としてもすばらしかったそうだ。

⑫ ～ことに

本文	・面白い**ことに**、パリの街の主な通りには自動販売機が１台もないそうだ。【読: ll.36-37】
説明	ことに is used to express the speaker's feeling or subjective judgment about what is said in the main clause. ことに can only be used with a limited set of words.
英訳	It is ～ that ～; I am/We are ～ that ～; To my ～
文型	A-plain.non-past ことに：悲しいことに；嬉しいことに；面白いことに ANa なことに：残念なことに（to one's regret）；幸せなことに V-plain ことに：驚いたことに（to one's surprise）；腹の立つことに（what makes me angry is that ～）
例文	1. 嬉しい**ことに**、奨学金がもらえることになった。 2. 悲しい**ことに**、大学を卒業してから、大学時代の友達と会えなくなってしまった。 3. 残念な**ことに**、私達のチームは最後の試合で負けてしまった。 4. 幸せな**ことに**、年を取っても、体だけは健康です。 5. 驚いた**ことに**、この鳥は人間の言葉が話せるらしい。

⑬ Sentence₁。だが、Sentence₂。

本文	・タバコが買える**など**といった批判がある。**だが**、このような批判に対しては、～【読: l.40】
説明	だが is a disjunctive conjunction. The preceding sentence (S₁) and the following sentence (S₂) present contrastive statements or opposing ideas. Note that でも, けれど and けど are colloquial. けれども, しかしながら, だが and が are used primarily in written language. しかし can be used in both written and spoken language.
英訳	but; however
文型	S₁。だが、S₂。
例文	1. 私は日本文学を研究したいと思っている。**だが**、両親は私に医者になってほしがっている。 2. Wikipedia は何かを調べる時にとても便利だ。**だが**、間違った情報もたくさんあるので、注意した方がいい。 3. YouTube は面白い。**だが**、問題のある動画（video clips）も多い。

⑭ Noun に対して

本文	・だが、このような批判**に対して**は、すでに様々な対策がとられている。【読: ll.40-41】
説明	The compound particle に対して is used to mark something to/toward/about which one does something, or mark someone to/toward whom one does something or owes something. In different contexts, に対して is used to mark something one has an interest in. に対する is a noun-modification form.（The に対して introduced here should not be confused with に対して in L. 9文法ノート⑬, which is used to contrast two actions, states, situations, etc.）
英訳	toward; for; in; with regard to
文型	a. Nに対して　　　b. N₁に対するN₂

例文	1. いつ起きるか分からない地震**に対して**、対策を考えておかなければならない。
	2. 日本語では、目上（めうえ）の人**に対して**「あなた」と呼ぶのはとても失礼（しつれい）なことだ。
	3. 税金（ぜいきん）(tax) を払うことは、国民の国**に対する**義務である。
	4. 日本語を勉強して、日本の歴史**に対する**興味（きょうみ）がさらに強くなった。
	5. 日本語や中国語を勉強して、アジアの国々**に対する**見方が変わった。

⑮ Verb-non-past こと（は）ない

本文	・心配する**こと**ないよ。　【会1: *l*.9】
説明	～すること**はない** means "there is no need to do ～." In casual conversation は may drop.
英訳	don't have to ～; don't need to ～; It's not necessary to ～; There is no need to ～
文型	V-plain.non-past ことはない
例文	1. 次の電車がすぐ来るから、急（いそ）ぐ**ことはありません**。ゆっくり行きましょう。
	2. インターネットで注文すればいいから、店まで買いに行く**ことはない**よ。
	3. よく勉強したんだから、100点を取っても、驚（おどろ）く**こと**ないよ。
	4. 彼と別（わか）れてもがっかりする**こと**ないよ。もっといい人がすぐ見つかるから。

⑯ ～かというと

本文	・日本のコンビニは、どちら**かというと**スーパーのような所なんだ。　【会1: *l*.12】
説明	Question Word ＋ かというと literally means "if I were to tell you who/what/when/etc." In general this phrase is used to emphasize the information which follows or to delay providing the information in order to keep the hearer in suspense or to stall while recalling it. どちらかというと is a set phrase meaning "if anything; rather." {どうして / なぜ} かというと requires that the sentence end with から {だ / です /etc.}.
英訳	どちらかというと = if anything; rather; if I have to decide {どうして / なぜ} かというと = The reason is (that ～); because {いつ / だれ /etc.} かというと = to tell you when/who/etc. ～ (it is ～)
文型	QW かというと: {だれ / どこ / どちら / いつ / どうして /etc.} かというと
例文	1. スミスさんは、日本語が上手だ。なぜ**かというと**、日本に長く住んでいたからだ。
	2. 私は辛（から）い食べ物が好きだから、どちら**かというと**日本料理より、韓国（かんこく）料理の方が好きだ。
	3. A：今度のミーティングはいつですか。
	B：えっと、今度のミーティングはいつ**かというと**、あっ、来週の水曜日ですね。
	4. このコンピュータのメモリは、どのぐらい**かというと**、2GB ぐらいです。
	5. 次に発表する人は、誰**かというと**、田中さんです。

⑰ それなら

本文	・**それなら**料理が出来なくても困らないかも。　【会1: *l*.22】
説明	それなら literally means "if that's the case." それ meaning "that" refers to the speaker's previous statement or the statement which was just made by the hearer.
英訳	then; in that case; if so
例文	1. A：頭（あたま）が痛いんだけど。
	B：**それなら**、すぐに寝た方がいいよ。
	2. A：今夜、どこかおいしいレストランで食事したいと思っているんだけど。
	B：ああ、**それなら**、新しくできた和食レストランに行ってみたら？なかなかおいしかったよ。
	3. 両親は毎日のように、よく勉強していい大学に入りなさいといいます。**それなら**、私が勉強（わじょく）している時、弟や妹に静かにするように言ってほしいと思います。

漢字表

■ RW　読み方・書き方を覚える漢字

1	訪れる	おとずれる	読
2	風景	ふうけい	読
3	通る	とおる	読
4	-位	-い	読
5	温かい	あたたかい	読
6	冷たい	つめたい	読
7	変化スル	へんかスル	読
8	～に合わせて	～にあわせて	読
9	地区	ちく	読
10	食品	しょくひん	読
11	温める	あたためる	読
12	安全(な)	あんぜん(な)	読
13	危険(な)	きけん(な)	読
14	信頼スル	しんらいスル	読
15	自動(の)	じどう(の)	読
16	好む	このむ	読
17	事実	じじつ	読
18	役に立つ	やくにたつ	読
19	通り	とおり	読
20	利用スル	りようスル	読
21	省エネ	しょうエネ	読
22	冷やす	ひやす	読
23	電力	でんりょく	読
24	深夜	しんや	読
25	将ᴿ来	しょうらい	読
26	情ᴿ報	じょうほう	会1
27	洋食	ようしょく	会1
28	和食	わしょく	会1
29	安心スル	あんしんスル	会1
30	独身ᴿ(の)	どくしん(の)	会1
31	近所	きんじょ	会1
32	遠い	とおい	会1
33	夕方	ゆうがた	会2
34	並べる	ならべる	会2

■ R　読み方を覚える漢字

1	販売(機)	はんばい(き)	読
2	街	まち	読
3	普及スル	ふきゅうスル	読
4	売り上げ	うりあげ	読
5	冷凍スル	れいとうスル	読
6	電子レンジ	でんしレンジ	読
7	犯罪	はんざい	読
8	盗む	ぬすむ	読
9	壊す/壊れる	こわす/こわれる	読
10	現金	げんきん	読
11	著者	ちょしゃ	読
12	-氏	-し	読
13	-製	-せい	読
14	機械	きかい	読
15	宣伝スル	せんでんスル	読
16	特徴	とくちょう	読
17	批判スル	ひはんスル	読
18	対策	たいさく	読
19	缶	かん	読
20	導入スル	どうにゅうスル	読
21	規制スル	きせいスル	読
22	味方	みかた	会1
23	食料品	しょくりょうひん	会1
24	生活用品	せいかつようひん	会1
25	心理	しんり	会2
26	消費者	しょうひしゃ	会2
27	替える	かえる	会2

太字	：新しい漢字
＿＿	：新しい読み方
▨	：前に習った単語
ᴿ	：前にRで習った漢字

<table>
<tr><td>

**文化
ノート
6**

**標準語
ひょうじゅん ご
と方言
ほうげん**

</td><td>

「ちょうじょう」「だんだん」「おおきに」「わりいっけねえ」というのは、同じ意味を表す方言ですが、どんな意味だと思いますか。実は、これはみんな「ありがとう」という意味なのです。

</td></tr>
</table>

▶ **「すごくおいしい」を各地の方言で言うと？**

北海道：『なんまらうまい』

青森県：『めぇ』

秋田県：『まぁんずうめぇ』

新潟県：『どーいうんめいもんだっちゃー』

石川県：『たっだんめぇ』

茨城県：『うまかっぺよー』

山口県：『ぶちうまいっちゃ』

岡山県：『ぼっけぇうめぇ』

福岡：『ぎゃぁんおいしいかぁ』

神奈川県：『おいしいじゃん』

名古屋：『でーりゃーうみゃー』

長崎県：『いっきょなうまかばい』

熊本県：『たいぎゃうまかけん』

大阪：『むっちゃうまい』

鹿児島県：『わっぜうまい』

高知県：『こじゃんとうまいぜよ』

沖縄：『いっぺーまーさいびーんどー』

　それぞれの方言を声に出して読んでみて下さい。面白いでしょう！　このように日本には地方によって色々な方言があります。方言は「東北弁」「名古屋弁」「九州弁」というように、普通「地方の名前＋弁」で表しますが、中でも「関西弁」はメディアのおかげでとても一般的になっていて、話せなくてもほとんどの日本人が理解することが出来ます。皆さんもどこかで聞いたことがあるのではないでしょうか。

　方言に対して、アナウンサーが話したり教科書や新聞や雑誌などで使われている日本語は標準語と言って、日本人すべてが学校で勉強する言葉です。昔はそれぞれの地方で日本語が全然違い、日本人同士(among)でもスムーズにコミュニケーションが出来なかったので、明治時代に誰でも話せて分かる言葉として、東京の言葉をもとにして標準語が作られたそうです。また、方言とは別に「なまり」という言葉もありますが、これは地方独特(distinct)のアクセントやイントネーションのことで、言葉そのものの違いではありません。だから「日本人は日本なまりの英語を話す」と言うことも出来ます。

　ここで、方言の笑い話を一つ。

　　友達がある地方の家に行った時「あんた、えらそうなけど？」と言われた。彼女は「そんなことないです」と否定をしたが、「絶対えらそうな」と何度も言われた。いくら否定してもそう言われるので、かなりショックを受けた。しかし、後で「えらそう」は「具合が悪そう、病気のように見える」という意味だと知り、「私はえらそうな人間じゃない」ということが分かって安心したそうだ。

第 11 課

日本の歴史

本文を読む前に

1 a〜e は日本の歴史上 (in history) 大切な出来事 (event; happening) です。

1) いつ頃起きたか調べて、□ の中にアルファベットを入れなさい。

2) 自分の国の歴史上の大きな出来事を三つ選んで、年表 (chronology) の中に書きましょう。

あなたの国の大きな出来事（三つ）

a 明治維新 (Meiji Restoration) で武士 (samurai) の政府 (government) が終わる。

→ □

0年

弥生時代 やよい

b この頃までに源氏物語 (The Tale of Genji) が書かれる。

□ →

500年

古墳時代 こふん

c 仏教が伝えられる。

□ →

奈良時代 なら

平安時代 へいあん

1000年

□ →

鎌倉時代 かまくら

室町時代 むろまち

d 江戸時代 (Edo period) の始まり。徳川家康が将軍になり徳川幕府 (regime) ができる。

□ →

1500年

戦国時代 せんごく

安土・桃山時代 あづち ももやま

江戸時代 えど

e 縄文時代 (Jomon period)。縄文土器 (earthenware) と呼ばれる、縄 (rope) のパターンを使った土器が作られる。

□ →

明治時代 めいじ

2000年

○「源氏物語 空蝉」大分市歴史資料館 所蔵，○「徳川家康（東照大権現像）」徳川美術館 所蔵

2 鎖国とはどういうことですか。明治維新で変わったことは何ですか。インターネットや本で調べてa〜eの中から適当な言葉を選び、（　　）の中に入れなさい。

a. 武士　b. 天皇　c. 欧米　d. 外国と関係を持たない　e. 黒船 (Commodore Perry's Black Ships)

　鎖国というのは（　）という意味で、日本では江戸時代が鎖国の時代でした。しかし、江戸時代の終わり頃になると、アメリカから（　）が来たりして、日本は鎖国を続けることが出来なくなりました。江戸時代は（　）が政権 (political power) を持っていましたが、明治維新で政権が（　）に戻り、日本は近代的な (modern) 国になるために、（　）の考え方やものを取り入れるようになりました。

244

読み物

日本の輸入の歴史

1 　日本には様々な文化や伝統的な習慣がありますが、それらのすべてが日本で独自に生まれたものなのでしょうか。答えは「いいえ」です。現在、一般的に日本の伝統的習慣や文化と考えられているものの中には、もともとは外国から入って来て日本的に変化したものが少なくありません。例えば、ひらがなやカタカナは古代中国から入って来た漢字をもとにして日本人が作り出したものですし、和食

5 の代表的な料理である天ぷらも、ポルトガルのtemperoという揚げ物料理が日本に伝わって変化したものなのです。この課では、日本の歴史を通して、日本人がどのように外国の文化を取り入れ、それを日本独自のものにしていったかを見てみましょう。

　日本人が初めて外国から輸入したものは、米だと言えるかもしれない。米の発祥地は中国の雲南からインドのアッサム地方にかけてだと言われている。日本の時代で言うと縄文時代の後期(約四千年

10 前)の間に、中国や朝鮮半島を通って日本に米の作り方が伝わったそうだ。その後、弥生時代になって各地に広がり、日本人の主食になった。そして、米は主食になったばかりでなく、もっと後の時代には、税金として集められたり給料として武士に支払われたりするようになり、日本の経済になくてはならないものになった。日本人は季節や天候の変化を大変気にするが、これは日本人が米作りを非常に大事なことと考え、どうやって効率よく米を生産するかが、日本人の生活の仕方や考え方に強い影響を

15 与えてきたことと関係があると言われている。

　弥生時代に続く古墳時代から奈良時代にかけては、日本は中国や朝鮮の影響を強く受け、法律をはじめ、建築、服装、料理などをこれらの国から輸入した。神道中心だった日本の宗教を大きく変えた仏教が伝わったのも、この古墳時代だった。日本の歴史書によると、朝鮮半島にあった百済という国の王が日本に仏像と教典を送ったのが日本での仏教の始まりだそうだ。

20 　奈良時代の次の平安時代は、外国との交流がほとんどなくなり、それまで日本に伝わった様々なものが日本的に変化していった時代である。ひらがなができたのもこの時代で、中国風の服装が着物に変化したり、仏教の新しい宗派が生まれたり、源氏物語というひらがなを用いた世界一古くて長いと言われている恋愛小説が書かれたのも、平安時代だった。

　ところで、禅という言葉を聞いたことがあるだろうか。禅は「禅宗」という仏教の宗派の一つなの

25 だが、禅と聞くと日本の国を思い浮かべる人は多いに違いない。しかし、実は禅の始まりは日本ではなく中国で、平安時代の終わり頃に中国に留学した栄西という僧によって日本に紹介されたのだ。その時、禅と共に伝わったのがお茶を飲む習慣で、それが日本の代表的文化である茶道へと発展していった。

輸入	通して	独自	米	半島	各-	広がり	税金	支払われた	季節	天候
ゆにゅう	とお	どくじ	こめ	はんとう	かく	ひろ	ぜいきん	しはら	きせつ	てんこう

非常に	効率	生産	法律	建築	服装	王	交流	-風	用いた	恋愛	共に	発展
ひじょう	こうりつ	せいさん	ほうりつ	けんちく	ふくそう	おう	こうりゅう	ふう	もち	れんあい	とも	はってん

平安時代の次の鎌倉時代は武士の力が強くなった時代で、彼らが禅とお茶を好んだため、日本全国に禅やお茶を飲む習慣が広がった。そして、その後、千利休によって茶道が確立され、少しずつ変化しながら、現代のような茶道の形になったのである。

さて、古代から室町時代に至るまで、日本は主にアジアの国々から強い影響を受けてきたが、日本中で多くの大名が戦った戦国時代から16世紀後半の安土桃山時代になると、ポルトガル人やスペイン人がキリスト教の布教や貿易を目的に日本を訪れるようになった。そして、日本の文化の中にヨーロッパの影響が現れるようになった。その当時の日本人は彼らのことを「南蛮人」、つまり「南に住む野蛮な人々」と呼んだので、その文化も南蛮文化と呼ばれていた。今で言う西洋文化のことだ。

戦国時代に日本統一を目指した織田信長という人物は、特に南蛮文化に興味を持った大名で、キリスト教の布教を許し、ワインを飲んだり、マントを着たりして洋風の生活様式を積極的に生活の中に取り入れたそうだ。ヨーロッパから入って来た鉄砲を大名同士の戦いに最初に用いたのも信長である。

次の江戸（徳川）時代は鎖国の規制によって、長崎の出島という場所以外では、外国人が自由に日本を訪れたり、日本人が外国のものを輸入したりすることが出来なかった。江戸時代は約250年も続き、当時の江戸（今の東京）は世界中で一番人口の多い、独自の芸術文化が発達した清潔で文化レベルの高い都市だったと言われている。

江戸時代が終わり明治維新が始まると、日本は、洋服や靴、郵便制度、法律など、欧米のものや制度や文化を積極的に取り入れ、近代化を目指した。その中の一つに肉を食べることがある。日本では仏教の影響で平安時代から江戸時代までは、特別な場合以外は肉を食べることは禁止されていた。しかし、明治政府は日本人も欧米人のように肉を食べるべきだと考え、国民に肉を食べることを勧めた。そんな状況の中で牛肉を使った日本の代表的な食べ物「すき焼き」が生まれたのである。

このように、長い歴史の中で日本は数多くの国々の影響を受けてきた。日本独特の習慣や文化に見えるものでも、実はその元になるものは外国から入ってきたものが少なくないのだ。今ではクリスマスやバレンタインデーなども一般的な日本の行事になっているが、それらも欧米の習慣を取り入れながら、日本独自の方法で祝っている。

ときどき日本の文化は真似ばかりで独自の文化がないと言われ、批判されることがある。しかし、日本に輸入された文化やものは長い年月をかけて日本的に変化し、日本の伝統文化となり、歴史となり、習慣となったのだ。日本人はこれからも多くの外国の文化やものを輸入し、それらに日本的な味を加えて発展させていくだろう。そして、今度は日本が世界に向かって新しい文化を輸出するようになっていくはずだ。すでに日本の寿司が世界中で食べられ、アニメやマンガ、ゲームなどが世界の若者文化に大きな影響を与えているように。

確立	至る	戦った	後半	貿易	当時	西洋	統一	目指した	興味
かくりつ	いた	たたか	こうはん	ぼうえき	とうじ	せいよう	とういつ	めざ	きょうみ
積極的	-同士	江戸	郵便	近代化	禁止	独特	加えて	輸出	
せっきょく	どうし	えど	ゆうびん	きんだい	きんし	どくとく	くわ	ゆしゅつ	

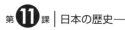

単語表

▶太字＝覚える単語

					Ttl
1	輸入	ゆにゅう	VN	import ｜（〜を）輸入する（not used for culture or ideas）	
2	独自（の）	どくじ（の）	ANo	original; one's own 〜	1
3	古代	こだい	N	ancient times ｜ 古代中国（N）ancient China	4
4	ポルトガル		N	Portugal	
5	揚げ物	あげもの	N	deep-fried food	5
6	米	こめ	N	rice	
7	発祥地	はっしょうち	N	the birthplace; where something started	8
8	インド		N	India	
9	後期	こうき	N	the latter period	9
10	半島	はんとう	N	peninsula ｜ 朝鮮半島（N）Korean Peninsula	10
11	（〜が）広がる	ひろがる	u-Vi	to spread (out); stretch; get around	
12	主食	しゅしょく	N	staple; principal food	11
13	税金	ぜいきん	N	tax	
14	武士	ぶし	N	samurai; Japanese warrior	
15	（〜を）支払う	しはらう	u-Vt	to pay (expenses, bills, etc.)	12
16	天候	てんこう	N	weather (over an extended period)	
17	（〜を）気にする	きにする	Phr	to worry; be concerned; care about	
18	非常（な）	ひじょう（な）	ANa	extreme; great	13
19	効率	こうりつ	N	efficiency ｜ 効率よく（Adv）efficiently	
20	生産	せいさん	VN	production｜（〜を）生産する to produce; manufacture	14
21	朝鮮	ちょうせん	N	Korea	
22	法律	ほうりつ	N	law	16
23	建築	けんちく	N	architecture	
24	服装	ふくそう	N	clothes; clothing; dress style	17
25	歴史書	れきししょ	N	history book	18
26	王	おう	N	king; monarch	
27	仏像	ぶつぞう	N	Buddha statue	
28	教典	きょうてん	N	Buddhist canon/text	
29	始まり	はじまり	N	origin; beginning	19
30	交流	こうりゅう	VN	having contact (with people); exchange (of culture, people, etc.) ｜（〜と）交流する	20
31	宗派	しゅうは	N	religious sect/school	
32	（〜を）用いる	もちいる	ru-Vt	to use; employ	22
33	恋愛	れんあい	N	love; romance ｜ 恋愛小説（N）love story	23
34	（〜を）思い浮かべる	おもいうかべる	ru-Vt	to recall; be reminded of; call to mind	25
35	僧	そう	N	monk	26
36	茶道	さどう	N	tea ceremony	
37	発展	はってん	VN	development (of a country, society, etc.) ｜（〜が）発展する	27
38	確立	かくりつ	VN	establishing ｜（〜を）確立する	29
39	国々	くにぐに	N	countries	31

40	大名	だいみょう	N	Japanese feudal lord	
41	（〜と）戦う	たたかう	ru-Vi	to fight（a battle）; wrestle（with difficulty/a problem etc.）｜戦い（N）battle; fight; struggle	
42	後半	こうはん	N	the second half	32
43	布教	ふきょう	VN	propagation ｜（〜を）布教する to propagate（religion）	
44	貿易	ぼうえき	VN	trade ｜（〜と）貿易する	33
45	当時	とうじ	Adv	at that time; in those days	34
46	野蛮（な）	やばん（な）	ANa	savage; uncivilized	
47	今で言う	いまでいう	Phr	what is now called	
48	西洋	せいよう	N	the West; Western countries	35
49	統一	とういつ	VN	unifying ｜（〜を）統一する	
50	（〜を）目指す	めざす	u-Vt	to aim; aspire	36
51	マント		N	mantle; cloak	
52	生活様式	せいかつようしき	N	lifestyle	
53	積極的（な）	せっきょくてき（な）	ANa	positive; active; proactive	37
54	鉄砲	てっぽう	N	gun; firearms	38
55	江戸	えど	N	Edo（the former name for Tokyo）｜ 江戸時代 the Edo period	
56	鎖国	さこく	VN	national isolation｜ 鎖国する to close/isolate a country	39
57	清潔（な）	せいけつ（な）	ANa	clean; tidy	41
58	明治維新	めいじいしん	N	Meiji Restoration	
59	郵便	ゆうびん	N	mail; postal service	43
60	近代化	きんだいか	VN	modernization ｜ 近代化する	44
61	禁止	きんし	VN	prohibition; ban ｜（〜を）禁止する	45
62	政府	せいふ	N	government	
63	（〜に〜を）勧める	すすめる	ru-Vt	to encourage; suggest（doing something）; recommend	46
64	すき焼き	すきやき	N	*sukiyaki* [thin slices of beef, cooked with various vegetables in a table-top pan]	47
65	数多く（の）	かずおおく（の）	ANo	in great numbers; many	
66	独特（の）	どくとく（の）	ANo	distinct; unique	48
67	真似	まね	VN	imitation; mimicking ｜（〜を）真似する	52
68	年月	ねんげつ	N	months and years	
69	（〜を）かける		ru-Vt	to take（time）; spend（money）	53
70	（〜に〜を）加える	くわえる	ru-Vt	to add	
71	輸出	ゆしゅつ	VN	export ｜（〜を）輸出する	55

会話文 ▶過去の出来事について話す

1 | 会話文 1 | 勇太の家で、勇太の父、勇太、マイクの三人が織田信長について話している。

勇太の父： 勇太が言ってたけど、マイクさんは歴史が好きだそうだね。

マイク ： ええ、好きですね。歴史小説なんかよく読みますよ。

勇太の父： 日本の歴史の中で、誰か好きな人はいるのかな？

5 マイク ： 日本の歴史はあまり知らないんですが、この間、日本語の授業で織田信長という人の
名前が出てきましたけど。

勇 太 ： へえ、そんなこと日本語の授業で勉強するんだ。

勇太の父： 織田信長と言えば、戦国時代に日本を統一しようとした人物としてよく知られているね。

マイク ： そうなんですか。織田信長はどんな人だったんですか。

10 勇太の父： その当時の人としては、とても近代的な考え方を持っていたと言われているよ。

マイク ： へえ。

勇太の父： 「信長公記」という信長について書かれた記録からすると、若い頃の信長は今で言う
不良で、「うつけ」と呼ばれていたらしいよ。

勇 太 ： 「うつけ」って、ちょっと言葉は悪いけど「バカ」っていうような意味かな。

15 マイク ： そうなんですか。

勇太の父： でも、父親が死んで今の名古屋の辺りにあった小さな国の大名になると、戦いで鉄砲
を使ったり、自由経済を取り入れたりして、自分の国をどんどん大きくしていったん
だよ。

マイク ： 信長は新しいことが好きだったみたいですね。教科書にもワインを飲んだって書いて
20 ありました。

勇 太 ： うん。新し物好きだったけど、とても冷たい人だったようで、自分の意見や考えに合
わない人がいると、すぐに殺しちゃったらしいよ。

勇太の父： 「鳴かぬなら　殺してしまえ　ホトトギス」だね。

マイク ： えっ、どういう意味ですか。

25 勇太の父： 信長の性格について話す時によく挙げられる俳句で、ホトトギスは鳥の名前なんだけ
ど、簡単に言えば、自分のすることに反対する、あるいは役に立たないような人は殺
してしまった方がいいというようなことかなあ。

マイク ： そうですか。信長はなかなか興味深い人物ですね。

| 過去 | 出来事 | 記録 | 不良 |
| かこ | できごと | きろく | ふりょう |

勇　太：　そうだね。歴史上では豊臣秀吉と並んで、日本人に最も人気がある人物の一人かな。

30　勇太の父：　もし信長が日本を統一していたら、おそらく日本の歴史はまったく変わっていただろうね。

マイク：　へえ、そうなんですか。面白いですね。僕、豊臣秀吉の名前も聞いたことがあります。彼らのこともう少し知りたいから、ネットで調べてみます。また、分からないことがあったら、教えて下さい。

35　**会話文 2**　マイクと勇太が日光東照宮で話している。

マイク：　ここが徳川家康の祭ってある日光東照宮かあ。きれいだね。

勇　太：　うん、とても豪華で神社のような感じがしないよね。平成11年には、ユネスコの世界遺産に選ばれたんだって。

マイク：　へえ、すごいね。ネットで調べたところによると、家康っていう人は忍耐強い人だったんだって？

40

勇　太：　うん、らしいね。「鳴かぬなら　鳴くまで待とう　ホトトギス」だからね。

マイク：　あ、信長の俳句とよく似てるね。

勇　太：　うん、信長はホトトギスが鳴かなかったら殺してしまうけど、家康は鳴くまで待ってあげるんだ。

45　マイク：　ふうん、そっかぁ…。じゃ、豊臣秀吉は？

勇　太：　秀吉は「鳴かぬなら　鳴かせてみせよう　ホトトギス」だよ。

マイク：　へえ、秀吉は殺さないけど、待ってもあげないで、自分で鳴かせるんだ。

勇　太：　うん、このホトトギスの俳句は三人が本当に作ったわけじゃないんだけど、三人の性格をよく表しているって言われてるんだ。

50　マイク：　この間、勇太のお父さんと話してた時、もし、信長が日本を統一していたら、日本の歴史は変わってただろうっておっしゃってたね。

勇　太：　うん、そうだったね。

マイク：　どうして信長は日本を統一できなかったの？

勇　太：　明智光秀っていう自分の家来に殺されてしまったんだよ。その戦いのことを「本能寺の

55　変」って言うんだけど、信長は室町幕府の将軍を京都から追い出し、日本統一のために京都に入って本能寺に泊まっていたんだ。そこに明智が攻めてきて殺されそうになったから、自分で切腹して死んだんだよ。死ぬ前に、燃えるお寺の中で能を舞った後にね。

-上	並んで	平成	似て	泊まって	攻めて	燃える
じょう	なら	へいせい	に	と	せ	も

マイク ： へえ、かっこいいね。

勇　太 ： うん、ほんとかどうか分からないけどね。テレビドラマではよくそのシーンが演じら
60 　　　　れるよ。

マイク ： へえ、見てみたいな。明智はどうして信長を殺そうとしたの？

勇　太 ： 明智は非常に賢くて気持ちの温かい人だったらしいよ。だから信長が人をたくさん殺
　　　　すのが許せなかったんじゃないかなあ。

マイク ： 信長が死んでから、明智が日本を統一したの？

65 勇　太 ： いや、「本能寺の変」の後すぐに、信長の家来だった秀吉に殺されて、最後に秀吉が日
　　　　本を統一したんだ。

マイク ： ふ〜ん、そうかあ。秀吉って、大阪城を作った人でしょ。今度は大阪城に行ってみた
　　　　いなあ。

勇　太 ： いいね、僕も行ったことないから、今度、一緒に行こうか。

70 マイク ： うん。ぜひ。秀吉のこともっと知りたいし。

演じ
えん

単語表

▶太字＝覚える単語

1	過去	かこ	N	the past	
2	出来事	できごと	N	incident; event; happening	Ttl
3	近代的（な）	きんだいてき（な）	ANa	modern	10
4	記録	きろく	VN	record; document ｜ （〜を）記録する	12
5	不良	ふりょう	N	(juvenile) delinquent ｜ 不良（の）（ANo) defective	12
6	バカ/ばか		N	fool; idiot	14
7	辺り	あたり	N	neighborhood; nearby	16
8	新し（い）物好き	あたらし（い）ものずき	N	love of new things; neophilia	21
9	ホトトギス		N	little cuckoo	23
10	俳句	はいく	N	haiku poetry [17-syllable poem usually in 3 lines]	25
11	ネット		N	short for インターネット	33

会話文2

12	豪華（な）	ごうか（な）	ANa	luxurious; gorgeous	
13	平成	へいせい	N	Heisei（era of the current emperor）（1989- ）	
14	世界遺産	せかいいさん	N	world heritage	37
15	忍耐強い	にんたいづよい	A	persevering; very patient	39
16	（〜と/に）似る	にる	ru-Vi	to resemble; be similar	42
17	家来	けらい	N	subordinate warrior	54
18	幕府	ばくふ	N	shogunate	
19	将軍	しょうぐん	N	shogun; general	
20	（〜を）追い出す	おいだす	u-Vt	to drive out; expel	55
21	（〜を）攻める	せめる	ru-Vt	to attack	56
22	切腹	せっぷく	VN	ritual suicide by disembowelment ｜ （〜が）切腹する	
23	（〜が）燃える	もえる	ru-Vi	to burn	
24	能	のう	N	Japanese lyrical Noh drama	
25	（〜を）舞う	まう	u-Vt	to dance	57
26	（〜を）演じる	えんじる	ru-Vt	to perform（a play）; play（a part）	59
27	大阪城	おおさかじょう	N	Osaka Castle	67

内容質問

📖 読み物を読んだ後で、考えてみよう。

1. 仏教が伝わる前に日本にあった宗教、日本独自の宗教は何ですか。その宗教は何を信じていますか。第6課の「日本人と宗教」で学んだことを思い出してみましょう。

2. 日本人はなぜ欧米人を野蛮人だと思ったのでしょうか。

3. 明治政府はなぜ日本人も肉を食べるべきだと考えたのでしょうか。

4. この読み物を書いた人は、文化と外国の影響についてどのように考えていると思いますか。あなたはどう思いますか。

🗣️ 会話文を読んだ後で、考えてみよう。

1. 勇太と勇太のお父さんによると、織田信長はどんな人物ですか。

2. 日本の歴史上で最も人気がある三人の人物の「ホトトギス」を用いた俳句があります。

> 織田信長：鳴かぬなら　殺してしまえ　ホトトギス
> 豊臣秀吉：鳴かぬなら　鳴かせてみせよう　ホトトギス
> 徳川家康：鳴かぬなら　鳴くまで待とう　ホトトギス

これらの俳句は実際に彼らが作った俳句ではありませんが、それぞれの性格がよく表れていると言われています。この俳句から三人はどのような人物だったと思いますか。誰に一番魅力を感じるかも話し合ってみましょう。

▶▶▶ みんなで話してみよう。

1. あなたの国には日本の「米」のように人々の生活になくてはならないもので、生活様式や考え方にまでも影響を与えたものがありますか。

2. あなたの国には、外国から入って来て自分の国の文化や習慣になったものがありますか。その文化や習慣は、入ってきた形が変わらずに残っていますか。あるいは、あなたの国の味が加えられて変化しましたか。

3. 歴史上、あなたの国が最も影響を受けた国はどこですか。どんな影響を受けましたか。

4. 現在、あなたの国は文化的にどの国からどんな影響を受けていますか。

モデル会話 マイクと勇太のお母さんが「おにぎり」について話す。 🎧

勇太の母：勇太が言ってたけど、マイクさんは、おにぎりが好きなんだって？

マイク：はい。特に梅干し(pickled plum)やさけ(salmon)のおにぎりが大好きなんです。

勇太の母：へえ、そう。マイクさんは、おにぎりがいつ頃からあったか知ってる？

マイク：いいえ。いつ頃から食べられていたんですか。

勇太の母：おにぎりが、今の形で一般的に食べられるようになったのは、江戸時代らしいわよ。

マイク：へえ、そうなんですか。ファーストフードみたいだから、もっと最近の食べ物かと思ってました。

勇太の母：実は、「おにぎりの化石(fossil)」なんてのも、見つかったんだって。

マイク：えっ、おにぎりの化石⁉

勇太の母：そう。弥生時代のものだったそうよ。

マイク：へえ。

勇太の母：だから、日本人はその時代からおにぎりを食べてたってことが分かったんだって。

マイク：なるほど。おにぎりの歴史って、古いんですね。

勇太の母：そうね。

練習問題 モニカと勇太のお父さんがお茶について話す。

勇太の父：勇太から聞いたんだけど、モニカさんは大学の茶道部に入ることにした＿＿＿＿＿＿？

モニカ：はい。日本にいるうちに、日本の伝統文化も経験しておこうと思って。

勇太の父：なるほど。モニカさんは、お茶を飲む習慣を日本に広めた(to popularize)のは、誰か＿＿＿＿＿＿？

モニカ：いいえ。＿＿＿＿＿＿＿＿＿＿＿か。

勇太の父：栄西っていう禅宗の僧なんだ。

モニカ：あっ、聞いたことがあります。有名な禅僧ですよね。

勇太の父：うん。鎌倉時代に、彼が中国からお茶の種(seed)を日本に持って帰って来て、お茶が体にい
　　　　いことやお茶の飲み方を、日本に紹介したんだよ。

モニカ：へえ、＿＿＿＿＿＿＿＿＿＿＿。

▶▶▶ パートナーと練習してみましょう。過去の出来事について話しなさい。

＊友達の親：いつ、どこで、誰が、何をしたか、何が起きたか、その後どうなったかなどを話す。
＊留学生　：「へえ / なるほど / ふーん / そうなんですか」などのあいづちを使って話を聞く。

友達の親：＿＿＿＿＿さんは、＿＿＿＿＿＿＿＿知ってる？

留学生：いいえ。＿＿＿＿＿＿＿＿＿か。

友達の親：＿＿＿＿＿＿＿＿＿。（トピックについて話す）

留学生：＿＿＿＿＿＿＿＿＿。（質問したり、コメントしたりする）

友達の親：＿＿＿＿＿＿＿＿＿。

留学生：＿＿＿＿＿＿＿＿＿。

会話練習 **2** 丁寧度（ていねいど） ★

モデル会話 モニカとはるかが源氏物語（げんじ）について話す。 🎧

モニカ ： 教科書に書いてあったけど、京都って昔は日本の首都（しゅと）だったんだって？

はるか ： うん。平安時代（へいあん）や室町時代（むろまち）ね。

モニカ ： あっ、平安時代（へいあん）って、あの有名な「源氏物語（げんじ）」が書かれた時代だよね。

はるか ： うん。誰が書いたか知ってる？

モニカ ： ううん、それは知らない。誰が書いたの？

はるか ： 書いたのは、紫式部（むらさきしきぶ）っていう女性。

モニカ ： へえ、女の人なんだ。

はるか ： うん。平安時代（へいあん）って、女性がひらがなで小説やエッセーを書き始めた時代なんだ。

モニカ ： ふうん、そうなんだ。

はるか ： 「源氏物語（げんじ）」はアニメやマンガにもなって、今でもすごく人気があるんだよ。

モニカ ： へえ、アニメにもなってるんだ。見てみようかな。

はるか ： うん。モニカは恋愛小説（れんあい）、好きだからね。

練習問題 マイクとはるかが鉄砲（てっぽう）について話す。

マイク ： 本_____、日本に鉄砲（てっぽう）を伝えたのはポルトガル人_____？

はるか ： うん。ポルトガル人を乗せた船（ふね）が、日本に流れ着いて（to drift ashore）、鉄砲（てっぽう）が伝わったらしいよ。

マイク ： へえ、そう_____。

はるか ： その鉄砲（てっぽう）を戦いで上手に使った大名（だいみょう）がいたんだけど、誰か_____？

マイク ： ううん、知らない。_____の？

はるか ： 織田信長（おだのぶなが）。

マイク ： ああ、_____って言えば、_____だったんでしょ。

はるか ： うん。彼は、歴史上の人物の中で、特に日本人に人気があるんだよ。

マイク ： ふうん。

▶▶▶ パートナーと練習してみましょう。過去の出来事について話しなさい。

＊A：いつ、どこで、誰が、何をしたか、何が起きたか、その後どうなったかなどを話す。
＊B：「へえ / なるほど / ふーん / そうなんだ / ほんと」などのあいづちを使って話を聞く。

A ： Bさんは、_____知ってる？

B ： ううん。_____の？

A ： _____。（トピックについて話す）

B ： _____。（質問したり、コメントしたりする）

A ： _____。

B ： _____。

▶▶自分の国で起こった歴史的な出来事や人物、興味のある時代などについて発表しましょう。下の発表例を参考にしなさい(to refer to)。

導入(introduction)

私は、＿＿＿＿＿＿＿＿＿＿＿＿＿＿＿＿＿＿＿＿＿＿＿＿＿＿＿について発表したいと思います。

なぜかと言うと、＿＿＿＿＿＿＿＿＿＿＿＿＿＿＿＿＿＿＿＿＿からです。

(このトピックを選んだ理由を説明する。)

発表したいこと

＜使ってみたい表現＞

a. XからYにかけて

b. 〜を通して

c. 〜で言うと

d. 〜と並んで

e. Nの上で / N上

f. 〜で読んだところによると / 〜で調べたところによると

g. その他

まとめ

上の内容について考えたこと、感じたこと、今、思っていることを言う。

・おそらく＿＿＿＿＿＿{だろうと思います / でしょう}。

・＿＿＿＿＿＿べきだと思います。

・＿＿＿＿＿＿ということが、{言えます / 考えられます}。

・＿＿＿＿＿＿は、＿＿＿＿＿＿と思い{ます / ました}。

これで＿＿＿＿＿＿についての発表を終わります。

何か質問はありませんか。

文法ノート

❶ 少なくない 🎩

本文	・もともとは外国から入って来て日本的に変化したものが**少なくありません**。 【読: *l*.3】 ・実はその元になるものは外国から入ってきたものが**少なくない**のだ。 【読: *l*.49】
説明	少なくない is a double negative meaning "many; much" and is commonly used in written language. Note that 少なくない cannot modify mouns. ・✘この国では<u>少なくない人</u>が英語を話す。
英訳	many; much; plenty of; not a few
文型	N {は／が／も} 少なくない：外国人は少なくない；本屋が少なくない
例文	1. 漢字が難しいと思っている学生は**少なくない**。 2. この大学には、外国から来ている留学生も**少なくない**そうだ。 3. 給料は**少なくない**のに、あまり貯金 (savings) が出来ないのはどうしてだろうか。 4. 日本に住んでいた時は地震が**少なくなかった**から、本棚 (bookshelf) のそばには寝ないようにしていた。

❷ Noun を通して

本文	・この課では、日本の歴史**を通して**、日本人がどのように外国の文化を取り入れ、〜 【読: *l*.6】
説明	を通して indicates a medium (X) through which someone does something or something happens. X can be things, people, activities, or actions.
英訳	through; via
文型	N を通して
例文	1. インターネット**を通して**、色々な情報を得ることが出来る。 2. スポーツ**を通して**、子供達はとても仲良くなりました。 3. 伝統芸能**を通して**、日本の古くて美しい文化を学んだ。 4. 彼が私を好きだということは、彼の友達**を通して**聞いた。とても嬉しかった。 5. コンピュータウイルスは、インターネットやメールだけでなく、DVD や CD **を通して**も入ることがあるので、気をつけて下さい。

③ Noun₁ から Noun₂ にかけて

本文	・米の発祥地は中国の雲南**から**インドのアッサム地方**にかけて**だと言われている。 【読: *ll*.8-9】 ・弥生時代に続く古墳時代**から**奈良時代**にかけて**は、日本は中国や朝鮮の〜 【読: *l*.16】
説明	X から Y にかけて indicates a span of time or space and is used primarily in written language.
英訳	from X to Y
文型	N₁ から N₂ にかけて：東京から大阪にかけて；1900 年から 1950 年にかけて
例文	1. 昨夜 (last night) **から**今朝**にかけて**、たくさん雨が降った。 2. 年末**から**年始**にかけて**、ヨーロッパを旅行しました。 3. ここ**から**隣の町**にかけて**、スーパーやレストランが並んで (to line) いるので、道がとても混む。

❹ Noun で言うと

本文	・日本の時代**で言うと**縄文時代の後期 (約四千年前) の間に、〜 【読: *ll*.9-10】
説明	で言うと is used to restate something according to a different system or framework (e.g., a calendar, a measurement system, a language, a country's history).

英訳	in terms of; in; according to; from the viewpoint of
文型	Nで言うと：日本の習慣で言うと；キログラムで言うと；メートルで言うと
例文	1. 今の気温は華氏（Fahrenheit）で50度だから、摂氏（Celsius）で言うと10度ぐらいだ。 2. イタリアのルネッサンス時代は、日本の歴史で言うと鎌倉時代から室町時代に当たります。 3. 西暦（AD）2000年は、平成で言うと平成12年に当たります。 4. 僕の身長（height）は6フィート、メートル法で言うと約180センチだ。 5. 病気の人に言う「お大事に」という表現は、英語で言うと "Please take care." に当たります。

❺ 各 +Noun

本文	・弥生時代になって各地に広がり、日本人の主食となった。　【読: ll.10-11】
説明	A prefix which adds the meaning "each; various." When the referent of the noun after 各 is not known, it means "various."
英訳	each ～ ; various
文型	各N
例文	1. ここには各先生のメールアドレスと、各セクションの教室の番号が書いてあります。 2. 各学年から選ばれた学生が、スピーチコンテストに出ることになった。 3. アメリカでは、お酒が飲める年齢（age）についての規制は、各州でそれぞれ違う。 4. 各国の代表者が集まって、テロの犯罪について会議を開いた。

❻ X ばかりでなく Y（も）

本文	・米は主食になったばかりでなく、もっと後の時代には、～　【読: l.11】
説明	This structure is similar to X だけでなく Y（も）and means "not only X but also Y." It is usually used in written language.
英訳	not only X but also Y
文型	a. S ばかりでなく: **Type 2c**　　　b. N₁ (Prt) + ばかりでなく N₂ (Part) +（も）
例文	1. あのレストランは、安いばかりでなく、とてもおいしい。 2. 一生懸命勉強したら、日本語が上手になったばかりでなく、成績もよくなった。 3. 京都には日本国内からばかりでなく、世界中から観光客が来る。

❼ Noun+ 風

本文	・ひらがなができたのもこの時代で、中国風の服装が着物に変化したり、～　【読: ll.21-22】 ・洋風の生活様式を積極的に生活の中に取り入れたそうだ。　【読: ll.37-38】
説明	風 is a suffix and is added to nouns to make *no*-adjectives. X風 means "X style/type" or "look like X."
英訳	～ style; ～ type; look like
文型	a. N風だ: このドレスは着物風だ。　　　b. N₁ 風の N₂: カウボーイ風の帽子
例文	1. 洋風のホテルも和風の温泉旅館も、どちらも好きです。 2. このさむらい風の人形（doll）は、いくらですか。 3. A: 今、誰かここに来ませんでしたか。 　　 B: ええ、ちょっと前にサラリーマン風の人が来ました。

⑧ Noun と共に

本文	・ その時、禅と共に伝わったのがお茶を飲む習慣で、〜 【読: *ll*.26-27】
説明	N と共に indicates that someone does something or that something happens with N.
英訳	with; along with; as
文型	N と共に
例文	1. 地震と共に、火事(fire)やつなみが起こった。 2. 両親が亡くなった後、私は兄と共に二人で助け合って生きてきました。 3. 言葉は時代と共に変化する。 4. コンピュータの普及と共に、Eメールを使う人が増えた。

❾ 〜ずつ

本文	・ 少しずつ変化しながら、現代のような茶道の形になったのである。【読: *ll*.29-30】
説明	The number/amount X+ずつ indicates that someone does something (or something happens) with X as the unit (e.g., the teacher teaches ten new kanji a week; the woman gave three chocolates to each child; the students came for their interviews two at a time).
英訳	per/a; at a time; each; (little) by (little)
文型	a. {Number (+Counter)} ずつ : 二つずつ b. Non-specific amount expression + ずつ : ちょっとずつ ; いくらかずつ
例文	1. 私は毎日漢字を五つずつ覚えることにしている。 2. みんなが同時に(at the same time)話さないで、一人ずつ順番に(in turns)話して下さい。 3. この和紙を2枚ずつ取って、鶴(crane)を2羽ずつ折ってほしいんですが。 4. 「とびら」サイトを利用する人が毎日少しずつ増えている。 5. ホテルのビュッフェで色々な種類の料理をちょっとずつ食べてみた。

⑩ Noun₁ から Noun₂ に至るまで

本文	・ 古代から室町時代に至るまで、日本は主にアジアの国々から強い影響を〜 【読: *l*.31】
説明	This construction indicates a span of time or space and emphasizes the size of that span at the same time. It can also be used for other than spatial or temporal spans, as shown in Ex. 3. It is used in written language.
英訳	from X all the way through Y; from X even to Y
文型	N₁ から N₂ に至るまで : 北海道から沖縄に至るまで ; 2月から3月に至るまで
例文	1. 日本では、12世紀から19世紀に至るまで、武士が活躍した。 2. 北海道から沖縄に至るまで、同じ時間に同じ NHK ニュースが見られます。 3. このゲームは子供から大人に至るまで、誰でも楽しめます。

⑪ Noun + 同士

本文	・ ヨーロッパから入って来た鉄砲を大名同士の戦いに最初に用いたのも〜 【読: *l*.38】
説明	X同士 indicates that Xs do something together, that Xs do something to/for/against each other, or that someone puts Xs together in some way.
英訳	each other; between; among; together; with
文型	a. N同士{が/で/を} : 友達同士{が/で}集まる ; ユーザー同士を結びつける(to unite) b. N₁同士の N₂: 日本のメーカー同士の競争

例文	1. 友達同士で話し合って決めて下さい。 2. このサイトでは、iPodのユーザー同士が意見を交換し合うことが出来ます。 3. お盆には毎年兄弟同士で集まって、両親のお墓参りに行くことになっている。 4. 次の試合は、強いチーム同士の戦いになるから、どちらが勝つかまったく分からない。 5. 子供同士のけんかが原因で、親同士の関係も悪くなってしまった。

⑫ Verb べき

本文	・明治政府は日本人も欧米人のように肉を食べるべきだと考え、〜 【読: *l*.46】
説明	The auxiliary べき expresses the speaker's strong judgment that one should do something. The form of する before べき can be either す or する (i.e., すべき or するべき).
英訳	should; ought to
文型	a. V-plain.non-past.aff べき {だ/じゃない/ではない/だった/じゃなかった/ではなかった}: 　行くべき {だ/じゃない/だった/じゃなかった} (Exception: する + べき → すべき) b. V べき N: 取るべき授業; 今日中にす(る)べきこと
例文	1. 自分で出来ることは、自分ですべきだ。 2. 電車の中や病院などでは、携帯電話を使うべきではない。 3. このレストランは人気があるので、昨日のうちに予約をしておくべきだった。 4. 彼は彼女と結婚するべきではなかったと思う。 5. するべきことが多すぎて、時間がいくらあっても足りない。

⑬ Noun からすると

本文	・「信長公記」という信長について書かれた記録からすると、若い頃の信長は〜 【会1: *l*.12】
説明	からすると introduces the source or basis for the speaker's conjecture or judgment. The information can be of any sort, including visual information (e.g., a shape, a color, a mannerism) and verbal information (e.g., an explanation, a conversation, a report).
英訳	judging from 〜
文型	N からすると: 顔色 (complexion) からすると; 話し方からすると
例文	1. 空の様子からすると、夕方には雨になるようだ。 2. あの話し方からすると、彼女は、多分、関西地方出身の人だろう。 3. キッチンから流れてくるにおいからすると、今日の晩ご飯はカレーライスかなあ。 4. この内容からすると、このマンガは子供向けではなく、大人向けのマンガだろう。

⑭ Verb ぬ

本文	・「鳴かぬなら　殺してしまえ　ホトトギス」だね。 【会1: *l*.23】 ・「鳴かぬなら　鳴くまで待とう　ホトトギス」だからね。 【会2: *l*.41】 ・秀吉は「鳴かぬなら　鳴かせてみせよう　ホトトギス」だよ。 【会2: *l*.46】
説明	ぬ is a verb negative ending in classical Japanese and is equivalent to ない in meaning and form. For example, 言わぬ is equivalent to 言わない. In modern Japanese, it often appears in set phrases.
英訳	not
文型	V-*nai* ぬ a. *ru*-verbs: 食べぬ; 起きぬ　　b. *u*-verbs: 飲まぬ; 会わぬ　　c. irr. verbs: 来る→来ぬ; する→せぬ
例文	1. 思わぬ結果になって、びっくりしている。 2. 「聞くは一時の恥 (shame)、聞かぬは一生の恥」ですよ。だから、どんどん質問して下さい。 3. もの言わぬ (silent) 自然に代わって、自然の大切さを話したいと思う。

⑮ Noun の上で ; Noun 上（で）

本文	・歴史**上**では豊臣秀吉と並んで、日本人に最も人気がある人物の一人かな。【会1: *l*.29】
説明	Nの上で and N上 indicate that the speaker's statement refers only to N. The phrase is commonly used in written language.
英訳	in terms of; from the viewpoint of ～ ; as far as ～ is concerned; according to ～
文型	a. Nの上で：記録(record)の上で；書類(document)の上で　　b. N₁の上でのN₂: 記録の上での間違い c. N上：記録上；書類上　　d. N₁上のN₂: 記録上の間違い
例文	1. 日本の国土(national land)は狭そうに思われているが、数字**の上で**見ると、そうでもない。 2. 翻訳**の上で**の間違いが、お互いの国の間に誤解(misunderstanding)を生んでしまった。 3. この公園は地図**の上**では家から近いように見えるが、歩くと結構時間がかかる。 4. 田中さんは、健康**上**の問題があって、仕事を辞めた。 5. 日本の歴史**上**、明治維新(the Meiji Restoration)は大きい意味を持っている。

⑯ Noun と並んで

本文	・歴史上では豊臣秀吉**と並んで**、日本人に最も人気がある人物の一人かな。【会1: *l*.29】
説明	と並んで is used when introducing one or more examples to be compared to the subject of the sentence. It is used primarily in written language.
英訳	as well as; just like
文型	Nと並んで
例文	1. アラビア語は、日本語やロシア語**と並んで**難しい言葉だと言われている。 2. この大学のビジネス学部は、医学部**と並んで**入るのが難しいらしい。 3. 奈良は京都**と並んで**、古い歴史のある町で、日本の首都だったこともある。

⑰ おそらく～（だろう）

本文	・**おそらく**日本の歴史はまったく変わっていた**だろう**ね。【会1: *ll*.30-31】
説明	おそらく means "probably" and usually occurs with the conjecture auxiliaries だろう or でしょう.
英訳	probably
文型	おそらく～だろう: **Type 3**
例文	1. **おそらく**来年は、日本に行ける**だろう**。 2. 宗教の問題が解決しない限り、**おそらく**この戦争は終わらない**だろう**。 3. 今度、隣の土地に新しいビルが建つので、**おそらく**うるさくなる**でしょう**。 4. まったく同じ絵を美術館で見たことがあるから、この絵は**おそらく**偽物(imitation)**でしょう**。

⑱ まったく

本文	・おそらく日本の歴史は**まったく**変わっていただろうね。【会1: *ll*.30-31】
説明	まったく is used for emphasis in affirmative sentences. It is often used to express the speaker's emotion. In negative sentences まったく indicates complete negation. It is used with verbs (often potential verbs) and *i*-adjectives in negative sentences. まったく～（という）わけではない indicates partial negation.
英訳	まったく (in affirmative sentences) = totally; utterly; entirely; completely; extremely; absolutely; really まったく～ない = not ～ at all; not ～ in the least まったく～（という）わけではない = It's not that ～ totally/completely/extremely/etc. ～

文型	a. まったく {V/A/ANa/ANo/(の)N}：まったく {腹が立つ(to be angry)/感心 する (to be impressed)/驚 いた/あきらめた}；まったく {すごい/えらい/すばらしい}；まったく {だめだ/不思議だ}；まったく (の)うそだ；まったく (の)間違いだ；まったく (の)誤解(misunderstanding)だ
	b. まったく〜ない：まったく {出来ない/分からない/読めない}；まったく面白くない
	c. まったく〜(という)わけではない：まったくあきらめた(という)わけではない；まったく安い(という)わけではない；まったくだめ {な/だという}わけではない；まったく (の)うそ(だ)というわけではない
例文	1. 彼と私の考えは**まったく**同じだ。
	2. このレポートは**まったく**だめだ。もう一度、書き直した方がいいと思う。
	3. 教育問題に対するこの国の対策は**まったく**間違っていると思う。
	4. このカレーは辛すぎて、**まったく**食べられない。
	5. あの映画は**まったく**面白く**なかった**。時間のムダだった。
	6. 納豆は嫌いだが、**まったく**食べられないというわけではない。
	7. その人のことを**まったく**知らないというわけではないが、あまり話したことはない。

言語ノート

11

ちょっと変わったイ形容詞「多い」

「多い」はイ形容詞ですが、普通のイ形容詞と少し違います。次の例を見て下さい。

（1）a. ジョーは友達が多い。

 b. ✕ジョーは多い友達がいる。

英語ではmany friendsと言えますが、日本語ではこのように「多い友達」とは言えません。つまり、「多い」は名詞を直接修飾することが出来ないのです。many friendsと言いたい時は「多くの友達」や「たくさんの友達」と言います。"Joe has many friends."は、（1a）の他に「ジョーは多くの友達がいる」「ジョーはたくさんの友達がいる」「ジョーは友達がたくさんいる」のように言います。「多い」の他にも、これと同じような「イ形容詞」がいくつかあります。

次のような例です。

（2）少ない：この作文は間違いが少ない。✕文に少ない間違いがある。

（3）近い：スーパーが家に近い。近くのスーパーに行く。 ✕近いスーパー

（4）遠い：学校が遠い。遠くの学校に通っている。 ✕遠い学校

しかし、次のように文が名詞を修飾している場合は「多い」のような形容詞のすぐ後に名詞があってもかまいません。（[ ]の中は文）

（5）京都は ［お寺が多い］ ところだ。

（6）［家に近い］スーパーで買い物をする。

漢字表

■ RW　読み方・書き方を覚える漢字

1	歴史 R	れきし	読
2	〜を通して	〜をとおして	読
3	米	こめ	読
4	各-	かく-	読
5	広がる	ひろがる	読
6	税金	ぜいきん	読
7	支払う	しはらう	読
8	季節	きせつ	読
9	気にする	きにする	読
10	非常（な）	ひじょう（な）	読
11	交 R 流スル	こうりゅうスル	読
12	-風	-ふう	読
13	用いる	もちいる	読
14	〜と共に	〜とともに	読
15	戦う	たたかう	読
16	後半	こうはん	読
17	当時	とうじ	読
18	西洋	せいよう	読
19	目指 R す	めざす	読
20	-同士	-どうし	読
21	近代化スル	きんだいかスル	読
22	政府 R	せいふ	読
23	加える	くわえる	読
24	過 R 去	かこ	会1
25	近代的（な）	きんだいてき（な）	会1
26	不良	ふりょう	会1
27	Noun上（で）	〜じょう（で）	会1
28	〜と並んで	〜とならんで	会1
29	泊まる	とまる	会2

■ R　読み方を覚える漢字

1	輸入スル	ゆにゅうスル	読
2	独自（の）	どくじ（の）	読
3	半島	はんとう	読
4	天候	てんこう	読
5	効率（よく）	こうりつ（よく）	読
6	生産スル	せいさんスル	読
7	法律	ほうりつ	読
8	建築	けんちく	読
9	服装	ふくそう	読
10	恋愛	れんあい	読
11	発展スル	はってんスル	読
12	確立スル	かくりつスル	読
13	〜に至るまで	〜にいたるまで	読
14	貿易スル	ぼうえきスル	読
15	統一スル	とういつスル	読
16	興味	きょうみ	読
17	積極的（な）	せっきょくてき（な）	読
18	江戸	えど	読
19	郵便	ゆうびん	読
20	禁止スル	きんしスル	読
21	独特（の）	どくとく（の）	読
22	輸出スル	ゆしゅつスル	読
23	出来事	できごと	会1
24	記録スル	きろくスル	会1
25	平成	へいせい	会2
26	似る	にる	会2
27	燃える	もえる	会2
28	演じる	えんじる	会2

太字：新しい漢字
＿＿：新しい読み方
▨▨：前に習った単語
R ：前にRで習った漢字

文化ノート 7

カレーライスって日本料理？

はい、そうです！　カレーライスは日本の家庭料理の代表と言ってもいい食べ物です。日本人の「好きなメニューのベスト3」にいつも入っているカレーライス。カレールーのCMに「インド人もびっくり！」というキャッチフレーズがあるほど、とってもおいしくて、子供から大人まで誰にでも愛されています。日本はインドの次にカレーをよく食べる国だそうです。

日本的なカレーはどんな味かというと、まずあまり辛くありません。肉と野菜がたくさん入っていて、肉は牛肉、豚肉、鶏肉のどれでもOK、野菜はたまねぎ(onion)、にんじん(carrot)、じゃがいも(potato)をよく使います。そして、白いご飯の上にかけて(to pour over)、ご飯と一緒にスプーンで食べます。

カレーはもともとインド料理のスパイスですが、なぜインドのスパイスが日本に入って来て「カレーライス」という日本の料理ができたのでしょうか。簡単にカレーライスの歴史を見てみましょう。

1600年頃	インドからイギリスにインドのカレー料理が紹介される
↓	
明治時代	インドのカレー料理がイギリスから日本に入って来る。カレー料理は肉が食べやすいので、政府から肉を食べるのを勧められた日本人にとって、いい料理法だった
↓	
大正時代	野菜と肉の入った日本的なカレーの誕生。料理が簡単で食べやすいし、栄養がある(nutritious)ので、軍隊食(army food)のメニューになる
↓	
昭和時代	日本のオリジナルのインスタントのカレー粉(powder)やカレールー(roux)が開発される(to be developed)家庭でも料理がしやすくなって、大ヒット！
↓	
平成の時代	味や辛さが色々と開発されて、材料(ingredient)も様々になる 激辛(extremely hot)カレー、子供向けの甘いカレー、シーフードカレー、野菜カレー etc.

ある人が言っています。「西洋と東洋が一つの皿の上に混じって存在する。それがカレーライスだ」と。日本のカレーは様々な日本的なものを取り入れることによって、インドのカレー料理とはまったく違う料理へと変わりました。元のものの特徴を残しながら、日本の味を加える。カレーライスは日本人の性格をよく表した料理なのかもしれません。

実は、カレーにはカレーライスだけでなく、他の料理の仕方もたくさんあります。カレーうどん、カレーそば、カレー味のおせんべいなどなど。昔からの日本の食べ物とカレー味のドッキング！日本人って、伝統的なものから新しいものを作り出すのが、本当に好きな民族(ethnic group)なんですね。

言語ノート

12 副詞(句)(adverb/adverbial phrase)の名詞修飾(noun modification)
ふくし く めいし しゅうしょく

　日本語では一部の副詞(全部ではありません)が名詞を修飾することが出来ます。その場合、副詞(句)と名詞の間に「の」が付きます。

- a. <u>初めての</u>海外旅行はカナダだった。
- b. <u>この間の</u>テストはあまりよくなかった。
- c. <u>最近の</u>ファッションはあまり好きではない。
- d. 私は<u>少々の</u>熱では学校を休みません。
- e. エリカは<u>たいていの</u>ことは日本語で言える。
- f. <u>いつもの</u>コーヒーショップで会いましょう。
- g. 今学期の日本語は<u>まあまあの</u>成績だった。
- h. <u>多くの</u>学生が働きながら勉強している。(「多く」は「多い」の副詞形です。「多い学生」とは言えません。「たくさんの学生」と言うことは出来ます。)

　オノマトペも副詞の一つですが、その中にも名詞修飾が出来るものがあります。

- i. <u>ガタガタの</u>(shaky)イスしかない。
- j. <u>ピカピカの</u>(dazzling)新車に乗せてもらった。

　副詞句が名詞を修飾する例は第1課の文法ノート⑨で出ましたが、ここにもう少し例を挙げておきます。

- k. <u>明日からの</u>予定をお知らせします。
- l. <u>ジョーとの</u>デートはキャンセルした。
- m. <u>明後日までの</u>レポートをまだ書いていない。
- n. <u>相撲についての</u>論文を読んだ。

　副詞句の後に「の」がないと、動詞(verb)を修飾しますので、意味が変わったり、意味が分からない文になったりすることもあります。例えば、(k)の意味は英語で"I'm going to let you know the schedule that begins tomorrow."ですが、「の」がないと、"Starting tomorrow I'll let you know the schedule."という意味になってしまいます。同じように、(l)の意味は"I cancelled the date with Joe."ですが、「の」がないと、"With Joe I cancelled a/the date."という意味になってしまいます。また、(m)は「の」がないと、意味のない文になってしまいます。このように、「の」を忘れると意味が変わったり意味のない文になったりする場合もあるので注意しましょう。

第12課

日本の伝統工芸
こうげい

本文を読む前に

1 伝統工芸品 (traditional arts and crafts) や工芸品 (handiwork; art work) について、次の表を完成しなさい。

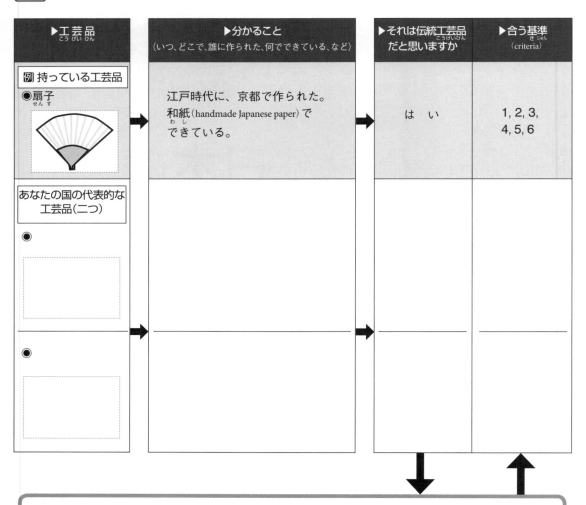

▶工芸品 こうげいひん	▶分かること (いつ、どこで、誰に作られた、何でできている、など)	▶それは伝統工芸品 こうげいひん だと思いますか	▶合う基準 きじゅん (criteria)
例 持っている工芸品 ●扇子 せんす	江戸時代に、京都で作られた。 和紙 (handmade Japanese paper) で できている。	は い	1, 2, 3, 4, 5, 6
あなたの国の代表的な 工芸品(二つ) ●			
●			

■ 日本では、「伝統工芸品」には法律で決められた6つの基準 (criteria) があります。
   こうげいひん   きじゅん

1. 特別な技術を必要とし、芸術的 (artistic) であること

2. 主に日常生活の中で使われていること

3. 主に手で作られていること

4. 作り方の基本が江戸時代までに完成していたものであること

5. 原料 (raw materials) や材料 (materials) が、木、土 (clay)、石などのような自然のものであること
   げんりょう   ざいりょう

6. どこでも作られているものではなくて、ある地方だけで作られる特別なものであること

▶あなたが表の中に書いた工芸品は、上のどの基準に合うか考えましょう。
              こうげいひん   きじゅん

2 下の写真は、日本の有名な工芸品の写真です。これらの工芸品が、どんな目的で使われるか調べて、（　　）の中にアルファベットを入れなさい。

---

a. 雨を避ける（to avoid）ため 　　d. 茶道でお茶をたてる（to prepare）ため

b. 人やお金を呼ぶため 　　e. 手を洗うため

c. 女の子の成長を祈るため 　　f. 悪いことが起きないように願うため

招き猫
まね ねこ
原材料：土（clay）
げんざいりょう　つち
目的：（　　　）

雛人形
ひな にん ぎょう
原材料：木など
げんざいりょう
目的：（　　　）

和 傘
わ がさ
原材料：紙や木など
げんざいりょう
目的：（　　　）

羽子板
は ご いた
原材料：木
げんざいりょう
目的：（　　　）

茶 筅
ちゃ せん
原材料：竹（bamboo）
げんざいりょう　たけ
目的：（　　　）

つくばい
原材料：石
げんざいりょう
目的：（　　　）

和紙からのメッセージ

1 　皆さんは「和紙」という言葉を知っていますか。和紙の「和」という字には色々な意味があり
ますが、その一つに「日本」「日本風」「日本製」という意味があります。例えば、皆さんもよく
知っている和室（わしつ）は日本風の畳（たたみ）の部屋のことで、和服（わふく）は日本の服、つまり着物のことです。だか
ら和紙は日本の紙ということになります。では、日本の紙である和紙とは、いったいどんな紙な
5 のでしょうか。

　紙は紀元前（きげんぜん）176～141年頃に中国で発明されたとされています。この紙の作り方が奈良（なら）時代
に朝鮮（ちょうせん）半島から日本に伝わってきました。中国で発明された紙がなぜ「和紙」と呼ばれるよう
になったかというと、日本にしかない植物を原料にしたり、日本独特の「流しすき」というやり
方で紙を作ったりするようになって、原料や作り方が日本風に変わってきたからです。

10 　和紙の第一の特長は、薄くて強いことです。その強さに関するエピソードの一つに、江戸のあ
る商人（しょうにん）が火事の時、大事な帳簿（ちょうぼ）が燃えないように井戸（いど）の中に隠し、火が消えた後、井戸から出
して乾かして、また使ったという話が残っています。つまり、和紙は水にぬれても破れず、もう
一度乾かせば前と同じように使えるほど強かったということです。これは、現在、私達が日常生
活で使っている紙では考えられません。

竹と和紙でできた生活用品

電気スタンド

扇子（せんす）

©ニッポン高度紙工業／平凡社『NIPPONIA』No.15

和紙（わし）	植物（しょくぶつ）	原料（げんりょう）	第一（だいいち）	特長（とくちょう）	薄くて（うす）	関する（かん）	火事（かじ）	隠し（かく）
乾かして（かわ）	破れ（やぶ）							

15　和紙には強さだけでなく柔らかさや温かさもあります。日本人は昔からこれらの和紙の特長を生かし、籠や皿のような小さい生活用品から箪笥などの大きい家具まで、日常生活に必要な様々なものに和紙を使ってきました。竹や木と和紙で作られた籠、皿、箪笥などは、どれも軽くて丈夫な上に手触りもよく、和紙の温かさが感じられます。また、和紙を通した光は柔らかく優しくなることから、障子や電気スタンドにも使われています。そして、何度も閉じたり広げたりし

20　なければならない傘や扇子には、和紙の強さと柔らかさの両方の特長が生かされています。

　和紙の使い方は時代と共に、もっと多様になってきました。例えば、和紙の新しい利用法を開発しようとした技術者達は、その薄さと強さをさらに改良し「電解コンデンサ紙」というものを生み出しました。この電解コンデンサ紙は、私達が日常的に使っているテレビ、ビデオ、携帯電話、コンピュータなどに不可欠なもので、ほとんどの電気製品がこれなしでは動かないのだそう

25　です。

　実は、面白いことに、和紙の「和」の字には、「仲良くする」「うまく混ざる」という意味もあります。日本特有の紙であり「仲良くして、うまく混ざる」という意味を持つ「和紙」は、昔も今もその特長を生かしながら、他のものと上手に混ざり合って違うものに生まれ変わっています。和紙のこのような生かされ方を考えると、和紙は私達に「調和」のメッセージを送って

30　くれているような気がしませんか。

紙の手すきの様子

電解コンデンサ紙

障子

©ニッポン高度紙工業／平凡社『NIPPONIA』No.15

柔らか	生かし	家具	竹	軽くて	丈夫	通した	光	優しく	閉じた
やわ	い	かぐ	たけ	かる	じょうぶ	とお	ひかり	やさ	と
広げる	開発	改良	不可欠	製品	仲良く	混ざる			
ひろ	かいはつ	かいりょう	ふかけつ	せいひん	なかよ	ま			

単語表

▶太字＝覚える単語

1	伝統工芸	でんとうこうげい	N	traditional craftsmanship	F
2	和紙	わし	N	Japanese paper	Ttl
3	和室	わしつ	N	Japanese-style room	
4	畳	たたみ	N	tatami mat [Japanese straw flooring]	
5	和服	わふく	N	kimono; Japanese-style clothing	3
6	紀元前	きげんぜん	N	time before Christ; B.C.	6
7	植物	しょくぶつ	N	plant	
8	原料	げんりょう	N	raw materials	
9	流しすき	ながしすき	N	Nagashisuki method（of paper making）	8
10	特長	とくちょう	N	good characteristics	
11	薄い	うすい	A	thin	10
12	商人	しょうにん	N	trader; merchant	
13	火事	かじ	N	fire	
14	帳簿	ちょうぼ	N	account book	
15	井戸	いど	N	water well	
16	（〜を）隠す	かくす	u-Vt	to hide; conceal	11
17	（〜を）乾かす	かわかす	u-Vt	to dry (clothes, etc.)	
18	（〜に）ぬれる		ru-Vi	to get wet	
19	（〜が）破れる	やぶれる	ru-Vi	to tear	12
20	柔らかい	やわらかい	A	soft; tender	15
21	籠	かご	N	basket	
22	箪笥	たんす	N	chest of drawers	
23	家具	かぐ	N	furniture	16
24	竹	たけ	N	bamboo	
25	丈夫（な）	じょうぶ（な）	ANa	strong; durable	17
26	手触り	てざわり	N	feel; touch	
27	（〜を）通す	とおす	u-Vt	to let pass; let into	
28	光	ひかり	N	light	
29	優しい	やさしい	A	tender; kind; gentle	18
30	障子	しょうじ	N	sliding door made of paper and wood	
31	（〜を）閉じる	とじる	ru-Vt	to close (book, eyes, etc.); shut	19
32	扇子	せんす	N	folding fan	20
33	多様（な）	たよう（な）	ANa	wide variety of; diverse	
34	開発	かいはつ	VN	development（of a new thing）; exploitation （of resources）| （〜を）開発する	21
35	技術者	ぎじゅつしゃ	N	engineer; technical expert	
36	さらに		Adv	additionally; further; again	
37	改良	かいりょう	VN	improvement; upgrading (of performance, quality, etc.) | （〜を）改良する	22
38	電解コンデンサ紙	でんかいコンデンサし	N	electrolytic-capacitor paper	23
39	不可欠（な）	ふかけつ（な）	ANa	indispensable; essential	
40	製品	せいひん	N	manufactured goods | 電気製品（N）electrical appliances	24

41	（〜と）仲良くする	なかよくする	Phr	to become friendly; get along well	
42	うまい		A	good; skillful; clever	
43	（〜が）混ざる	まざる	u-Vi	to mix; blend	26
44	特有（の）	とくゆう（の）	ANo	distinctive; specific	27
45	（〜に）生まれ変わる	うまれかわる	u-Vi	to appear in a different form; be reborn	28
46	調和	ちょうわ	VN	harmony; harmonization ｜（〜と/に）調和する	29

言語ノート

13　大きい vs. 大きな

「大きい/小さい」と「大きな/小さな」はどちらもよく使われますが、何が違うのでしょうか。下の例文で違いを考えてみて下さい。

(1) a. 教室には大きい日本地図がある。　　b. 私には大きな夢がある。

(2) a. ゾウは大きい体をしている。

　　b. 相撲力士を目の前で見た。とても大きな体をしていたので、びっくりした。

(3) 今は一人暮らしなので、小さい家に住んでいるが、結婚したら、大きな家に住みたい。

(4) このシャツはちょっと大きいです。もっと小さいサイズはありますか。

(5) 田中さんは心が大きな人だから、小さなことはあまり気にしない。

(6) ウォルト・ディズニーは手塚治虫に大きな影響を与えた。

(7) 家族みんなで晩ご飯を食べる時、小さな幸せを感じます。

(8) ネコや犬を捨てないで下さい。小さな命を大切にしましょう。

上の例から分かるように、「大きい/小さい」と「大きな/小さな」の主な違いを比べると次のようになります。

大きい/小さい
① 客観的（objective）、具体的（concrete）
　何かと大きさを比べる
　目に見える大きさを表現する
② 名詞を修飾する
　大きい Noun
③ 述部（predicate）として使える
　大きい（です）。
④ 活用（conjugation）がある
　大きかった（です）。
　大きくない（です）。
　大きくありません。

大きな/小さな
① 主観的（subjective）、抽象的（abstract）
　話し手の気持ちが入っている
　目に見えない大きさを表現する
② 名詞を修飾する
　大きな Noun
③ 述部として使えない。
　✘大きです。✘大きだ。✘大きなだ。
④ 活用がない
　✘大きだった。
　✘大きじゃない（です）。
　✘大きじゃありません。

「大きい/小さい」と「大きな/小さな」のどちらを使ってもいい場合がありますが、ニュアンスが変わります。次から「大きい/小さい」と「大きな/小さな」が出てきたら、その使われ方に注意してみましょう。

1　| 会話文 | 折り紙の「鶴」の作り方と千羽鶴について勇太とモニカが話している。
せんばづる　ゆうた

モニカ：　勇太、何やってんの？　あっ、折り紙？
　　　　　ゆうた

勇　太：　うん。鶴を折ってるんだ。
　　　　　つる

モニカ：　へえ、鶴って英語で何？
　　　　　　　　つる

5　勇　太：　Crane

モニカ：　そう言えば、鶴のように見えるね。
　　　　　　　　　　つる

　　　　　私も作ってみてもいい？

勇　太：　いいよ。じゃ、この紙、使って。

モニカ：　ありがとう。ね、この紙、ちょっと変わって

10　　　　　る。触った感じが普通の紙と違うみたい。
　　　　　さわ

勇　太：　これは「和紙」って言って、日本の伝統的

　　　　　な紙なんだ。

モニカ：　へえ。私も使ってもいいのかなあ。

　　　　　折り紙なんて折ったことないんだけど。

15　勇　太：　もちろんだよ。紙は見るだけじゃなくて、

　　　　　使ってこそ意味があると思うよ。

モニカ：　うん、確かにそうだね。

勇　太：　じゃ、折り方の絵を見ながら、折ってみよ

　　　　　うか。まず、①番、紙を半分に折って、三

20　　　　　角にして、それから、また、それを半分に

　　　　　折って②番の形を作る。

モニカ：　はい。こう？

勇　太：　うん、そう。で、今度は、Ⓐを開いて、Ⓑの先とⒸの先を合わせる。

モニカ：　こうするの？

25　勇　太：　そうそう。それから、③番をひっくり返して、Ⓓも同じようにすると④番の形ができ

　　　　　るだろう？　次にⒺⒻⒼの線をつけるために、一度折ってから、もう一度開く。④番

　　　　　のように線ができたね。次はちょっと難しいんだけど、Ⓗを上に上げながら、ⒺⒻの

　　　　　線に沿って⑤番のような形を作るんだよ。できるかな。

モニカ：　えっ、ちょっと複雑。もう一度やってみて。あ、できた。

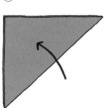
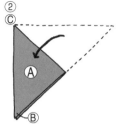
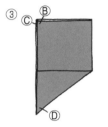
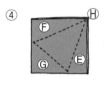
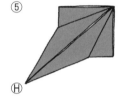
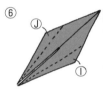
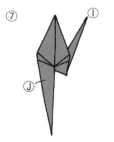
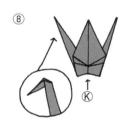

| 折り紙 | 三角 | 先 | 合わせる | ひっくり返して | 線 | 沿って |
| おがみ | さんかく | さき | あ | かえ | せん | そ |

30　勇　太： 次に、反対側も同じように折ると、⑥番のような形ができる。2本に分かれている方は、頭としっぽになって、分かれていない方は、羽になるんだ。

　　モニカ： うん。

　　勇　太： 次に、分かれている方の①と①の部分をどちらも真ん中に向けて折る。絵の線があるところを折ってみて。

35　モニカ： こう？

　　勇　太： うん、①のところを曲げてしっぽにする。それから、①のところを曲げて頭を作る。

　　モニカ： わあ〜、できた。どう？

　　勇　太： うん、なかなかよくできてるよ。初めて折ったんでしょ？　すごいね。最後に羽を広げて⑥のところから息を吹き込んで、ふくらませたら、出来上がり！

40

　　モニカ： すごい、鶴だ！　ありがとう、教えてくれて。でも、どうして、こんなにたくさん作ってるの？

　　勇　太： 日本には「千羽鶴」っていって、鶴を千羽折ると重い病気が治るっていう言い伝えがあるんだ。どうしてかは、僕も知らないんだけど。

45　モニカ： えっ、じゃあ、勇太も誰かのために折ってるの？

　　勇　太： うん。実は、高校の時の友達が入院したから、同級生みんなで彼が早くよくなるように千羽鶴を折ろうって決めたんだ。千羽できたら、糸でつないで病院に持って行くんだよ。

　　モニカ： そうなんだ。

　　勇　太： それからさ、千羽鶴は平和のシンボルでもあるんだよ。

50　モニカ： えっ、どうして平和のシンボルなの？

　　勇　太： 2歳の時、広島で原爆にあって12歳で亡くなった佐々木禎子*ちゃんていう女の子がいるんだけど。

　　モニカ： うん。

　　勇　太： その子が、病室で自分の病気がよくなるようにって、ずっと鶴を折り続けていたんだ。

55　モニカ： ふうん。

　　勇　太： それで、禎子ちゃんが亡くなった後、その話がみんなに知られるようになって、それからは、病気が治るってだけじゃなく、世界の平和も願って千羽鶴が折られるようになったんだって。

-側	分かれて	頭	羽	真ん中	曲げて	息	吹き込んで	出来上がり
治る	入院	同級生	糸	原爆	病室			

モニカ： ふうん。千羽鶴って病気で苦しんでいる人や平和のために折るんだね。鶴は誰でも折
ることが出来るし、何かのためにどんな小さなことでも自分が出来ることをするって、
いいよね。

勇　太： うん。僕もそう思う。

モニカ： ね、私にも手伝わせて。

勇　太： うん、もちろん。こっちの和紙も使って。

原爆の子の像：千羽鶴の塔　　　　　　　　　千羽鶴

＊佐々木禎子：1943年に生まれ、2歳の時広島で被爆。11歳で原爆症を発症、12歳で死亡。

単語表

▶太字＝覚える単語

会話文				
1	折り紙	おりがみ	N	origami（paper folding）	
2	鶴	つる	N	crane｜千羽鶴（N）(string of) 1000 paper cranes	1
3	（紙を）折る	おる	u-Vt	to fold（paper）	3
4	（〜に）見える	みえる	ru-Vi	to appear; seem	6
5	（〜が）変わっている	かわっている	ru-Vi	to be different	9
6	三角	さんかく	N	triangle	19
7	こう		DemP	like this; this way	22
8	先	さき	N	end; point; tip	
9	（〜を/に）合わせる	あわせる	ru-Vt	to put together; fit in	23
10	（〜を）ひっくり返す	ひっくりかえす	u-Vt	to turn over; knock over; overturn	25
11	線	せん	N	line｜線をつける（Phr）to make a line	26
12	（〜に）沿う	そう	u-Vi	to follow	28
13	-側	-がわ	Suf	side	
14	（〜に）分かれる	わかれる	ru-Vi	to branch off; divide into; split	30
15	しっぽ		N	tail［animal］	
16	羽	はね	N	wing; feather	31
17	真ん中	まんなか	N	center; middle	33
18	（〜を）曲げる	まげる	ru-Vt	to fold down; bend	36
19	息	いき	N	breath	39
20	（〜を）吹く	ふく	u-Vt	to blow; play（flute, etc.）	
21	（〜を）ふくらませる		ru-Vt	to blow up; inflate	
22	（〜が）出来上がる	できあがる	u-Vi	to be finished; be ready｜出来上がり（N）finish	40
23	-羽	-わ	Ctr	［counter for birds/rabbits］	43
24	（病気が）治る	なおる	u-Vi	to get well; be cured	
25	言い伝え	いいつたえ	N	legend; tradition	44
26	入院	にゅういん	VN	hospitalization｜（〜が）入院する to be hospitalized	46
27	糸	いと	N	string; thread	
28	（〜を）つなぐ		u-Vt	to tie; connect	47
29	原爆	げんばく	N	atomic bomb	
30	（〜に）あう		u-Vi	to encounter［undesirable nuance］	51
31	病室	びょうしつ	N	hospital room	54
32	小さ（な）	ちいさ（な）	ANa	small［used only as a noun modifier］	60
33	被爆	ひばく	VN	suffering from the bombing｜（〜が）被爆する	
34	原爆症	げんばくしょう	N	atomic bomb sickness	
35	発症	はっしょう	VN	occurrence/development（of sickness）｜（〜を）発症する	
36	死亡	しぼう	VN	death｜（〜が）死亡する	66

内容質問

📖 読み物を読んだ後で、考えてみよう。

1. 漢字の「和」にはどんな意味がありますか。「和」を使った言葉にはどんな言葉がありますか。

2. 和紙の特長は何ですか。

3. 和紙はどんなものに使われていますか。

👥 会話文を読んだ後で、考えてみよう。

1. 日本では、誰かが重い病気になった時に、あるいは、平和を祈ってどんなことをする習慣がありますか。なぜそのような習慣ができましたか。

2. あなたの国にも、誰かが病気になった時、何かしてあげる習慣がありますか。

> ◉ 答えが「はい」の場合 ➡ それはどんなことですか。
> 　　　　　　　　　　　　　 なぜそれをするようになりましたか。
>
> ◉ 答えが「いいえ」の場合 ➡ あなたはどんなことをしてあげたいと思いますか。
> 　　　　　　　　　　　　　　 それはなぜですか。

3. あなたの国や町には、どんな平和のシンボルがありますか。なぜそれが平和のシンボルになりましたか。

4. 日本は世界で唯一(sole)原爆を落とされた国ですが、そのことについて知っていましたか。どんなことを知っていましたか。何でそのことを知りましたか。

▶▶▶ みんなで話してみよう。

1. 核(nuclear(energy))の利用法(a)〜(d)の中で、あなたの国には何がありますか。それはどのような目的で何に使われていますか。□の中に話し合ったことのキーワードを入れなさい。

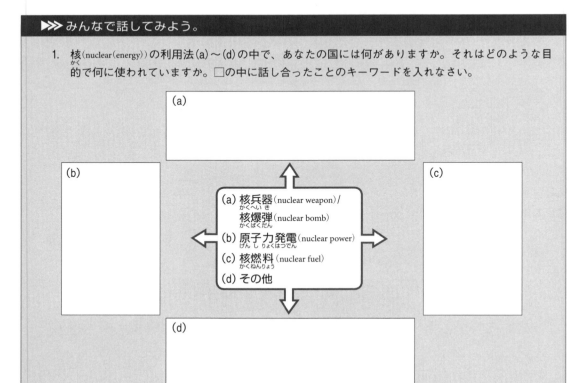

(a)

(b)

(c)

(a) 核兵器(nuclear weapon)/
核爆弾(nuclear bomb)
(b) 原子力発電(nuclear power)
(c) 核燃料(nuclear fuel)
(d) その他

(d)

2. あなたは自分の国が核(nuclear(weapon))を持つことについて、どう思いますか。

発 表　▶ものの作り方を発表する

1　■ **押し花の作り方**

皆さんは、押し花を作ったことがありますか。日本では桜や
スミレ、四葉のクローバー、紅葉の葉など、きれいな草花で押し
花を作り、しおりやカードにしたり、壁に飾ったりして楽しみま
5　す。今日は皆さんに押し花の作り方を紹介したいと思います。

作る前に用意するものですが、全部で五つあります。

① 押し花にしたい草花
② ボール紙（本か新聞でもOK）　2枚
③ ティッシュペーパー　2枚
10　④ ハサミ
⑤ クリップ　4個

まず、最初にティッシュペーパーを1枚ボール紙の上に
置きます。次に、そのティッシュペーパーの上に草花を
並べて置きます。この時、あまりたくさん置きすぎない
15　ようにして下さい。草花は花や葉を広げて、茎は折らな
いようになるべくきれいな形になるように置いて下さい。

それから、並べた草花の上に、もう1枚ティッシュペー
パーを置き、その上にボール紙を置きます。つまり、花
がティッシュとボール紙にはさまれている、サンドイッ
20　チのような状態です。

最後にクリップで、ボール紙の四つの角をとめます。花
を入れたボール紙は暗い所に置きます。4、5日そのままにして、草花が乾いたら、出来
上がり！ 出来上がりの日数は、天気や季節などによって変わりますから、注意して下さい。
押し花が出来上がったら、それを和紙にのりで貼って、しおりや手作りカードを作ってみ
25　ましょう。

| 葉 | 飾った | -枚 | -個 | 状態 | 角 | 乾いた | 日数 | 手作り |
| は | かざ | まい | こ | じょうたい | かど | かわ | にっすう | てづく |

単語表

▶太字＝覚える単語

1	押し花	おしばな	N	pressed flower	1
2	スミレ/すみれ		N	fuji dawn [flower]	
3	紅葉	もみじ	N	(Japanese) maple	
4	葉	は	N	leaf | 四葉のクローバー (Phr) four-leaf clover	
5	草花	くさばな	N	flower; flowering plant	3
6	しおり		N	bookmark	4
7	ボール紙	ボールがみ	N	cardboard	8
8	ティッシュ（ペーパー）		N	tissue（paper）	9
9	ハサミ/はさみ		N	scissors	10
10	茎	くき	N	stalk	15
11	（〜を)はさむ		u-Vt	to hold between; sandwich	19
12	状態	じょうたい	N	shape; state of things; condition	20
13	角	かど	N	corner	
14	（〜を)とめる		ru-Vt	to hold on; fasten	21
15	（〜が)乾く	かわく	u-Vi	to get dry	22
16	日数	にっすう	N	a number of days	23
17	のり		N	glue	
18	（〜に〜を)貼る	はる	u-Vt	to stick; paste	
19	手作り	てづくり	N	handmade; homemade	24

発 表

丁寧度 ★★

▶▶「ものの作り方」「何かの使い方 / 食べ方 / 書き方 / 仕方（スポーツ etc.）」などを発表しましょう。
p.279 の「押し花の作り方」や下の発表例を参考にしなさい (to refer to)。

導 入

なぜこれをクラスメートに紹介したいのかを説明する。

紹 介

◉「ものの作り方」の紹介の例

まず、用意する物ですが、_____あります。

まず、_____用意します。

では、作ってみましょう。

じゃ、今から一緒に作っていきましょう。

まず、{最初に / 初めに}_____。

{それから / その次に / 次に / そして}_____。

最後に、_____たら、出来上がりです。

出来上がったら、_____ます。

終わりの言葉

文法ノート

① いったい Question word

本文	・日本の紙である和紙とは、**いったい**どんな紙なのでしょうか。　【読: *ll.*4-5】
説明	いったい is an intensifier used with questions. It usually occurs immediately preceding the question word, but it may appear in other locations before the question word, as seen in Ex. 2.
英訳	(what, who, where, how, etc.) on earth
文型	いったい QW
例文	1. そんなにやせてしまって、**いったい**どうしたの？ 2. **いったい**あなたは何を考えてそんなことをしたんですか。 3. 会議が始まってからもう3時間以上経って (to elapse) いる。**いったい**いつ終わるのだろうか。

② Sentence とされている 👔

本文	・紙は紀元前176〜141年頃に中国で発明された**とされています**。　【読: *l.*6】
説明	とされている is used to introduce a commonly-accepted idea or belief.
英訳	it is thought/believed/considered that 〜 ; 〜 is considered/believed to 〜
文型	S-plain とされている。
例文	1. オゾン層 (ozone layer) の破壊 (destruction) が地球温暖化 (global warming) の原因の一つだ**とされている**。 2. 昔はいい**とされていた**ことが、今はよくない**とされている**ことがある。タバコはその一つだ。 3. この絵はモネによって描かれた**とされている**が、絵の中にモネのサインは入っていない。

❸ 第一 (の / に)

本文	・和紙の**第一の**特長は、薄くて強いことです。　【読: *l.*10】
説明	第一 modifies either verbs with に or nouns with or without の, and means "first." It is also used as a predicate with だ or です.
英訳	first; first of all; to begin with; the first; the primary
文型	a. 第一に V: 第一に考えられることは; 第一に挙げられる例は b. 第一の N: 第一の問題; 第一の原因; 第一の注意すべき点 c. 第一 N: 第一条件 (term); 第一印象 (impression) d. N が第一だ: 安全が第一だ; 練習が第一だ
例文	1. 家に帰って、いつも**第一に**することは、Eメールのチェックだ。 2. 試験に合格できた**第一の**理由は、覚えた言葉や漢字が全部試験に出たことだ。 3. 彼女の**第一**印象は悪かったのに、なぜか私と彼女はとてもいい友達になった。 4. 私のモットーは「健康が**第一**」です。

❹ Noun に {関する / 関して} 👔

本文	・その強さ**に関する**エピソードの一つに、江戸のある商人が火事の時、〜　【読: *ll.*10-11】
説明	に関する literally means "related to," but it is also used to mean "with regard to; concerning." に関する modifies nouns and に関して modifies verbs. について is similar in meaning to に関して, but is less formal and is used in both written and spoken language.
英訳	with regard to; regarding; concerning; about; on; related to

文型	a. N₁ に関する N₂: 日本の教育に関する問題
	b. N に関して V: 家康の政治(politics)に関してディスカッションをする
	c. N に関しては S: 読み方に関しては色々あると言われている

例文	1. この大学の図書館には、アジア経済**に関する**本がたくさんあります。
	2. ウィキペディアのこの人物**に関する**情報は正しくないようだ。
	3. 和紙の利用法**に関して**調べてみたら、とても面白いことが分かった。
	4. コンピュータの知識(knowledge)**に関して**は、彼が一番だと思う。
	5. このサイトはとても役に立つけれど、セキュリティ**に関して**は、問題が多い。

❺ 考えられない

本文	・これは、現在、私達が日常生活で使っている紙では**考えられません**。　【読: ll.13-14】
説明	考えられない(lit. cannot think) is preceded by either nouns or sentences.
英訳	unimaginable; unthinkable; inconceivable
文型	a. N{は/なんて}考えられない
	b. S-plain{ということは/なんて}考えられない
例文	1. 現代人にとって、コンピュータのない生活は**考えられない**だろう。
	2. 漢字が800も書けるようになるなんて、日本語の勉強を始めた時には**考えられなかった**。
	3. 将来、誰でも宇宙旅行が出来るようになるということは、**考えられない**ことではありません。

❻ 生かす

本文	・日本人は昔からこれらの和紙の特長を**生かし**、籠や皿のような小さい〜　【読: ll.15-16】
	・傘や扇子には、和紙の強さと柔らかさの両方の特長が**生かされ**ています。　【読: l.20】
	・昔も今もその特長を**生かし**ながら、他のものと上手に混ざり合って〜　【読: l.28】
	・和紙のこのような**生かされ**方を考えると、〜　【読: l.29】
説明	生かす literally means "to keep alive," but it is also used to mean "to make the most of one's ability, skills, experience, etc.," "to utilize to the fullest a special property of something," or "to take advantage of an opportunity."
英訳	make the most of; make the best use of; use effectively; maintain
例文	1. 将来は、自分の能力を**生かす**ことが出来る会社で働きたい。
	2. 日本人は、「サービスが第一」という考え方を、ビジネスの様々なところで**生かして**いる。
	3. プラスチック(plastic)が持つ様々な特長は、多くの製品の中で**生かされて**いる。
	4. 日本に留学した経験を**生かして**、大学の留学アドバイザーになるつもりだ。

❼ Sentence ことから 👔

本文	・和紙を通した光は柔らかく優しくなる**ことから**、〜にも使われています。　【読: ll.18-19】
説明	S ことから is used to express a reason.
英訳	because; from the fact that 〜
文型	**Type 2c**
例文	1. エコカーは空気を汚さず、ガソリン代(cost)もあまりかからない**ことから**、環境にやさしい車だと言える。
	2. どんな所にでも自動販売機が置いてある**ことから**、日本は犯罪が少ない安全な国だと言う人もいる。
	3. 土の中から魚の骨(bone)や貝(shell)などが出てきた**ことから**、ここは大昔、海だったということが分かった。

❽ Noun なし

本文	・ほとんどの電気製品がこれ**なし**では動かないのだそうです。　【読: *ll.*24-25】
説明	X なし means "without X" and is used with で to modify verbs, with の to modify nouns, and with だ to form a predicate.
英訳	without ～ ; with no ～
文型	Nなし{で/の/だ}
例文	1. 早く辞書**なし**で新聞が読めるようになりたい。 2. 今はもうコンピュータ**なし**の生活は考えられない。 3. あのレストランは週末は混んでいるけど、今日は水曜日だから、予約**なし**でも大丈夫だろう。 4. ダイエット中だから、今日はデザート**なし**だ。

❾ こそ

本文	・紙は見るだけじゃなくて、使って**こそ**意味があると思うよ。　【会: *ll.*15-16】
説明	こそ emphasizes the preceding word, phrase or clause. When こそ is used, the particles は , が and を drop.
英訳	the very ～ ; It is that ～ ; in particular; precisely; definitely; only (when, by doing ～ , etc.)
文型	a. Nこそ:今度こそ;これこそ　　　b. V-*te*こそ:(日本語で)話してこそ
例文	1. A：どうぞよろしくお願いします。 　　B：こちら**こそ**、どうぞよろしくお願いします。 2. 今年**こそ**日本に留学したいと思っている。 3. サッカーの面白さはテレビで見ているだけでは分からない。スタジアムに行って実際に見て**こそ**本当の面白さが分かるのだ。

❿ Verb-*masu* 込む

本文	・最後に羽を広げてⓀのところから息を吹き**込ん**で、ふくらませたら、出来上がり！　【会: *ll.*39-40】
説明	The compound verb base 込む can mean the following: 　a. Taking or putting something/someone into something (Exs.飲み込む;取り込む;つめ込む;押し込む) 　b. Getting into something (Exs. 入り込む; 乗り込む; 飛び込む; あがり込む) 　c. Being heavily involved in something (Exs. 考え込む; 話し込む; 寝込む) 　d. Doing something thoroughly or completely (Exs. 教え込む; 思い込む; 信じ込む)
英訳	in; into; deeply; heavily; thoroughly; completely
文型	V-*masu* 込む
例文	1. 大きい音に驚いて、ガムを飲み**込ん**でしまった。 2. この書類(document)に住所(address)と名前を書き**込ん**で下さい。 3. 日本の電車のアナウンスでは、よく「かけ**込み**乗車(rushing aboard)はおやめ下さい」と言う。 4. 昨日は、久しぶりに会った友達と一晩中話し**込ん**で、徹夜してしまった。 5. 自分は絶対に正しいと思い**込ん**でいる人とは、あまり話したくない。

⑪ ～さ (あ)

本文	・それから**さ**、千羽鶴は平和のシンボルでもあるんだよ。　【会: *l.*49】
説明	さ occurs after phrases, clauses or sentences in very casual conversation. One function is to catch the hearer's attention, but it is also used as a filler with no meaning.
英訳	(you know)
文型	phrase/clause/sentence さ

例文	1. A：あれっ、その足、どうしたの。 　　B：実は**さあ**、昨日、階段でころんじゃって**さあ**、骨(bone)、折っちゃったんだよ。 2. レストラン、予約しといたから**さ**、7時に来てね。 3. キムさんって**さあ**、フランス語がぺらぺらなんだけど、日本語も上手なんだって**さ**。すごいね。

⑫ Noun でもある

本文	・それからさ、千羽鶴は平和のシンボル**でもある**んだよ。　【会：*l.*49】
説明	X は Y でもある is used to introduce the second property of X when X has more than one property. Note that X も Y だ is used when someone/something else is also Y. Compare the following sentences: 　・田中さんは先生だ。田中さんは画家**でもある**。 　・山下さんは先生だ。田中さん**も**先生だ。
英訳	be also
文型	N/ANa でもある
例文	1. レオナルド・ダ・ビンチは芸術家**でもあり**、科学者**でもあった**。 2. 私と弟は年は3歳違うが、同じ日に生まれたので、今日は私の誕生日**でもあり**、弟の誕生日**でもある**。 3. 京都という町は、古いお寺があるだけでなく、日本の伝統文化の中心地**でもある**。 4. 私が住んでいるアパートは、周りが静かなだけでなく安全**でもある**ので、学生に人気がある。

⑬ ずっと

本文	・病室で自分の病気がよくなるようにって、**ずっと**鶴を折り続けていたんだ。　【会：*l.*54】
説明	ずっと means that a state or action is ongoing, from one point in time to another point in time (often the moment of speech).
英訳	all the time; all along; all the way; all through ~ ; throughout ~ ; ever (since); never (since)
例文	1. 今日は朝から**ずっと**雨が降っている。 2. 何年も前から**ずっと**戦争が続いている。いったいいつ終わるのだろうか。 3. 私は彼のことが小学校の時から**ずっと**好きだったんです。

⑭ Number₁、Number₂ + Counter

本文	・**4、5日**そのままにして、草花が乾いたら、出来上がり！　【発：*ll.*22-23】
説明	Two successive numbers are used to indicate an approximate number or amount.
英訳	(two or three) days/times/etc.; (three, four) hours/cars/etc.
文型	Number₁、 Number₂ + Counter 【Number₂ is the subsequent number.】： **2、3回**；**3、4時間**；**3、4日**；**5、6枚**；**5、6本**
例文	1. 今から**2、3時間**、図書館に勉強しに行ってきます。 2. あの車は、**3、4日ずっと**家の前に止まって(to park)いる。いったい誰の車なんだろうか。 3. あの人には**5、6回**会ったことがあるが、話したことは一度もない。

⑮ 〜まま

本文	・4、5日その**まま**にして、草花が乾いたら、出来上がり！　【発：*ll.*22-23】
説明	まま indicates that the state of X remains unchanged or that someone does something without changing the current state of X.
英訳	X ままだ = remain the same as ~　　X まま(で)V = V with ~ ; V while ~ ; V as (it is); V without ~ X ままにする = leave ~ as (it is)

文型	a. Nのまま：Tシャツのまま；子供のまま	b. DemAまま：このまま；そのまま；あのまま
	c. Aまま：冷たいまま	d. ANaなまま：きれいなまま
	e. V-plain.pastまま：置いたまま；作ったまま	

例文	1. 今の**まま**だと、地球温暖化(global warming)は止まらない。
	2. あの**まま**日本に残っていたら、もっと日本語が上手になっただろう。
	3. このお菓子は、冷たい**まま**食べるより、電子レンジで温めた方がおいしく食べられますよ。
	4. 疲れていたので、電気をつけた**まま**寝てしまった。ネクタイもした**まま**だった。
	5. 日本の家には、靴を履いた**まま**入ってはいけないということを知っていましたか。

言語ノート

14 The absence of particles（無助詞）

Some particles often drop in casual conversation. (a)–(g) are examples where は drops.

    a. このケーキ∅、おいしいね。（＝このケーキは）

    b. この映画∅、面白いよ。（＝この映画は）

    c. あの人∅、先生？（＝あの人は）

    d. そのコート∅、いくらだった？（＝そのコートは）

    e. これ∅、昨日デパートのセールで買ったんだ。（＝これは）

    f. はるか∅、明日のパーティに行く？　（＝はるかは（You））

    g. 僕∅、来年日本へ行くんだ。（＝僕は）

As seen above, は tends to drop when the topic noun is a demonstrative noun（これ，それ，あれ），a noun phrase with a demonstrative adjective（この／その／あのN）or a noun referring to the speaker or the hearer.

Note that は never drops even in casual conversation when は marks contrastive elements. For example, in (h) あのパイ and このケーキ are contrasted using は. Similarly, in (i) 僕 and クリス are contrasted using は. In these cases, は never drops.

    h. あのパイはまずいけど、このケーキはおいしいね。

    i. 僕は来られるけど、クリスは用事があって来られないらしいよ。

Additionally, を, へ and the directional に often drop in casual conversation, as seen in (j)–(n).

    j. これ∅、見て。（＝これを）

    k. 今、何∅、してるの？（＝何を）

    l. 後でメール∅、くれない？（＝メールを）

    m. どこ∅、行くの？（＝どこ{へ／に}）

    n. 今晩、映画∅、行かない？（＝映画{へ／に}）

As seen above, these particles tend to drop more often in questions.

漢字表

■ RW　読み方・書き方を覚える漢字

1	和紙	わ<u>し</u>	読
2	**植物**	しょくぶつ	読
3	**第**^R一	だいいち	読
4	特長	とくちょう	読
5	〜に関する	〜にかんする	読
6	火事	かじ	読
7	生かす	いかす	読
8	**軽**い	かるい	読
9	通す	とおす	読
10	**光**^R	<u>ひかり</u>	読
11	閉じる	<u>とじる</u>	読
12	**技術**^R(者)	ぎじゅつ(しゃ)	読
13	**仲**良くする	なか<u>よくする</u>	読
14	**折**^Rる	おる	会
15	**三角**	さんかく	会
16	先	<u>さき</u>	会
17	合わせる	あわせる	会
18	ひっくり返す	ひっくりかえす	会
19	**線**	せん	会
20	-側	-がわ	会
21	分かれる	わかれる	会
22	**頭**	あたま	会
23	(病気が)**治**る	なおる	会
24	入院スル	にゅういんスル	会
25	-**枚**	-まい	発
26	-個	-こ	発
27	**角**	<u>かど</u>	発
28	手作り	て<u>づくり</u>	発

■ R　読み方を覚える漢字

1	原料	げんりょう	読
2	**薄**い	うすい	読
3	**隠**す	かくす	読
4	**乾**かす/**乾**く	かわかす/かわく	読・発
5	**破**れる	やぶれる	読
6	**柔**らかい	やわらかい	読
7	家具	かぐ	読
8	**丈夫**(な)	じょうぶ(な)	読
9	**優**しい	やさしい	読
10	開発スル	<u>かいはつ</u>スル	読
11	改良スル	かいりょうスル	読
12	不可**欠**(な)	ふかけつ(な)	読
13	製品	せいひん	読
14	**混**ざる	<u>ま</u>ざる	読
15	**沿**う	そう	会
16	**羽**	はね	会
17	真ん中	まんなか	会
18	**曲**げる	まげる	会
19	**息**	いき	会
20	**吹**く	ふく	会
21	Verb込む	〜こむ	会
22	出来上がり	できあがり	会
23	-**羽**	-<u>わ</u>	会
24	**同級生**	どうきゅうせい	会
25	**原爆**	げんばく	会
26	病室	びょうしつ	会
27	葉	<u>は</u>	発
28	**飾**る	かざる	発
29	状態	じょうたい	発
30	日数	にっすう	発

太字	：新しい漢字
＿＿	：新しい読み方
▨▨▨	：前に習った単語
^R	：前にRで習った漢字

日本のものはポップでクール！ 車、オーディオ、家電(home electronics)製品、ファッション、文房具(school supplies)などなど。日本料理はカラフルでヘルシー！ 折り紙や盆栽はアートと自然のフュージョン！ アニメやマンガやゲームはサイコー！

今、日本で作り出されるものや日本から発信されるものは、「ジャパンブランド」や「クールジャパン」などと言われて世界中で人気を集めています。デザインがよくて質(quality)も高く、その上使いやすいもの。 見て美しく洗練されていて(sophisticated)芸術的なもの。実は、このような優れた(excellent)ものを作っている日本人の心の底(bottom)には、昔からずっと生き続けている伝統工芸の「ものづくり」の精神が流れています。

茶運び人形
江戸東京博物館 所蔵

例えば、今、日本のロボット技術は世界でトップクラスですが、このロボットのルーツは江戸時代に作られた伝統工芸「からくり人形」にあると言われています。「からくり人形」というのは、自分でお茶を運ぶとか、字を書くとか、楽器を演奏するとか、まるで人間のように色々な動きをする人形のことです。

当時は電気がありませんでしたから、人形を動かすためには水や砂(sand)、糸など様々なものを利用したそうで、昔のものづくりの技術のレベルの高さが分かります。

文字書き人形
東野進氏 所蔵

現代日本の「ものづくり」のキーワードは、①伝統技術を生かす ②材料(material)や質の良さ ③洗練されたデザイン ④使いやすさ ⑤安全と安心です。そのコンセプトを生かした技術を育てるため「ものつくり大学」という大学までできました。国土が狭くて資源(natural resources)が少ない日本を救う(to save)のは「ものづくりの精神」と考えている日本人は多いです。「ものづくり」という言葉は、日本の伝統の力と新しい技術と芸術的センスを融合させた(to integrate)日本人の「もの」に対する気持ちが深く表れている言葉だと言えるのではないでしょうか。

第 13 課

日本人と
自然

本文を読む前に

1 あなたが子供だった時のことを思い出して、次の表を完成しなさい。

▶よくほめてくれたのは、どんな人達ですか。
ほめられて一番嬉しかったのはどんな時ですか。

▶どんな夢を持っていましたか。
まだその夢を持ち続けていますか。

子供の頃の私

▶一番よく覚えている先生は？
どうしてその先生のことをよく覚えていますか。

▶叱られて (to be scolded) 一番悲しかったのは
どんな時ですか。

2 松尾芭蕉と小林一茶という人についてインターネットや本で調べて、下の表を完成しなさい。

▶参考 (reference) にできるサイト

とびらサイト ▶http://tobiraweb.9640.jp/ にアクセス	① [リンク集] をクリック ② [教科書に出てくるサイト] をクリック ③ [第13課] を見る	[本文を読む前に2] をクリック

▶ この二人は、何をした人達ですか。

松尾芭蕉　　　　　　　　　　　　　　　　　　　　　　小林一茶

▶ 次の文はどちらの人物についての文ですか。○をしなさい。

例	(○)	日本中を旅行して、「奥の細道」という俳句を含んだ日記を書いた。	( )
	( )	子供や動物などが好きで、それらについてたくさん俳句を作った。	( )
	( )	「わび」「さび」の気持ちを俳句に入れて、俳句を芸術にまで高めた (to raise)。	( )
	( )	人間の素直な (honest) 気持ちを表した分かりやすい俳句を作った。	( )
	( )	3歳の時に母親が亡くなり、寂しい子供時代を過ごした (to spend)。	( )
	( )	1763年に生まれて、1827年に亡くなった。	( )
	( )	1644年に生まれて、1694年に亡くなった。	( )

3 今まで見た自然の景色の中で、一番印象に残っている (to stand out in one's memory) 景色について書きなさい。

> いつ見ましたか。

> どこで、誰と見ましたか。

> 文章でその景色を描写してみましょう (to describe)。

> その景色の簡単な絵を描いてみましょう。

私と先生

石ノ森章太郎
漫画家

終戦の時、私は小学校の一年生でした。校舎が足りず、青空教室で勉強しました。

印象に残っているのが、菊地先生といって、小学校四年と五年の時の担任だった女の先生です。

小さい、二十代の優しい先生でした。もんぺ姿だったかなあ、よく僕んちの前を通りかかると、中をのぞいては声をかけてくれたものです。

暮れなずむ秋の夕暮れ。その景色を作文に書いたことがある。

だんだん日が落ちて、辺りが紫色から、だいだい色に変わっていく夕餉の煙りも。暗くなるにつれて刻一刻変わる自然描写をした。

「細かく観察して、よく書いています」と、先生はものすごくほめてくれたんです。丸坊主の頭をなでてくれた手は温かった。今でも思い出します。

勝手なもので、ほめられたことしか覚えていませんね。それで文章を書くことに興味を持った。教室でよく作文を読み上げられ、「それじゃあ、小説家になろう」というのが、僕の夢になった。

中学に進んでから、いたずらをして両手にバケツを持ったまま、立たされたことがある。怒られただけで、その先生から何かを得たという印象はないですね。

あらゆる感性を育ててくれたのは故郷の四季だったと思っている

もうひとつ、僕にとっての先生というのは、四季の移り変わりだったのではないかな。僕んちのそばに、ちっちゃい小川が流れていた。春はメダカとかフナとか、ナマズもいた。秋になると落ち葉が流れて来て、ものすごくきれいなんですねぇ。冬は氷が張り、竹を割ってスケートを作ってすべったりした。

学校の帰りがけに見た、渡り鳥が横一列になって飛んで行く光景も思い出します。心の中で「しっかり飛んで行けよ」とはげましていたんでしょうね。

自然の厳しさとか、相手に対する思いやりとか、そういった自然との触れ合いで、子供は育って行くんじゃないかなあ。あらゆる感性を育ててくれたのは、故郷の四季だったと思っている。菊地先生は野山をかけまわる子供の姿を温かく見つめていてくれたのだと思います。あの人を含めた故郷全体が僕の先生だったということかなあ。

高校を出て上京し、マンガ家になるために手塚治虫先生のところへ行った。最初に「君はコスモポリタンだね」って言われたんです。どこの国に出しても通じる、という意味の最大のほめ言葉でした。

僕は田舎から出て来たばかりで、東北なまりが気になり、コンプレックスを持っていたけど、それを全部ひっくり返してくれた。

『私と先生』石ノ森章太郎(著)
一九九〇年一月二〇日 朝日新聞

いしのもり しょうたろう

一九三八年～一九九八年。本名、小野寺章太郎。ペンネームは出身地の宮城県中田町石森からとる。高校を卒業後、上京して手塚治虫のもとで修行。主な作品に『サイボーグ009』『仮面ライダー009』『マンガ日本経済入門』など。

勝手 かって	思い出し おもだ	観察 かんさつ	細か こま	景色 けしき	姿 すがた	一代 だい	担任 たんにん	印象 いんしょう	足りず た
飛んで と	張り は	氷 こおり	四季 し	最大 さいだい	通じる つう	君 きみ	両手 りょうて	夢 ゆめ	文章 ぶんしょう

単語表

▶太字＝覚える単語

1	終戦	しゅうせん	N	end of a war	1
2	校舎	こうしゃ	N	school building	
3	（～が）足りる	**たりる**	ru-Vi	to be sufficient/enough	
4	青空教室	あおぞらきょうしつ	N	open-air classes	2
5	**印象**	**いんしょう**	N	impression｜印象に残る（Phr）to stand out in one's memory	4
6	**担任**	**たんにん**	N	homeroom teacher; person in charge	6
7	もんぺ		N	women's (traditional) work pants	
8	姿	すがた	N	appearance; figure	9
9	僕んち	ぼくんち	N	colloquial form of 僕の家	
10	（～を）通りかかる	とおりかかる	u-Vi	to happen to pass by	10
11	（～を）のぞく		u-Vt	to peep / look in	
12	（～に）声をかける	こえをかける	Phr	to talk to	11
13	暮れなずむ夕暮れ	くれなずむゆうぐれ	Phr	lingering evening glow（after a sunset）	13
14	日が落ちる	ひがおちる	Phr	the sun sets / goes down	
15	辺り	あたり	N	one's surroundings; neighborhood	15
16	紫色	むらさきいろ	N	purple color	
17	だいだい色	だいだいいろ	N	orange color	16
18	夕餉	ゆうげ	N	evening meal; supper	
19	**煙り**	**けむり**	N	smoke; fumes	17
20	刻一刻	こくいっこく	Adv	moment by moment	
21	描写	びょうしゃ	VN	description; depiction｜（～を）描写する	18
22	**細かい**	**こまかい**	A	fine; minute	20
23	ものすごい		A	to a very great extent	21
24	丸坊主	まるぼうず	N	clean-shaven head	22
25	（～を）なでる		ru-Vt	to pet; pat someone's head	23
26	（～を）思い出す	おもいだす	u-Vt	to recall; remember	24
27	**勝手（な）**	**かって（な）**	ANa	self-serving; selfish	25
28	文章	ぶんしょう	N	writing; text	27
29	**夢**	**ゆめ**	N	dream	30
30	いたずらをする		Phr	to act up（children）; get into mischief	32
31	両手	りょうて	N	both hands	
32	バケツ		N	bucket	33
33	上京	じょうきょう	VN	proceeding to the capital（Tokyo）｜（～が）上京する	37
34	**君**	**きみ**	N	you［men to friends, lovers, etc.; superiors to subordinates］	39
35	（作品を）出す	だす	u-Vt	to release; distribute（one's work）	41
36	（～が）通じる	つうじる	ru-Vi	to be understood; be accepted	
37	**最大（の）**	**さいだい（の）**	ANo	greatest; largest	42
38	ほめ言葉	ほめことば	N	words of praise	43
39	**東北なまり**	**とうほくなまり**	N	Tohoku accent	
40	（～が）気になる	きになる	Phr	to feel uneasy	

41	コンプレックス		N	inferiority complex	45
42	四季	しき	N	four seasons	
43	移り変わり	うつりかわり	N	change（of season, weather, etc.）	49
44	ちっちゃい		A	colloquial form of 小さい	
45	小川	おがわ	N	stream; brook	51
46	メダカ		N	（Japanese）ricefish	
47	フナ		N	crucian carp; gibel（freshwater fish）	52
48	ナマズ		N	catfish	53
49	落ち葉	おちば	N	fallen leaves	54
50	氷	こおり	N	ice｜氷が張る（Phr）to be frozen over	56
51	渡り鳥	わたりどり	N	migratory bird	58
52	横一列に	よこいちれつに	Phr	in a single horizontal row	
53	（〜が）飛ぶ	とぶ	u-Vi	to fly	59
54	光景	こうけい	N	sight; scene	60
55	しっかり		Adv	steadily; firmly	
56	（〜を）はげます		u-Vt	to encourage; cheer	61
57	思いやり	おもいやり	N	caring; consideration	
58	そういったNoun		DemA	that kind of	64
59	触れ合い	ふれあい	N	personal contact	65
60	感性	かんせい	N	sensibility; sensitivity	67
61	故郷	こきょう	N	hometown; native place	68
62	野山	のやま	N	hills and fields	
63	（〜を）かけまわる		u-Vi	to run around	69
64	（〜を）見つめる	みつめる	ru-Vt	to watch intently; gaze at	70

読み物・2　俳句：世界一短い詩

1　皆さんは俳句を作ったり、鑑賞したりしたことがありますか。俳句は17の音だけで作られる世界で最も短い詩です。日本語だけでなく、色々な国の言葉で楽しまれていて、世界各国の小・中学校の教科書にも紹介されています。あまりにも一般的になってしまい、俳句がもともと日本のものだということを知らない人達さえいるほどです。皆さんの中にも小・中学校の時に、自分の国の言葉で俳句を作った
5　人がいるのではないでしょうか。最近は、日本語を勉強している人達が日本語で俳句を作ることも多くなりました。下に挙げたのは、アメリカの大学生が日本語の授業で作った俳句の例です。

静かだね　　雪の音しか　　聞こえない

子が母が　　呼び合うごとく　　蝉の鳴く　（ごとく＝ように）

秋の歌　　落ちた木の葉に　　書いてある

10　春の午後　　ホームレスたち　　昼寝して

どうですか。それぞれの俳句から、どんな情景が浮かんできますか。作った人のどんな気持ちが感じられますか。この俳句に詠まれている季節はいつでしょうか。自分達と同じように日本語を勉強している若い人達の俳句だと思うと、皆さんも「ちょっといい俳句」が作れるような気がしませんか。

俳句を作るにはいくつか規則がありますが、主なものは次の三つです。

15　　　　① は＝はっとした感動、発見の喜び、想像の楽しさなどを詠み込む

　　　　② い＝いつ：季語により四季の自然や季節感を表す

　　　　③ く＝組み立て：五七五の17音で表す

①の「はっとする」というのは、何かに突然気がつくとか、驚くとか、感動するといった意味のオノマトペです。②の「いつ」を表すのは俳句を作る時の最も大切な要素で、そのために「季語」と呼ば
20　れる季節を表す俳句独特の言葉があります。季語は俳句の中に必ず一つ入れなくてはいけないという決まりがあるのですが、だいたい次の四つのカテゴリーに分類できます。括弧の中の言葉はどの季節を表していると思いますか。

　　　　1）直接季節を示す（春の海、夏に入る、秋の宵）

　　　　2）自然現象（残雪、枯れ野、五月晴れ、北風）

25　　　3）動物・植物（赤とんぼ、猫の恋、木の芽、もみじ）

　　　　4）行事・生活（田植え、こいのぼり、お正月）

③の「組み立て」で大切な五七五という音のリズムは、日本語の文の構成や語調に合っているようで、俳句だけでなく、短歌も五七五七七の決まりで詠まれ、諺、歌詞、標語などにも五七五のリズムがよく使われます。また、俳句には「かな」「けり」「や」といった言葉がよく見られますが、これ

| 俳句
はいく | 詩
し | 昼寝
ひるね | 浮かんで
う | 規則
きそく | 感動
かんどう | 発見
はっけん | 想像
そうぞう | 季語
きご | 要素
ようそ |
| 必ず
かなら | 分類
ぶんるい | 直接
ちょくせつ | 示す
しめ | 現象
げんしょう | 構成
こうせい | 歌詞
かし | | | |

らは「切れ字」と言って、俳句独特の表現です。切れ字は俳句のリズムにおける休みのようなもので、
30 使っても使わなくてもいいのですが、季語と同じで一つの俳句に１回しか使えません。

　　[俳句の形式の例]

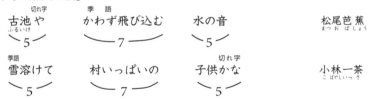

　　松尾芭蕉も小林一茶も江戸時代の俳人ですが、彼らの俳句は現在でも広く親しまれていて、多くの
日本人が彼らの句をいくつか暗唱できるほどです。芭蕉は現代の俳句の形を作った人で、俳句の中に
人生の「わび・さび」の心を表して、俳句を芸術性の高い文学として確立しました。上の句は、山の
40 中の古い静かな池が持つ「わび・さび」と、それに対する新しい命の誕生に感動した気持ちを表して
います。一方、一茶は子供や動物など、小さいもの、弱いものに対する優しい気持ちを詠んだ句が多
く、上の句もその一例です。皆さんの心の中には、一茶のこの句からどんな情景が浮かんできますか。
一茶のどんな気持ちを感じますか。

　　俳句は言葉の数が少ないため、理解や解釈が大変難しいと言えます。俳句も含めて詩の解釈とい
45 うのは、本来個人の感性に頼った自由なものですから、どのように鑑賞してもいいのですが、作者が
意図した意味を理解できるかどうかもまた、とても大切なことです。

　　それでは、俳句は何をもとに、どんなことに注意して鑑賞したらいいのでしょうか。次は俳句を鑑
賞する時に、注意すべき点です。

　　　　1）どんな場所、情景が目に浮かぶか
50 　　　　2）季節はいつか。それはどの言葉で分かるか
　　　　3）作者が見たり、聞いたりしている物事は何か
　　　　4）作者はどんなことに感動したと思うか
　　　　5）作者のどんな気持ちが伝わってくるか
　　　　6）作者のどんな性格が表われているか
55 　　　　7）どんなメタファーが使われているか
　　　　8）面白い、うまいと思った表現は？

　　この鑑賞の仕方は、自分で俳句を作る時にも参考になります。日本では、俳句は昔から人気があっ
て老若男女、様々な人達が俳句を作って楽しんでいます。携帯電話で俳句を送り合って遊ぶ若者もい
ますし、外国人が日本人以上にすばらしい俳句を発表することもあります。

60 　　皆さんもこれを機会に、いろいろな俳句を鑑賞してみてはどうでしょうか。そして、自分でも作っ
てみませんか。「世界一短い詩」の面白さを味わうことで、日本語を学ぶ喜びや楽しみがまた一つ増え
ると思います。

溶けて	親しまれ	句	池	誕生	本来	作者	意図	参考	味わう
と	した	く	いけ	たんじょう	ほんらい	さくしゃ	いと	さんこう	あじ

単語表

▶太字＝覚える単語

						Ttl
1	詩	し	N	poem		Ttl
2	鑑賞	かんしょう	VN	appreciation / viewing（of haiku, movie, painting, etc.）| （〜を）鑑賞する		1
3	蝉	せみ	N	cicada		8
4	ホームレス		N	homeless person		
5	昼寝	ひるね	VN	nap | （〜が）昼寝する		10
6	情景	じょうけい	N	visual scene		
7	（〜が）浮かぶ	うかぶ	u-Vi	to come to mind; float		11
8	（俳句を）詠む	よむ	u-Vt	to compose（haiku and tanka）		12
9	規則	きそく	N	rules; regulations		14
10	はっとする		Phr	to be startled		
11	感動	かんどう	VN	sensation; impression | （〜に）感動する to be deeply moved emotionally; be impressed		
12	発見	はっけん	VN	discovery; finding | （〜を）発見する		
13	想像	そうぞう	VN	imagination; guess | （〜を）想像する		15
14	季語	きご	N	seasonal word（in haiku）		
15	季節感	きせつかん	N	a sense of the season（s）		16
16	組み立て	くみたて	N	construction; framework		17
17	要素	ようそ	N	element		19
18	必ず	かならず	Adv	without fail; certainly		20
19	分類	ぶんるい	VN	classification; grouping | （〜を〜に）分類する		
20	括弧	かっこ	N	parenthesis		21
21	直接	ちょくせつ	Adv	directly; firsthand		
22	（〜を）示す	しめす	u-Vt	to indicate; show		
23	宵	よい	N	early evening		23
24	現象	げんしょう	N	phenomenon		
25	枯れ野	かれの	N	desolate field		
26	五月晴れ	さつきばれ	N	fine weather in early summer		24
27	赤とんぼ	あかとんぼ	N	red dragonfly		
28	木の芽	きのめ	N	leaf bud		
29	もみじ		N	（Japanese）maple		25
30	田植え	たうえ	N	rice planting		
31	こいのぼり		N	carp-shaped streamer		26
32	構成	こうせい	VN	organization; composition | （〜を）構成する to make up		
33	語調	ごちょう	N	tone（of voice）		27
34	短歌	たんか	N	31-syllable Japanese poem		
35	諺	ことわざ	N	proverb		
36	歌詞	かし	N	song lyrics		
37	標語	ひょうご	N	motto; slogan; catchword		28
38	池	いけ	N	pond | 古池（N）old pond		
39	かわず		N	frog [old word for カエル]		33

40	(〜が)溶ける	とける	ru-Vi	to melt; dissolve	35
41	俳人	はいじん	N	haiku poet	
42	(〜に)親しむ	したしむ	ru-Vi	to become familiar with | (〜に)親しまれている (ru-Vt) to be popular（among people）	37
43	句	く	N	haiku	
44	暗唱	あんしょう	VN	recitation | (〜を)暗唱する	38
45	わび		N	Japanese aesthetic concept: suggests beauty that is natural, simple, humble, asymmetric	
46	さび		N	Japanese aesthetic concept: suggests beauty that is graceful, fleeting, aged, weathered（Ex. the essence of loneliness captured in Basho's haiku）	
47	芸術性	げいじゅつせい	N	artistic quality	39
48	誕生	たんじょう	VN	birth| (〜が)誕生する to be born; come into the world	40
49	解釈	かいしゃく	VN	interpretation; explanation | (〜を)解釈する	44
50	本来	ほんらい	Adv	by nature; originally	
51	作者	さくしゃ	N	author	45
52	意図	いと	VN	intent; intention | (〜を)意図する	46
53	物事	ものごと	N	things	51
54	参考	さんこう	N	reference | 参考になる（Phr）to be of some help; serve as a reference	57
55	老若男女	ろうにゃくなんにょ	N	men and women of all ages	58
56	(〜を)味わう	あじわう	u-Vt	to appreciate; enjoy; savor	61

会話文 ▶話を発展させる（追加質問をする／感想を言う）

1 | **会話文** | マイクがホストファミリーのお父さん（加藤）と川柳について話している。

マイク： 今日、学校で俳句について勉強したんですけど、俳句ってとても面白いですね。お父

さんは誰の俳句が好きですか。

加 藤： 俳句かあ。実は、僕は俳句より、川柳の方が好きなんだけど…。

5 マイク： えっ、川柳って？

加 藤： ユーモア俳句と言ったらいいかなあ。社会風刺とか、自分の身近に起きたことを17音

で面白おかしく表現するんだよ。

マイク： へえ、俳句と同じような規則があるんですか。

加 藤： うん、俳句と同じ五七五なんだけど、でも、俳句のように規則はあまり気にしなくて

10 いいんだよ。季語も入れなくてもいいし、話し言葉で作るし。それに、17音より多

くっても、少なくってもOK。そのことを「字余り」とか「字足らず」とか言うんだ

けどね。俳句にも「字余り」「字足らず」がないわけじゃないけど、俳句の方はなるべ

く形式通りに作ろうとするね。

マイク： へええ、じゃ、川柳のほうが作りやすいですね。

15 加 藤： うん、そうだね。川柳も俳句と同じくらい歴史があって、昔から庶民に親しまれてき

たんだよ。僕は、川柳は力を持たない庶民にとって、当時の社会状況を批判する唯一

の手段だったという気がするな。

マイク： ふうん、そうなんですか。お父さん、何か面白い句を知っていますか。

加 藤： う～ん、覚えてないなあ。あれっ、俳句は色々と覚えているのに、変だねえ。

20 マイク： 不思議ですね。川柳のほうが簡単そうなのに。

加 藤： たぶん、その時々の社会的な出来事や個人的な気持ちについて詠むことが多いから、

記憶に長く残らないのかもしれないね。ちょっとインターネットでどんな川柳がある

か調べてみようか。

感想　　形式　　手段　　記憶
かんそう　けいしき　しゅだん　きおく

マイク： ええ、そうしましょう。あ、お父さん、ここに面白いのがありますよ。

25 「宿題に押しつぶされて死ぬかもね　　日本語の学生」

僕、気持ち分かるなあ。

「デジカメのエサはなんだと孫に聞く　　浦島太郎」　（第15回 第一生命サラリーマン川柳優秀作品）

笑っちゃうなあ、これ。ペンネームも最高ですね。

加　藤： マイクは浦島太郎って知ってるの？

30 マイク： はい、日本語のクラスで先生が紙芝居を見せてくれたんですよ。

加　藤： なんだ、そうか。ほら、こっちの川柳のサイトも面白いよ。ペンネームと合わせて見

るともっと面白いね。

「パパ似だと言われ泣き出すわが娘　　美人妻をもつ夫」　（第10回 第一生命サラリーマン川柳優秀作品）

「意見よりくしゃみが多い会議室　　花粉症」　　　　　　　　（第1回花粉症川柳入選作品）

35 「明日やろうそう考えるバカ野郎　　すぐにやれない人」　　　　　　　（「とびら」サイト）

マイク： お父さん、僕、今思ったんですが、俳句は自然を詠んで、川柳は人間を詠むっていう

のはどうでしょうか。

加　藤： ほお、なるほど。なかなかうまいことを言うねえ。マイク、もう一つ、あるんだよ。

俳句や川柳ばかりでなく標語やキャッチフレーズなんかも5音や7音で作られている

40 ものが多いんだ。例えば、「飲んだら乗るな乗るなら飲むな」とか「飛び出すな車は急

に止まれない」なんていう交通標語は誰でも知っているね。

マイク： あ、それなら子供でも簡単に覚えられますね。

加　藤： うん、リズムもいいしね。

マイク： お父さん、僕、もう少し、ネットで川柳や標語を探してみます。

45 加　藤： うん、また、面白いのがあったら、教えてよ。

出典：・第一生命サラリーマン川柳
　　　　　第10回、第15回入賞作品
　　　・第1回花粉症川柳
　　　・「とびら」サイト

孫	-似	娘	美人妻	夫	交通
まご	に	むすめ	びじんづま	おっと	こうつう

単語表

▶太字＝覚える単語

会話文				
1	追加	ついか	VN	addition｜（〜に〜を）追加する
2	感想	かんそう	N	impressions; thoughts	Ttl
3	**川柳**	**せんりゅう**	N	comic haiku	4
4	**ユーモア**		N	humor	
5	社会風刺	しゃかいふうし	N	satire on society	6
6	面白おかしい	おもしろおかしい	A	jocular; amusing	7
7	**形式**	**けいしき**	N	form; formality｜形式通り（Phr）according to（haiku）form	13
8	庶民	しょみん	N	common people	15
9	**唯一（の）**	**ゆいいつ（の）**	ANo	only; sole	16
10	手段	しゅだん	N	means; way; measure	17
11	その時々の	そのときどきの	Phr	at different times	21
12	記憶	きおく	VN	memory｜（〜を）記憶する to commit something to memory; memorize	22
13	（〜を）押しつぶす	おしつぶす	u-Vt	to squash; crush	25
14	デジカメ		N	short for デジタルカメラ（digital camera）	
15	**エサ／えさ**		N	food（for animals）; bait	
16	孫	まご	N	grandchild	27
17	-似	-に	Suf	to resemble（someone）	
18	（〜が）泣き出す	なきだす	u-Vi	to burst into tears; burst out crying	
19	わが		An	my	
20	娘	むすめ	N	daughter［humble form］	
21	**美人**	**びじん**	N	beautiful person; a beauty［used only for women］	
22	**妻**	**つま**	N	wife［humble form］	
23	**夫**	**おっと**	N	husband［humble form］	33
24	くしゃみ		N	sneeze	
25	会議室	かいぎしつ	N	conference room	
26	花粉症	かふんしょう	N	pollen allergy	34
27	バカ野郎	ばかやろう	N	idiot	35
28	（〜が）飛び出す	とびだす	u-Vi	to rush out; jump out	40
29	**交通**	**こうつう**	N	traffic; transportation	41

内容質問

📖 読み物を読んだ後で、考えてみよう。

1. 石ノ森章太郎の小学校の先生はどんな先生でしたか。石ノ森はなぜその先生が忘れられませんか。

2. 石ノ森にとって、学校の先生以外にどんな先生がいましたか。石ノ森はなぜそう思っていますか。

🗣 会話文を読んだ後で、考えてみよう。

1. 俳句と川柳の違いは何ですか。

2. 俳句や川柳は五七五の17音で作られています。「っ」、「ん」「きゃ」「ぴょ」などは1音として数えます。カレーの「ー」やがくせいの「い」なども1音です。次の言葉はいくつの音でできていますか。数えてみましょう。

   a. 英語　→(　　　)音　　　　b. 東京 →(　　　)音
   c. 三輪車→(　　　)音　　　　d. 一生懸命→(　　　)音

3. 次の川柳と標語はどこで五七五に分かれますか。五七五の音の切れ目に(/)を入れてみましょう。

   a. 明日やろうそう考えるバカ野郎

   b. 飛び出すな車は急に止まれない

▶▶▶ 有名な俳句を鑑賞してみよう。

1. それぞれの俳句を声に出して (to vocalize) 何回も読んでみましょう。リズムや音が切れる (to pause) ところに気をつけてください。

2. 季語と切れ字を見つけましょう。

3. 本文の「俳句の鑑賞の仕方」を参考にして、それぞれの俳句について話し合ってみましょう。

4. どの俳句が好きか話し合ってみましょう。

5. それぞれの句の作者が活躍したのは何時代でしょうか。他にどんな有名な句を残していますか。本やインターネットで調べてみましょう。

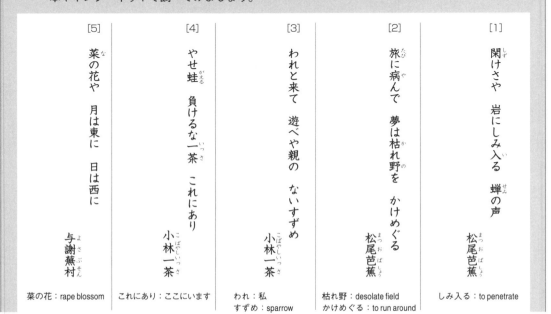

[5]
菜の花や　月は東に　日は西に
与謝蕪村

[4]
やせ蛙　負けるな一茶　これにあり
小林一茶

[3]
われと来て　遊べや親の　ないすずめ
小林一茶

[2]
旅に病んで　夢は枯れ野を　かけめぐる
松尾芭蕉

[1]
閑けさや　岩にしみ入る　蝉の声
松尾芭蕉

菜の花：rape blossom

これにあり：ここにいます

われ：私
すずめ：sparrow

枯れ野：desolate field
かけめぐる：to run around

しみ入る：to penetrate

[10]

こがらしや　海に夕日を　吹き落とす

夏目漱石

こがらし：wintry wind
夕日：the setting sun

[9]

梅一輪　一輪ほどの　あたたかさ

服部嵐雪

梅：plum blossom
一輪：a single flower

[8]

朝顔に　つるべ取られて　もらい水

加賀の千代女

朝顔：morning glory
つるべ：well bucket

[7]

桐一葉　日あたりながら　落ちにけり

高浜虚子

桐：paulownia
日があたる：to catch the sun

[6]

柿食えば　鐘が鳴るなり　法隆寺

正岡子規

柿：persimmon,　鐘：bell
法隆寺：奈良の古いお寺

＊[1]〜[10]の中で一番好きな俳句を縦（vertical）書きで書きなさい。「句から浮かぶ情景」も絵に描いてみましょう。

句から浮かぶ情景

好きな俳句

俳句か川柳を作ろう！

自分で俳句を作って「とびら」サイトの俳句川柳コーナー（http://tobiraweb.9640.jp/haiku/）に送ってください。1年に一度、「とびら」俳句川柳コンテストを行います。

>>> 目上の人やよく知らない人にインタビューを依頼する(to request)。

簡単な自己紹介の後で:

モニカ： あのう、実は、今、日本語の授業で俳句と川柳について勉強しているんです。

加　藤： そうですか。日本語で俳句を勉強しているんですか？

モニカ： はい、そうです。それで、ぜひ加藤さんに俳句や川柳についてお話を伺いたいのですが、少しお時間をいただけないでしょうか。

加　藤： ええ、いいですよ。

モニカ： ありがとうございます。加藤さんは、いつがご都合がよろしいでしょうか。

加　藤： そうですね。じゃ、明日の6時頃はどうですか。

モニカ： 明日の6時頃ですか。はい、結構です。場所は、どこがよろしいでしょうか。

加　藤： うーん、じゃ、大学の前の喫茶店はどうですか。

モニカ： あ、いいと思います。それでは、明日の6時に大学の前の喫茶店でお待ちしています。

加　藤： 分かりました。じゃ、明日、6時に喫茶店で。

モニカ： はい、ありがとうございます。どうぞよろしくお願いいたします。

>>> 目上の人やよく知らない人にインタビューする。

モニカ： 今日は、お忙しいところ、お時間を作って下さってどうもありがとうございます。

加　藤： いえいえ。

モニカ： 後でもう一度聞き直したいので、録音させて(to record)いただいてもよろしいでしょうか。

加　藤： ええ、もちろんいいですよ。

モニカ： では、インタビューを始めさせていただきます。

加　藤： はい、どうぞ。

モニカ： 今日は、俳句と川柳についてお伺いしたいんですが、加藤さんは俳句と川柳とどちらの方がお好きですか。

加　藤： うーん、川柳ですね。俳句も好きだけど。

モニカ： そうですか。実は、私も川柳の方が好きなんですが、加藤さんは、川柳の魅力はどんな点にあるとお考えですか。

加　藤： そうですね。どちらかというと、俳句より川柳の方が親しみやすいし、読んでいて笑えるという点でしょうか。

モニカ： ああ、なるほど。どうして俳句より川柳の方が親しみやすいとお感じになりますか。

(インタビューを続ける)

モニカ： 今日は、お忙しいところ、本当にありがとうございました。大変勉強になりました。加藤さんのおかげで、いいレポートが書けそうです。どうもありがとうございました。

加　藤： どういたしまして。お役に立てて、私も嬉しいです。レポート、頑張って下さい。

インタビュー 1 丁寧度（ていねいど）▶ 学生 ★★★

▸▸日本人（目上（めうえ）の人やよく知らない人）にインタビューしましょう。

　　・インタビューで聞く質問を五つ以上用意しなさい。

　　・初めて会う人には自己紹介（じこ）をしてから、インタビューを始めなさい。

▸▸▸ 目上（めうえ）の人やよく知らない人にインタビューを依頼（いらい）する（to request）。

学　生： あのう、実は、今、日本語の授業で＿＿＿＿＿＿＿＿について勉強しているんです。

日本人A： ＿＿＿＿＿＿＿＿＿。

学　生： それで、ぜひ、Aさんに＿＿＿＿＿＿＿についてお話を伺（うかが）いたいのですが、少しお時間
　　　　　をいただけないでしょうか。

日本人A： ＿＿＿＿＿＿＿＿＿。

学　生： ありがとうございます。Aさんは、いつがご都合（つごう）がよろしいでしょうか。

（会う日、時間、場所を決めて確認（かくにん）する（to confirm））

学　生： それでは、どうぞよろしくお願いいたします。ありがとうございます。

▸▸▸ 目上（めうえ）の人やよく知らない人にインタビューする。

学　生： 今日は、お忙しいところ、お時間を作って下さってどうもありがとうございます。

日本人A： ＿＿＿＿＿＿＿＿＿＿＿＿。

学　生： 後でもう一度聞き直したいので、録音（ろくおん）させて（to record）いただいてもよろしいでしょうか。

日本人A： ＿＿＿＿＿＿＿＿＿＿＿＿。

学　生： では、インタビューを始めさせていただきます。

日本人A： ＿＿＿＿＿＿＿＿＿＿＿＿。

学　生： 今日は、＿＿＿＿＿＿＿＿についてお伺（うかが）いしたいんですが、＿＿＿＿＿＿＿＿＿。

日本人A： ＿＿＿＿＿＿＿＿＿＿＿＿。

学　生： そうですか。＿＿＿＿＿＿＿＿。

（インタビューを続ける）

学　生： 今日は、お忙しいところ、本当にありがとうございました。（何か一言（ひとこと）付け加える（つ））

⚠️インタビューでは、色々なあいづちを使ってみましょう。

例： はい / ええ
　　 そうですか / そうですね
　　 なるほど
　　 その通りですね / おっしゃる通りですね
　　 そうかもしれませんね

▶▶親しい日本人にインタビューしましょう。

・インタビューで聞く質問を五つ以上用意しなさい。

▶▶▶ 親しい日本人にインタビューを依頼する (いらい)（to request）。

学　生： 実は、今、日本語の授業で＿＿＿＿＿＿＿＿＿について勉強しているんだけど。

日本人A： ＿＿＿＿＿＿＿＿＿＿。

学　生： それで、Aに＿＿＿＿＿＿＿について色々 (いろいろ) 聞きたいんだけど、ちょっと時間ない？

日本人A： ＿＿＿＿＿＿＿＿＿＿。

学　生： ありがとう。いつなら {いい/大丈夫 (だいじょうぶ)} ？

日本人A： ＿＿＿＿＿＿＿＿＿＿。

学　生： うん、分かった。場所はどこにしようか？

日本人A： ＿＿＿＿＿＿＿＿＿＿。

学　生： うん。じゃ、＿＿＿＿＿＿＿＿＿＿＿＿＿＿＿＿＿でね。ありがとう。

（会う日、時間、場所を確認する (かくにん)（to confirm））

▶▶▶ 親しい日本人にインタビューする。

学　生： 今日は、忙しいのにごめんね。

日本人A： ＿＿＿＿＿＿＿＿＿＿。

学　生： 後でもう一度聞き直したいから、録音して (ろくおん)（to record）もいいかな？

日本人A： ＿＿＿＿＿＿＿＿＿＿。

学　生： じゃ、始めるね。

日本人A： ＿＿＿＿＿＿＿＿＿＿。

学　生： 今日は、＿＿＿＿＿＿＿＿＿についてちょっと聞きたいんだけど、＿＿＿＿＿＿＿＿？

日本人A： ＿＿＿＿＿＿＿＿＿＿。

学　生： そう。＿＿＿＿＿＿＿＿＿？

（インタビューを続ける）

学　生： 今日は、ほんとにどうもありがとう。（何か一言付け加える (ひとことつ)）

▶▶インタビューの報告をしてみよう (ほうこく)（to report）。

◎ 名前：

◎ 職業 (しょくぎょう)（occupation）：

◎ 面白かった話：

◎ 勉強になったこと：

◎ その他：

文法ノート

❶ ～代(だい)

本文	・小さい二十**代**の優しい先生でした。 【読1: *ll.*8-9】
説明	The suffix 代 is used with ten or its multiples to describe someone's approximate age, or with ten or its multiples and 年 to refer to a certain decade.
英訳	10/20/30/etc. + 代 = one's teens/twenties/thirties/etc. 1900/1910/1920/etc. + 年代 = 1900s/1910s/1920s/etc.
文型	a. 10/20/30/etc. + 代　　　　b. 1900/1910/1920/etc. + 年代
例文	1. 彼は 20**代**で会社を作り、30**代**で、大金持(おおがねも)ちになった。 2. 私は 10**代**で結婚してすぐ子供を産(う)み、40**代**で孫(まご)が産まれ「おばあさん」になりました。 3. 1980 年**代**の後半から 1990 年**代**の初めにかけての日本の経済は「バブル経済」と呼ばれている。

② ～(の)姿(すがた)

本文	・もんぺ**姿**だったかなあ、～ 【読1: *l.*9】 ・野山(のやま)をかけまわる子供の**姿**を温(あたた)かく見つめていてくれたのだと思います。 【読1: *ll.*69-71】
説明	姿 means "appearance; figure." It is used to describe someone's external appearance, i.e., someone's form or physical appearance; someone's appearance in certain clothing; or the way someone appears when he/she is doing something.
英訳	N姿 = in ～; wearing ～　　　　Nの姿 = one's appearance; in ～; wearing ～ V-plain.non-past 姿 = the way one V
文型	a. N(の)姿：着物姿；女性の姿　　　　b. V-plain, non-past 姿：歩く姿；話している姿
例文	1. 日本では秋になると仕事の面接に行くスーツ**姿**の学生が増える。 2. 現代の日本の女性の**姿**を見ていると、女性は本当に強くなったなあと思う。 3. 母が病気で苦しむ**姿**を見て、私は将来医者になろうと心に決めた。

③ Verb ては、Verb

本文	・僕んちの前を通りかかると、中をのぞい**ては**声をかけてくれたものです。 【読1: *ll.*10-12】
説明	The construction V*te*は V is used when a set of actions is repeated over a period of time. V*te*は V can be repeated, as seen in Ex. 3.
英訳	V_1 and V_2 repeatedly/over and over again/many times/etc.
文型	V_1-*te*は、V_2
例文	1. 作文がうまく書けなくて、書い**ては**消し、消し**ては**書いていたら、朝になってしまった。 2. 僕の犬は散歩(さんぽ)に連れて行くと、ちょっと歩い**ては**立ち止まって鼻をクンクンさせ、なかなか前に進まない。 3. 今日は朝から、雨が降っ**ては**やみ (to stop)、降っ**ては**やみしていて嫌(いや)な天気だ。

❹ Verb たものだ

本文	・僕んちの前を通りかかると、中をのぞいては声をかけてくれた**ものです**。 【読1: *ll.*10-12】
説明	V-plain.past ものだ is used to describe in a nostalgic fashion what someone did or what happened in the past.
英訳	used to ～; would
文型	V-plain.past ものだ

例文	1. 子供の頃は、毎年夏休みになると、家族と海に泳ぎに行っ**た**ものです。 2. 大学時代は、よく遊び、よく勉強し、そしてよくスポーツを**した**ものだ。 3. 携帯電話がなかった頃は、よく友達を待たせたり、逆に待たせられたり**した**ものだが、今はすぐ連絡できるのでとても便利だ。

❺ だんだん

本文	・**だんだん**日が落ちて、辺りが 紫 色から、だいだい色に変わっていく〜 【読1: *ll.*15-17】
説明	だんだん is used to indicate that a state changes gradually. Thus, it often occurs with 〜ていく , 〜てくる and 〜くなる , 〜になる , 〜ようになる .
英訳	gradually; little by little; bit by bit
例文	1. 毎日日本語で話すようにしていると、**だんだん**上手に話せるようになりますよ。 2. 春になって、**だんだん**暖かくなってきた。 3. せっかく4年間も日本語を勉強したのに、大学を卒業してからあまり使わなかったら、**だんだん**忘れてしまった。 4. このネコ、拾ってきた時は死にそうだったけど、**だんだん**元気になったんだ。

❻ 〜につれて

本文	・暗くなる**につれて**刻一刻変わる自然描写をした。 【読1: *ll.*17-19】
説明	X につれて indicates that something takes place as X occurs. X can be either a verb or the stem of a *suru*-verb (i.e., VN).
英訳	as 〜 ; with 〜
文型	a. V-non-past.aff につれて：文法が分かるにつれて b. Nにつれて：経済の発展につれて
例文	1. 暖かくなる**につれて**、雪が溶け、木が緑になっていく。 2. 日本語が上手になる**につれて**、日本人と話すのが恥ずかしくなくなってきた。 3. 技術の進歩（progress）**につれて**、私達の生活は便利になった。

❼ Verb-*masu* 上げる

本文	・教室でよく作文を読み**上げられ**、〜 【読1: *ll.*28-29】
説明	Affixed to the *masu*-stems of verbs, 上げる forms compound verbs, adding meanings such as "finish something up," "upward" or "to a great extent." The meaning is determined by the preceding verb.
英訳	up; finish up V-ing
文型	V-*masu*上げる：書き上げる；し上げる；縛り上げる（to tie up）；磨き上げる（to polish）；読み上げる（to read aloud）；持ち上げる；立ち上げる（to start up, boot up）
例文	1. 今日中にこのレポートを書き**上げて**しまわなければならない。 2. この荷物は重すぎて誰も持ち**上げる**ことは出来ないが、機械なら簡単に持ち**上げられる**。 3. 日本語を勉強している学生達が、自分達で日本語のブログサイトを立ち**上げた**。 4. 泥棒はコンビニの店員を縛り**上げて**、レジのお金を盗んで行った。

❽ Verb-*masu* がけに

本文	・学校の帰り**がけに**見た、渡り鳥が横一列になって飛んで行く光景も〜 【読1: *ll.*58-60】
説明	がけに with the *masu*-stems of motion verbs like 行く, 来る and 帰る means "on one's way."
英訳	on one's way
文型	V-*masu*がけに (V=motion verbs)：行きがけに；来がけに；帰りがけに

例文	1. 会社への行き**がけ**に銀行によって、お金をおろして行こう。 2. 高校生の頃は、学校の帰り**がけ**に友達と映画を見たり、本屋に行ったりしたものです。

❾ ～だけで

本文	・俳句は17の音**だけで**作られる世界で最も短い詩です。　【読2: *l*.1-2】
説明	N/V だけで is used to express the idea that just X or just doing X is fine or good enough or that one can do something just with X or by doing X.
英訳	just with ～ ; just by V-ing; just V-ing (is fine/enough/etc.); just N (is fine/enough/etc.)
文型	a. N だけで: 日本語だけで;漢字の勉強だけで b. V₁-plain だけで V₂:(インターネットで)注文 {する / した}だけで c. {V-plain.non-past/N}だけで {いい / 十分 (enough) だ / etc.}:ビデオを見るだけでいい;英和辞典だけで十分だ
例文	1. 日本に行ったら、英語は使わないでなるべく日本語**だけで**生活するつもりだ。 2. この植木 (plant) は2週間に一度水をやる**だけで**いいですよ。世話が簡単です。 3. スミスさんは自分で勉強した**だけで**、日本語が話せるようになりました。 4. お金を入れてボタンを押す**だけで**、温かいラーメンが出てくる自動販売機がある。 5.「飲む**だけで**やせられる薬」などという広告 (advertisement) は信じない方がいいですよ。

⑩ あまりに(も) 👔

本文	・**あまりにも**一般的になってしまい、俳句がもともと日本のものだ～　【読2: *l*.3】
説明	あまりに(も) indicates that the degree of something is excessively high. It is commonly used in formal language.
英訳	too; excessively; so
文型	a. あまりに(も) {A/ANa だ}:あまりに(も)古い;あまりに(も)不自然だ b. あまりに(も) {Adv/ANa に/A-stem く}:あまりに(も)ゆっくり;あまりに(も)簡単に;あまりに(も)速く
例文	1. この読み物は、**あまりにも**漢字が多すぎて、何が書いてあるのかまったく理解できない。 2. 隣の家のパーティーが**あまりに**うるさかったので、警察に連絡した。 3. **あまりに**便利な生活は、人間を駄目にすると思う。

⑪ ～には

本文	・俳句を作る**には**いくつか規則がありますが、主なものは次の三つです。　【読2: *l*.14】
説明	には indicates purpose in general statements (often stating the speaker's judgment about an action in terms of its effectiveness, convenience, necessity, etc.). には can also mean "when" (＝ ～時には). Verbs or nouns can precede には . Note that when ために is used, the predicate in the main clause describes an action. Compare the following examples: ・漢字を覚える<u>には</u>フラッシュカード {が効果的だ ［judgment］ / ✗ を使っている ［action］}。 ・漢字を覚える<u>ために</u>フラッシュカード {を使っている / ✗ が効果的だ}。 ためには can be used to indicate judgment, as shown below: ・漢字を覚える {<u>には</u> / <u>ためには</u>} フラッシュカードが効果的だ。
英訳	to; in order to; for; for the purpose of; when
文型	a. V-plain.non-past.aff には : 見るには;話すには b. N には (N: the stems of suru-verbs (i.e., VN) or the direct object of する):旅行には;仕事には

例文	1. 漢字を覚える**には**、フラッシュカードを作るのが一番です。 2. 東京から京都に行く**には**、新幹線が速くて便利ですよ。 3. この情報を見る**には**、このソフトウェアをインストールする必要があります。 4. 風邪の予防(prevention)**には**、ビタミンCをたくさん取って、よく寝るのが効果的です。 5. 海外旅行**には**、このスーツケースを持って行くと便利ですよ。

⑫ だいたい

本文	・季語は〜**だいたい**次の四つのカテゴリーに分類できます。　【読2: *ll*.20-21】
説明	**だいたい** means "most; almost; nearly (all); approximate." The meaning changes depending on what **だいたい** modifies, as seen in 英訳.
英訳	**だいたい** V = mostly V; nearly V; almost V **だいたい**の N = most N; almost all N; approximate N; rough N **だいたい** Number/Amount = approximately Number/Amount
文型	a. **だいたい** V　　　b. **だいたい**の N　　　c. **だいたい** Number/Amount
例文	1. 先生の説明を聞いて、この言葉の意味は**だいたい**分かったけれど、まだ上手に使えない。 2. この大学では、**だいたい**の学生がアルバイトをしている。 3. **だいたい**の数は分かりますが、正確な(accurate)数は調べてみないと分かりません。 4. 1年生のクラスでは、**だいたい**20%ぐらいの学生が、日本に行ったことがあるようです。 5. 鍋(pot)に、**だいたい**3分の2ぐらいまで、水を入れて下さい。

⑬ Noun に {おける/おいて}

本文	・切れ字は俳句のリズム**における**休みのようなもので、〜　【読2: *l*.30】
説明	The compound particle **における** indicates the place or time of an action, event or state. The pre-verbal form is **おいて**. Both are used only in formal language.
英訳	in; at; on; during
文型	a. N$_1$ における N$_2$: 日本における生活　　　b. N において V: 日本において生活する
例文	1. アジア**における**歴史に関する問題は、解決が難しそうです。 2. 1964年に東京**において**夏のオリンピックが行われた。1998年には、長野**において**冬のオリンピックが開かれた。 3. 7時から大学のホール**において**学生会議を行います。 4. 過去**において**、その問題について誰も対策を考えなかったというわけではない。

⑭ 〜もまた

本文	・作者が意図した意味を理解できるかどうか**もまた**、とても大切なことです。　【読2: *ll*.45-46】
説明	In this usage **もまた** means the same as も; however, it is more emphatic and formal than も. また has several meanings, but in this use また is synonymous with も.
英訳	as well; also; too
例文	1. 暑いのは好きではないが、寒いの**もまた**苦手だ。 2. 日本語は話せるだけでなく、読んだり書いたり出来ること**もまた**大切です。 3. 俳句だけでなく、短歌**もまた**日本を代表する文学の一つとして知られている。

⑮ **なんだ**

本文	・ **なんだ**、そうか。　【会：*l*.31】
説明	The literal meaning of なんだ is "What is X?" However, it can also be used as an interjection to express the speaker's slight surprise.
英訳	Oh!
例文	1. A：ね、田中先生、来年、結婚するんだって！ 　 B：えー、知らなかったの。みんな知ってるよ。先生が先週クラスで話したから。 　 A：**なんだ**、そうだったんだ。私、先週、クラス休んじゃったから。 2. **なんだ**、もう食べちゃったの。一緒に食べたかったのに。 3. **なんだ**、まだ宿題終わってないの。早くしないと、授業が始まっちゃうよ。

⑯ **ほら**

本文	・ **ほら**、こっちの川柳 　　　　　　　　　せんりゅう のサイトも面白いよ。　【会：*l*.31】
説明	The interjection ほら is used to draw the hearer's attention to something.
英訳	Look!; See?; Come on!
例文	1. **ほら**、これ、見て。リリーが子犬の時の写真。かわいいねえ。 2. **ほら**、私が言った通りでしょ。 3. **ほら**、後１キロでゴールだよ。がんばれ！ 　　 あと 4. あ、ちょっと、静かにして！　**ほら**、鳥の声が聞こえる！

漢字表

■ RW　読み方・書き方を覚える漢字

1	足りる	<u>たりる</u>	読1
2	**印象**	いんしょう	読1
3	-代	-だい	読1
4	景色	<u>けしき</u>	読1
5	自然^R	しぜん	読1
6	**細**かい	こまかい	読1
7	思い出す	おもいだす	読1
8	**夢**	ゆめ	読1
9	両手	りょうて	読1
10	通じる	つうじる	読1
11	最大(の)	さいだい(の)	読1
12	気になる	きになる	読1
13	四季	<u>しき</u>	読1
14	**氷**	こおり	読1
15	**詩**	し	読1
16	感動スル	かんどうスル	読2
17	発見スル	はっけんスル	読2
18	**想像**スル	そうぞうスル	読2
19	必ず	<u>かならず</u>	読2
20	**直接**	<u>ちょくせつ</u>	読2
21	**示**す	しめす	読2
22	**池**	いけ	読2
23	作者	さくしゃ	読2
24	参考	さん<u>こう</u>	読2
25	味わう	あじわう	読2
26	感**想**	かんそう	会
27	美人	<u>びじん</u>	会
28	**妻**	つま	会
29	夫	<u>おっと</u>	会
30	交通	こうつう	会

■ R　読み方を覚える漢字

1	担任	たんにん	読1
2	**姿**	すがた	読1
3	観察スル	かんさつスル	読1
4	勝手(な)	<u>かって</u>(な)	読1
5	文章	ぶんしょう	読1
6	君	<u>きみ</u>	読1
7	(氷が)張る	はる	読1
8	飛ぶ	とぶ	読1
9	**俳句**/句	はいく/く	読2
10	昼寝スル	ひるねスル	読2
11	**浮**かぶ	うかぶ	読2
12	**規則**	きそく	読2
13	季語	きご	読2
14	要**素**	ようそ	読2
15	分類スル	ぶんるいスル	読2
16	現象	げんしょう	読2
17	構成スル	こうせいスル	読2
18	歌詞	<u>か</u>し	読2
19	溶ける	とける	読2
20	親しむ	<u>したしむ</u>	読2
21	**誕生**スル	たん<u>じょう</u>スル	読2
22	本来	ほんらい	読2
23	意図スル	い<u>と</u>スル	読2
24	形式	<u>けいしき</u>	会
25	手段	しゅだん	会
26	記**憶**スル	きおくスル	会
27	**孫**	まご	会
28	**娘**	むすめ	会

太字：新しい漢字

＿＿：新しい読み方

▨▨▨：前に習った単語

^R：前にRで習った漢字

文化 ノート **9** **和歌／短歌** わか たんか **と** **万葉集** まんようしゅう

日本には俳句の他にも和歌／短歌という五七五七七の31音で作る詩があります。そして俳句を作る人を俳人と言うのに対して、短歌を作る人は歌人と言います。和歌／短歌の歴史は俳句より古く、一番始めに作った人は、神話上の人物である天照大神の弟の須佐之男命だと言われています。なぜ31音の詩に「和歌」と「短歌」という二つの言い方があるかというと、大昔は和歌には長歌など他の形式もありましたが、平安時代以降（and later）31音の詩だけを和歌と呼ぶようになり、そして明治になって和歌は短歌と呼ばれるようになったからです。

8世紀に完成された『万葉集』という歌集は20巻（volume）で4500の歌があり、一番古い歌は4世紀始めに作られたそうです。歌の作者は天皇や貴族（aristocrat）から農民（farmer）、兵士（soldier）など様々で、男性も女性もいます。歌に詠んである内容は、恋の歌、人生の喜びや苦しみ、日常生活の描写、社会問題、子供の成長、物語やファンタジーなどがあり、『万葉集』を通して当時の人の考えや生活習慣、感情などを知ることが出来ます。『万葉集』という名前は「万の言の葉を集めた」

▶たのしい万葉集
http://www6.airnet.ne.jp/manyo/main/index.html

という意味ですが、とてもいいネーミングだと思いませんか。最近は若い人でも親しみやすいように、イラストなどを使って楽しく『万葉集』を説明したサイトもたくさん出ていて、万葉の心は現代の人の心にも深く生きていると思っている人は多いです。

現代の短歌で有名なのは俵万智という歌人が出した『サラダ記念日』という歌集ですが、その中の短歌を紹介します。五七五七七の音の切れ目に「／」を入れて、どんな情景や気持ちを詠んだ歌か考えてみましょう。

「この味がいいね」と君が言ったから七月六日はサラダ記念日

「寒いね」と話しかければ「寒いね」と答える人のいるあたたかさ

一年は短いけれど一日は長いと思っている誕生日（字余り）

『サラダ記念日』／俵万智（著）／1989年／河出書房新社

短歌は俳句のように季語はいりませんし、俳句より言葉の数が多いのでもっと気持ちを表しやすいです。俳句や川柳だけでなく短歌にも挑戦してみませんか。

言語ノート

15 Sentence-final particles（終助詞）–Part 2
しゅうじょし

3. Gendered particles

Some sentence-final particles are commonly interpreted as markers of gender. For example, な, a variant of ね, is generally thought of as masculine and is typical of male speech. Some examples follow:

    a. ハリーは明日のパーティーには行かない<u>な</u>。↗ [male]

    b. この時計は日本製だ<u>な</u>。↗ [male]

Note that な also indicates that the hearer's status is equal to or lower than that of the speaker and that they have a close relationship. In casual conversation, な with falling intonation is also commonly used by female speakers (e.g., これ、いい<u>な</u>。; 私も行きたい<u>な</u>。).

Another gendered particle, わ (with rising intonation), is a stereotypical feature of feminine speech. While widely used in literature, the use of わ is not common in actual practice, particularly among young people.

    c. 私も行く<u>わ</u>。↗ [female]

    d. このケーキ、本当においしい<u>わ</u>。↗ [female]

4. Double sentence-final particles

In some situations, two sentence-final particles are used together. For example, かな indicates that the speaker is questioning himself/herself, and in this way it is similar in function to "I wonder" in English.

    e. 今度のテストは難しい<u>かな</u>。　[self-addressed question]

    f. 今晩のパーティーには何人くらい来る<u>かな</u>。　[self-addressed question]

かな can be used with either rising intonation or falling intonation. When かな is used with rising intonation, the question sounds more like the speaker is addressing himself/herself.

Another double-particle, よね, functions similarly to ね, except that よね is used when the speaker is uncertain of his/her memory or judgment. Thus, when the speaker is certain that a statement is correct, よね cannot be used, as in (i).

    g. あの人は日本人だ<u>ね</u>。↗ [confirmation]

    h. あの人は日本人だ<u>よね</u>。↗ [confirmation; the speaker is not very certain]

    i. A：今日は暑いです {<u>ね</u> / ✖ よね}。↘ [asking for agreement]

       B：ええ、本当に。

第**14**課

日本の政治
せいじ

1 日本の国会(the Diet)や政治(politics)制度についてインターネットや本で調べて、□□から適当な言葉を選び、(　　)の中にアルファベットを入れて表を完成しなさい。

a. 自民	b. 参議院	c. 民主	d. 衆議院	e. 政党	f. 総理大臣
じみん	さんぎいん	みんしゅ	しゅうぎいん	せいとう	そうりだいじん

(　　)党　　(　　)党

公明党
こうめいとう

社会民主党
しゃかいみんしゅとう

日本共産党
きょうさんとう　　など

(　　)

▶あなたの国の政治制度を図を使って説明してみましょう！　日本語にない言葉は英語を使ってもいいです。

国会議事堂
こっかいぎじどう
(the Diet Building)

首相＝(　　)
しゅしょう

国会議員
こっかいぎいん
(member of the Diet)

(　　)　　(　　)
任期(term)4年　　任期6年
にんき　　にんき

国会

2 あなたの国の政治について、次のことを調べなさい。
せいじ

▶どんな選挙(election)がありますか。
せんきょ

▶政治家(politician)には、政治家になる前にどんな仕事をしていた人、どんなバックグラウンドを持った人が多いですか。
せいじか　　せいじか

▶選挙で勝つためにはどんなことが必要だと思われていますか。
せんきょ

▶どんな有名な政治家がいますか。(二人以上)
せいじか

読み物

政治家になるための条件

1 　あなたは今の日本の総理大臣の名前が言えるだろうか。他の日本の政治家の名前は？　残念ながら、おそらく多くの外国人は日本の政治家の名前をあまり知らないだろう。アジアの一部の国を除いて、日本の政治家は国外ではほとんど知られていないようである。なぜ国際的に知られている日本の政治家は少ないのだろうか。それには、二つの理由が考えられる。一つは、外国では日本の経済状況

5 には関心が持たれるけれど、政治への関心は低いためにメディアが日本の政治についてあまり報道しないということがある。もう一つの理由としては、日本の政治家の関心は国内に向けられることが多く、地球温暖化や貧困地域の子供の教育など、世界的問題に関してリーダーシップをとれる人物がいない、つまり、世界的に注目される政治家がいないということである。

　さて、日本ではどんな人が政治家になる、あるいは、なれるのだろうか。日本の政治の基本は議

10 会制民主主義で国会は衆議院と参議院で構成されている。人々から政治家として認められる一番の方法は、選挙で選ばれてこの衆議院議員か参議院議員になることだ。しかし、このような国会議員になることはとても難しく、「選挙戦」、すなわち、選挙のための厳しい戦いに勝たなければならない。

　では、どうすればこの戦いに勝てるのだろう。日本では昔から、選挙に勝つためには「ジバン、

15 カンバン、カバン」の三つが大切だと言われてきた。まず、「ジバン」というのは立候補をする地域のことで、候補者がその場所に地縁や血縁などの縁があれば選挙に勝てるという意味である。縁というのは「何かとのつながり」といった意味で、「ジバンがある」というのは、すなわち、出身地や出身校、知り合い、友達、親戚などを通してその地域に強いネットワークを持っているということだ。次の「カンバン」は看板のことで、候補者が有名人である、いい学歴や経歴があるな

20 ど、国民に強くアピールする個人的な条件のことを言う。例えば、テレビタレントやスポーツ選手や大学教授がよく選挙に出るのは、強い「カンバン」を持っているからだ。そして、最後の「カバン」は鞄の中に入っているお金、つまり選挙のために使えるお金のことである。選挙に使うことが出来るお金は一応法律によって決められているが、実際はそれ以上のお金が必要で、以前は「二当一落」と言って、2億円で当選、1億円で落選と言われてきた。現在は選挙制度や法律が改正さ

25 れ、昔ほどお金がかからなくなったが、それでもたくさんのお金が必要なのは事実だ。

　ここまで読んで少し不思議に思った人がいるかもしれない。選挙で勝つための条件の中に、国民

政治 せいじ	条件 じょうけん	総理大臣 そうりだいじん	除いて のぞ	国外 こくがい	関心 かんしん	報道 ほうどう	温暖化 おんだんか	貧困 ひんこん
地域 ちいき	注目 ちゅうもく	民主主義 みんしゅしゅぎ	国会 こっかい	選挙 せんきょ	議員 ぎいん	立候補 りっこうは	候補者 こうほしゃ	看板 かんばん
教授 きょうじゅ	一応 いちおう	当選 とうせん	落選 らくせん	改正 かいせい				

にとって一番大切なはずの政策が入っていないからだ。 もちろん候補者は選挙演説で、議員になったらどのような政治をしたいか、政治家として何を目指しているかといったことを話すが、残念ながら、日本で選挙の結果を左右するのは、政策よりもやはりどのぐらい強い「三バン」があるかなのだ。

30　そのため、強い「三バン」を持っていて何回も当選したことのある有名議員が政治家をやめる時には、その子供が後をついで立候補するということがよくあり、そういう人達は二世議員と呼ばれる。また、議員の中には、二世議員ばかりでなく世襲議員も多く見られる。例えば、戦後、総理大臣になった鳩山一郎の場合は、子供も孫達も政治家になったし、最近では最も長く総理大臣を務めた小泉純一郎もそんな世襲議員の一人で、祖父、父共に政治家であった。驚いたことに、2000
35　年の衆議院議員選挙で当選した候補者の約七割が二世議員や世襲議員だったというデータもある。

　しかし、21世紀に入り、日本でもようやく政策の大切さが問題にされるようになってきた。そのため、政党や議員候補者達は、マニフェスト（政権公約）を発表して選挙を戦うようになった。マニフェストというのは、政策の具体的な実行計画で、目標を数字で示し、どこからお金をもらってくるのか、いつまでに実行するのかなどを国民に分かりやすく約束するものである。最近では、国
40　政選挙だけでなく、知事や市長などが立候補する地方の選挙でも、このマニフェストが発表されるようになった。

　このように、日本の政治家達の選挙活動の仕方や内容は少しずつ変わってきている。しかし、未だに「ジバン、カンバン、カバン」に頼る候補者が少なくないのも事実だ。選挙のたびに、政治経験のない有名人、例えば、テレビタレントやスポーツ選手などが候補者になったり、引退する議員
45　の子供が親に代わって立候補したりする。そして、毎回お金に関係した選挙違反のニュースも流れる。いかに日本の選挙が「ジバン、カンバン、カバン」と結びついているかということだ。

　もちろん、二世議員や世襲議員、あるいは、有名人から議員になった人でも、政治家として立派な人はたくさんいる。しかしながら、政治は国民みんなの生活を左右するものであるから、父や家族が議員だったから、テレビで有名になったからという理由だけで、その人たちが政治家になれ
50　るとしたら、かなり問題があるのではないだろうか。また、議員を選ぶ側も、政治家の子供だから、有名人だからという理由だけで投票するといった態度を考え直す必要があると思う。 今のままの状態が続くと、将来、日本の政治はある一部の人達だけのものになってしまい、ますます国民から離れてしまう。

　日本はせっかく民主主義の国なのだから、政治家は国民一人一人が責任を持って選んでいかなけ
55　ればならない。いつか、日本人政治家の中にも世界で尊敬され、名前を知られるような人物が現れるようになるには、まず日本国民一人一人の意識を変えるべきなのだろう。

参考：『日本の論点2004』/ 文芸春秋（編）/ 2003 / 文藝春秋

政策	演説	左右	務めた	祖父	政党	具体的	実行	計画	目標
せいさく	えんぜつ	さゆう	つとめた	そふ	せいとう	ぐたい	じっこう	けいかく	もくひょう
約束	知事	市長	引退	代わって	違反	投票	態度	離れて	責任
やくそく	ちじ	しちょう	いんたい	か	いはん	とうひょう	たいど	はなれて	せきにん

単語表

▶太字＝覚える単語

#	単語	読み	品詞	意味	
1	政治	せいじ	N	politics | 政治家（N）politician	F
2	条件	じょうけん	N	conditions	Ttl
3	総理大臣	そうりだいじん	N	Prime Minister	1
4	国外	こくがい	N	outside the country	3
5	関心	かんしん	N	concern; interest	
6	報道	ほうどう	VN	news report; press story |（〜を）報道する to cover (an event); report	5
7	地球温暖化	ちきゅうおんだんか	N	global warming	
8	貧困	ひんこん	N	poverty	
9	地域	ちいき	N	area; region	
10	リーダーシップ		N	leadership | リーダーシップをとる（Phr）to act as leader	7
11	注目	ちゅうもく	VN	attention |（〜に）注目する to pay attention; take notice	8
12	民主主義	みんしゅしゅぎ	N	democracy | 議会制民主主義（N）parliamentary democracy	
13	国会	こっかい	N	National Diet	
14	衆議院	しゅうぎいん	N	Lower House; House of Representatives	
15	参議院	さんぎいん	N	Upper House; House of Councilors	10
16	選挙	せんきょ	N	election	
17	議員	ぎいん	N	member of the Diet, Congress or Parliament	11
18	選挙戦	せんきょせん	N	election campaign/race	12
19	立候補	りっこうほ	VN	candidacy |（〜に）立候補する to announce one's candidacy	15
20	候補者	こうほしゃ	N	candidate	
21	地縁	ちえん	N	territorial connection	
22	血縁	けつえん	N	blood relationship/tie	
23	縁	えん	N	connection; tie	16
24	つながり		N	connection; link; relationship	17
25	出身校	しゅっしんこう	N	alma mater	
26	知り合い	しりあい	N	acquaintance	
27	親戚	しんせき	N	relative	18
28	看板	かんばん	N	advertising sign/display	
29	経歴	けいれき	N	personal history; career	19
30	アピール		VN	appeal |（〜に/を）アピールする to appeal	
31	テレビタレント		N	TV personality/talent	20
32	教授	きょうじゅ	N	professor	21
33	当選	とうせん	VN	getting elected; winning a prize |（〜に）当選する	
34	落選	らくせん	VN	failing to be elected |（〜に）落選する	
35	改正	かいせい	VN	amendment; revision (of rules, law, etc.) |（〜を）改正する	24
36	政策	せいさく	N	policy; political measures	
37	演説	えんぜつ	VN	(political) speech | 演説する | 選挙演説（N）campaign speech	27
38	（〜の）後をつぐ	あとをつぐ	Phr	to follow in someone's footsteps	
39	二世	にせい	N	second generation	31
40	世襲	せしゅう	N	heredity	32

41	（〜を）務める	つとめる	ru-Vt	to serve; fill a post	33
42	ようやく		Adv	finally	36
43	政党	せいとう	N	political party	
44	公約	こうやく	N	public commitment/promise｜政権公約（N）manifesto	37
45	具体的（な）	ぐたいてき（な）	ANa	concrete; tangible; definite	
46	実行	じっこう	VN	action; execution｜（〜を）実行する to put (one's) ideas into action	
47	計画	けいかく	VN	plan; planning｜（〜を）計画する	
48	目標	もくひょう	N	aim; target	38
49	国政	こくせい	N	national politics	39
50	知事	ちじ	N	governor	
51	市長	しちょう	N	mayor	40
52	引退	いんたい	VN	retirement (from office, etc.)｜（〜を／から）引退する	44
53	（〜に）代わる	かわる	u-Vi	to take the place of; replace	
54	違反	いはん		violation (of a law, a rule, etc.)｜（〜に）違反する	45
55	（〜と／に）結びつく	むすびつく	u-Vi	to be connected/related	46
56	投票	とうひょう	VN	vote｜（〜に）投票する	
57	態度	たいど	N	attitude; manner	51
58	（〜から）離れる	はなれる	ru-Vi	to move away; separate	53
59	一人一人	ひとりひとり	N	each and every person	
60	責任	せきにん	N	responsibility	54
61	いつか		Adv	some day; one day	55

討論 ▶意見を言う / 賛成をする / 反対をする

| 1 | **トピック** | 選挙について | ●参加者：ミラー（司会）、吉田、市川、林、中村 |

司　会：皆さん、今日は、僕の日本の政治に関するレポートのために集まっていただいてどう
　　　　もありがとうございます。もうすぐ参議院選挙がありますので、日本の選挙について
　　　　色々お聞きしたいので、どうぞよろしくお願いします。

5　一　同：よろしくお願いします。

司　会：私はアメリカ人なので、日本の選挙権は持っていませんが、皆さん、選挙権は？

市　川：僕はまだ19歳なので選挙権はありません。日本は20歳になるまで投票できないんで
　　　　す。

司　会：市川さん以外の三人の方は全員選挙権を持っておられるんですか。

10　三　人：（うなずく）ええ、あります。

市　川：司会者のミラーさんの国はどうですか。

司　会：私の国は18歳です。

市　川：へえ、早いんですね。大学1年で投票できるんですね。

司　会：ええ、そうです。あのう、選挙が近づいてきて、最近「無党派」という言葉をよく聞
15　　　くんですが、若い人で政治に無関心な人達のことをそう呼ぶんでしょうか。

吉　田：そういう意味もあるかもしれませんが、普通は、政治的関心はあるけれど支持をした
　　　　い政党がなくて、マスメディアの報道に左右されて投票する人達のことを言うんじゃ
　　　　ないでしょうか。選挙って人気投票のようなものですからね。だからプロレスラーな
　　　　んかが当選するんですよ。

20　中　村：そうでしょうか。私の考えはちょっと違います。実は私は無党派の一人なんですが、
　　　　でも、選挙のたびにどの候補者に投票すべきか真剣に考えてますよ。メディアの報道
　　　　も一応参考にしますが。

　　林：そうですか。じゃ、中村さんは誰かと選挙について話したりしますか。

中　村：ええ、家族で話すこともありますが、両親はある政党を強く支持しているから、話が
25　　　合わなくていつも喧嘩になっちゃって…。選挙の時期になると家庭内の雰囲気が悪く
　　　　なるんですよ。

一　同：（笑う）

| 討論 | 司会 | 選挙権 | 全員 | 無関心 | 支持 | 真剣 | 時期 | -内 | 雰囲気 |
| とうろん | しかい | せんきょけん | ぜんいん | むかんしん | しじ | しんけん | じき | ない | ふんいき |

林 　：私は無党派というのは、二つのグループに分かれているように思うんです。一つは、
　　　政治にあまり興味がない人達で、選挙に行くのは当日の天気次第なんて思ってる人達、
　　　そして、もう一つは、政党ではなく、各候補者の性格や考え方、マニフェストなどに
　　　よって投票を決める人達です。どちらの場合も若い人達だけとは限らないんじゃない
　　　ですか。

司 会：そうですか。じゃ、無党派って、悪い意味だけではないんですね。ところで、日本の
　　　選挙の投票率はどうなんでしょうか。

中 村：大都市は低いですね。田舎に行くほど高くなるようだけど、無党派も大都市の方が多
　　　いんです。私は選挙に投票するのは、国民の義務だと思うんだけど。

吉 田：選挙が面白くないんですよ、どの政党も同じようなことしか言わないから。政党にも
　　　候補者にも魅力がないんですよ。

林 　：私もそう思いますけど、でも、選挙が面白い必要があるんでしょうか。選挙がショー
　　　のようになるのは、私はあまりいいとは思いませんが。

市 川：そうですか。面白ければ、みんなの関心が高くなって、いいと思うけど。

司 会：なるほど、そういう考え方もありますね。それでは、テレビタレントやプロレスラー
　　　が政治家になることについてどう思われますか。

林 　：私はいいことだとは思いませんね。政治をあまり知らない人が国会に行って何が出来
　　　るのかなって思います。プロレスラーはリングの中で戦っていればいいんですよ。

一 同：（笑い）

市 川：林さん、それって偏見ですよ。

林 　：そうかなあ…、偏見かなあ。

中 村：あのう、これは私の個人的な意見ですが、政治のプロばかりで政治をしていると、一般
　　　の人達の声が政治に反映されないんじゃないかって思うんですよ。

市 川：僕も中村さんの意見に賛成ですね。国民が政治にどんどん参加するためには、いろん
　　　な職業の人達が国会議員になるのは、いいことなんじゃないでしょうか。ミラーさん
　　　の国ではどうですか。

司 会：私の国にも映画スターやスポーツ選手から政治家になった人達が何人かいますが、評価
　　　は色々ですね。中には政治家として立派な仕事をした人もいますよ。

吉 田：でも、議員は国民の代表として税金を使って政治をするんだから、やっぱりテレビ
　　　タレントが政治家になるのはねえ…。

| 当日 | 次第 | 限らない | 偏見 | 反映 | 職業 | 評価 |
| とうじつ | しだい | かぎ | へんけん | はんえい | しょくぎょう | ひょうか |

司　会：　政治はプロがするべきか、プロでなくてもいいのか、難しいところですね。

市　川：　あのう、政治のプロってどういう人達ですか。政治家の家に生まれて育った人達のこ
60　　　　　とですか。

　　林：　うーん、いい質問ですね。政治のプロって「ジバン、カンバン、カバン」を持ってい
　　　　　る人のことじゃないかなあ。

吉　田：　林さん、それ古いですよ。今は、マニフェストなどで自分の政治的ゴールを国民に
　　　（はやし）
　　　　　ちゃんと示せる人のことを、政治のプロって言うんじゃないですか。

65　中　村：　じゃ、マニフェストがきちんとしていれば、テレビタレントでもいいわけですよね。

市　川：　それはそうかもしれませんが、じゃあ、マニフェストの作り方ってどうやって勉強
　　　　　するんですか、政治を全然知らない人が…。

　　林：　政治家がすべきことって、マニフェストだけじゃないですよ。マニフェストは政治家
　　　　　になりたい人が選挙に当選したら何をするかを具体的に示すものですから、ゴールで
70　　　　　はないんです。ゴールはマニフェストの内容が本当に実行されるかどうか、そして、
　　　　　国民がその結果を支持するかどうかじゃないですか。

中　村：　確かにそうですね。

（議論は続く）

（※2009年の公職選挙法に基づく）

議論
（ぎ　ろん）

単語表

▶太字＝覚える単語

1	**討論**	**とうろん**	VN	debate; discussion｜（～について）討論する	Ttl
2	参加者	さんかしゃ	N	participant	
3	**司会（者）**	**しかい（しゃ）**	N	moderator; chairperson	1
4	一同	いちどう	N	all present	5
5	**選挙権**	**せんきょけん**	N	right to vote	6
6	全員	ぜんいん	N	all members	9
7	（～が）うなずく		u-Vi	to nod	10
8	無党派	むとうは	N	political independents	14
9	**無関心（な）**	**むかんしん（な）**	ANa	apathetic; indifferent	15
10	**支持**	**しじ**	VN	support; back up｜（～を）支持する	16
11	人気投票	にんきとうひょう	N	popularity contest	18
12	**真剣（な）**	**しんけん（な）**	ANa	serious; earnest	21
13	**話が合わない**	**はなしがあわない**	Phr	to disagree with（each other）	24
14	時期	じき	N	time; period; season	
15	**–内**	**–ない**	Suf	within	
16	雰囲気	ふんいき	N	atmosphere; mood	25
17	当日	とうじつ	N	that day; the day（of an event）	29
18	もう一つ	もうひとつ	Phr	another; one more	30
19	大都市	だいとし	N	metropolis; large city	35
20	偏見	へんけん	N	prejudice; narrow view	47
21	**反映**	**はんえい**	VN	reflection｜（～を～に）反映する to reflect	50
22	いろんな		ANa	colloquial form of 色々な	51
23	職業	しょくぎょう	N	occupation	52
24	**評価**	**ひょうか**	VN	evaluation; value｜（～を）評価する	54
25	**議論**	**ぎろん**	VN	argument; discussion｜（～について）議論する to argue a point	73

内容質問

📖 本文を読んだ後で、考えてみよう。

1. 日本で選挙に勝つために必要だと言われている三つの大切なものは何ですか。それぞれについてどんなものか説明しなさい。

2. 日本で「二世議員」や「世襲議員」と呼ばれているのは、どのような人達ですか。あなたの国にもそういう政治家達がいますか。

3. 日本の昔の選挙と現在の選挙ではどんなことが違いますか。

👥 会話を読んだ後で、考えてみよう。

1. 無党派というのは何ですか。

2. あなたは討論の会話の中で何行目の誰の意見に賛成ですか。反対ですか。
「なぜかというと〜」の表現を使って理由も説明しなさい。

▶▶▶ みんなで話してみよう。

1. あなたの国の「政治家になるための条件」にはどんなものがありますか。

2. あなたの国には国際的に知られている政治家がいますか。

   ◉ 答えが「はい」の場合 ➡ その人について説明して下さい。歴史上の人物でも、現在活躍している人でもいいです。

   ◉ 答えが「いいえ」の場合➡ あなたの国の政治家の中で、外国の人にも知ってもらいたい人はいますか。歴史上の人物でも、現在活躍している人でもいいですが、その人について説明して下さい。

3. あなたの国の政治家は、選挙の時、主にどんなことについて話しますか。

4. あなたの国にもテレビタレントやスポーツ選手など、政治と関係がない世界から政治の世界に入った人がいますか。その人は政治家になる前は何をしていましたか。

5. あなたは政治家にどんなことを求めていますか。あなたにとって、政治家がどの政党に入っているか、あるいは、どんな宗教を信じているかなどは大切なことですか。

6. あなたは将来、政治家になることに興味がありますか。ありませんか。もし政治家になったら、どんなことをしたいですか。

モデル会話 モニカがインターンをしている日本の会社の会社員と選挙について話す。

会社員： アメリカでは、大統領(President)を決める選挙には一般市民(ordinary citizens)も投票するんだそうですね。

モニカ： ええ、一応。

会社員： えっ、一応って？

モニカ： 18歳以上なら、誰でも投票できるんですが、投票率はそんなに高くないんです。

会社員： へえ、そうなんですか。

モニカ： はい。この間の選挙も、私は投票に行きましたけど、友達はほとんど行かなかったし。

会社員： そうですか。この間の選挙は、関心が高かったように思いましたが。

モニカ： ええ、でも、私の周りで行った人は、そんなにいなかったんじゃないでしょうか。

会社員： それは残念ですね。

モニカ： ええ。

会社員： 日本人もそうですけど、自分の国の政治をする人達を選ぶんだから、みんな、もっと選挙に関心を持った方がいいと、私は思いますね。

モニカ： それはそうですね。せっかく政治に直接参加できるチャンスを与えられているんだから、みんな、ちゃんと考えるべきですよね。

会社員： そうですね。

練習問題 日本語を勉強している学生Ａがインターンをしている日本の会社の会社員と選挙権について話す。

学生Ａ： 日本では、20歳になるまで、選挙権がないそうですね。

会社員： ええ、Ａさんの国では、何歳から投票できるんですか。

学生Ａ： 私の国では、＿＿＿＿＿＿＿＿＿＿＿＿＿＿＿＿＿＿＿。

会社員： そうですか。海外では、選挙権を18歳以上にしている国が多いみたいですね。

学生Ａ： そうみたいですね。

会社員： でも、18歳って、まだ高校生の人もいますよね。

学生Ａ： ええ。

会社員： 政治のことについて真剣に考えている高校生がたくさんいるとは思えませんけどね。

学生Ａ： まあ、そうかもしれませんね。

会社員： 私は日本の高校生しか知りませんが、Ａさんの国では、どうですか。

学生Ａ： 私の国では＿＿＿＿＿＿＿＿＿＿＿＿＿＿＿＿＿＿＿＿＿＿＿＿＿＿。

会社員： ああ、そうですか。

学生Ａ： ＿＿＿＿＿＿＿＿＿＿＿＿＿＿＿＿＿＿＿＿＿＿＿＿＿。

会社員： そうですね。＿＿＿＿＿＿＿＿＿＿＿＿＿＿＿＿＿＿＿。

（※2009年の公職選挙法に基づく）

会話練習 2 丁寧度 ★

モデル会話 勇太がマイクと貧困と教育について話す。 🎧

勇　太： 今度、日本の会社とNGOが協力し合って、アフリカの貧しい(poor)地域に小学校を建てるんだって。

マイク： へえ、それはいいことだね。

勇　太： うん。アフリカには「絶対的貧困」って呼ばれている人達が3億人以上もいるらしいよ。

マイク： 「絶対的貧困」ってどういうこと？

勇　太： 1日1ドル以下で生活する人達のことなんだって。

マイク： そうかあ。1日1ドル以下の生活だと、子供達が毎日学校に通うのは難しいだろうね。

勇　太： そうだね。そう考えると、小学校を建てるより、何か他のことにお金を使った方がいいのかもしれないなあ。

マイク： うん。でも、教育を通して、貧困をなくすっていう考え方もあるよ。

勇　太： それはそうだね。まず子供達が読んだり書いたりの基本的なことが出来るようになれば、お金も稼げる(to earn money)ようになるしね。

マイク： うん、僕もそう思う。それから、小学校で教える先生達のサポートもちゃんとした方がいいよね。

勇　太： ほんとに、そうだね。

練習問題 はるかがモニカと地球温暖化について話す。

はるか： 地球温暖化の問題って難しいよね。

モニカ： うん、そうだね。

はるか： 私達が出来ることって何だろ？

モニカ： うーん、何かなあ。

はるか： 私は、やっぱりみんなが車を使い過ぎる＿＿＿＿＿＿＿＿＿＿＿＿＿＿＿＿。

モニカ： それはそうかもしれないけど、＿＿＿＿＿＿＿＿＿＿＿＿＿＿＿＿。

はるか： そう？

モニカ： そうだよ。日本みたいに、バスや電車でどこへでも行けるってわけじゃないし。

はるか： ＿＿＿＿＿＿＿＿＿＿。

モニカ： 車がないと生活できない国もあると思うよ。

はるか： うん。でも、例えば、＿＿＿＿＿＿＿＿＿＿＿＿＿＿＿＿＿＿＿＿とかした方がいいと、私は思うけど。

モニカ： うん、＿＿＿＿＿＿＿＿＿＿。

ディスカッション 1 | 丁寧度 ★★

▶▶ トピックを決めてクラスで話し合いましょう。 [Aさん] [Bさん]

相手Bの意見を聞く

A　Bさんは、＿＿＿＿＿＿について、どう思いますか。

自分の意見を言う

B　これは、私の個人的な {考え / 意見} ですが、＿＿＿＿＿＿＿＿＿＿＿＿＿＿＿。

私は、＿＿＿＿＿と思います。＿＿＿＿＿＿＿＿は、考えられませんから。

私は、＿＿＿＿＿と思います。＿＿＿＿＿＿＿＿＿＿＿からです。

＿＿＿＿＿＿＿＿と、私は思います。

＿＿＿＿＿は、＿＿＿＿＿＿＿＿＿んじゃないでしょうか。

私は、＿＿＿＿＿＿＿＿＿＿＿と思うんです {が / けど} …。

＿＿＿＿＿は、＿＿＿＿＿＿＿＿＿んじゃないかと思うんです {が / けど} …。

＿＿＿＿＿は、＿＿＿＿＿＿＿＿＿ような気がするんです {が / けど} …。

相手Bの意見に賛成する

A　私 {も / は}、＿＿＿＿＿＿＿＿＿＿＿＿＿＿というBさんの意見に賛成です。

私もBさんと同じ {意見 / 考え} です。

私もそう思います。

あっ、Bさんもそう思いますか。私も、＿＿＿＿＿＿＿＿＿＿＿＿と思います。

Bさんの言う通り {ですね / だと思います}。

それ {も / は} そうですね。

それ {も / は} 言えますね。

相手Bの意見を認めながら、違う考えを言う

A　私は、Bさんの考えとは少し違って、＿＿＿＿＿＿＿＿＿＿＿＿＿＿＿と思います。

Bさんの {言うことも / 考えも} 分かりますが、
- 私は、＿＿＿＿＿＿＿＿と思います。
- 私はそうではないと思います。
- そうではないかもしれませんよ。

{それはそうなんですが / それはそうかもしれませんが}、私は、＿＿＿＿＿と思います。

うーん、どうでしょうか。私は、＿＿＿＿＿と思います。

●相手の意見について何か質問をする時

＿＿＿＿＿＿＿＿＿＿＿＿について、もう少し説明してくださいませんか。

＿＿＿＿＿＿＿＿＿＿＿＿というのは、どういうこと / 意味でしょうか。

＿＿＿＿＿は、＿＿＿＿＿＿ということ {ですか / でしょうか}。

ディスカッション 2 　丁寧度 ▶★

▶▶トピックを決めて友達と話し合いましょう。

Aさん　　Bさん

相手Bの意見を聞く

A　Bさんは、＿＿＿＿＿＿＿について、どう思う？

自分の意見を言う

B　これは、{私 / 僕} の個人的な {考え / 意見} なんだけど、＿＿＿＿＿＿＿＿＿。

{私 / 僕} は、＿＿＿＿＿って思うな。＿＿＿＿＿＿＿＿は、考えられないから。

{私 / 僕} は、＿＿＿＿＿って思うな。＿＿＿＿＿＿＿＿＿＿から。

＿＿＿＿＿＿＿＿って、{私 / 僕} は思うな。

＿＿＿＿は、＿＿＿＿＿＿＿{んじゃない？ / んじゃないかな。}

{私 / 僕} は、＿＿＿＿＿＿＿って思うんだけど…。

＿＿＿＿は、＿＿＿＿＿＿＿んじゃないかって思うんだけど…。

＿＿＿＿は、＿＿＿＿＿＿＿ような気がするんだけど…。

相手Bの意見に賛成する

A　{私 / 僕}{も / は}、＿＿＿＿＿＿＿＿＿＿＿＿というBさんの意見に賛成。

{私 / 僕} もBさんと同じ {意見 / 考え}。

{私 / 僕} もそう思う。

あっ、Bさんもそう思う？ {私 / 僕} も、＿＿＿＿＿＿＿＿＿と思うな。

Bさんの言う通り {だね / だと思うよ}。

それ {も / は} そうだね。

それ {も / は} 言える。

相手Bの意見を認めながら、違う考えを言う

A　{私 / 僕} は、Bさんの考えとは少し違って、＿＿＿＿＿＿＿＿って思うな。

Bさんの {言うことも / 考えも} 分かるけど、
{ 　{私 / 僕} は、＿＿＿＿＿って思うな。
　{私 / 僕} はそうじゃないと思うな。
　そうではないかもしれないよ。

{それはそうなんだけど / それはそうかもしれないけど}、{私 / 僕} は、＿＿＿＿＿って思うな。

うーん、{私 / 僕} は、＿＿＿＿＿＿＿＿って思うな。

◉相手の意見について何か質問をする時

＿＿＿＿＿＿＿＿＿について、もう少し説明してくれない？

＿＿＿＿＿＿＿＿＿って、どういうこと / 意味？

＿＿＿＿＿は、＿＿＿＿＿っていうこと？

文法ノート

① ～を除いて

本文	・アジアの一部の国**を除いて**、日本の政治家は国外ではほとんど～ 【読: *ll.*2-3】
説明	除く means "to remove; to get rid of." を除いて is used as a compound particle meaning "except."
英訳	except (for) ～ ; with the exception of ～ ; but ～
文型	a. Nを除いて　　b. N₁を除くN₂
例文	1. 私が重い病気だということは、両親**を除いて**誰も知らない。 2. 盲導犬 (guide dog) などのサービスドッグ**を除いて**、病院には犬を連れて入ってはいけません。 3. 留学中、沖縄**を除く**日本全国各地を友達と一緒に旅行した。

② すなわち 👔

本文	・このような国会議員になることはとても難しく、「選挙戦」、**すなわち**、選挙のための厳しい戦いに勝たなければならない。　【読: *ll.*11-13】
説明	すなわち is used to rephrase something that has just been mentioned.
英訳	that is; i.e.; namely
文型	NP₁ / S₁、すなわち NP₂ / S₂: 日本で一番大きい町、すなわち東京
例文	1. 昭和25年頃、**すなわち**1950年頃の日本は、戦争が終わったすぐ後で、みんな貧乏だった。 2. オタクの聖地 (holy place)、**すなわち**、東京の秋葉原は、電気製品が安い「電気の街」でもある。 3. 新しいアルバイトは、今までの2倍、**すなわち**、1時間当たり3千円の時給がもらえる。

❸ 一応

本文	・選挙に使うことが出来るお金は**一応**法律によって決められているが、～ [not perfectly] 【読: *ll.*22-23】 ・メディアの報道も**一応**参考にしますが。[just in case] 【討: *ll.*21-22】
説明	一応 is used when an action/state is tentative or not quite complete, perfect or satisfactory. It is also used when an action is taken as a precaution.
英訳	for the time being; for now; tentatively; although not perfectly; sort of; just in case
例文	1. 受付 (reception desk) の仕事は**一応**私たちがやることになっています。[for the time being] 2. まだ話し合わなくてはいけない問題がありますが、時間になりましたので、今日は、**一応**、これで会議を終わります。[for the time being] 3. コンピュータがフリーズする問題は**一応**解決したけれど、まだ、メールが文字化け (garbled characters) するという問題が残っている。[tentatively] 4. レポートは**一応**書き上げたけれど、英語のスペルチェックがまだだ。[although not perfectly] 5. パーティの準備は**一応**終わった。後は飲み物を出すだけだ。[although not perfectly] 6. このカメラでなら、誰でも、**一応**きれいな写真が撮れるはずです。[although not perfectly; sort of] 7. このノートに書いてあることは全部覚えたと思うが、**一応**、もう一度見ておこう。[just in case] 8. 作文はワープロで書いてもいいはずだが、**一応**、先生に聞いてみよう。[just in case]

④ 左右する 👔

本文	・日本で選挙の結果を**左右する**のは、政策よりも～ 【読: *l.*29】 ・政治は国民みんなの生活を**左右する**ものであるから、～。 【読: *l.*48】 ・マスメディアの報道に**左右されて**投票する人達のことを言うんじゃないでしょうか。 【討: *ll.*17-18】

説明	左右する means "to influence" or "to govern." It is commonly used in written language.
英訳	influence; govern
文型	N₁ は N₂ を左右する
例文	1. 日本でのインターンシップの経験は、私の人生を大きく**左右する**だろう。 2. 私はあまり人の意見に**左右され**たくないと思っている。 3. 天気に気分を**左右される**人は、結構多い。

⑤ Noun₁、Noun₂ 共（に）

本文	・小泉 純一郎もそんな世襲議員の一人で、祖父、父**共に**政治家であった。　【読: l.34】
説明	N₁, N₂ 共（に）means "both N₁ and N₂." The colloquial form is N₁ も N₂ も .
英訳	both X and Y
文型	N₁、N₂ 共に：九州、四国共に；男女共（に）
例文	1. 今年の冬は、1月、2月**共**、あまり寒くなかった。 2. 東京、大阪**共に**外国人が多い町だ。 3. 毎年、夏、冬**共に**祖父母の家で休みを楽しむことにしている。

❻ （期間の表現）に入る

本文	・21世紀**に入り**、日本でもようやく政策の大切さが問題にされるように〜　【読: l.36】
説明	N に入る literally means "enter N," but when N is a noun indicating a time period, the phrase means "N begins." The most common form is N に入り or N に入って（から）, meaning "since/after N began."
英訳	N (time period) に入る = N sets in; N begins N (time period) に{入り / 入って（から）} = since N began; after N began
文型	N (time period) に{入る / 入り / 入って（から）}
例文	1. インターネットの時代**に入って**、人々の買い物の仕方が変わった。 2. 梅雨**に入って**から、晴れの日がまったくなくて湿度（humidity）が高く、気持ちが悪い。 3. 江戸時代**に入り**、和歌より俳句の方が楽しまれるようになった。 4. 60年代**に入って**すぐベトナム戦争が始まり、15年も続いた。 5. 彼は思春期（adolescence）**に入って**から、親にすごく反抗する（to disobey）ようになった。

❼ 〜を問題にする；〜が問題にされる；〜が問題になる

本文	・日本でもようやく政策の大切さ**が問題にされる**ようになってきた。　【読: l.36】
説明	X を問題にする means "to bring X up as an issue" or "to question X." This phrase is often used in the passive form X が問題にされる . X が問題になる is also common. The meaning is the same as that of the passive version.
英訳	X を問題にする = to bring X up as an issue; to address the issue/question of X; to question X; to call X into question X が問題に{される / なる} = X becomes an issue; X is brought up as an issue; X is questioned; X is called into question
文型	a. N/NP を問題にする　　b. N/NP が問題に{される / なる}
例文	1. 環境問題においては、まず、どうすればゴミを減らすことが出来るかという点**を問題にす**べきだ。 2. 地球の未来を考えた時、何よりもまず初めに地球温暖化**が問題にされる**べきだ。 3. 今、その国で一番**問題にされている**ことは、子供達に平等に教育の機会を与えることだ。 4. 最近、子供達によるケータイの使い過ぎ**が問題になっている**。

⑧ 未だに

本文	・**未だに**「ジバン、カンバン、カバン」に頼る候補者が少なくないのも事実だ。　【読: ll.42-43】
説明	未だに indicates that someone or something is in the same state as he/she/it was some time ago. 未だ（に）is used primarily in written language. In spoken language まだ is used.
英訳	still;〔not ～〕yet
例文	1. 私の母は、**未だに**携帯電話を持たずに生活している。 2. あの殺人事件（murder case）からもう５年もたっているのに、**未だに**犯人（criminal）はつかまっていない。 3. 原爆の恐ろしさは**未だに**忘れることが出来ない。

⑨ いかに～か

本文	・**いかに**日本の選挙が「ジバン、カンバン、カバン」と結びついている**か**ということだ。　【読: l.46】
説明	This structure occurs as an embedded interrogative sentence, where いかに means "how（much）" or "in what way." いかに is commonly used in written language.
英訳	how; how much; in what way
文型	**Type 3**
例文	1. リサーチを通して、私達が**いかに**エネルギーを無駄に使っている**か**を知った。 2. この問題を**いかに**解決すべき**か**、みんなで話し合わなくてはならない。 3. 母の料理が**いかに**おいしい**か**は、言葉では説明できない。 4. 外国に住んでみて、初めて、外国語を勉強することが**いかに**大切**か**、よく分かった。

⑩ しかしながら

本文	・**しかしながら**、政治は国民みんなの生活を左右するものであるから、～　【読: l.48】
説明	しかしながら is a disjunctive conjunction and appears only in sentence-initial position. It is a highly formal expression and is usually used in written language.
英訳	however; but
文型	S$_1$。しかしながら、S$_2$
例文	1. 大学で一生懸命勉強するのはいいことです。**しかしながら**、宿題や研究ばかりで、友達もできないのはよくありません。 2. この論文はすばらしいと思う。**しかしながら**、賛成できない点もいくつかある。 3. 戦争がよくないことは、みんな分かっているはずだ。**しかしながら**、未だに戦争は続いている。

⑪ かなり

本文	・**かなり**問題があるのではないだろうか。　【読: l.50】
説明	かなり indicates that the degree of something is not extremely high but is higher than average.
英訳	considerably; rather; quite; fairly; pretty; quite a lot
例文	1. この間の試験は**かなり**難しかったが、いい点を取ることが出来た。 2. このカレーは**かなり**辛いけれど、食べられないことはない。 3. もう**かなり**歩いたはずなのに、まだ目的地に着かない。道に迷ったのだろうか。 4. **かなり**ゆっくり話してあげたのに、あの人は私の言ったことがあまり分からなかったようだ。 5. 彼は小学生だけれど、**かなり**背が高いなあ。中学生だと思ったよ。

⓬ Verb {れる／られる}

本文	・市川さん以外の三人の方は全員選挙権を持って**おられる**んですか。【討: *l*.9】 ・テレビタレントやプロレスラーが政治家になることについてどう**思われます**か。【討: *ll*.42-43】
説明	Passive forms of verbs are used to indicate politeness when the speaker refers to the actions of the hearer or someone to whom the speaker wants to show deference. However, this use of passive forms does not indicate as high a level of politeness as お V-*masu* になる or special honorific verbs like いらっしゃる and めし上がる. Note that the polite form of the auxiliary verb いる is not いられる, but おられる (see 文型 d). The auxiliary verb おられる is less polite than いらっしゃる.
文型	a. う -verbs: V-*nai* ＋れる：書かれる；話される；使われる；飲まれる b. る -verbs: V-*masu* ＋られる：起きられる；寝られる c. Irr. verbs：される；来られる d. V-*te* いる：V-*te* おられる：住んでおられる；持っておられる；知っておられる
例文	1. ピアノ、お上手ですね。いつ**始められた**んですか。 2. 先輩、まだ**帰られない**んですか。 3. 先生はテニスを**される**んですね。知りませんでした。 4. へえ。日本では四国に住んで**おられた**んですか。暖かいし、海もきれいだし、いい所ですよね。 5. スミス先生は、僕の日本語の先生である森先生を知って**おられる**そうだ。

⓭ Noun 次第

本文	・選挙に行くのは当日の天気**次第**なんて思っている人達、〜【討: *l*.29】
説明	When 次第 is affixed to nouns, it means "depend on."
英訳	N 次第だ = depend on 〜　　N 次第で = depending on 〜
文型	N 次第 {だ／で}：成績次第 {だ／で}；大学次第 {だ／で}
例文	1. この授業でいい成績が取れるかどうかは、期末のレポート**次第**だ。 2. どんなアパートを借りるかは、家賃**次第**だ。 3. 日曜日のピクニックはお天気**次第**ですよ。雨が降れば来週に延期される (to be postponed) そうです。 4. 漢字の勉強は覚え方**次第**で大変じゃなくなりますよ。 5. このプロジェクトは、社長の考え**次第**で変わる可能性がある。

⓮ 〜とは限らない

本文	・どちらの場合も若い人達だけ**とは限らない**んじゃないですか。【討: *ll*.31-32】
説明	X とは限らない means "it's not necessarily the case that X." だ before とは is optional as shown in 文型.
英訳	not necessarily 〜 ; not always 〜 ; it's not necessarily the case that 〜
文型	**Type 1 / Type 3** (Both forms are acceptable.)
例文	1. 日本人だから漢字をよく知っている**とは限らない**。 2. 高いレストランだからおいしい**とは限らない**。 3. お金がたくさんあっても幸せ**とは限らない**。貧しく (poor) ても幸せな人もたくさんいる。 4. 両親や先生がいつも正しい**とは限らない**が、一応、アドバイスはもらっておいた方がいい。 5. 上手な選手がいなくても、負ける**とは限らない**。チームワークで勝てることもある。 6. 日本語の先生がいつも日本人だ**とは限らない**。とてもいい外国人の先生もたくさんいる。

⓯ ちゃんと ; きちんと

本文	・マニフェストなどで自分の政治的ゴールを国民に**ちゃんと**示せる人のことを、〜 　【討: *ll.*63-64】 ・マニフェストが**きちんと**していれば、テレビタレントでもいいわけですよね。　【討: *l.*65】
説明	ちゃんと and きちんと both indicate that someone does something neatly, properly, regularly or without fail (i.e., in the way it is supposed to be done). ちゃんと is more colloquial than きちんと.
英訳	neatly; tidily; properly; adequately; in good order; regularly; without fail
例文	1. 自分の部屋は、毎日**ちゃんと**掃除して、**きちんと**片付けて (to tidy up) おきなさいよ。 2. 漢字を書く時は、文字のバランスもよく考ながら、点や線を**きちんと**書いて下さい。 3. **きちんと**話さないと、相手に自分の言いたいことが伝えられませんよ。 4. 健康のためには、朝ご飯は**ちゃんと**食べて、夜も6時間以上は寝た方がいいですよ。 5. 私は寮の規則を**きちんと**守って生活している。

漢字表

■ RW　読み方・書き方を覚える漢字

1	政治(家)	せいじ(か)	読
2	条件	じょうけん	読
3	国外	こくがい	読
4	関心	かんしん	読
5	報道スル	ほうどうスル	読
6	地球温暖化	ちきゅうおんだんか	読
7	注目スル	ちゅうもくスル	読
8	国会	こっかい	読
9	選挙ᴿ	せんきょ	読
10	知り合い	しりあい	読
11	教授	きょうじゅ	読
12	左右する	さゆうする	読
13	祖父 / 祖母	そふ / そぼ	読
14	具体的(な)	ぐたいてき(な)	読
15	実行スル	じっこうスル	読
16	計画スル	けいかくスル	読
17	目標	もくひょう	読
18	約束	やくそく	読
19	代わる	かわる	読
20	投ᴿ票スル	とうひょうスル	読
21	態ᴿ度	たいど	読
22	責任ᴿ	せきにん	読
23	選挙権	せんきょけん	討
24	全員	ぜんいん	討
25	無ᴿ関心(な)	むかんしん(な)	討
26	時期	じき	討
27	-内	-ない	討
28	当日	とうじつ	討
29	職業	しょくぎょう	討
30	評価スル	ひょうかスル	討

■ R　読み方を覚える漢字

1	総理大臣	そうりだいじん	読
2	～を除いて	～をのぞいて	読
3	貧困	ひんこん	読
4	地域	ちいき	読
5	民主主義	みんしゅしゅぎ	読
6	議員	ぎいん	読
7	立候補スル	りっこうほスル	読
8	候補者	こうほしゃ	読
9	看板	かんばん	読
10	一応	いちおう	読
11	当選スル	とうせんスル	読
12	落選スル	らくせんスル	読
13	改正スル	かいせいスル	読
14	政策	せいさく	読
15	演説スル	えんぜつスル	読
16	務める	つとめる	読
17	政党	せいとう	読
18	知事	ちじ	読
19	市長	しちょう	読
20	引退スル	いんたいスル	読
21	違反スル	いはんスル	読
22	離れる	はなれる	読
23	討論スル	とうろんスル	討
24	司会(者)	しかい(しゃ)	討
25	支持スル	しじスル	討
26	真剣(な)	しんけん(な)	討
27	雰囲気	ふんいき	討
28	～次第	～しだい	討
29	～とは限らない	～とはかぎらない	討
30	偏見	へんけん	討
31	反映スル	はんえいスル	討
32	議論スル	ぎろんスル	討

太字：新しい漢字
＿＿：新しい読み方
▨▨▨：前に習った単語
ᴿ：前にRで習った漢字

文化ノート10

日本の皇室（こうしつ）

「皇室」というのは、天皇と天皇の家族のことで、日本の皇室は、世界で最も長い歴史を持つ家系の一つだと言われています。日本の天皇の地位は世襲制で、現在の天皇は125代目とされ、『日本書紀』という歴史書によると、天皇家は2500年以上前に始まったそうです。

天皇と天皇の妻である皇后は、皇居と呼ばれる東京の真ん中に住んでいます。皇居には、天皇と皇后の住まいである御所や、仕事を行う宮殿などがあります。

次の天皇の第一候補者は皇太子、その妻は皇太子妃と呼ばれます。皇室の結婚の儀式は昔から伝わる伝統的なもので、男性は「束帯」女性は「十二単」と呼ばれる特別な着物を着て行われます。

皇太子のご結婚の儀式

日本国憲法には「天皇は日本と日本国民の象徴である」と書いてあります。天皇とその家族は政治的な活動をしたり意見を言ったりすることは許されませんし、選挙権もありません。

大臣の認証任命式

皇室が行っている主な活動には、政府が決めたことを天皇の名前で発表して儀式を行うこと（大臣の認証任命式など）や、災害にあって苦しんでいる人々に会いに行って励ましたり、賞をもらった人をお祝いしたり、外国を訪問したり、外国からのお客様を迎えたりといったことがあります。また、宮中祭祀という天皇家に伝わる神道の儀式を行うのも天皇の重要な仕事です。

現在の天皇は、毎年田植えや稲刈りをし、皇后は自分で蚕を育て、とれた繭で絹を作って、日本の大切な文化を現代に残そうとしています。

皇室では、その他にも毎年多くの文化的行事や儀式が行われています。その代表的なものが、新年に皇居で行われる「歌会始」という行事です。「歌会始」で紹介される歌は、世界中から誰でも応募することが出来、すぐれた歌は天皇の前で詠み上げられます。また、現在の皇后が詠まれた歌は、歌集が出版されたり外国語に翻訳されたりもしています。『万葉集』にも昔の天皇・皇后の和歌がたくさんありますが、その伝統は現代の皇室にも生き続けているのです。

田植えをなさる天皇

皇居二重橋

このように、皇室が日本の伝統文化の継承と発展に果たしている役割は大変大きいと言えるでしょう。

写真提供：宮内庁，共同通信社

～んです

んです（or んだ）appears frequently in daily conversation. This sentence ending is not an optional element; it has a specific function. The following situations are some common situations where んです is used. Note that in these situations, sentences are unnatural without んです.

(1) When confirming something ((a) and (b)) or asking a question about what you have just seen or heard ((c) and (d)).

    a. [Seeing Alice wearing a wedding ring at a party] 彼女は結婚している<u>ん</u>ですか。

    b. [Seeing your roommate coming in with a wet umbrella] あ、雨が降っている<u>の</u>？

    c. いいシャツを着ていますね。どこで買<u>ったん</u>ですか。

    d. A: この夏、中国へ行ってきました。
         B: へえ、（中国の）どこへ行った<u>ん</u>ですか。

Note that the の in (b) is an informal version of んですか. This の is pronounced with rising intonation.

(2) When providing a reason for something you have just said, heard or done.

    e. A: 今晩、映画に行かない？
         B: ごめん、今晩は他の約束がある<u>んだ</u>。

    f. A: 先生とはあまり話さない<u>ん</u>ですか。[confirmation] (See (1))
         B: ええ、私の先生はとても厳しいのであまり話したくない<u>ん</u>です。

    g. [On arriving late to class] すみません、バスがなかなか来なかった<u>ん</u>です。

Note that in (e)-(g), S からです is not used. からです is used when responding to "why" questions or when providing reasons for what was said in a previous statement, as seen in (h) and (i).

    h. A: どうして日本語を勉強している<u>ん</u>ですか。
         B: 日本で仕事をしたいからです。

    i. 私は今、日本語を勉強しています。日本で仕事をしたいからです。

(3) When hinting to the hearer to get him/her to take some action for you (e.g., asking for help, making a request, asking for permission). In this case, が, けれど or its variations follows んです. (See p.126, 言語ノート6「が and けれども」.)

    j. 先生、この漢字の読み方が分からない<u>ん</u>ですが…。[asking for help]

    k. このページを明日までにコピーしてほしい<u>ん</u>だけど…。[making a request]

    l. 明日病院に行くので、クラスを休ませていただきたい<u>ん</u>ですが…。[asking for permission]

(4) When making an introductory remark. In this case, が, けれど or its variations follows んです.

    m. 先生、ご相談したいことがある<u>ん</u>ですが、今よろしいですか。

    n. 期末論文についてなん<u>ん</u>ですが、1ページでもいいでしょうか。

    o. 今晩、パーティーをする<u>ん</u>だけど、来ない？

(5) When expressing the speaker's emotion, such as surprise, disappointment, etc.

    p. A: ビルが生まれたのは日本だよ。
         B: へー、そう {<u>なんですか</u> / <u>なんだ</u>}。[surprise]

    q. なんだ、今井さんは来ていない<u>ん</u>ですか。[disappointment]

第 **15** 課

世界と
私の国の
未来

本文を読む前に

1 地球温暖化と戦争以外で、今、世界で問題になっていること、あるいは、問題にすべきことは何だと思いますか。二つ挙げなさい。

2 ワンガリ・マータイという人についてインターネットや本で調べて、下の表を完成しなさい。

▼参考にできるサイト

	とびらサイト ▶http://tobiraweb.9640.jp/ にアクセス	① [リンク集]をクリック ② [教科書に出てくるサイト]をクリック ③ [第15課]を見る	[本文を読む前に2] をクリック

ワンガリ・マータイ

□生まれた年

□生まれた国

□勉強した大学

□勉強したこと

□その他に分かったこと(二つ)

・

・

マータイさんが好きな日本語の言葉

● 下の a~c の中から、この言葉の意味を一番よく表している文を選びましょう。

a. 食べ物や飲み物がたくさんあって嬉しいという気持ち。

b. 何かを全部使わなかったり、食べ物や飲み物を残したり、まだ使えそうなものを捨ててしまったりすることをよくないと思う気持ち。

c. 会いたいと思った人が近くにいなくて、残念だと思う気持ち。

3 あなたの国のリサイクル制度について調べて、下の表を完成しなさい。

あなたの国ではどんな物がリサイクルできますか。

→ あなたが他にリサイクルできたらいいと思う物はどんな物ですか。

あなたは、リサイクルの他に、何か環境のためにしていることがありますか。

どんなことをしていますか。

何をすればいいと思いますか。

読み物・1

世界がもし100人の村だったら

1　　20年後、自分はどこに住んで何をしているだろうか。50年後、私たちの国はどんなふうになっているだろうか。世界の未来はどうなっているだろうか。誰もが少なくとも一度は、このような疑問を持ったことがあるのではないだろうか。しかし、この疑問に答えることは簡単ではない。明るい未来を予測する人もいれば、暗い未来を予測する人もいる。未来は決まっているものではなく、現在の私たちの行

5　動次第で、明るくもなれば、暗くもなる。この課では三つの読み物を通して、今の私たちの周りにある問題を考えながら、自分の国と世界の未来、そして、これからの可能性について考えてみよう。

『世界がもし100人の村だったら・総集編』

池田香代子・マガジンハウス［編著］
（一部抜粋）

世界には67億人の人がいますが、もしもそれを100人の村に縮めるとどうなるでしょう。

10　100人のうち、50人が女性です。50人が男性です。

28人が子どもで、72人が大人です。そのうち、7人がお年寄りです。

90人が異性愛者で、10人が同性愛者です。

83人が有色人種で、17人が白人です。

60人がアジア人です。14人がアフリカ人、14人が南北アメリカ人、11人がヨーロッパ人、

15　あとは南太平洋地域の人です。

33人がキリスト教、20人がイスラム教、13人がヒンドゥー教、6人が仏教を信じています。

5人は、木や石など、すべての自然に霊魂があると信じています。

23人は、ほかのさまざまな宗教を信じているか、あるいはなにも信じていません。

17人は中国語をしゃべり、8人は英語を、8人はヒンディー語を、7人はスペイン語を、4人は

20　ロシア語を、4人はアラビア語をしゃべります。これでようやく、村人の半分です。あとの半分はベンガル語、ポルトガル語、インドネシア語、日本語、ドイツ語、フランス語などをしゃべります。

疑問	予測	行動	人種	白人	南太平洋
ぎもん	よそく	こうどう	じんしゅ	はくじん	みなみたいへいよう

いろいろな人がいるこの村では、あなたとは違う人を理解すること、相手をあるがままに受け入れること、そしてなにより、そういうことを知ることがとても大切です。

25 また、こんなふうにも考えてみてください。
村に住む人びとの100人のうち、14人は栄養がじゅうぶんではなく1人は死にそうなほどです。でも14人は太り過ぎです。

すべての富のうち、1人が40%をもっていて、49人が51%を、50人がたったの1%を分けあっています。すべてのエネルギーのうち19人が54%を使い、81人が46%を分けあっています。
30 82人は食べ物の蓄えがあり、雨露をしのぐところがあります。でも、あとの18人はそうではありません。18人は、きれいで安全な水を飲めません。

村人のうち、1人が大学の教育を受け、18人がインターネットを使っています。
けれど、20人は文字が読めません。

もしもあなたが、いやがらせや逮捕や拷問や死を恐れずに、信条や信仰、良心に従ってなにかをし、ものが言えるなら、そうではない48人より恵まれています。
35 もしもあなたが、空爆や襲撃や地雷による殺戮や武装集団のレイプや拉致におびえていなければ、そうではない20人より恵まれています。
1年の間に、村では1人が亡くなります。でも、1年に2人赤ちゃんが生まれるので、来年、村人は101人になります。

40 もしもこのメールを読めたなら、この瞬間、あなたの幸せは2倍にも3倍にもなります。
なぜならあなたには、あなたのことを思ってこれを送ってくれた誰かがいるだけでなく、文字も読めるからです。

けれどなによりあなたは生きているからです。

『世界がもし100人の村だったら・総集編』
池田香代子＋マガジンハウス（編著）/
2008年 / マガジンハウス文庫/ pp.9-45
※本文の数字は原著のまま転載

| 栄養 | 太り | 分け | 恐れず | 従って | 恵まれて |
| えいよう | ふと | わ | おそ | したが | |

単語表

▶太字＝覚える単語

1	疑問	ぎもん	N	question; doubt	2
2	予測	よそく	VN	prediction｜（～を）予測する	3
3	行動	こうどう	VN	action｜行動する	4
4	（～を）縮める	ちぢめる	ru-Vt	to reduce	9
5	異性愛者	いせいあいしゃ	N	heterosexual（person）	
6	同性愛者	どうせいあいしゃ	N	homosexual（person）	12
7	人種	じんしゅ	N	race（of people）｜有色人種（N）nonwhite races	
8	白人	はくじん	N	white person; Caucasian	13
9	太平洋	たいへいよう	N	Pacific Ocean｜南太平洋 South Pacific Ocean	15
10	霊魂	れいこん	N	soul; spirit	17
11	（～を）しゃべる		u-Vt	to speak	19
12	ようやく		Adv	barely	20
13	あるがまま		Phr	as it is	23
14	こんなふうに		Adv	like this	25
15	栄養	えいよう	N	nutrition	
16	じゅうぶん（な）/十分（な）		ANa	enough; sufficient	26
17	富	とみ	N	wealth; fortune	
18	（～を）分ける	わける	ru-Vt	to share; divide	28
19	蓄え	たくわえ	N	supply; savings	
20	雨露をしのぐ	あめつゆをしのぐ	Phr	to keep out the rain	30
21	いやがらせ		N	harassment｜（～に）いやがらせをする（Phr）to harass	
22	逮捕	たいほ	VN	arrest｜（～を）逮捕する	
23	拷問	ごうもん	VN	physical torture｜（～を）拷問する	
24	死	し	N	death	
25	（～を）恐れる	おそれる	ru-Vt	to fear; be afraid of	
26	信条	しんじょう	N	principle; creed; belief	
27	良心	りょうしん	N	conscience	34
28	（～に）恵まれる	めぐまれる	ru-Vt	to be blessed	35
29	空爆	くうばく	N	aerial bombing; air strike	
30	襲撃	しゅうげき	VN	attack｜（～を）襲撃する	
31	地雷	じらい	N	land-mine	
32	殺戮	さつりく	VN	slaughter; massacre｜殺戮する	
33	武装集団	ぶそうしゅうだん	N	armed group	
34	拉致	らち	VN	abduction｜（～を）拉致する	
35	（～に）おびえる		ru-Vi	to be frightened; get scared	36
36	なぜなら		Conj	because	41

まうのではないかと不安で不安でしかたがなくなるのです。

日本村の村人はとても「勤勉」で「誠実」な性格だったので、「労働」と「貯金」に励み、ついに「長生き」と「富」の両方を手に入れました。こんなことは日本村が始まって以来、初めてのことです。村人達の仲間意識が、村人すべてを幸せにしたのです。村の人達みんなが幸せになれるなんて、昔は一度もなかったことです。この村は「安全」で「衛生的」で、何から何まであらゆることが「平等」です。日本村は、とても住みやすい村になったのです。

しかし、飢えず、渇かず、戦争で死ぬ危険もない社会では、うつ病や自殺が増えています。日本村は豊かになるために物を求めた「物質の時代」から、いろいろ満たされることによってかえって悩んでしまう「精神の時代」に入りました。日本村は今、悩み、苦しみ、迷路の中をさまよっているのです。

日本村の中には問題が山積みですが、日本の外の村はもっともっと多くの大変な問題を抱えています。しかし、日本村の人々はそれらに真剣に目を向けようとしていません。今、日本村に求められていることは、もっと世界に目を向けることかもしれません。

現在、世界には65億人近くの人がいて、日本には1億人以上の人が住んでいます。1億人の中で、人間がたった1人で出来ることは、とても小さなことです。しかし、もし日本が100人の村だったら、どうでしょうか。1人の声でも村人全員に届くはずです。1億分の1なら、小さな声は聞こえないかもしれませんが、100分の1なら、きっと誰かが耳を傾けてくれます。そして、その声が日本村の100人の耳に届いて、その100人の人がまた声を出せば、今度は村の外の1000人にも届くでしょう。そして、それらの声はいつか世界中の人たちに届くに違いありません。

日本人が「日本村」の住民として何よりも大切なことは、村人一人一人が「日本村」の住民であると同時に「世界村」の一員であることを決して忘れてはならないということです。日本村がもう一度心の健康を取り戻すためには、世界に目を向けることが、今一番大切なことだと言えるのではないでしょうか。

[注] 本文中の社会背景は2002年当時の日本をもとにしている。

『日本村100人の仲間たち』 吉田浩（著）
平成14年 日本文芸社 （教科書用に改訂）

労働（ろうどう）　貯金（ちょきん）　以来（いらい）　衛生的（えいせいてき）　物質（ぶっしつ）　満たされる（み）　届く（とど）　同時に（どうじ）　取り戻す（もど）

日本村100人の仲間たち

吉田 浩 [著]

もし、日本が100人の小さな村だったら、どうなるでしょう？

例えば、日本村に100人住んでいたとしたら、村の外には約4700人の人達が生活していることになります。韓国村の人口37人、中国村は989人、アメリカ村は213人…。ほら、ほんのちょっと見方を変えれば、色々なことが、ハッキリと分かってきます。

日本村に住む100人中、男性は49人、女性は51人で、子供は14人です。若い人達や働き盛りの人達は67人。高齢者は19人。日本村はお年寄りがたくさんいる村です。日本村は世界一の長生き村です。21世紀に入ってから男性は79歳ぐらい、女性は86歳ぐらいまで寿命が延びて、国連から「お年寄りの国」という名前をもらいました。

「あなたにとって一番大切なものは何？」という質問に、日本でも世界のあちこちの村でも、ほとんどのおばあちゃんが「家族」と答えました。「二番目に大切なものは何？」という質問には、何と答えたでしょうか？　日本の外の村では「信仰」という答えが返ってきました。しかし、日本村のおばあちゃん達の答えは「近所付き合い」でした。

「人類にとって、21世紀は希望のある社会になると思いますか？」

韓国村、中国村、アメリカ村、日本村の高校生に聞いてみました。韓国村とアメリカ村は6割、中国村では9割の高校生が「はい」と答えました。日本村の高校生でそう答えたのは、たったの3割でした。しかし、「将来のことより、今を楽しむことの方が大切ですか？」この質問に、韓国村と中国村の高校生は3割しか「はい」と答えませんでした。ところが、アメリカ村は6割、日本村は9割が「そうそう、今が楽しければいいんだ」と答えました。

日本村の生活の中で「悩みや不安を感じている」人は65人もいます。男女共、40代、50代が多く、その悩みの内容は「老後の生活」「自分や家族の健康」「収入や財産について」などです。

日本村の住民は、長生きすればするほど健康が心配になり、生活が豊かになればなるほど、今の快適な暮らしがなくなってし

仲間（なかま）	高齢者（こうれいしゃ）	長生き（ながいき）	寿命（じゅみょう）	延びて（の）	国連（こくれん）	返って（かえ）	近所付き合い（きんじょづあ）
悩み（なや）	不安（ふあん）	老後（ろうご）	収入（しゅうにゅう）	財産（ざいさん）	住民（じゅうみん）	豊か（ゆた）	

					Ttl
1	仲間	なかま	N	comrade; circle of friends	
2	ほんのちょっと		Phr	just a little	6
3	働き盛り	はたらきざかり	N	prime of life	
4	高齢者	こうれいしゃ	N	old person/people	9
5	長生き	ながいき	VN	longevity | 長生きする to live a long life	10
6	寿命	じゅみょう	N	life span	
7	(〜が)延びる	のびる	ru-Vi	to lengthen	
8	国連	こくれん	N	United Nations	12
9	あちこち		Adv	here and there	15
10	(〜が)返る	かえる	u-Vi	to return	18
11	付き合い	つきあい	N	association; socialization | 近所付き合い (N) neighborly ties	19
12	悩み	なやみ	u-Vi	trouble; distress | (〜に)悩む (u-Vi) to be troubled	
13	不安(な)	ふあん(な)	ANa	uneasy; ill at ease	30
14	老後	ろうご	N	post-retirement years	31
15	収入	しゅうにゅう	N	income	
16	財産	ざいさん	N	property; fortune	32
17	住民	じゅうみん	N	residents	33
18	豊か(な)	ゆたか(な)	ANa	abundant; rich	
19	快適(な)	かいてき(な)	ANa	pleasant; comfortable	34
20	勤勉(な)	きんべん(な)	ANa	hard-working; diligent	
21	誠実(な)	せいじつ(な)	ANa	sincere; honest	36
22	労働	ろうどう	VN	work; labor | 労働する to labor	
23	貯金	ちょきん	VN	savings | 貯金する to save money	
24	(〜に)励む	はげむ	u-Vi	to strive; work hard	
25	(〜を)手に入れる	てにいれる	ru-Vt	to obtain	
26	衛生	えいせい	N	hygiene; sanitation | 衛生的(な) (ANa) hygienic	41
27	あらゆる		An	all; every (possible)	42
28	(〜に)飢える	うえる	ru-Vi	to starve | 飢え (N) hunger; starvation	44
29	(〜が)渇く	かわく	u-Vi	to get dry	44
30	うつ病	うつびょう	N	depression	45
31	物質	ぶっしつ	N	material	
32	(〜を)満たす	みたす	u-Vt	to satisfy; fill	46
33	迷路	めいろ	N	labyrinth; maze	
34	(〜を)さまよう		u-Vi	to wander	48
35	山積み	やまづみ	N	huge mound; heap	49
36	(〜を)抱える	かかえる	ru-Vt	to have (problems, heavy work, etc.); to hold in one's arms	50
37	(〜に)届く	とどく	u-Vi	to reach	57
38	きっと		Adv	surely	
39	(〜に)耳を傾ける	みみをかたむける	Phr	to listen; lend an ear	59
40	一員	いちいん	N	a member	65
41	(〜を)取り戻す	とりもどす	u-Vt	to regain; get back	67
42	背景	はいけい	N	background	69

読み物・3　マータイさんのMOTTAINAI キャンペーン

1　**■ノーベル平和賞受賞者が広める「もったいない」運動**

　2004年に環境分野で初のノーベル平和賞を受賞したケニア人女性、ワンガリ・マータイさん。マータイさんが、2005年に来日した時に最も感動した言葉が「もったいない」という日本語でした。

5　　　　　「環境 3R + Respect ＝ もったいない」

　Reduce(ゴミ削減)、Reuse(再利用)、Recycle(再資源化)という 環境活動の3Rをたった一言で表せるだけでなく、大切な地球資源に対する Respect（尊敬の気持ち）が込められている言葉「もったいない」。マータイさんはこの美しい日本語を環境を守る 世界の共通語「MOTTAINAI」として広めることにしました。日本に昔からある「もったいない」の精神が 世界に広まれば、

10　地球環境問題の改善に役立つばかりでなく、資源の分配が平等になり、テロや戦争の抑止にもつながると考えたそうです。マータイさんのおかげで、日本で生まれた「もったいない」という言葉が、世界をつなぐ合言葉「MOTTAINAI」になったのです。

15　　ワンガリ・マータイさんは1940年、ケニアの農家に生まれました。六人兄弟で家は決して裕福ではなく、他の多くのアフリカ女性と同じように、学校教育を受けられる環境ではありませんでした。しかし、マータイさんの兄が両親を説得して学校に通わせてくれ、60年に政府留学生に選ばれました。

20　その後、米ピッツバーグ大学で修士号を取得。ドイツに留学した後、71年にナイロビ大学で生物分析学の博士号を取得しました。

　一方でマータイさんは、祖国の貧困や環境破壊に心を痛め、1977年貧しい女性たちと「グリーンベルト運動」という 植林

○ワンガリ・マータイさん
ケニアの前環境副大臣。生物学博士。環境保護活動家。MOTTAINAIキャンペーンを始めた人。2002年にケニアの国会議員に初当選。03年には環境副大臣に任命される。04年、環境や人権に対する長年の貢献が評価されノーベル平和賞を受賞。

賞	受賞	広める	分野	再-	資源	共通	改善	役立つ	農家	破壊	貧しい
しょう	じゅしょう	ひろ	ぶんや	さい	しげん	きょうつう	かいぜん	やくだ	のうか	はかい	まず

グリーンベルト運動

写真提供：毎日新聞社

25 活動を開始しました。植林活動というのは、地球環境の保護のために砂漠などに木を植えて、森林を作る活動のことです。「グリーンベルト運動」は環境の保護だけでなく、土地の砂漠化の防止、貧困からの脱却、女性の地位向上、ケニア社会の民主化にも大きく貢献しました。これまでアフリカ大陸全土で4000万本を超え

30 る木を植えており、植林の参加者は女性を中心にのべ10万人になるそうです。この運動によって、マータイさんは環境分野で初めて、そしてアフリカの女性としても初めてノーベル賞を受賞しました。マータイさんは今も世界中を飛び回って「MOTTAINAI」を広める活動に努めています。「MOTTAINAI」という日本語は、いつか世界中の辞書に載るようにな

35 るかもしれません。

あなたも「MOTTAINAI」に参加してみませんか。ケニアに行かなくても植林活動「グリーンベルト運動」に参加できます。

▶ MOTTAINAI クリック募金　http://mottainai.info/click/

バナーをクリックするだけで、あなたも「グリーンベルト運動」に無料で1円募金をすることが出来ます。

40

▶ MOTTAINAI キャンペーン
　オフィシャルTシャツ　モッタくん

モッタくんのTシャツを着て、グリーンベルト運動を広げよう！　Tシャツの売り上げの一部は「グリーンベルト運動」に寄付されます。インターネットで注文できます。

デザイナー：寄藤文平

▶ MOTTAINAI
　キャンペーンロゴ

© MOTTAINAI キャンペーン

45

参照資料：MOTTAINAI キャンペーンオフィシャルホームページ　http://mottainai.info/

植えて	森林	防止	募金	無料	寄付
う	しんりん	ぼうし	ばきん	むりょう	きふ

単語表

▶太字＝覚える単語

1	-賞	-しょう	Suf	prize; award｜ノーベル平和賞 (N) Nobel Peace Prize	
2	受賞	じゅしょう	VN	being awarded a prize｜（〜を）受賞する	
3	（〜を）広める	ひろめる	ru-Vt	to propagate; spread; promote	
4	もったいない		A	wasteful; more than one deserves	
5	-運動	-うんどう	Suf	campaign; move; exercise	1
6	分野	ぶんや	N	field; area	
7	初（の）	はつ（の）	ANo	first	2
8	来日	らいにち	VN	visit to Japan｜来日する	3
9	削減	さくげん	VN	reduction｜（〜を）削減する	
10	再-	さい-	Pref	re-	
11	資源	しげん	N	natural resources	
12	一言で	ひとことで	Phr	in a single word; in one word	6
13	共通（の）	きょうつう（の）	ANo	common｜共通語 common language	8
14	改善	かいぜん	VN	improvement; change for the better｜（〜を）改善する	
15	分配	ぶんぱい	VN	distribution; division｜（〜を）分配する	10
16	テロ		N	terrorism	
17	抑止	よくし	VN	suppression; deterrence｜（〜を）抑止する	
18	（〜に）つながる		u-Vi	to be connected to; be tied together	11
19	合言葉	あいことば	N	password	13
20	農家	のうか	N	farming family	15
21	裕福（な）	ゆうふく（な）	ANa	wealthy	16
22	説得	せっとく	VN	persuasion｜（〜を）説得する	18
23	修士号	しゅうしごう	N	master's degree	
24	取得	しゅとく	VN	acquisition｜（〜を）取得する	20
25	生物分析学	せいぶつぶんせきがく	N	study of bioanalysis	
26	博士号	はかせ／はくしごう	N	doctor's degree; Ph.D.	21
27	祖国	そこく	N	homeland	
28	破壊	はかい	VN	destruction｜（〜を）破壊する	
29	（〜に）心を痛める	こころをいためる	Phr	to feel distress	23
30	貧しい	まずしい	A	poor	
31	植林	しょくりん	VN	tree planting; forestation｜（〜に）植林する	24
32	開始	かいし	VN	start｜（〜を）開始する	
33	保護	ほご	VN	protection; conservation｜（〜を）保護する	25
34	砂漠	さばく	N	desert	
35	（〜を）植える	うえる	ru-Vt	to plant	
36	森林	しんりん	N	forest	26
37	防止	ぼうし	VN	prevention｜（〜を）防止する	27
38	脱却	だっきゃく	VN	getting out (of situation)｜（〜から）脱却する	
39	向上	こうじょう	VN	improvement; betterment｜（〜が）向上する	
40	民主化	みんしゅか	VN	democratization｜（〜を）民主化する	28

41	貢献	こうけん	VN	contribution｜（〜に）貢献する	
42	全土	ぜんど	N	entire land	29
43	のべ		N	total	30
44	（〜を）飛び回る	とびまわる	u-Vt	to travel around; fly around	33
45	（〜に）努める	つとめる	ru-Vt	to make an effort	34
46	募金	ぼきん	VN	contribution（of money）; solicitation（of money）｜（〜を〜に）募金する	38
47	無料	むりょう	N	free of charge	40
48	寄付	きふ	N	donation; contribution｜（〜に）寄付する	46

討論 ▶意見を言う / 賛成をする / 反対をする

1 | トピック | もったいない運動について　◉参加者：マイク、はるか、道子

はるか：あ、そのTシャツ、もったいない運動Tシャツでしょ。

道　子：そう、いいでしょ。ネットで買ったんだ。

マイク：ね、もったいない運動って何？

5　はるか：地球に緑を増やす運動でノーベル平和賞もらった人、何て名前だったっけ？

道　子：ワンガリ・マータイさん？　ケニアの。

はるか：そうそう、そのマータイさんが始めたキャンペーンのこと。マイク、「もったいない」
　　　　の意味は知ってるでしょ。

マイク：もちろん、知ってるよ！　日本人がよく使うから、日本に来てすぐに覚えちゃった。

10　　　　で、そのマータイさんがどうしたの？

道　子：うん、「もったいない」っていう言葉には、今の環境問題を解決するヒントが含まれて
　　　　るって考えたの。それで、世界中に「もったいない精神」を広めようって、このTシャ
　　　　ツを作ったのよ。

はるか：もったいないって、3Rなんだって。リデュース、リユース、リサイクル。

15　マイク：ふうん。

はるか：リデュースはゴミを減らす、リユースは再利用する、リサイクルは再資源化する。

マイク：あ、それいいね。覚えやすいし。でも、再利用と再資源化って何が違うの？

はるか：うーん、例えば、紙の表を使った後、そのまま捨ててしまわないで、裏をもう一度使っ
　　　　たりするとか。姉の洋服を妹が着るなんてのも再利用だよね。おかげで私は子供の時、
20　　　　姉のお古ばっかり着せられてたけど。再資源化っていうのは、いらなくなった紙を集
　　　　めてパルプにして、もう一度新しい紙を作ったりするようなことかな。

マイク：なるほど、そうか。

道　子：最近は3Rにリペアも入れて4Rなんだって。壊れても、もう一度直して使おうって。

マイク：でも、そんな運動をしても効果があるのかなあ。みんな全然気にしないで、一度しか
25　　　　使ってない紙を平気で捨ててるよ。

はるか：そんなことないよ。地球温暖化が問題になってきてから、みんな、少なくともエネル
　　　　ギーについては、なるべく無駄使いしないようにしようって思ってるんじゃない？

緑	表	捨てて	裏	平気
みどり	おもて	す	うら	へいき

マイク： 思ってても、実際に実行している人は少ないと思うけど。

道　子： 私は実行してるわよ。夏にエアコンの温度を上げるとか、電気をつけっぱなしにした
　　　　 り、水を出しっぱなしにしたりしないとか。

30

マイク： そんなの当たり前じゃないか。

はるか： ひどーい。じゃ、マイクはもっといろんなことしてるの？

マイク： 僕？　僕は今日から４Ｒ運動だよ。

はるか： 調子いいこと言って。もったいないばあさんに怒られるよ。
　　　　 ちょうし

35

マイク： え、「もったいないばあさん」って？

はるか： もったいないことをする子供のところに出てくるおばあさんのこと。もったいないこ
　　　　 とをすると顔をべろべろなめられちゃうんだから。

道　子： あっ、私の弟もその絵本、持ってる。何かもったいないことしてると、「もったいなー
　　　　 い、もったいなーい」って言って出てくるんだよ。

40

マイク： おー、おもしろい！　僕も会ってみたいなー。

はるか： もう、へそまがりなことばっかり言うんだから。勝手にしなさい！

▶真珠まりこ作の絵本
「もったいないばあさん」のページ：
http://www.mottainai.com/

© 真珠まりこ／『もったいないばあさん』講談社

当たり前
あ　　まえ

352

単語表

▶太字＝覚える単語

1	緑	みどり	N	greenery; green	5
2	表	おもて	N	face; front	
3	裏	うら	N	back	18
4	お古(の)	おふる(の)	ANo	hand-me-down	20
5	平気(な)	へいき(な)	ANa	unconcerned; cool	25
6	当たり前(の)	あたりまえ(の)	ANo	usual; ordinary	31
7	調子(の)いい	ちょうし(の)いい	Phr	too smooth	34
8	(〜を)なめる		ru-Vt	to lick | べろべろなめる (Phr) to lick something with one's tongue	37
9	へそまがり(な)		ANa	twisted (mind)	
10	勝手にする	かってにする	Phr	to have one's way	41

内容質問

📖 本文を読んだ後で、考えてみよう。

1. 20年後、あなたはどこに住んで何をしていると思いますか。

2. 50年後の地球はどうなっていると思いますか。

3. あなたの国では何語が一番よく使われていますか。それはあなたの国に昔からあった言葉ですか。

4. あなたが今一番大切だと思っているものやこと、二番目に大切だと思っているものやことは何ですか。

5. あなたは「将来のこと」と「今を楽しむこと」と、どちらの方が大切だと思いますか。なぜそう思いますか。

6. 読み物2によると、日本には今どんな問題がありますか。それはなぜですか。

7. あなたの国は今「物質の時代」に入っていますか。「精神の時代」に入っていますか。なぜそう思いますか。

8. 「MOTTAINAI」運動は、なぜ地球環境問題の改善に役立ったり、資源の分配を平等にしたり、テロや戦争の抑止につながったりすると思いますか。

9. 「グリーンベルト運動」は、なぜ女性の地位の向上やケニアの民主化に貢献したと思いますか。

🗣️ 会話を読んだ後で、考えてみよう。

1. あなたの国にも「もったいない」という言葉や考え方がありますか。

2. 4Rというのは、具体的にはどんなことをすることですか。本文以外の例も話し合ってみましょう。

▶▶ みんなで話してみよう。

1. 「本文を読む前に」の①で話し合った問題を解決するためには、何をすべきだと思いますか。

2. あなたは4Rを実行するようにしていますか。例えば、どんなことをしていますか。

3. あなたの国や町では、何か4Rのようなことをしていますか。それはどんなことですか。

4. マンガ環境玉手箱(色々なものが入っている箱)のサイトを見てみましょう。このサイトは日本の電機メーカーのパイオニアが子供向けに環境について学習するために作成したホームページです。トピックがいくつかありますから、一つか二つ読みたいトピックを選んで下さい。見た後でどんなことが分かったか話し合ってみましょう。

マンガ
環境玉手箱

http://pioneer.jp/environment/tamate

登場人物

ピオちゃん　スピ丸

画：斎藤雨梟
©Pioneer Corporation

文法ノート

❶ 少なくとも〜は

本文	・誰もが**少なくとも一度は**、このような疑問を持ったことがあるのではないだろうか。　【読1: *ll*.2-3】 ・**少なくともエネルギーについては**、なるべく無駄使いしないようにしよう〜　【討: *ll*.26-27】
説明	少なくとも means "at least." It can be used with a noun or a number (optionally followed by a counter). When 少なくとも is used with a noun, は often follows the noun (or the particle after the noun), indicating that the noun is under focus. When は follows a number (+ a counter), it emphasizes the number.
英訳	at (the) least; to say the least
文型	a. 少なくとも Number (+ Counter):少なくとも20ぐらいの国;少なくとも3時間は b. 少なくとも N:少なくとも家族(は)
例文	1. 日本語を勉強しているんだから、**少なくとも一度は日本**に行ってみたいと思っている。 2. どんなに忙しくても、**少なくとも6時間は**寝た方がいいですよ。 3. 来年は、**少なくとも3つは**授業を取らなければいけない。 4. 人に何かしてもらったら、**少なくともお礼は**言った方がいい。 5. このことについては、**少なくとも先生には**話をしておいた方がいいと思う。

❷ 〜も Verb ば、〜も Verb 👔

本文	・明るい未来を予測する人も**いれば**、暗い未来を予測する人も**いる**。　【読1: *ll*.3-4】 ・現在の私たちの行動次第で、明るく**も**なれ**ば**、暗く**も**なる。　【読1: *ll*.4-5】
説明	This structure is used to present actions or states (usually two) as examples of possible or past actions/states. In many cases the actions/states are contrastive ones.
英訳	some do ~ and others do ~; do ~ and ~ among other things; sometimes ~ and sometimes ~; there are times when ~ and times when ~; ~ and also ~; ~ and ~ as well
文型	a. N₁ も V-cond、N₂ も V　(See L.6 文法ノート③) b. A-stem くも V-cond ば、〜も:面白くもなれば、つまらなくもなる c. ANa{に/で}も V-cond ば、〜も:上手にもなれば、下手にもなる;安全でもあれば、便利でもある d. V₁-*masu* もすれば、V₂-*masu* もする:読みもすれば、書きもする
例文	1. 海に行きたい人も**いれば**、山に行きたい人も**いて**、旅行の計画が全然決まらない。 2. 人生は考え方次第で、楽しく**も**なれ**ば**、苦しく**も**なる。 3. この仕事は危険で**も**あれ**ば**大変で**も**ある。しかし、誰かがやらなければならないのだ。 4. 子供の頃は、兄弟とよく遊び**も**すれ**ば**、けんか**も**したものだ。

❸ 〜のうち(で)

本文	・100人**のうち**、50人が女性です。50人が男性です。【読1: *l*.10】 ・**そのうち**、7人がお年寄りです。【読1: *l*.11】 ・村に住む人びとの100人**のうち**、14人は栄養がじゅうぶんではなく〜【読1: *l*.26】 ・すべてのエネルギー**のうち**19人が54%を使い、〜【読1: *l*.29】 ・村人**のうち**、1人が大学教育を受け、〜【読1: *l*.32】
説明	Xのうち(で) is used to indicate the total entity(X) when presenting a part or portion of X.
英訳	in; of; among
文型	Nのうち(で)

例文	1. 1週間のうち、三日はアルバイトに行きます。
	2. 日本語を取っている学生のうち、30％ぐらいは工学部の学生だそうです。
	3. 私が今学期取っている授業のうちで、宿題がないのはダンスのクラスだけだ。
	4. 毎月もらう給料のうち、2割は家賃のために使います。
	5. このクラスの12人の学生のうち、男子学生は8人で、4人が女子学生だ。

❹ 後（の）Noun

本文	・あとの半分はベンガル語、ポルトガル語、〜 【読1: ll.20-21】
	・あとの18人はそうではありません。 【読1: l.30】
説明	後 の, when followed by a number （ + counter) or a noun, means "the remaining" or "the rest of." Here, の after 後 is optional. This use of 後 should be distinguished from 後 in the following example, where 後 means "~more." In this use, の cannot occur after 後.
	・このプロジェクトには {後三人 / ✘後の三人} 必要だ。 （We need three more people for this project.)
英訳	the remaining ~ ; the remainder of ~ ; the rest of ~
文型	a. 後（の）Number（ + Counter)：後（の）一人；後（の）3台
	b. 後のN: 後の人たち；後の車
例文	1. このクラスには学生が15人いる。大学生が12人、大学院生が1人、後（の）2人は高校生だ。
	2. 1週間の旅行のうち、三日間は東京に、後（の）四日間は京都に行く予定だ。
	3. これは私の物です。でも、後の物は全部ルームメイトの物です。
	4. 日本語の宿題は今晩しますが、後の宿題は明日するつもりです。

❺ 何より（も）

本文	・そしてなにより、そういうことを知ることがとても大切です。 【読1: l.24】
	・なによりあなたは生きているからです。 【読1: l.43】
説明	何より（も）means "before everything" or "than anything else," depending on the context.
英訳	before everything; above all; first of all; more than anything else; the most ~
例文	1. 私はこの教科書が大好きだ。何より、単語と漢字が覚えやすいというのがいい。
	2. 私にとって何よりも大切なのは、家族の幸せです。
	3. 私は家で本を読むのが何よりも好きです。

❻ 〜に従って

本文	・信条や信仰、良心にに従ってなにかをし〜 【読1: ll.34-35】
説明	に従って literally means "following." In some contexts, it means "in accordance with."
英訳	in accordance with ~ ; complying with ~ ; following ~
文型	Nに従って：スケジュールに従って；規則に従って
例文	1. 先生のアドバイスに従って勉強したら、成績がよくなった。
	2. 会議で決まったことに従ってプロジェクトを進めて下さい。
	3. 先輩の意見に従って、夏はアルバイトをせずに、クラスを取ることにした。
	4. 大学の寮に住む場合には、寮の規則に従って生活しなければならない。

❼ たった（の）Number（+Counter）

本文	・日本村の高校生でそう答えたのは、**たったの**3割でした。　【読2: *ll.*24-25】 ・人間が**たった**1人で出来ることは、とても小さなことです。　【読2: *ll.*55-56】
説明	たった（の）is used to emphasize the small amount or number of something.
英訳	only
文型	たった（の）Number（+Counter）：たった（の）三人；たった（の）15
例文	1. 昨日は大雪で、授業に来た学生は**たったの**四人だった。 2. インスタントラーメンは、**たった**3分でできるので便利です。 3. あの喫茶店ではコーヒーが**たったの**200円で飲めるそうだ。 4. 先月は忙しくて、**たった**二日しか、休めなかった。

❽ ～て{しかたがない／しようがない／しょうがない}

本文	・不安で不安で**しかたがなく**なるのです。　【読2: *l.*35】
説明	てしかたがない，てしようがない，etc. literally mean that a situation is such or is occurring and there is no way to escape it. The phrases are used to indicate that the speaker is unable to control his psychological/physiological reactions or bear a sensation or an external situation. しかたがない and しようがない are interchangeable. しょうがない is colloquial. This use is different from the following example, where しかたがない means "it cannot be helped; there's nothing one can do." 　・お金がないのだから、留学できないのは**しかたがない**。来年まで待とう。
英訳	cannot help V-ing; cannot stop feeling ～; so ～; unbearably ～
文型	a. {V/A}-*te* しかたがない, etc.: 咳がでてしかたがない；喉がかわいてしかたがない；寒くてしようがない；欲しくてしょうがない b. ANa でしかたがない, etc.: 心配でしかたがない；退屈（boring）でしようがない
例文	1. 隣の部屋の音楽が気になって**しかたがない**。ちょっとうるさすぎる。 2. 昨日は、4時間しか寝られなかったので、眠く**てしようがない**。 3. 来年、日本に行けることになったので、嬉しく**てしょうがない**。 4. 昨日から頭が痛く**てしかたがない**。メガネが合わないのかもしれない。 5. あの先生の講義は退屈（boring）で**しょうがない**。

❾ ～以来

本文	・こんなことは日本村が始まって**以来**、初めてのことです。　【読2: *ll.*38-39】
説明	以来 means "since." It is used with V-*te* or VN referring to an action in the past, or with N indicating a specific time in the past.
英訳	since
文型	a. V-*te* 以来：21世紀に入って以来 b. VN/N 以来：終戦以来；結婚以来；入学以来；留学以来　　　c. それ／あれ以来
例文	1. 大学に入って**以来**、高校時代の友達に一度も会っていない。 2. 携帯電話が登場して**以来**、街の公衆電話（public phone）が少なくなった。 3. 9.11**以来**、飛行機に乗る時のセキュリティチェックがとても厳しくなった。 4. 父は10年前に亡くなった。それ**以来**、母は一人で私達兄弟を育ててくれた。

⑩ 何から何まで

本文	・この村は「安全」で「衛生的」で、**何から何まで**あらゆることが「平等」です。【読2: *ll.*41-42】
説明	何から何まで means "all." It is more emphatic than 全部, すべて or みんな. 何から何まで can be used with 全部, すべて or みんな.
英訳	anything and everything; all; all kinds
例文	1. この製品に使われている物は、**何から何まで**リサイクルできます。 2. このアパートはできたばかりなので、**何から何まで**全部新しい。 3. 信じていた人にだまされて、**何から何まで**信じられなくなった。

⑪ かえって

本文	・いろいろ満たされることによって**かえって**悩んでしまう「精神の時代」に入りました。【読2: *ll.*46-47】
説明	かえって is used when an opposite result comes about, contrary to one's expectation.
英訳	on the contrary; rather
例文	1. 頭が痛かったので薬（くすり）を飲んだら、**かえって**ひどくなってしまった。 2. 急いでいたのでタクシーに乗ったら、道が混んでいて、**かえって**遅くなってしまった。 3. よく切れない包丁（ほうちょう）(kitchen knife) は**かえって**危（あぶ）ないよ。 4. 友達と大げんかをしたら、その後、**かえって**仲良くなった。

⑫ ～と同時に（どうじ）

本文	・「日本村」の住民である**と同時に**「世界村」の一員（いちいん）であることを～ 【読2: *ll.*65-66】
説明	と同時に means that something takes place at the same time as other actions or events, or that something is the case while something else is also the case.
英訳	as soon as; the moment; at the same time; also; as well
文型	a. {V/A}-plain.non-past と同時に: {考える/考えない/考えている}と同時に; {難しい}と同時に b. {ANa/N} {である/じゃない/ではない} と同時に: 大切{である/じゃない/ではない}と同時に; 問題{である/じゃない/ではない}と同時に c. VN/N と同時に: 終戦（しゅうせん）と同時に; 叫（さけ）び声（ごえ）と同時に
例文	1. 電車のドアが開く**と同時に**、多くの人が降りて来た。 2. 新しいゲームソフトは発売される (to be put on sale) **と同時に**、全部売れてしまった。 3. 12月に入る**と同時に**、急に寒くなった。 4. この絵本は読んで面白い**と同時に**、考えさせられる。 5. この車は機能性（きのうせい）(functionality) **と同時に**安全性についてもよく考えて作られている。

⑬ Sence つけ

本文	・何て名前だった**っけ**？ 【討: *l.*5】
説明	っけ is a question marker. It is used only in very casual conversation. Note that after the non-past forms of verbs, adjectives and ～ない, んだ must be used before っけ, as seen in 文型.
文型	a. {V/A}-plain.non-past <u>んだ</u>っけ: 行く<u>んだ</u>っけ; 大きい<u>んだ</u>っけ b. {V/A}-plain.past（んだ）っけ: 行った（んだ）っけ; 大きかった（んだ）っけ c. {ANa/N/QW}（なん）だっけ: 上手（なん）だっけ; 学生（なん）だっけ; いつ（なん）だっけ d. {ANa/N}じゃない<u>んだ</u>っけ: 上手じゃない<u>んだ</u>っけ: 学生じゃない<u>んだ</u>っけ e. {ANa/N/QW}だった（んだ）っけ: 上手だった（んだ）っけ; 学生だった（んだ）っけ; いつだった（んだ）っけ f. {ANa/N}じゃなかった（んだ）っけ: 上手じゃなかった（んだ）っけ; 大学生じゃなかった（んだ）っけ

例文	1. この漢字って、どう読むん**だっけ**？ 2. マイクさん、今、どこの大学に留学してた**っけ**？ 3. この豆腐、古そうだよ。いつ買ったん**だっけ**？ 4. この政治家って、衆議院だ**ったっけ**？　参議院だ**ったっけ**？ 5. この電子辞書、いくらだ**ったっけ**？ 6. あのレストラン、おいしかった**っけ**？

⓮ Verb-*masu* っぱなし 📷

本文	・電気をつけ**っぱなし**にしたり、水を出し**っぱなし**にしたりしないとか。　【討: *ll.*29-30】
説明	V っぱなし is used when someone or something keeps doing X or someone did X but didn't finish the action properly. In the first case, V っぱなし is often used to describe an undesirable situation, but this is not always the case, as seen in Ex. 2. This phrase is not used in formal language.
英訳	keep ~ ing; leave
文型	a. Verb-*masu* っぱなし：しゃべりっぱなし；食べっぱなし　　　　b. Verb-*masu* っぱなしだ / で b. Verb-*masu* っぱなしにする　　　　　　　　　　　　　　　d. Verb-*masu* っぱなしのN
例文	1. あの仕事は、立ち**っぱなし**の仕事だから、疲れるに違いない。 2. うちのチームは今日までずっと勝ち**っぱなし**。今シーズンはぜんぜん負けていない。 3. 疲れていたので、テレビをつけ**っぱなし**にして寝てしまった。 4. お湯をわかし**っぱなし**で忘れて寝てしまい、火事になりそうになった。 5. ルームメートはまた食べた皿を出し**っぱなし**のまま学校に行ってしまった。

漢字表

■ RW　読み方・書き方を覚える漢字

1	**疑**問	ぎもん	読1
2	行動スル	こうどうスル	読1
3	周^Rり	まわり	読1
4	白人	<u>はく</u>じん	読1
5	十分（な）	じゅうぶん（な）	読1
6	**太**る	ふとる	読1
7	分ける	わける	読1
8	死	し	読1
9	仲間	なかま	読2
10	長生きスル	ながいきスル	読2
11	返る	かえる	読2
12	**付**き合い	つきあい	読2
13	**希望**^Rスル	きぼうスル	読2
14	**悩**み/**悩**む	なやみ/なやむ	読2
15	不安（な）	ふあん（な）	読2
16	**豊**か（な）	ゆたか（な）	読2
17	手に入れる	てにいれる	読2
18	-以来	-いらい	読2
19	物質	<u>ぶっ</u>しつ	読2
20	届く	とどく	読2
21	～と同時に	～とどうじに	読2
22	広める	ひろめる	読3
23	再-	さい-	読3
24	共通（の）	<u>きょうつう</u>（の）	読3
25	**貧**^Rしい	<u>まずしい</u>	読3
26	植える	<u>うえる</u>	読3
27	**森林**	しんりん	読3
28	無料	むりょう	読3
29	**緑**	みどり	討
30	表	<u>おもて</u>	討
31	平気（な）	へいき（な）	討
32	**捨**てる	すてる	討
33	当たり前（の）	あたりまえ（の）	討

■ R　読み方を覚える漢字

1	予**測**スル	よそくスル	読1
2	人種	じんしゅ	読1
3	太平洋	<u>たいへいよう</u>	読1
4	**栄養**	えいよう	読1
5	**恐**れる	おそれる	読1
6	～に**従**って	～にしたがって	読1
7	**恵**まれる	めぐまれる	読1
8	高**齢**者	こうれいしゃ	読2
9	**寿**命	じゅ<u>みょう</u>	読2
10	**延**びる	のびる	読2
11	国連	こくれん	読2
12	老後	ろうご	読2
13	**収入**	しゅうにゅう	読2
14	**財**産	ざいさん	読2
15	住民	<u>じゅう</u>みん	読2
16	**労働**スル	ろう<u>どう</u>スル	読2
17	**貯**金スル	ちょきんスル	読2
18	**衛生**（的）	えいせい（てき）	読2
19	満たす	<u>み</u>たす	読2
20	取り戻す	とりもどす	読2
21	-**賞**	-しょう	読3
22	受**賞**スル	じゅしょうスル	読3
23	**資**野	ぶんや	読3
24	**資源**	しげん	読3
25	改**善**スル	かいぜんスル	読3
26	**農**家	のうか	読3
27	**破壊**スル	はかいスル	読3
28	**防止**スル	ぼうしスル	読3
29	**募**金	ぼきん	読3
30	寄付スル	<u>きふ</u>スル	読3
31	**裏**	うら	討

太字：新しい漢字
＿＿：新しい読み方
▨▨▨：前に習った単語
^R：前にRで習った漢字

17

たとえ / メタファーの表現

＊分からない言葉は辞書で調べながら読んでみましょう。

みなさんの国では、①の絵の料理は何と言いますか。

日本語では「目玉焼き」と言って、英語では sunny side up と言いますが、この料理に名前をつける時、日本人は目の玉のようだと思い、アメリカ人は太陽を想像したのでしょう。「人生、山あり谷あり」という表現がありますが、この言葉が何を意味しているかもすぐに分かりますね。このように名前のなかったものや抽象的な概念を何か他の具体的な分かりやすい言葉で言い換える「たとえ / メタファー」は、どんな言語にも存在します。

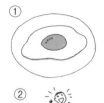

次の文はどんな意味を表していると思いますか。

① 僕と彼は水と油なんだ。
② 私とルームメートは波長が合うのよね。
③ 失恋は苦い経験だったけれど、人間的に成長できたと思う。

次は『とびら』で勉強したメタファーです。どの課に出てきたか覚えていますか。これらの表現がどんな意味か、もう一度思い出してみて下さい。

① ペーパードライバー　　② ラーメンの父　　③ 受験戦争と受験地獄
④ お墓に入る　　　　　　⑤ 浪人をする　　　⑥ おいしさに国境はない
⑦ エスカレーター式の小学校や中学校　　　　⑧ 彼は空の上でどう思っているだろうか

メタファーにはもう一つ面白いことがあります。どの言語でも「高い」や「つくる」のような基本的な言葉がたとえの一部としてたくさん使われているのです。下に日本語の例を挙げてみました。みなさんの国の言葉にもこんな表現がたくさんあるんじゃないでしょうか。

① 高い/低い：背が高い/低い、声が高い/低い、点数が高い/低い、レベルが高い/低い
② 近い：家が近い、卒業が近い、年が近い、考えが近い
③ つくる：ケーキをつくる、街をつくる、友達をつくる、歴史をつくる
④ 出す：ゴミを出す、宿題を出す、お金を出す、アイデアを出す
⑤ 流れ：川の流れ、空気の流れ、話の流れ、時代の流れ

また、名詞を直接修飾できないはずの「遠い / 近い」もメタファーとして使えば問題ありません。例えば、「近い / 遠い＋未来」とか「近い / 遠い＋親戚」のような例です。(p.262, 言語ノート11 参照)

メタファーは文章や表現をとても豊かにしてくれます。メタファーが理解できると文がもっと深く読めるようになるし、書く時や話す時も自分の言いたいことを効果的に伝えることができます。それに、簡単な言葉を使って難しいことも表現できるのでとても便利です。メタファーは日本語が上級レベルになるための大切な要素ですので、これから文章を読む時には、メタファー的表現についても注意しながら、読んでみて下さい。

■ 単 語 索 引 ■

▶太字＝覚える単語　　▶（ ）＝覚える単語の初出の課

あ

あいことば	合言葉	N	password	L15読3
あいさつ	挨拶	VN	greeting ｜（～に）挨拶する	L4読
あいじょう	愛情	N	love; affection	L7読1
あいつ		N	that guy［vulgar］	L2読
あいて	相手	N	the person one is speaking to; partner; opponent	L2読
アイティー	IT	N	information technology	L6読1
あう	（～に）合う	u-Vi	to suit; match	L2読
あう	（～に）あう	u-Vi	to encounter ［undesirable nuance］	L12会
あおぞらきょうしつ	青空教室	N	open-air classes	L13読1
あかとんぼ	赤とんぼ	N	red dragonfly	L13読2
あがりおり	上がり下り	VN	going up and down ｜（～を）上がり下りする	L7会1
あがる	（～が）上がる	u-Vi	to rise; go up	L8読
あかるい	明るい	A	cheerful（personality）	L7会2△
あくじゅんかん	悪循環	N	vicious circle	L9読
あげもの	揚げ物	N	deep-fried food	L11読
あげる	（例を）挙げる	ru-Vt	to give（an example）	L7読2
あげる	（～を）上げる	ru-Vt	to raise; elevate; increase	L9読
あさばん	朝晩	Adv	morning and evening	L6読1
アザラシ		N	seal［animal］	L3読
あじわう	（～を）味わう	u-Vt	to appreciate; enjoy; savor	L13読2
あたえる	（～に～を）与える	ru-Vt	to give	L4読
あたためる	（～を）温める	ru-Vt	to warm（up）; heat（up）	L10読
あたらし(い)ものずき	新し(い)物好き	N	love of new things; neophilia	L11会1
あたり	辺り	N	one's surroundings; neighborhood; nearby	L11会1
あたりまえ（の）	当たり前（の）	ANo	usual; ordinary	L15討
あたる	（～が）当たる	u-Vi	to come true; guess correctly	L7会2
あちこち		Adv	here and there	L15読2
あっ		Int	oh; ah	L3読
あつまる	（～が）集まる	u-Vi	to gather	L3読
あとにつづく	（～の）後に続く	Phr	to follow after（a person, thing, etc.）	L7読1
あとをつぐ	（～の）後をつぐ	Phr	to follow in someone's footsteps	L14読
あのかた	あの方	N	that person［polite］	L2読
アピール		VN	appeal ｜（～に／を）アピールする to appeal	L14読
あめつゆをしのぐ	雨露をしのぐ	Phr	to keep out the rain	L15読1
アメリカンコーヒー		N	American coffee（＝ weak coffee）	L3会2
あやまる	（～に）謝る	u-Vi	to apologize	L2会1
あらゆる		An	all; every（possible）	L6読
あらわす	（～を）表す	u-Vt	to express, represent	L4読
あらわれる	（～に）表れる	ru-Vi	to appear	L6会3 (L2読)

あらわれる	（〜が）現れる	ru-Vt	to appear; emerge	**L6読1**
ありえない		Phr	No way! ; That can't be (true). [colloquial]	**L7会2**
あるいは		Conj	or; either 〜 or 〜	**L9読**
あるがまま		Phr	as it is	**L15読1**
アレルギー		N	allergy	**L3読**
あわせる	（〜を/に）合わせる	ru-Vt	to put together; fit in	**L12会**
あんしょう	暗唱	VN	recitation | （〜を）暗唱する	**L13読2**
あんしん	安心	VN	peace of mind; reassurance | 安心する to feel relieved	**L10会1**
あんない	案内	VN	guidance; guide design | （〜を）案内する to guide; show around	**L3考**

い

-い	-位	Suf	rank	**L7会2**
いいつたえ	言い伝え	N	legend; tradition	**L12会**
いえじゅう	家中	N	the whole house	**L8ス**
-いか	-以下	Suf	less than; or less	**L5読^**
-いがい	-以外	Suf	except; other than; besides	**L9読**
いがく	医学	N	medical science | 医学部 (N) the medical department (for a university)	**L7読1**
いかす	（〜を）生かす	u-Vt	to make the most of one's abiltiy; skills; experience, etc.	**L12読** （L4読）
いき	息	N	breath	**L12会**
いきる	（〜が）生きる	ru-Vi	to live; exist	**L6読1**
いけ	池	N	pond | 古池 (N) old pond	**L13読2**
いけん	意見	N	opinion	**L6会1**
いし	石	N	stone	**L6読1**
いしき	意識	N	consciousness; awareness	**L6読1**
いじめ		N	bullying | （〜を）いじめる (ru-Vt) to bully	**L9読**
いじょう	-以上	Suf	more than 〜 ; over 〜 ; above 〜	**L1読**
いせいあいしゃ	異性愛者	N	heterosexual (person)	**L15読1**
いぜん	以前	Adv	before	**L9読**
いたずらをする		Phr	to act up (children); get into mischief	**L13読1**
いちいん	一員	N	a member	**L15読2**
いちおう	一応	Adv	for the time being; tentatively; although not perfectly	**L14読**
いちどう	一同	N	all present	**L14討**
いちぶ	一部	N	part (of something)	**L6読1**
いつか		Adv	some day; one day	**L14読**
いっしょうけんめい（な）	一生懸命（な）	ANa	very hard; with utmost effort	**L6読1**
いっしんきょう	一神教	N	monotheism	**L6読1**
いっぱいになる	（〜が〜で） いっぱいになる	Phr	to be filled up; be full	**L8ス**
いっぱんてき（な）	一般的（な）	ANa	general; common	**L4読** （L1会1）
いと	糸	N	string; thread	**L12会**
いと	意図	VN	intent; intention | （〜を）意図する	**L13読2**
いど	井戸	N	water well	**L12読**
いなか	田舎	N	countryside; rural area	**L1会1**
いのち	命	N	life	**L7読1**
いのる	（〜に）祈る	u-Vt	to pray; wish | お祈りをする (Phr) to pray	**L6読1**

いはん	違反	VN	violation (of a law, a rule, etc.) | （〜に）違反する	L14読 (L3考)
いびき		N	snore | いびきをかく（Phr）to snore	L7練習
いまだに	未だに	Adv	still; （not ~）yet	L14読
いまでいう	今で言う	Phr	what is now called	L11読
いまでは	今では	Adv	now; nowadays	L9読
いみ	意味	VN	meaning | （〜を）意味する	L9読
イメージ		N	image; impression	L7読2
いやがらせ		N	harassment | （〜に）いやがらせをする（Phr）	L15読1
いらい	依頼	VN	request | （〜に）依頼する to ask (a person to 〜); make a request	L3会1
-いらい	-以来	Suf	since	L15読2
いろいろ（と）	色々（と）	Adv	a lot; （so）much; many things; all sorts of things | 色々（な）（ANa）various	L1会1
いろんな		ANa	colloquial form of 色々な	L14討
いわ	岩	N	rock | 岩戸（N）rock door (to a cave)	L6読2
いわう	（〜を）祝う	u-Vt	to celebrate; congratulate	L6読1
いんしょう	印象	N	impression | 印象に残る（Phr）to stand out in one's memory	L13読1
いんたい	引退	VN	retirement （from office, etc.） | （〜を/から）引退する	L14読
インド		N	India	L11読
インドネシア		N	Indonesia	L5読

う

ウイルス		N	virus	L8読
うえる	（〜に）飢える	ru-Vi	to starve | 飢え（N）hunger; starvation	L15読2
うえる	（〜を）植える	ru-Vt	to plant	L15読3
うかぶ	（〜が）浮かぶ	u-Vi	to come to mind; float	L13読2
うけいれる	（〜を）受け入れる	ru-Vt	to accept	L6読1
うけつけ	受付	N	receptionist; reception desk	L3考
うごかす	（〜を）動かす	u-Vt	to move 〜	L3読
うごく	（〜が）動く	u-Vi	to move	L3読
うすい	薄い	A	thin	L12読
うちゅう	宇宙	N	universe	L7読1
うつ	（〜を）打つ	u-V	to hit; strike	L4読
うつくしい	美しい	A	beautiful	L1読
うつびょう	うつ病	N	depression	L15読2
うつりかわり	移り変わり	N	change （of season, weather, etc.）	L13読1
うどん		N	thick white noodles	L5会1
うなずく	（〜が）うなずく	u-Vi	to nod	L14討
うまい		A	delicious; tasty [mainly used by male]	L1会2
うまい		A	good; skillful; clever	L12読
うまれかわる	（〜に）生まれ変わる	u-Vi	to appear in a different form; be reborn	L12読
うまれる	（〜が）生まれる	ru-Vi	to be born; come into being	L3読
うむ	（〜を）生む	u-Vt	to produce; bear	L9読
うやまう	（〜を）敬う	u-Vt	to respect; honor	L6読1
うら	裏	N	back	L15討
うらない	占い	N	fortune-telling | 占う（u-Vt）to tell fortunes	L7会2

うりあげ	売り上げ	N	sales	L10読
うれる	(〜が)売れる	ru-Vi	to sell; be in demand	L10会1
うんてんめんきょ	運転免許	N	driver's license	L3会2
-うんどう	-運動	Suf	campaign; move; exercise	L15読3

え

え	絵	N	picture; painting ｜ 絵本 (N) picture book	L1会1
えいきょう	影響	VN	influence; effect; impact ｜ (〜に)影響する ｜ (〜に)影響を与える (Phr) to have an influence/impact ｜ (〜に)影響を受ける (Phr) to be influenced/affected	L7読1
えいせい	衛生	N	hygiene; sanitation ｜ 衛生的(な) (ANa) hygienic	L15読2
えいよう	栄養	N	nutrition	L15読1
えがお	笑顔	N	smiling face	L4読
えがく	(〜を)描く	u-Vt	to depict; describe	L8読
エコカー		N	ecologically-friendly car	L3会1
エコベンダー		N	eco-vendor	L10読
エサ/えさ		N	food (for animals); bait	L13会
エスエフ	SF	N	science fiction	L7読1
えど	江戸	N	Edo (the former name for Tokyo) ｜ 江戸時代 the Edo period	L11読 (L5会2)
エネルギー		N	energy	L10読
えび		N	shrimp	L5会1
えらい	偉い	A	great; admirable; respectable; (person) in a high position	L6読2
えらそうにする	偉そうにする	Phr	to act important	L8読
える	(〜を)得る	ru-Vt	to get; obtain; acquire	L5読
えん	円	N	circle ｜ 円グラフ (N) pie chart	L6会3
えん	縁	N	connection; tie	L14読
えんぎのわるい	縁起の悪い	Phr	unlucky	L9読
えんしゅうりつ	円周率	N	Pi (3.1415926…)	L9読
えんじる	(〜を)演じる	ru-Vt	to perform (a play); play (a part)	L11会2
エンスト		N	stalled engine (lit. engine stalling)	L3会1
えんぜつ	演説	N	(political) speech ｜ 演説する ｜ 選挙演説 (N) campaign speech	L14読
えんそう	演奏	VN	musical performance ｜ (〜を)演奏する to play (a musical instrument)	L3読
えんむすび	縁結び	N	matchmaking	L6読1

お

おいかける	(〜を)追いかける	ru-Vt	to run after; chase	L8会
おいだす	(〜を)追い出す	u-Vt	to drive out; expel	L11会2
おいわい	お祝い	N	congratulatory gift; celebration	L3読
おう	王	N	king; monarch	L11読
おうべい	欧米	N	Europe and the US ｜ 欧米人 (N) Europeans and Americans	L7読1
おおいそがし(の)	大忙し(の)	ANo	very busy	L6読2
オーエル	OL	N	female office worker	L10会2
おおき(な)	大き(な)	ANa	big; large [used only as a noun modifier]	L1読
おおく(の)	多く(の)	ANo	many; a lot of	L2読
おおごえ	大声	N	loud voice	L4読
おおさかじょう	大阪城	N	Osaka Castle	L11会2
おおさわぎ	大騒ぎ	VN	making great noise (yelling, cheering, and laughing) ｜ 大騒ぎする	L6読2

おおむかし	大昔	Adv	in ancient times	**L6読2**
おおらか（な）		ANa	broad-minded; generous	**L7会2**
おかず		N	accompaniment for rice dishes; side dish	**L10会1**
おがわ	小川	N	streamlet; brook	**L13読1**
おきかえる	（〜を〜に）置きかえる	ru-Vt	to replace	**L7読2**
おきる	（〜が）起きる	ru-Vi	to happen; take place; get up	**L6読1**
おく	億	N	one hundred million	**L5読**
おくがふかい	奥が深い	Phr	very deep; complex	**L10会2**
おけ	桶	N	wooden bucket	**L8読**
おこなう	（〜を）行う	u-Vt	to conduct; carry out	**L1会1**
おこる	（〜が）起こる	u-Vi	to occur; happen	**L8読**
おごる	（〜に〜を）おごる	u-Vt	to treat（a person to a meal, tea, etc.）	**L2読**
おさめる	（〜を）治める	ru-Vt	to rule（a country）	**L6読2**
おしつぶす	（〜を）押しつぶす	u-Vt	to squash; crush	**L13会**
おしばな	押し花	N	pressed flower	**L12発**
おしまい		N	the end; closing	**L8ス**
おしゃべり		VN	chat	おしゃべりする to have a chat	**L10読**
おしゃれ（な）		ANa	stylish; fashionable	おしゃれをする（Phr）to dress（oneself）up	**L9会2**
おすすめ		N	things to recommend	**L1会2**
おせわになる	（〜に）お世話になる	Phr	to be under the care of; be indebted to（someone for something）	**L2会1**
おそらく		Adv	probably	**L11会1**
おそれる	（〜を）恐れる	ru-Vt	to fear; be afraid of	**L15読1**
おそろしい	恐ろしい	A	scary; frightening	**L1読**
おたがいに	お互いに	Phr	（to）each other;（to）one another	**L4読**
おたく	お宅	N	one's home［polite］	**L2会1**
おちば	落ち葉	N	fallen leaves	**L13読1**
おっと	夫	N	husband［humble form］	**L13会**
おつり		N	change（money）| つり銭（せん）（N）change（money）	**L10読**
おとずれる	（〜を）訪れる	ru-Vi	to visit; call（on a person, at a place）	**L10読** **（L6読2）**
おどり	踊り	N	dance	踊る（u-Vt）to dance	**L8読**
おどろく	（〜に）驚く	u-Vi	to be surprised; be shocked	**L4読**
おにぎり		N	rice ball	**L5会1**
おにはそと、 ふくはうち	鬼は外、福は内	Phr	Out with the demons and in with good fortune!	**L6読1**
おねがい	お願い	VN	request; favor |（〜に〜を）お願いする to request; ask a favor of	**L2読**
オノマトペ		N	onomatopoeia［a word that imitates the sound it is describing］	**L7読1**
おはかにはいる	お墓に入る	Phr	to be buried（in a grave）	**L6読1**
おび	帯	N	belt; sash	**L4会3**
おびえる	（〜に）おびえる	ru-Vi	to be frightened; get scared	**L15読1**
おふだ	お札	N	talisman issued at a Shinto shrine	**L6読1**
おふる（の）	お古（の）	ANo	hand-me-down	**L15討**
おまいり	お参り	VN	visiting（a shrine, a person's grave, etc.）|（〜に）お参りする	**L6読1**
おまたせ	お待たせ	Phr	Sorry I kept you waiting.	**L4会1**
おまもり	お守り	N	good-luck charm	**L6読1**
おも（な）	主（な）	ANa	main; leading; major	**L9読**

おもいうかぶ	（〜が）思い浮かぶ	u-Vi	to come to one's mind	L7 読 1
おもいうかべる	（〜を）思い浮かべる	ru-Vt	to recall; be reminded of; call to mind	L11 読
おもいだす	（〜を）思い出す	u-Vt	to recall; remember	L13 読 1
おもいやり	思いやり	N	caring; consideration	L13 読 1
おもしろおかしい	面白おかしい	A	jocular; amusing	L13 会
おもて	表	N	face; front	L15 討
おやこどん	親子丼	N	bowl of rice topped with chicken and eggs	L5 会 1
おりがみ	折り紙	N	origami (paper folding)	L12 会
おる	（〜を）折る	u-Vt	to break (a stick-like object); fracture	L4 読
おる	（紙を）折る	u-Vt	to fold (paper)	L12 会
おれ	俺	N	I［male］	L2 読
おわり	終わり	N	the end	L1 読

か

-か	-家	Suf	specialist｜漫画家（N）manga artist; animator	L7 読 1
か	課	N	lesson	L2 読
カーソル		N	cursor	L3 会 3
カーナビ		N	car navigation system	L3 会 2
かい	階	N	floor	L1 読
かいぎしつ	会議室	N	conference room	L13 会
かいけつ	解決	VN	solution; closure of problem｜（〜を）解決する to solve; resolve; settle	L9 読
かいさつ	改札	N	ticket validation; ticket check-in｜改札機（N）automatic ticket gate	L10 読
かいし	開始	VN	start｜（〜を）開始する	L15 読 3
かいしゃく	解釈	VN	interpretation; explanation｜（〜を）解釈する	L13 読 2
かいじょう	会場	N	event site	L3 読
かいせい	改正	VN	amendment; revision (of rules, law, etc.)｜（〜を）改正する	L14 読
かいぜん	改善	VN	improvement; change for the better｜（〜を）改善する	L15 読 3
かいだん	階段	N	stairs	L7 会 1
かいてき（な）	快適（な）	ANa	pleasant; comfortable	L15 読 2
かいてん	回転	VN	rotating; spinning｜（〜が）回転する	L5 会 2
かいてんずし	回転寿司	N	conveyor-belt sushi bar	L5 会 2
かいはつ	開発	VN	development (of a new thing); exploitation (of resources)｜（〜を）開発する	L12 読
かいりょう	改良	VN	improvement; upgrading (of performance, quality, etc.)｜（〜を）改良する	L12 読
カウンター		N	counter seat	L5 会 2
かえる	（〜を）変える	ru-Vt	to change; alter	L2 読
かえる	（〜を）替える	ru-Vt	to exchange; replace	L10 会 2
かえる	（〜が）返る	u-Vi	to return	L15 読 2
かかえる	（〜を）抱える	ru-Vt	to have (problems, heavy work, etc.); to hold in one's arms	L15 読 2
かがく	科学	N	science｜科学的（な）（ANa）scientific｜科学者（N）scientist	L8 読
かきことば	書き言葉	N	written language	L2 読
かきことば/はなしことばてき（な）	書き言葉/話し言葉的（な）	ANa	like written language/ spoken language	L2 読
かく	（絵を）描く	u-Vt	to draw; paint	L3 読
かぐ	家具	N	furniture	L12 読

かく-	各-	Pref	each; various	**L11読**
がくしゅう	学習	VN	learning; study｜（〜を）学習する	**L3読**
かくす	（〜を）隠す	u-Vt	to hide; conceal	**L12読**
がくひ	学費	N	tuition; school expenses	**L9会1**
かくりつ	確立	VN	establishing｜（〜を）確立する	**L11読** （L7読1）
がくりょく	学力	N	academic ability	**L9読**
がくれき	学歴	N	academic/educational background	**L9読**
かくれる	（〜に）隠れる	ru-Vi	to hide oneself; be hidden	**L6読2**
かけじく	掛け軸	N	Japanese scroll painting or calligraphy	**L8読**
かけまわる	（〜を）かけまわる	u-Vi	to run around	**L13読1**
かける	（〜を）かける	ru-Vt	to take（time）; spend（money）	**L11読**
かこ	過去	N	the past	**L11会1**
かご	籠	N	basket	**L12読**
-**かこく**	-か国	Suf	[counter for countries]	**L5読**
かざる	（〜を）飾る	u-Vt	to decorate	**L6読1**
かざん	火山	N	volcano	**L1読**
かし	歌詞	N	song lyrics	**L13読2**
かじ	火事	N	fire	**L12読**
かしこい	賢い	A	wise; clever	**L10読**
かず	数	N	number｜-数（すう）（Suf）the number of 〜	**L5読**
かずおおく（の）	数多く（の）	ANo	in great numbers; many	**L11読**
かたち	形	N	shape; appearance	**L1読**
かちょう	課長	N	section chief	**L2会2**
かつ	（〜に/で）勝つ	u-Vi	to win	**L4読**
かっこ	括弧	N	parenthesis	**L13読2**
ガッツポーズをする		Phr	to raise one's fist(s) in triumph	**L4読**
かって（な）	勝手（な）	ANa	self-serving; selfish	**L13読1**
かってにする	勝手にする	Phr	to have one's way	**L15討**
カツどん	カツ丼	N	bowl of rice topped with pork cutlet	**L5会1**
かつやく	活躍	VN	being active; taking an active part｜活躍する	**L3読**
かてい	家庭	N	home; family	**L9読**
かど	角	N	corner	**L12発**
かならず	必ず	Adv	without fail; certainly	**L13読2**
かなり		Adv	considerably; quite; fairly	**L14読**
かのうせい	可能性	N	possibility; potentiality	**L9読**
かふんしょう	花粉症	N	pollen allergy	**L13会**
かべ	壁	N	wall	**L1読**
がまん	我慢	VN	patience; tolerance｜（〜を/に）我慢する to have patience/put up with（something or someone）	**L8読**
がまんづよい	我慢強い	A	patient	**L7会2△**
かみがみ	神々	N	gods	**L6読1**
かみしばい	紙芝居	N	a story told through pictures	**L1会1**
かみだな	神棚	N	household Shinto altar	**L6読1**
かみだのみ	神頼み	VN	praying to God for help｜神頼みする｜苦しい時の神頼み （Phr）Men pray to God only when they are in trouble.	**L6読1**

かみつく	(〜に)かみつく	u-Vi	to bite	L8ス
かよう	(〜に)通う	u-Vi	to go to (school, work, etc.) regularly	L4読
からかう	(〜を)からかう	u-Vt	to tease	L8読
カラフル(な)		ANa	colorful	L10読
かれ	彼	N	he; one's boyfriend	L4読
かれの	枯れ野	N	desolate field	L13読2
-がわ	-側	Suf	side	L12会
かわいそう(な)		ANa	poor; pitiable	L8会
かわかす	(〜を)乾かす	u-Vt	to dry (clothes, etc.)	L12読
かわく	(〜が)乾く	u-Vi	to get dry	L12発
かわく	(〜が)渇く	u-Vi	to get dry	L15読2
かわず		N	frog [old word for カエル]	L13読2
かわっている	(〜が)変わっている	ru-Vi	to be different	L12会
かわる	(〜に)代わる	u-Vi	to take the place of; replace	L14読
かん	缶	N	can | 缶入り(の)(ANo) canned	L10読
がん	癌	N	cancer	L8読
ガンガン		Adv	sound of loud music	L7会1
かんきょう	環境	N	environment	L9読
かんけい	関係	N	relationships | 上下関係(N) superior-subordinate relationships	L4会1
かんけいがある	(〜に/と)関係がある	Phr	to be related (to 〜); have some connection (to 〜)	L8読 (L1会1)
かんげい	歓迎	VN	welcome | (〜を)歓迎する	L9読
がんこ(な)		ANa	stubborn; hardheaded	L7会2△
かんこう	観光	VN	sightseeing | (〜を/で)観光する	L1読
かんこうきゃく	観光客	N	tourist	L1会2
かんさい(ちほう)	関西(地方)	N	the Kansai Region	L1会1
かんさつ	観察	VN	observation | (〜を)観察する	L2読
かんじ	感じ	N	feeling; impression | (〜を/と)感じる(ru-Vt) to feel; sense; realize	L2読
かんじがする	感じがする	Phr	to feel	L6会2
かんしゃ	感謝	VN	gratitude; appreciation | (〜に)感謝する to thank; express one's gratitude	L4読 (L3会1)
かんじゃ	患者	N	patient	L8読
かんしょう	鑑賞	VN	appreciation (of haiku, movie, painting, etc.) | (〜を)鑑賞する	L13読2
かんしん	関心	N	concern; interest	L14読
かんせい	完成	VN	completion | (〜が)完成する to complete; be completed	L8読
かんせい	感性	N	sensibility; sensitivity	L13読1
かんせん	観戦	VN	watching (a sports game) | (〜を)観戦する	L4読
かんそう	感想	N	impressions; thoughts	L13会
かんたん(な)	簡単(な)	ANa	simple; easy	L2読
かんどう	感動	VN	sensation; impression | (〜に)感動する to be deeply moved emotionally; be impressed	L13読2
かんとう(ちほう)	関東(地方)	N	the Kanto Region	L1会1
がんばりや(さん)		N	hard worker	L7会2
かんばん	看板	N	advertising sign/display	L14読

き

きいたところによると	聞いたところによると	Phr	according to what I've heard	**L10会1**
ぎいん	議員	N	member of the Diet, Congress or Parliament	**L14読**
きおく	記憶	VN	memory | (〜を)記憶する to commit something to memory; memorize	**L13会**
きおん	気温	N	(atmospheric) temperature	**L1読**
きかい	機会	N	chance; opportunity	**L7読2**
きかい	機械	N	machine	**L10読**
きがする	(〜ような)気がする	Phr	to have a feeling/the impression (that 〜)	**L5会2**
きがつく	(〜に)気がつく	Phr	to notice/realize (that 〜)	**L6読1**
ききかえす	(〜に)聞き返す	u-Vi	to raise a question about something that has just been said	**L1会1**
きげき	喜劇	N	comedy	**L8会**
きけん(な)	危険(な)	ANa	dangerous; perilous	**L10読**
きげんぜん	紀元前	N	time before Christ ; B.C.	**L12読**
きご	季語	N	seasonal word (in a haiku)	**L13読2**
きこう	気候	N	climate	**L1読**
きじ	記事	N	article	**L3会3**
ぎじゅつ	技術	N	technology; skill; technique	**L3読**
ぎじゅつしゃ	技術者	N	engineer; technical expert	**L12読**
きせい	規制	VN	regulation | (〜を)規制する	**L10読**
ぎせいご/ぎおんご	擬声語/擬音語	N	phononime (= onomatopoeia)	**L7読2**
きせつかん	季節感	N	a sense of the season(s)	**L13読2**
きそく	規則	N	rules; regulations	**L13読2**
ぎたいご	擬態語	N	phenomime	**L7読2**
きっかけ		N	trigger	**L7読1**
きっと		Adv	surely	**L15読2**
きにする	(〜を)気にする	Phr	to worry; be concerned; care about	**L11読**
きになる	(〜が)気になる	Phr	to feel uneasy	**L13読1**
ギネスブック		N	Guinness Book of World Records	**L3読**
きのこ		N	mushroom	**L8会**
きのめ	木の芽	N	leaf bud	**L13読2**
きびしい	厳しい	A	severe; strict; intense	**L1会2**
きふ	寄付	N	donation; contribution | (〜に)寄付する	**L15読3**
きぶん	気分	N	feeling; mood	**L2読**
きぼう	希望	VN	hope; wish | (〜を)希望する	**L9読**
きほん	基本	N	foundation; basis | 基本的(な)(ANa) fundamental; basic	**L9読**
きまり	決まり	N	rules; customs	**L2読**
きみ	君	N	you [men to friends, lovers, etc.; superiors to subordinates]	**L13読1**
ぎむ	義務	N	duty; obligation | 義務教育 (N) compulsory education	**L9読**
きもち	気持ち	N	feeling; sensation; mood | 気持ちがいい (Phr) to feel good	**L1会2**
きもちをこめる	(〜に)気持ちを込める	Phr	to put one's mind/feelings (into something)	**L7読1**
ぎもん	疑問	N	question; doubt	**L15読1**
ぎゃく(の)	逆(の)	ANo	opposite; the other way	**L8読**
キャラクターグッズ		N	pop character merchandise	**L7読1**
きゅう(な)	急(な)	ANa	sudden; abrupt	**L6読2** (**L2会2**)

きゅうけい	休憩	VN	rest; break | 休憩する	L4会2
きゅうしゅう	九州	N	Kyushu［the third largest of Japan's four major islands］	**L1読**
ぎゅうどん	牛丼	N	bowl of rice topped with beef	**L5会1**
ぎゅうにく	牛肉	N	beef	**L5会1**
きょういく	教育	VN	education | （〜を）教育する to train; educate	**L9読**
きょうかい	協会	N	association | 世界ラーメン協会 (N) World Instant Noodle Association	L5読
きょうかい	教会	N	church	**L6読1**
きょうげん	狂言	N	kyogen（play）［comical plays performed during Noh intermissions］	**L8読**
ぎょうじ	行事	N	event	**L1会1**
きょうじゅ	教授	N	professor	**L14読**
きょうそう	競争	VN	competition | （〜と）競争する	L5読
きょうちょうせい	協調性	N	cooperation | 協調性がある（Phr）to work well with others	L7会2
きょうつう（の）	共通（の）	ANo	common | 共通語 common language	**L15読3**
きょうてん	教典	N	Buddhist canon/text	**L11読**
きょうとだいがく／ きょうだい	京都大学	N	Kyoto University［often shortened to 京大］	**L9会1**
きょうみぶかい	興味深い	A	very interesting	**L2読**
きょうりょく	協力	VN	cooperation | （〜に）協力する	**L9読**
きらす	（〜を）切らす	u-Vt	to be out of; run out of	**L10読**
ギリシャしんわ	ギリシャ神話	N	Greek mythology	**L6読2**
キリストきょう	キリスト教	N	Christianity	**L6読1**
きろく	記録	VN	record; document | （〜を）記録する	**L11会1**
ぎろん	議論	VN	argument; discussion | （〜について）議論する to argue a point	**L14討**
きん	金	N	gold | 金メダル（N）gold medal	**L4読**
きんし	禁止	VN	prohibition; ban | （〜を）禁止する	**L11読**
きんじょ	近所	N	neighborhood; vicinity	**L10会1**
きんだいか	近代化	VN	modernization | 近代化する	**L11読**
きんだいてき（な）	近代的（な）	ANa	modern	**L11会1**
きんべん（な）	勤勉（な）	ANa	hard-working; diligent	**L15読2**

く

く	句	N	haiku	**L13読2**
くうばく	空爆	N	aerial bombing; air strike	**L15読1**
くき	茎	N	stalk	**L12発**
くさばな	草花	N	flower; flowering plant	**L12発**
くしゃみ		N	sneeze	**L13会**
くじょう	苦情	N	complaint; grievance	**L7会1**
ぐたいてき（な）	具体的（な）	ANa	concrete; tangible; definite	**L14読**
くだけた		irr-A	plain; relaxed; informal	**L2読**
くにぐに	国々	N	countries	**L11読**
くび	首	N	neck	**L3読**
くみたて	組み立て	N	construction; framework	**L13読2**
クモ		N	spider	**L3読**
くやしい		A	（someone is）frustrated; （someone is）regrettable	**L4読**
くらす	暮らす	u-Vi	to live | 暮らし（N）living	**L3読**

くらべる	(〜を)比べる	ru-Vt	to compare	L2読
くりかえす	(〜を)くり返す	u-Vt	to repeat; do something over again	L5読
くるしい	苦しい	A	hard; difficult	L6読1
くるしむ	(〜で/に)苦しむ	u-Vi	to suffer	L9読
くれなずむゆうぐれ	暮れなずむ夕暮れ	Phr	lingering evening glow (after a sunset)	L13読1
グローブ		N	baseball glove	L4読
くろざとう	黒砂糖	N	brown sugar	L8読
くわえる	(〜に〜を)加える	ru-Vt	to add	L11読
くわしい	詳しい	A	detailed; full	L4会2
-くん	-君	Suf	[attached to the first or last name of male equal or a person whose status or rank is lower than the speaker's]	L3会1

け

け	毛	N	hair; down; fur	L3読
ケアハウス		N	low-income home for the aged	L3読
-けい	-系	Suf	system; lineage; family; group	L6会3
けいかく	計画	VN	plan; planning | (〜を)計画する	L14読
けいご	敬語	N	honorific language	L2読
けいこう	傾向	N	trend; tendency	L7読2
けいざい	経済	N	economy	L7読1
けいさん	計算	VN	calculation; count | (〜を)計算する to calculate	L9読
けいしき	形式	N	form; formality	L13会
げいじゅつ	芸術	N	(fine) art; the arts	L7読1
げいじゅつせい	芸術性	N	artistic quality	L13読2
けいたい(でんわ)	携帯(電話)	N	cellular phone	L2読
けいれき	経歴	N	personal history; career	L14読
けが	怪我	N	injury | 怪我をする (Phr) to get hurt; be injured	L3考
げき	劇	N	play (performed on stage)	L8読
けしき	景色	N	scenery; view	L1読
けす	(〜を)消す	u-Vt	to remove; erase; turn off; put out (fire)	L8会
けつえきがた	血液型	N	blood type | 血液 (N) blood	L7会2
けつえん	血縁	N	blood relationship/tie	L14読
けっか	結果	N	result	L6会3
けっこう	結構	Adv	fairly; pretty; rather; quite	L6会1
けむり	煙り	N	smoke; fumes	L13読1
けらい	家来	N	subordinate warrior; servant	L8読
げんいん	原因	N	cause; origin	L9読
けんがく	見学	VN	visit; tour (of a place) | (〜を)見学する	L1読
げんきん	現金	N	cash	L10読
げんご	言語	N	language	L2読
けんこう	健康	N	health | 健康(な) (ANa) healthy (used for human/animal health only)	L4読
げんざい	現在	Adv	at present ; now | 現在 (N) the present time	L5読
げんさく	原作	N	original work	L7読1
げんしょう	現象	N	phenomenon	L13読2 (L9読)
げんじょう	現状	N	present condition; status quo	L9読

けんそん	謙遜	VN	modesty; humbleness | 謙遜する to be modest; be humble	**L9会4**
げんだい	現代	N	the present day/age; today	**L4読**
けんちく	建築	N	architecture	**L11読**
けんてい	検定	VN	giving official approval; inspecting | （〜を）検定する	**L9読**
げんばく	原爆	N	atomic bomb	**L12会**
げんばくしょう	原爆症	N	atomic bomb sickness	**L12会**
げんばくドーム	原爆ドーム	N	the Atomic Bomb Memorial Dome	**L1読**
げんりょう	原料	N	raw materials	**L12読**

こ

-ご	-後	Suf	(hours, days, years, etc.) later	**L5読**
こいのぼり		N	carp-shaped streamer	**L13読2**
こいびと	恋人	N	boyfriend/girlfriend	**L2読**
こう		DemP	like this; this way	**L12会**
こうい	行為	N	act; conduct	**L8読**
こういう		DemA	of this kind; like this	**L2読**
こうか	効果	N	effectiveness, impact | 効果がある (Phr) to be effective	**L3読**
ごうか（な）	豪華（な）	ANa	luxurious; gorgeous	**L11会2**
ごうかく	合格	VN	passing (an exam) | （〜に）合格する	**L3読**
こうかん	交換	VN	exchange | （〜を/と）交換する	**L6読1**
こうき	後期	N	the latter period	**L11読**
こうぎ	講義	N	lecture	**L8読**
こうけい	光景	N	sight; scene	**L13読1**
こうけん	貢献	VN	contribution | （〜に）貢献する	**L15読3**
こうしゃ	後者	N	the latter	**L9読**
こうしゃ	校舎	N	school building	**L13読1**
こうじょう	向上	VN	improvement; betterment | （〜が）向上する	**L15読3**
こうせい	構成	VN	organization; composition | （〜を）構成する to make up	**L13読2**
こうつう	交通	N	traffic; transportation	**L13会**
こうどう	行動	VN	action | 行動する	**L15読1**
コウノトリ		N	stork	**L10読**
こうはい	後輩	N	one's junior	**L4会1**
こうはん	後半	N	the second half	**L11読**
こうふく	幸福	N	happiness	**L6読1**
こうほしゃ	候補者	N	candidate	**L14読**
ごうもん	拷問	VN	physical torture | （〜を）拷問する	**L15読1**
こうやく	公約	N	public commitment/promise | 政権公約 (N) manifesto	**L14読**
こうりつ	公立	N	public (institution)	**L9読**
こうりつ	効率	N	efficiency | 効率よく (Adv) efficiently	**L11読**
こうりゅう	交流	VN	having contact (with people); exchange (of culture, people, etc.) | （〜と）交流する	**L11読**
こうれいしゃ	高齢者	N	old person/people	**L15読2**
こえ	声	N	voice | 声を出す (Phr) to utter	**L3読**
こえる	（〜を）越える	ru-Vt	to cross; pass	**L5読**
こえる	（〜を）超える	ru-Vt	to exceed; surpass	**L7読1**

こえをかける	(〜に)声をかける	Phr	to talk to	L13読1
こおり	氷	N	ice｜氷が張る（Phr）to be frozen over	L13読1
こきょう	故郷	N	hometown; native place	L13読1
こくいっこく	刻一刻	Adv	moment by moment	L13読1
こくがい	国外	N	outside the country	L14読
こくぎ	国技	N	national sport	L4読
こくさいてき(な)	国際的(な)	ANa	international	L5読
こくせい	国政	N	national politics	L14読
こくど	国土	N	territory; country	L1読
こくない	国内	N	a country's interior｜国内の（Phr）domestic; internal	L4読
こくみん	国民	N	the people of a country; citizens	L6読1
こくれん	国連	N	United Nations	L15読2
こころをいためる	(〜に)心を痛める	Phr	to feel distress	L15読3
こじん	個人	N	individual｜個人的(な)（ANa）personal	L6会2
こせいてき(な)	個性的(な)	ANa	(person) with a great deal of personality	L7会2
こだい	古代	N	ancient times｜古代中国（N）ancient China	L11読
ごちょう	語調	N	tone (of voice)	L13読2
こっかい	国会	N	National Diet	L14読
こっきょう	国境	N	a nation's border	L5読
ことわざ	諺	N	proverb	L13読2
ことわる	(〜を)断る	u-Vt	to refuse; decline｜断り（N）refusal	L2読
このあいだ	この間	Adv	the other day; recently	L3会2
このへんに	この辺に	Phr	around here	L2読
このむ	(〜を)好む	u-Vt	to like; prefer (written language)	L10読
このような		DemA	this sort of; such	L2読
ゴボゴボ		Adv	sound of gushing water	L7会1
こまかい	細かい	A	fine; minute	L13読1
こむ	(〜が)混む	u-Vi	to get crowded	L5会2
こめ	米	N	rice	L11読
ごめんなさい		Phr	I'm sorry.	L2会1
これから		Adv	from now on; in the future	L3読
ころす	(〜を)殺す	u-Vt	to kill	L6読2
コンテンツ		N	contents (of a medium such as film, manga, game, etc.)	L7読1
こんなふうに		Adv	like this	L15読1
コンプレックス		N	inferiority complex	L13読1

さ

さ	差	N	gap; difference	L1読
サークル		N	circle; club	L4会2
さい-	再-	Pref	re-	L15読3
さいご	最後	N	the last; the end	L2読
さいこう(の)	最高(の)	ANo	the highest; maximum; best; greatest	L3読
ざいさん	財産	N	property; fortune	L15読2
さいしょ	最初	Adv	at first｜最初（N）the beginning	L3読
さいだい(の)	最大(の)	ANo	greatest; largest	L13読1

さいのう	才能	N	ability; talent	**L7読1**
さいぼう	細胞	N	cell (of living thing)	**L8読**
さがる	（〜が）下がる	u-Vi	to drop; go down	**L9読**
さき	先	N	end; point; tip	**L12会**
さくげん	削減	VN	reduction｜（〜を）削減する	**L15読3**
さくしゃ	作者	N	author	**L13読2**
さくひん	作品	N	(a piece of) work	**L7読1**
さくら	桜	N	cherry blossoms	**L1読**
さけぶ	（〜が）叫ぶ	u-Vi	to shout; yell; cry (out)	**L4読**
さこく	鎖国	VN	national isolation｜鎖国する to close/isolate a country	**L11読**
さす	（〜を）指す	u-Vt	to point; indicate	**L9読**
〜させていただけませんか		Phr	Could I 〜?	**L4会2**
さそう	（〜を〜に）誘う	u-Vt	to invite; ask (a person to something)	**L2読**
さつえい	撮影	VN	filming; shooting (of a movie, a photograph, etc.)｜（〜を）撮影する	**L1読**
さつきばれ	五月晴れ	N	fine weather in early summer	**L13読2**
さつりく	殺戮	VN	slaughter; massacre｜殺戮する	**L15読1**
さて		Conj	well; now; well now	**L8読**
さどう	茶道	N	tea ceremony	**L11読**
さばく	砂漠	N	desert	**L15読3**
さび		N	Japanese aesthetic concept: suggests beauty that is graceful, fleeting, aged, weathered (Ex. the essence of loneliness captured in Basho's haiku)	**L13読2**
さまざま（な）	様々（な）	ANa	various	**L7読1**
さまよう	（〜を）さまよう	u-Vi	to wander	**L15読2**
さむらい	侍	N	Japanese warrior	**L9読**
さらに		Adv	additionally; further; again	**L12読**
さわる	（〜に）触る	u-Vi	to touch; feel	**L3読**
さんか	参加	VN	participation｜（〜に）参加する	**L6会2**
さんかく	三角	N	triangle	**L12会**
さんかしゃ	参加者	N	participant	**L14討**
さんぎいん	参議院	N	Upper House; House of Councilors	**L14読**
さんげんそく	三原則	N	three principles; three general rules	**L3考**
さんこう	参考	N	reference｜参考になる (Phr) to be of some help; serve as a reference	**L13読2**
さんしん	三振	VN	strikeout｜（〜が）三振する	**L4読**
さんせい	賛成	VN	agreeing; approval｜（〜に）賛成する	**L6会2**
ざんねん（な）	残念（な）	ANa	unfortunate; regrettable; disappointing	**L3読**

し

-し	-氏	Suf	Mr./Ms.	**L10読**
し	市	N	city; town	**L1読**
し	詩	N	poem	**L13読2**
し	死	N	death	**L15読1**
しあい	試合	N	game; match	**L4読**
しあわせ	幸せ	N	happiness｜幸せ（な）(ANa) happy	**L9読**
ジェイポップ	Jポップ	N	short for Japanese pop (refers to Japanese popular music/musicians)	**L7読1**

しえん	支援	VN	support ｜（～を）支援する	**L10読**
しおり		N	bookmark	**L12発**
しかい（しゃ）	司会（者）	N	moderator; chairperson	**L14討**
しかし		Conj	but; however	**L5読**
しかしながら		Conj	however	**L10読**
しき	式	N	ceremony ｜ 式を挙げる（Phr）to hold a ceremony	**L6読1**
しき	四季	N	four seasons	**L13読1**
-しき	-式	Suf	style	**L6読1**
じき	時期	N	time; period; season	**L14討**
しげん	資源	N	natural resources	**L15読3**
しこく	四国	N	Shikoku [the smallest of Japan's four major islands]	**L1読**
じごく	地獄	N	hell	**L9読**
じさつ	自殺	VN	suicide ｜ 自殺する to commit suicide	**L9読**
しじ	支持	VN	support; back up ｜（～を）支持する	**L14討**
じじつ	事実	N	fact; truth	**L10読**
じじょ	侍女	N	lady attendant; maid	**L6読2**
じしん	自信	N	self-confidence ｜ 自信満々（な）（ANa）with abundant self-confidence	**L8会**
しぜん	自然	N	nature ｜ 自然（な）（ANa）natural; unaffected	**L1会2**
じだい	時代	N	times; period	**L5読**
したがって		Conj	therefore; consequently; as a result	**L10読**
したしみやすい	親しみやすい	A	approachable（person/things）	**L6読2**
したしむ	（～に）親しむ	u-Vi	to become familiar with ｜ （～に）親しまれている（ru-Vt）to be popular（among people）	**L13読2** （**L5読**）
しちょう	市長	N	mayor	**L14読**
しっかり		Adv	steadily; firmly	**L13読1**
じっけん	実験	VN	experiment; test ｜ 実験（を）する to experiment	**L8読**
じっこう	実行	VN	action; execution ｜（～を）実行する to put（one's）ideas into action	**L14読**
じっさいに	実際に	Phr	actually; really; practically ｜ 実際（N）actuality; reality	**L3読**
しつど	湿度	N	humidity	**L1会2**
じつは	実は	Adv	to tell the truth; as a matter of fact	**L2読**
しっぱい	失敗	VN	failure ｜（～に）失敗する	**L5読**
しっぽ		N	tail [animal]	**L12会**
じどう（の）	自動（の）	ANo	automatic ｜ 自動化する（VN）to automate	**L10読**
しはらう	（～を）支払う	u-Vt	to pay（expenses, bill, etc.）	**L11読**
しぼう	死亡	VN	death ｜（～が）死亡する	**L12会**
しま	島	N	island	**L1読**
しまぐに	島国	N	island country	**L1読**
しめす	（～を）示す	u-Vt	to indicate; show	**L13読2**
しゃかい	社会	N	society; world	**L3読**
しゃかいふうし	社会風刺	N	satire on society	**L13会**
じゃがいも		N	potato	**L1会2**
しゃしんしゅう	写真集	N	book of photographs	**L8会**
しゃべる	（～を）しゃべる	u-Vt	to speak	**L15読1**
しゅうかん	習慣	N	habit; custom ｜ 食習慣（N）eating customs/habits	**L5読**
しゅうかんし	週刊誌	N	weekly magazine	**L7読1**

しゅうぎいん	衆議院	N	Lower House; House of Representatives	**L14読**
しゅうきょう	宗教	N	religion	**L6読1**
しゅうげき	襲撃	VN	attack | (〜を)襲撃する	**L15読1**
しゅうしごう	修士号	N	master's degree	**L15読3**
しゅうせい	習性	N	acquired trait; second nature	**L10会2**
しゅうせん	終戦	N	end of war	**L13読1**
しゅうにゅう	収入	N	income	**L15読2**
しゅうは	宗派	N	religious sect/school	**L11読**
じゅうぶん（な）	十分（な）	ANa	enough; sufficient	**L15読1**
じゅうみん	住民	N	residents	**L15読2**
しゅぎょう	修行	VN	training and practicing religion, martial arts, etc. with an austere manner or attitude | (〜の)修行をする	**L8会**
じゅけん	受験	VN	taking an (entrance) examination | (〜を)受験する	**L6読1**
じゅけんせい	受験生	N	student preparing for an examination	**L9読**
しゅじゅつ	手術	VN	surgery | (〜を)手術する to perform a surgical operation	**L3読**
しゅしょう	主将	N	the captain (of a team)	**L4会2**
しゅしょう	首相	N	prime minister	**L9読**
じゅしょう	受賞	VN	being awarded a prize | (〜を)受賞する	**L15読3**
しゅしょく	主食	N	staple; principal food	**L11読**
しゅじん	主人	N	master; head of household; owner (of shops); one's husband	**L8読**
しゅじんこう	主人公	N	main character	**L8読**
しゅだん	手段	N	means; way; measure	**L13会**
しゅっしん	出身	N	one's origin (town, country, etc.) | 出身地（N）one's birthplace; native place	**L1会2**
しゅっしんこう	出身校	N	alma mater	**L14読**
しゅっしんしゃ	出身者	N	alumnus	**L9読**
しゅっぱん	出版	VN	publication; publishing | (〜を)出版する (used only for books; magazines and newspapers)	**L7読1**
しゅと	首都	N	capital (city)	**L1読**
しゅとく	取得	VN	acquisition | (〜を)取得する	**L15読3**
じゅみょう	寿命	N	life span	**L15読2**
しゅるい	種類	N	kind; sort; type	**L4読**
しゅんかん	瞬間	N	moment; instant	**L6読2**
-しょう	-賞	Suf	prize; award | ノーベル平和賞（N）Nobel Peace Prize	**L15読3**
しょうエネ	省エネ	N	energy saving	**L10読**
（お）しょうがつ	（お）正月	N	New Year's	**L1会1**
じょうきょう	状況	N	situation	**L2読**
じょうきょう	上京	VN	proceeding to the capital (Tokyo) | (〜が)上京する	**L13読1**
しょうきょくてき（な）	消極的（な）	ANa	passive	**L7会2△**
しょうぐん	将軍	N	shogun; general	**L11会2**
じょうけい	情景	N	visual scene	**L13読2**
じょうけん	条件	N	conditions	**L14読**
しょうじ	障子	N	sliding door made of paper and wood	**L12読**
じょうしき	常識	N	common sense; common knowledge | 常識的（な）（ANa）common-sense; ordinary	**L9読**
しょうじょ	少女	N	young girl	**L7読1**

しょうしょう	少々	Adv	a little [formal]	L2会1
じょうたい	状態	N	shape; state of things; condition	L12発
じょうたつ	上達	VN	improving ; advancing (skill, proficiency, etc.) | (〜が)上達する	L9会3
しょうにん	商人	N	trader; merchant	L12読
しょうねん	少年	N	young boy	L7読1
しょうひ	消費	VN	consumption; spending | (〜を)消費する	L5読
しょうひしゃ	消費者	N	consumer	L10会2
しょうひん	商品	N	product; merchandise	L5読
じょうぶ(な)	丈夫(な)	ANa	strong; durable	L12読
じょうほう	情報	N	information	L10会1
しょうめい	証明	VN	proof | (〜を)証明する	L8読
しょうりゃく	省略	VN	omission; abbreviation | (〜を)省略する	L2読
-しょく	-食	Count	[counter for packaged food]	L5読
しょくぎょう	職業	N	occupation	L14討
しょくじ	食事	VN	meal | 食事する to have a meal	L3読
しょくひん	食品	N	food	L10読
しょくぶつ	植物	N	plant	L12読
しょくりょうひん	食料品	N	foodstuff; groceries	L10会1
しょくりん	植林	VN	tree planting; forestation | (〜に)植林する	L15読3
じょせい	女性	N	female	L2読
しょみん	庶民	N	common people	L13会
じらい	地雷	N	land-mine	L15読1
しらさぎ	白鷺	N	white egret	L1読
しりあい	知り合い	N	acquaintance	L14読
しりつ	私立	N	private (institution)	L9読
(お)しろ	(お)城	N	castle	L1読
しんか	進化	VN	evolution | (〜が)進化する to evolve; develop	L10読
しんがく	進学	VN	going on (to the next stage of education) | (〜に)進学する	L9読
しんぎたい	心技体	Phr	spirit, technique(s), and physical strength	L4読
しんけん(な)	真剣(な)	ANa	serious; earnest	L14討
しんこう	信仰	N	(religious) faith; belief | (〜を)信仰する | 信仰心 (N) (religious) piety	L6会1
じんこう	人口	N	population (used only for people)	L6会2
しんじゃ	信者	N	believer; follower	L6読1
じんじゃ	神社	N	shrine	L6読1
じんしゅ	人種	N	race (of people) | 有色人種 (N) nonwhite races	L15読1
しんじょう	信条	N	principle; creed; belief	L15読1
しんじる	(〜を/と)信じる	ru-Vi	to believe; trust	L5読
じんせい	人生	N	one's life	L9読
しんせき	親戚	N	relative	L14読
しんとう	神道	N	Shintoism	L6読1
じんぶつ	人物	N	figure; character (from history, drama, novel, etc.)	L7読1
しんや	深夜	N	midnight | 深夜 (Adv) late at night	L10読
しんらい	信頼	VN	trust; reliance | (〜を)信頼する | 信頼感 (N) trust	L10読
しんり	心理	N	mentality; psychology	L10会2

しんりん	森林	N	forest	L15読3
じんるい	人類	N	mankind; human beings	L7読1
しんわ	神話	N	myth; mythology	L6読1

す

ず	図	N	figure; chart; drawing	L6会3
ずいぶん	随分	Adv	a lot; very much	L9会2 (L2読)
すうじ	数字	N	numeral; figure	L9読
すがた	姿	N	appearance; figure	L13読1
-すぎ	-過ぎ	Suf	after; past	L2会2
すきやき	すき焼き	N	sukiyaki [thin slices of beef, cooked with various vegetables in a table-top pan]	L11読
すごい		A	terrific; amazing	L1会2
すすむ	（〜に）進む	u-Vi	to go on (to a university)；make progress; advance	L9読
すすめる	（〜に〜を）勧める	ru-Vt	to encourage; suggest (doing something); recommend	L11読
ずっと		Adv	all the time; all along; all the way	L12会
すでに		Adv	already; before	L10読 (L3読)
ストーリーマンガ		N	story manga [a style of manga using a time-control technique on each double-page spread]	L7読1
ストレートで		Phr	straight (out of high school)	L9会1
すなわち		Conj	that is; namely	L14読
スパイク		N	spike (shoes)	L4読
すばらしい		A	wonderful; superb; great	L7読1
すべて		Adv	entirely; all｜すべて（N）everything; all	L4読
すべる		u-Vi	to slide; skate; be slippery｜試験にすべる（Phr）to fail in a test	L9読
スミレ/すみれ		N	fuji dawn [flower]	L12発
すもう	相撲	N	sumo wrestling	L4読
すると		Conj	then	L8読

せ

-せい	-製	Suf	-made; -make; made in 〜	L10読
せいおん	清音	N	unvoiced sound	L7読2
せいかく	性格	N	character; personality	L7会2
せいかつようしき	生活様式	N	lifestyle	L11読
せいかつようひん	生活用品	N	daily commodities	L10会1
せいき	世紀	N	century	L6読2
ぜいきん	税金	N	tax	L11読
せいけつ（な）	清潔（な）	ANa	clean; tidy	L11読
せいこう	成功	VN	success｜（〜に）成功する to succeed; be successful	L5読
せいさく	政策	N	policy; political measures	L14読
せいさん	生産	VN	production｜（〜を）生産する to produce; manufacture	L11読
せいじ	政治	N	politics｜政治家（N）politician	L14読
せいじつ（な）	誠実（な）	ANa	sincere; honest	L15読2
せいしん	精神	N	mind; spirit; will｜精神力（N）emotional strength	L4読
せいちょう	成長	VN	growth｜（〜が）成長する to grow (up)	L4読
せいと	生徒	N	student (usually at junior/senior high school)	L9読

せいど	制度	N	system; institution | -制（Suf）system	**L9読**
せいとう	政党	N	political party	**L14読**
せいのう	性能	N	efficiency; performance	**L10読**
せいひん	製品	N	manufactured goods | 電気製品（N）electrical appliances	**L12読**
せいふ	政府	N	government	**L11読**
せいぶつぶんせきがく	生物分析学	N	study of bioanalysis	**L15読3**
せいよう	西洋	N	the West; Western countries	**L11読**
せかいいさん	世界遺産	N	world heritage	**L11会2** **（L1読）**
せかいいち	世界一	Adv	the -est ~ in the world; No. 1 in the world	**L7読2**
せき	席	N	seat	**L4読**
せきにん	責任	N	responsibility	**L14読**
せしゅう	世襲	N	heredity	**L14読**
せだい	世代	N	generation	**L7読1**
せっきょくてき（な）	積極的（な）	ANa	positive; active; proactive	**L11読** **（L7会2△）**
せっし	摂氏	N	centigrade; Celsius	**L1読**
ぜったい（に）	絶対（に）	Adv	absolutely; surely	**L4読**
せっとく	説得	VN	persuasion | （〜を）説得する	**L15読3**
せっぷく	切腹	VN	ritual suicide by disembowelment | （〜が）切腹する	**L11会2**
せつぶん	節分	N	the day before the first day of spring	**L6読1**
せみ	蝉	N	cicada	**L13読2**
ゼミ		N	short for ゼミナール（seminar）	**L9会2**
せめる	（〜を）攻める	ru-Vt	to attack	**L11会2**
せん	線	N	line | 線をつける（Phr）to make a line	**L12会**
ぜん-	全-	Pref	whole; entire; all; full	**L5読**
ぜんいん	全員	N	all members	**L14討**
せんきょ	選挙	N	election	**L14読**
せんきょけん	選挙権	N	right to vote	**L14討**
せんきょせん	選挙戦	N	election campaign/race	**L14読**
せんご	戦後	N	postwar	**L5読**
せんこう	専攻	VN	major | （〜を）専攻する	**L1会1**
ぜんこく	全国	N	the whole country	**L5会1**
ぜんしゃ	前者	N	the former	**L9読**
せんしゅ	選手	N	athlete; player	**L4読**
せんす	扇子	N	folding fan	**L12読**
せんぞ	先祖	N	ancestor	**L6読1**
せんそう	戦争	N	war	**L1読**
ぜんたい（の）	全体（の）	ANo	whole; entire; general	**L1読**
せんでん	宣伝	VN	advertising; promotion; publicity | （〜を）宣伝する to publicize; advertise	**L10読**
ぜんど	全土	N	entire land	**L15読3**
せんぱい	先輩	N	one's senior	**L4会1**
せんもん	専門	N	one's specialization; one's specialized field	**L1会1**
せんもんがっこう	専門学校	N	vocational/technical school	**L9読**
せんりゅう	川柳	N	comic haiku	**L13会**

そ

-ぞ		Prt	［express assertion（used mainly by men）］	L8ス
そう	僧	N	monk	L11読
そう	（～に）沿う	u-Vi	to follow	L12会
そういう		DemA	（things）like that; that sort of（story）	L1会1
そうゆう		DemA	colloquial form of そういう	L5会1
そういった		DemA	that kind of	L13読1
（お）そうしき	（お）葬式	N	funeral	L6読1
そうぞう	想像	VN	imagination; guess｜（～を）想像する	L13読2
そうりだいじん	総理大臣	N	Prime Minister	L14読
そこく	祖国	N	homeland	L15読3
そこで		Conj	because of that; therefore; so	L9読
そだつ	（～が）育つ	u-Vi	to grow（up）; be brought up	L4読
そだてる	（～を）育てる	ru-Vt	to rear; bring up; train（a person）	L4読
そのとおりだ	その通りだ	Phr	That's right.	L9会4
そのときどきの	その時々の	Phr	at different times	L13会
そのへん	その辺	N	（a space/area）near there; around there	L4会2
そのほか	その他	Phr	the rest; the others	L3読 （L1読）
そのほか（に）	その他（に）	Phr	besides; in addition to that	L3読 （L1会）
それぞれ		Phr	each（one of them）	L6読1
それで		Conj	because of that; so; that's why	L4読1
それでは		Conj	then; if so; if that's the case	L2会1
それでも		Conj	but（still）; even so	L8ス
それに		Conj	in addition; moreover; furthermore	L3読
そんけい	尊敬	VN	respect｜（～を）尊敬する to respect; look up to; show one's respect for	L4読
そんざい	存在	VN	existence; being｜（～が）存在する	L6読1
そんな		DemA	such; like that	L1会1

た

-たい	-体	Suf	style（of language use）	L2読
～たい～	～対～	N	～ versus ～	L9読
-たいこく	-大国	Suf	major power; giant	L10読
たいさく	対策	N	countermeasure｜ 対策をとる（Phr）to take measures to meet the situation	L10読
だいじ（な）	大事（な）	ANa	important	L3読
だいじょうぶ（な）	大丈夫（な）	ANa	safe; all right	L3読
たいせつにする	（～を）大切にする	Phr	to value; treasure; think a great deal of	L2読
だいたい		Adv	most; almost; nearly（all）; approximate	L5会1
だいだいいろ	だいだい色	N	orange color	L13読1
たいど	態度	N	attitude; manner	L14読
だいとし	大都市	N	metropolis; large city	L14討
だいにじせかいたいせん	第二次世界大戦	N	World War II	L7読1
だいヒット	大ヒット	VN	great hit（success）｜（～が）大ヒットする	L5読
だいひょうてき（な）	代表的（な）	ANa	representative; typical	L4読

たいへいよう	太平洋	N	Pacific Ocean｜南太平洋 South Pacific Ocean	**L15読1**
たいへん	大変	Adv	very; greatly｜大変勉強になりました (Phr) You've taught me a lot.	**L1会1**
たいほ	逮捕	VN	arrest｜（〜を）逮捕する	**L15読1**
だいみょう	大名	N	Japanese feudal lord	**L11読**
たいよう	太陽	N	the sun	**L6読2**
たいりく	大陸	N	continent	**L1読**
たうえ	田植え	N	rice planting	**L13読2**
だくおん	濁音	N	voiced sound	**L7読2**
たくわえ	蓄え	N	supply; savings	**L15読1**
たけ	竹	N	bamboo	**L12読**
たしか	確か	Adv	If I remember correctly; if I'm not mistaken｜確か（な）(ANa) certain; sure	**L8会**
たしんきょう	多神教	N	polytheism	**L6読1**
だす	（飲み物/食べ物を）出す	u-Vt	to serve	**L10読**
だす	（作品を）出す	u-Vt	to release; distribute（one's work）	**L13読1**
たたかう	（〜と）戦う	ru-Vi	to fight（a battle）; wrestle（with difficulty/a problem etc.）｜戦い（N）battle; fight; struggle	**L11読**
たたく	（〜を）たたく	u-Vt	to strike; clap｜手をたたく (Phr) to clap one's hands	**L10読**
たたみ	畳	N	tatami mat [Japanese straw flooring]	**L12読**
-たち	-達	Suf	[plural marker for people]	**L1会1**
たちば	立場	N	position; standpoint	**L8読**
だっきゃく	脱却	VN	getting out（of situation）｜（〜から）脱却する	**L15読3**
たてもの	建物	N	building	**L1読**
たてる	（〜を）建てる	ru-Vt	to build	**L6読1**
たとえば	例えば	Adv	for instance; for example	**L1読**
たな	棚	N	shelf	**L10会2**
たにん	他人	N	other people; others	**L9読**
たのしみ	楽しみ	N	enjoyment; pleasure	**L10読**
たのしむ	（〜を）楽しむ	u-Vt	to enjoy	**L1読**
たのむ	（〜に/を）頼む	u-Vt	to request; ask a favor; order	**L3会1**
だます	（〜を）だます	u-Vt	to deceive	**L8読**
たまねぎ	玉ねぎ	N	onion	**L5会1**
たよう（な）	多様（な）	ANa	wide variety of; diverse	**L12読**
たよる	（〜に）頼る	u-Vt	to rely on; depend on	**L9読**
たりる	（〜が）足りる	ru-Vi	to be sufficient/enough	**L13読1**
たんい	単位	N	unit（of measure）; credit	**L6会3**
たんか	短歌	N	31-syllable Japanese poem	**L13読2**
たんしゅくけい	短縮形	N	contracted form	**L2読**
だんじょ	男女	N	man and woman	**L2読**
たんじょう	誕生	VN	birth｜（〜が）誕生する to be born; come into the world	**L13読2**
たんす	箪笥	N	chest of drawers	**L12読**
だんせい	男性	N	male	**L2読**
たんだい	短大	N	junior college	**L9読**
だんだん		Adv	gradually; little by little	**L13読1**
たんにん	担任	N	homeroom teacher; person in charge	**L13読1**

ち

ちい	地位	N	(social) position; status	L9読
ちいき	地域	N	area; region	L14読
ちいさ(な)	小さ(な)	ANa	small [used only as a noun modifier]	L12会
チェーンてん	チェーン店	N	(fast-food) chain store	L5会1
チェック		VN	check | (〜を)チェックする to check; check up on something	L3会1
ちえん	地縁	N	territorial connection	L14読
-ちかく	(number/quantity)近く	Suf	almost; nearly	L9読
ちかづく	(〜に)近づく	u-Vi	to get closer; come near; approach	L8読
ちからもち	力持ち	N	muscleman; strong person	L6読2
ちきゅうおんだんか	地球温暖化	N	global warming	L14読
ちく	地区	N	district; area	L10読
ちじ	知事	N	governor	L14読
ちぢめる	(〜を)縮める	ru-Vt	to reduce	L15読1
ちっちゃい		A	colloquial form of 小さい	L13読1
ちほう	地方	N	region; area; country	L1会1
ちめい	地名	N	place name	L1会1
ちゃわん	茶碗	N	rice bowl; teacup (for tea ceremony)	L8読
ちゃんと/きちんと		Adv	neatly; properly; regularly; without fail	L14討
ちゅうしん	中心	N	center	L8読
ちゅうもく	注目	VN	attention | (〜に)注目する to pay attention; take notice	L14読
ちょうおん	長音	N	prolonged sound	L7読2
ちょうさ	調査	VN	investigation; survey | (〜を)調査する to investigate; examine; inquire	L6読1
ちょうし(の)いい	調子(の)いい	Phr	too smooth	L15討
ちょうじんてき(な)	超人的(な)	ANa	superhuman	L8読
ちょうせん	挑戦	VN	try; challenge | (〜に)挑戦する	L9読
ちょうせん	朝鮮	N	Korea	L11読
ちょうぼ	帳簿	N	account book	L12読
ちょうわ	調和	VN	harmony; harmonization | (〜と/に)調和する	L12読
ちょきん	貯金	VN	savings | 貯金する to save money	L15読2
ちょくせつ	直接	Adv	directly; firsthand	L13読2
ちょしゃ	著者	N	author	L10読
ちょっとよろしいでしょうか		Phr	Do you have a moment?	L3会2
ちり	地理	N	geography	L1読

つ

ついか	追加	VN	addition | (〜に〜を)追加する	L13会
ついていく	(〜に)ついていく	u-Vi	to follow; keep up	L9読
ついに		Adv	at last; finally; in the end	L5読
つうじる	(〜が)通じる	ru-Vi	to be understood; be accepted	L13読1
つかいわける	(〜を)使い分ける	ru-Vt	to use different things properly according to the situation | 使い分け (N)	L2読
つきあい	付き合い	N	association; socialization | 近所付き合い (N) neighborly ties	L15読2
つきあう	(〜と)付き合う	u-Vi	to associate/keep company with	L7会2

つぎつぎ（と／に）	次々（と／に）	Adv	one after another	**L10読**
つくりだす	（～を）作り出す	u-Vt	to create	**L5読**
つけくわえる	（～を）付け加える	ru-Vt	to add（one thing to another）	**L9会4**
つける	（名前を）つける	ru-Vt	to name	**L3読**
つける	（～に～を）つける	ru-Vt	to attach; put something on	**L6読1**
つごうがわるい	都合が悪い	Phr	inconvenient; to have a schedule conflict	**L2読**
つたえる	（～に～を）伝える	ru-Vt	to pass（knowledge）on; tell; inform	**L1読**
つたわる	（～が～に）伝わる	u-Vi	to come across; be passed along; be introduced	**L7読2**
つづく	（～が）続く	u-Vi	to continue; last ｜ 続き（N）continuation（of a story）	**L5読**
つとめる	（～を）務める	ru-Vt	to serve; fill a post	**L14読**
つとめる	（～に）努める	ru-Vt	to make an effort	**L15読3**
つながり		N	connection; link; relationship	**L14読**
つながる	（～に）つながる	u-Vi	to be connected to; be tied together	**L15読3**
つなぐ	（～を）つなぐ	u-Vt	to tie; connect	**L12会**
つま	妻	N	wife［humble form］	**L13会**
つまり		Adv	That is（to say）; in other words	**L9読**
つまる	（～が）つまる	u-Vi	to be clogged	**L7会1**
つゆ	梅雨	N	the rainy season in Japan	**L1会2**
つる	鶴	N	crane ｜ 千羽鶴（N）（string of）1000 paper cranes	**L12会**

ていか	低下	VN	falling; declining ｜（～が）低下する	**L9読**
ティッシュ（ペーパー）		N	tissue（paper）	**L12発**
ていねい（な）	丁寧（な）	ANa	polite; respectful	**L2読**
ていれ	手入れ	N	maintenance; care; repair（s）	**L4読**
テーマ		N	theme	**L7読1**
できあがる	（～が）出来上がる	u-Vi	to be finished; be ready ｜ 出来上がり（N）finish	**L12会**
できごと	出来事	N	incident; event; happening	**L11会1**
てきとう（な）	適当（な）	ANa	appropriate; suitable	**L7練習**
～てくれ		Phr	［a phrase used to make blunt informal commands or requests］	**L8ス**
てざわり	手触り	N	feel; touch	**L12読**
デジカメ		N	short for デジタルカメラ（digital camera）	**L13会**
てつがく	哲学	N	philosophy	**L7読1**
てづくり	手作り	N	handmade; homemade	**L12発**
デッドボール		N	（batter）being hit by a pitch	**L4読**
てっぽう	鉄砲	N	gun; firearms	**L11読**
てにいれる	（～を）手に入れる	ru-Vt	to obtain	**L15読2**
テレビタレント		N	TV personality/talent	**L14読**
テロ		N	terrorism	**L15読3**
てん	-点	Count	［counter for（kinds of）commercial goods］	**L10会1**
でんかいコンデンサし	電解コンデンサ紙	N	electrolytic-capacitor paper	**L12読**
でんきスタンド	電気スタンド	N	lamp	**L10読**
てんこう	天候	N	weather（over an extended period）	**L11読**
てんじょう	天井	N	ceiling	**L3読**
でんしレンジ	電子レンジ	N	microwave oven	**L10読**

でんとう	伝統	N	tradition	L5読
でんとうげいのう	伝統芸能	N	traditional performing arts	L8読
でんとうこうげい	伝統工芸	N	traditional craftsmanship	L12読
でんとうてき（な）	伝統的（な）	ANa	traditional	L1会1
てんどん	天丼	N	bowl of rice topped with deep-fried prawns	L5会1
でんりょく	電力	N	electric power	L10読

と

と/どう/ふ/けん	都/道/府/県	N	prefecture［the largest administrative unit in Japan］	L1読
とういつ	統一	VN	unifying |（〜を）統一する	L11読
どうか（〜下さい）		Adv	please	L6読1
どうきゅうせい	同級生	N	classmate	L9会2
どうぐ	道具	N	tool; instrument; equipment	L4会3
とうけい	統計	N	statistics	L9読
とうこうきょひ	登校拒否	N	refusal to go to school［psychological problem］	L9読
どうさ	動作	N	actions; movements; motions	L7読2
とうじ	当時	Adv	at that time; in those days	L11読
どうし	動詞	N	verb	L7読2
とうじつ	当日	N	that day; the day（of an event）	L14討
どうじに	同時に	Phr	at the same time	L6読1
とうじょう	登場	VN	entering（on stage）; appearing（on screen）|登場する |登場人物（N）characters（in a play or novel）	L8読
どうじょう	道場	N	training hall for martial arts	L4読
どうせいあいしゃ	同性愛者	N	homosexual（person）	L15読1
とうせん	当選	VN	getting elected; winning a prize |（〜に）当選する	L14読
とうだい	東大	N	short for 東京大学（University of Tokyo）	L9読
とうち	倒置	N	inversion	L2読
とうとう		Adv	finally; at（long）last; eventually	L8ス
とうなんアジア	東南アジア	N	Southeast Asia	L5読
どうにゅう	導入	VN	introduction; installation |（〜を）導入する to introduce; import（method, system, technology, etc.）	L10読
とうひょう	投票	VN	vote |（〜に）投票する	L14読
とうふ	豆腐	N	tofu; soybean curd	L5会1
どうぶつ	動物	N	animal	L3読
とうほくちほう	東北地方	N	the Tohoku region	L1会2
とうほくなまり	東北なまり	N	Tohoku accent	L13読1
とうろん	討論	VN	debate; discussion	L14討
とおす	（〜を）通す	u-Vt	to let pass; let into	L12読
とおり	通り	N	street	L10読
とおりかかる	（〜を）通りかかる	u-Vi	to happen to pass by	L13読1
とおる	（〜を）通る	u-Vi	to pass（by）; go through; walk along	L10読
どく	毒	N	poison	L8読
どくじ（の）	独自（の）	ANo	original; one's own 〜	L11読
どくしゃ	読者	N	reader	L7読2
どくしん（の）	独身（の）	ANo	single; unmarried	L10会1
とくちょう	特徴	N	special feature; characteristic	L2読

とくちょう	特長	N	good characteristics	**L12読**
どくとく（の）	独特（の）	ANo	distinct; unique	**L11読**
とくに	特に	Adv	specially; especially; particularly	**L1読**
とくべつ（な）	特別（な）	ANa	special; particular	**L1会1**
とくゆう（の）	特有（の）	ANo	distinctive; specific	**L12読**
とける	（〜が）溶ける	ru-Vi	to melt; dissolve	**L13読2**
とし	都市	N	city	**L1読**
とし	年	N	year	**L1会1**
とし	年	N	age｜年を取る（Phr）to grow old; age	**L3読**
（お）としより	（お）年寄り	N	elderly person	**L4読**
とじる	（〜を）閉じる	ru-Vt	to close（book, eyes, etc.）; shut	**L12読**
とち	土地	N	land; locality	**L6読1**
とちゅうで	途中で	Phr	on the way; halfway	**L8読**
とつぜん	突然	Adv	suddenly	**L8ス**
とどく	（〜に）届く	u-Vi	to reach	**L15読2**
とびだす	（〜が）飛び出す	u-Vi	to rush out; jump out	**L13会**
とびまわる	（〜を）飛び回る	u-Vt	to travel around; fly around	**L15読3**
どひょう	土俵	N	sumo ring	**L4読**
とぶ	（〜が）飛ぶ	u-Vi	to fly	**L13読1**
とみ	富	N	wealth; fortune	**L15読1**
とめる	（〜を）とめる	ru-Vt	to hold on; fasten	**L12発**
ともに	共に	Adv	both	**L6読1**
とりいれる	（〜を）取り入れる	ru-Vt	to adopt; take in	**L8読**
とりもどす	（〜を）取り戻す	u-Vt	to regain; get back	**L15読2**
どんどん		Adv	at first pace; one after another	**L8会**
どんぶりもの	丼もの	N	bowl of rice with food on top	**L5会1**

な

-ない	-内	Suf	within	**L14討**
ないよう	内容	N	content	**L1会1**
なおる	（病気が）治る	u-Vi	to get well; be cured	**L12会**
ながいき	長生き	VN	longevity｜長生きする to live a long life	**L15読2**
ながしすき	流しすき	N	Nagashisuki method（of paper making）	**L12読**
なかま	仲間	N	comrade; circle of friends	**L15読2**
なかよくする	（〜と）仲良くする	Phr	to become friendly; get along well	**L12読**
ながれる	（〜が）流れる	ru-Vi	to flow	**L5会2**
なきだす	（〜が）泣き出す	u-Vi	to burst into tears; burst out crying	**L13会**
なく	鳴く	u-Vi	to sing［birds］; cry［animals］	**L7練習**
なくなる	（〜が）亡くなる	u-Vi	to die［euphemism］	**L7読1**
なげる	（〜を）投げる	ru-Vt	to throw; pitch	**L4読**
-なし		Suf	without 〜 ; with no 〜	**L12読**
なぜなら		Conj	because	**L15読1**
なでる	（〜を）なでる	ru-Vt	to pet; pat someone's head	**L13読1**
ナマズ		N	catfish	**L13読1**
なめる	（〜を）なめる	ru-Vt	to lick｜べろべろなめる（Phr）to lick something with one's tongue	**L15討**

なやみ	悩み	N	trouble; distress｜（〜に）悩む（u-Vi）to be troubled	**L15読2**
ならべかえる	（〜を）並べ替える	ru-Vt	to rearrange	**L10会2**
ならべる	（〜に〜を）並べる	ru-Vt	to place; line up; set up	**L10会2**
なる	（〜が）鳴る	u-Vi	to ring	**L7読2**
なるべく		Adv	as much/often as possible	**L3会2**
なるほど		Phr	I see; really; indeed	**L3会2**
なれる	（〜に）慣れる	ru-Vt	to get/become used to	**L2読**
なんべい	南米	N	South America	**L5読**
なんぼく	南北	N	north and south	**L1読**

に

-に	-似	Suf	to resemble（someone）	**L13会**
におう	（〜が/に）似合う	u-Vi	to become; match; suit	**L9会2**
におい		N	smell｜においがする（Phr）to smell	**L8読**
にがおえ	似顔絵	N	portrait; likeness	**L3読**
にげる	（〜が）逃げる	u-Vi	to run away	**L8会**
にせい	二世	N	second generation	**L14読**
にちじょう	日常	N	daily routine; daily 〜	**L8読**
にっしょく	日食	N	solar eclipse	**L6読2**
にっすう	日数	N	a number of days	**L12発**
〜にむかって	〜に向かって	Phr	toward; for; to; in the direction of	**L4読**
にゅういん	入院	VN	hospitalization｜（〜が）入院する to be hospitalized	**L12会**
にゅうがく	入学	VN	entrance into school; admission｜（〜に）入学する	**L3会**
にゅうぶ	入部	VN	joining a club｜（〜に）入部する	**L4会2**
ニョキニョキ		Adv	springing up rapidly	**L8ス**
にる	（〜と/に）似る	ru-Vi	to resemble; be similar	**L11会2**
にんきとうひょう	人気投票	N	popularity contest	**L14討**
にんげん	人間	N	human	**L3読**
にんたいづよい	忍耐強い	A	persevering; very patient	**L11会2**

ぬ

| ぬく | （〜を）抜く | u-Vt | to pull out | **L8ス** |
| ぬれる | （〜に）ぬれる | ru-Vi | to get wet | **L12読** |

ね

ネイルアート		N	(finger) nail art	**L10読**
ねがう	（〜を/と）願う	u-Vt	to hope	**L6読1**
ねだん	値段	N	price	**L5読**
ねっしん（な）	熱心（な）	ANa	devoted; enthusiastic	**L6読**
ネット		N	short for インターネット	**L11会1**
ねんげつ	年月	N	months and years	**L11読**
-ねんだい	-年代	Suf	the（1960）s	**L7読1**
ねんだい	年代	N	age; period; era	**L3会2**
ねんちゅうぎょうじ	年中行事	N	yearly event	**L6会2**

の

| のう | 能 | N | Japanese lyrical Noh drama | **L11会2** |

387

のうか	農家	N	farming family	L15読3
のうりょく	能力	N	ability; capacity; competence｜運動能力（N）athletic ability	L4読
のこる	（〜が）残る	u- V i	to remain; be left over	L1読
のぞく	（〜を）のぞく	u-Vt	to peep/look in	L13読1
のびる	（〜が）延びる	ru-Vi	to lengthen	L15読2
のべ		N	total	L15読3
のべる	（〜を/について）述べる	ru-Vt	to state; express｜ 以上、述べたように（Phr）as stated/described above	L9読
のやま	野山	N	hills and fields	L13読1
のり		N	glue	L12発
のる	（〜に）載る	u-Vi	to appear (in a magazine, etc.)	L3読
のる	（〜の上に〜が）のる	u-Vi	to be put (on top of something)	L5会1

は

は	葉	N	leaf｜四葉のクローバー（Phr）four-leaf clover	L12発
ばあい	場合	N	case; occasion; situation	L2読
バーゲン		N	sale; bargain	L9会2
-ばい	-倍	Suf	〜 times	L6会2
はいく	俳句	N	haiku poetry [17-syllable poem usually in 3 lines]	L11会1
はいけい	背景	N	background	L15読2
はいじん	俳人	N	haiku poet	L13読2
ハイテク		N	high technology	L5会2
ハイブリッド（しゃ）	ハイブリッド（車）	N	hybrid（car）	L3会1
はいる	（〜が）入る	u-Vi	to be included; come in; get in; join	L1会1
はいる	（〜に）入る	u-Vi	to be included; enter; join	L7読2
はえる	（〜が）生える	ru-Vi	to sprout; come up; grow（plant, hair, etc.）	L8会
（お）はか	（お）墓	N	grave｜（お）墓参りに行く（Phr）to visit a person's grave	L6読1
バカ/ばか		N	fool; idiot	L11会1
はかい	破壊	VN	destruction｜（〜を）破壊する	L15読3
はかせ/はくし	博士	N	doctor（Dr.）	L7読1
はかせ/はくしごう	博士号		doctorate; Ph.D.	L15読3
バカなことをする		Phr	to do a foolish thing	L8読
ばかにする	（〜を）ばかにする	Phr	to look down on; make fun of	L4読
ばかやろう	バカ野郎	N	idiot	L13会
はくじん	白人	N	white person; Caucasian	L15読1
ばくふ	幕府	N	shogunate	L11会2
はげしい	激しい	A	severe; intense	L5読
バケツ		N	bucket	L13読1
はげます	（〜を）はげます	u-V	to encourage; cheer	L13読1
はげむ	（〜に）励む	u-Vi	to strive; work hard	L15読2
はこぶ	（〜を）運ぶ	u-Vt	to carry	L3読
ハサミ/はさみ		N	scissors	L12発
はさむ	（〜を）はさむ	u-Vt	to hold between; sandwich	L12発
はじまり	始まり	N	origin; beginning	L11読
はじめ	初め	N	the beginning｜初め（Adv）at first	L1会2

はじめて	初めて	Adv	for the first time	L3読
はずかしい	恥ずかしい	A	to be shy; be embarrassed; be ashamed	L8読
はずかしがりや	恥ずかしがりや	N	shy person	L7会2△
バタバタ		Adv	sound of feet slapping rapidly against a surface	L7会1
はたらきざかり	働き盛り	N	prime of life	L15読2
はつ（の）	初（の）	ANo	first	L15読3
はつおん	発音	VN	pronunciation｜（〜を）発音する	L3会1
はっきり		Adv	clearly	L2読
バックミラー		N	rearview mirror	L3会2
はっけん	発見	VN	discovery; finding｜（〜を）発見する	L13読2
はっしょう	発症	VN	occurrence/development（of sickness）｜（〜を）発症する	L12会
はっしょうち	発祥地	N	the birthplace; where something started	L11読
はったつ	発達	VN	development; growth｜（〜が）発達する	L3読
はってん	発展	VN	development（of a country, society, etc.）｜（〜が）発展する	L11読
はっとする		Phr	to be startled	L13読2
はっぴょう	発表	VN	presentation（of the results of one's research to the class）; announcement; publication｜（〜を/について）発表する	L3会2
はつめい	発明	VN	invention｜（〜を）発明する	L5読
はつもうで	初詣	N	one's first visit to a shrine in the New Year	L6読1
はな	鼻	N	nose	L7読1
はなしがあわない	話が合わない	Phr	to disagree with（each other）	L14討
はなしことば	話し言葉	N	spoken language	L2読
はなみ	花見	N	cherry-blossom viewing	L1読
はなれる	（〜から）離れる	ru-Vi	to move away; separate	L14読
はね	羽	N	wing; feather	L12会（L1読）
ばめん	場面	N	scene; situation	L2読
はやる	（〜が）流行る	u-Vi	to flourish; be in fashion; be popular	L7会2
パリ		N	Paris	L10読
バリエーションをつける	（〜に）バリエーションをつける	Phr	to add variation	L7読2
はる	（〜に〜を）貼る	u-Vt	to stick; paste	L12発
-ばん	-版	Suf	edition; version	L7読2
はんえい	反映	VN	reflection｜（〜を〜に）反映する to reflect	L14討
ばんぐみ	番組	N	（TV/radio）program	L4読
はんざい	犯罪	N	crime	L10読
はんたい	反対	VN	opposition; being against｜（〜に）反対する｜反対（の）（ANo）the opposite（direction）; the reverse（side）	L6会2
はんだん	判断	VN	judgment｜（〜を）判断する	L9読
はんとう	半島	N	peninsula｜朝鮮半島（N）Korean Peninsula	L11読
はんとし	半年	N	half a year	L4会3
ハンドル		N	steering wheel	L3会2
はんばい	販売	VN	selling; sale｜（〜を）販売する｜自動販売機（N）vending machine	L10読

ひ

ひ	日	N	day	L1読
ひがおちる	日が落ちる	Phr	the sun sets/goes down	L13読1

ひかり	光	N	light	**L12読**
（お）ひがん	（お）彼岸	N	the equinoctial week	**L6読1**
ひかんてき（な）	悲観的（な）	ANa	pessimistic	**L7会2**△
ひげき	悲劇	N	tragedy	**L8読**
ひじょう（な）	非常（な）	ANa	extreme; great	**L11読**
びじん	美人	N	beautiful person; a beauty［used only for women］	**L13会**
びっくり		VN	startle; surprise｜（〜に）びっくりする to be surprised	**L10読**
ひっくりかえす	（〜を）ひっくり返す	u-Vt	to turn over; knock over; overturn	**L12会**
ひっし（の）	必死（の）	ANo	desperate; frantic	**L9読**
ひつよう	必要	N	necessity; need｜必要（な）（ANa）necessary	**L2読**
ひてい	否定	VN	denial; negative｜（〜を）否定する to deny	**L9会4**
ひとことで	一言で	Phr	in a single word; in one word	**L15読3**
ひとびと	人々	N	people	**L1読**
ひとりぐらし	一人暮らし	N	single life; living alone｜一人暮らしをする（Phr）to live alone	**L5読**
ひとりひとり	一人一人	N	each and every person	**L14読**
ひばく	被爆	VN	suffering from the bombing｜（〜が）被爆する	**L12会**
ひはん	批判	VN	criticism｜（〜を）批判する	**L10読**
ひやす	（〜を）冷やす	u-Vt	to cool; refrigerate; chill	**L10読**
ひょう	表	N	table; chart	**L2読**
ひょうか	評価	VN	evaluation; value｜（〜を）評価する	**L14討**
ひょうげん	表現	VN	expression｜（〜を）表現する	**L2読**
ひょうご	標語	N	motto; slogan; catchword	**L13読2**
びょうしつ	病室	N	hospital room	**L12会**
びょうしゃ	描写	VN	description; depiction｜（〜を）描写する	**L13読1**
びょうどう（な）	平等（な）	ANa	equal; even｜平等（N）equality; impartiality	**L9読**
ひらく	（〜を）開く	u-Vt	to open（a book）	**L7読1**
ひるね	昼寝	VN	nap｜（〜が）昼寝する	**L13読2**
ひろがる	（〜が）広がる	u-Vi	to spread（out）; stretch; get around	**L11読**
ひろげる	（〜を）広げる	ru-Vt	to spread; expand	**L5読**（L1読）
ひろまる	（〜が）広まる	u-Vi	to spread widely; get around	**L7読1**
ひろめる	（〜を）広める	ru-Vt	to propagate; spread; promote	**L15読3**
ひんこん	貧困	N	poverty	**L14読**

ふ

-ぶ	-部	Suf	club; division; department	**L4会1**
ふあん（な）	不安（な）	ANa	uneasy; ill at ease	**L15読2**
ぶいん	部員	N	member（of a club）｜新入部員（N）new member	**L4会2**
-ふう	-風	Suf	-style; -type; look like	**L11読**
ふうけい	風景	N	scenery	**L10読**
ふうし	風刺	VN	satire｜（〜を）風刺する	**L8読**
ふえる	（〜が）増える	ru-Vi	to increase（in number/amount）	**L5読**
ふかい	深い	A	deep	**L7読1**
ふかけつ（な）	不可欠（な）	ANa	indispensable; essential	**L12読**
ぶかつ	部活	N	short for 部活動（club activities）	**L4会1**

ブカブカすう	(タバコを)ブカブカ吸う	Phr	to puff (at a cigarette)	L7会1
ふきゅう	普及	VN	spread; popularization | (〜が)普及する to become widespread; become popular (not used for the spread of information)	L10読
ふきょう	布教	VN	propagation | (〜を)布教する to propagate (religion)	L11読
ふく	(〜を)吹く	u-Vt	to blow; play (flute, etc.)	L12会
ふくざつ(な)	複雑(な)	ANa	complicated	L2読
ふくそう	服装	N	clothes; clothing; dress style	L11読
ふくむ	(〜を)含む	u-Vt	to include; contain; hold	L4読
ふくめる	(〜を)含める	ru-Vt	to include	L9読
ふくらませる	(〜を)ふくらませる	ru-Vt	to blow up/inflate	L12会
ふくろ	袋	N	bag; sack; pouch | 袋入りラーメン (N) a package of instant noodles	L5読
ふこう	不幸	N	unhappiness; bad luck	L6読1
ぶし	武士	N	samurai; Japanese warrior	L11読
ふしぎ(な)	不思議(な)	ANa	wonderful; strange; mysterious	L6読1
ふじさん	富士山	N	Mt. Fuji	L1読
ぶそうしゅうだん	武装集団	N	armed group	L15読1
ふた		N	lid; cover	L8読
ふつう	普通	Adv	usually; commonly | 普通(の) (ANo) normal, common	L2読
ぶっきょう	仏教	N	Buddhism	L6読1
ぶっしつ	物質	N	material	L15読2
ぶつぞう	仏像	N	Buddha statue	L11読
ぶつだん	仏壇	N	(family) Buddhist altar	L6読1
ぶどう	武道	N	martial arts	L4読
フナ		N	crucian carp; gibel (freshwater fish)	L13読1
ぶぶん	部分	N	part; section	L2読
ふへい	不平	N	discontent; dissatisfaction	L7会1
ふやす	(〜を)増やす	u-Vt	to increase	L7読1
ふりょう	不良	N	(juvenile) delinquent | 不良(の) (ANo) defective	L11会1
ふれあい	触れ合い	N	personal contact	L13読1
プレー		N	play | プレーをする (Phr) to play	L4読
ふんいき	雰囲気	N	atmosphere; mood	L14討
ぶんかし	文化史	N	cultural history	L10読
ぶんかちょう	文化庁	N	the Agency for Cultural Affairs	L6会2
ぶんしょう	文章	N	writing; text	L13読1
〜ぶんの〜	25分の1/21分の1	Phr	one-twenty fifth/one-twenty first (See p.97, 言語ノート4「日本語の数字と単位」.)	L1読
ぶんぱい	分配	VN	distribution; division | (〜を)分配する	L15読3
ぶんまつ	文末	N	the end of a sentence	L2読
ぶんや	分野	N	field; area	L15読3
ぶんるい	分類	VN	classification; grouping | (〜を〜に)分類する	L13読2

へ

へいき(な)	平気(な)	ANa	unconcerned; cool	L15討
へいきん	平均	N	average; mean	L8読
へいせい	平成	N	Heisei (era of the current emperor) (1994-)	L11会2

へいわ	平和	N	peace	L1読
へそまがり（な）		ANa	twisted (mind)	L15討
べつ（の）	別（の）	ANo	another; different; extra	L9読
ベトナム		N	Vietnam	L5読
へらす	（〜を）減らす	u-Vt	to reduce; cut down	L9読
べらべらはなす	べらべら話す	Phr	to talk glibly, blab	L4読
へる	（〜が）減る	u-Vi	to decrease	L8読
ヘルシー（な）		ANa	healthy	L5会2
ベルトコンベア		N	conveyor belt	L5会2
ベレーぼう	ベレー帽	N	beret	L7読1
-べん	-弁	Suf	dialect ｜ 関西弁（N）Kansai dialect	L10読
へんか	変化	VN	change ｜ （〜が）変化する	L10読
べんきょうになる	勉強になる	Phr	to (be able to) learn a lot	L3会1
へんけん	偏見	N	prejudice; narrow view	L14討
へんさち	偏差値	N	deviation score indicating the degree of difficulty of each school's entrance exam	L9読
へんじ	返事	VN	reply; answer	L9会4

ほ

-ほう	-法	N	way; method	L8読
ぼうえき	貿易	VN	trade ｜ （〜と）貿易する	L11読
ぼうし	防止	VN	prevention ｜ （〜を）防止する	L15読3
ほうそう	放送	VN	broadcast; broadcasting ｜ （〜を）放送する	L7読1
ほうどう	報道	VN	news report; press story ｜ （〜を）報道する to cover (an event); report	L14読
ほうほう	方法	N	method; way; plan	L7読1
ほうりつ	法律	N	law	L11読
ほえる	（〜が）ほえる	ru-Vi	to bark	L7読2
ホームステイさき	ホームステイ先	N	home-stay host family	L3会1
ホームレス		N	homeless person	L13読2
ボールがみ	ボール紙	N	cardboard	L12発
ぼきん	募金	VN	contribution (of money); solicitation (of money) ｜ （〜を〜に）募金する	L15読3 (L10読)
ぼく	僕	N	I [male]	L1会2
ぼくんち	僕んち	N	colloquial form of 僕の家	L13読1
ほご	保護	VN	protection; conservation ｜ （〜を）保護する	L15読3
ほっかいどう	北海道	N	Hokkaido [Japan's northernmost island]	L1読
ほとけ（さま）	仏（様）	N	Buddha; Buddha image	L6読1
ホトトギス		N	little cuckoo	L11会1
ほとんど		Adv	almost all; most of	L5会2
ほめことば	ほめ言葉	N	words of praise	L9会4
ほら		Int	Look!; See?; Come on!	L13会
ポルトガル		N	Portugal	L11読
（お）ぼん	（お）盆	N	Festival of the Dead	L6読1
ほんしゅう	本州	N	Honshu [Japan's largest island]	L1読
ほんとう（の）	本当（の）	ANo	true; actual; real	L1会1
ほんのちょっと		Phr	just a little	L15読2

ほんみょう	本名	N	one's real name	**L7読1**
ほんやく	翻訳	VN	written translation｜（～を～に）翻訳する	**L7読1**
ほんらい	本来	Adv	by nature; originally	**L13読2**

ま

ま	間	N	room	**L1読**
マイペース（な）		ANa	(do one's work) at one's own way or in one's own way	**L7会2**
まう	（～を）舞う	u-Vt	to dance	**L11会2**
-まえ	-前	Suf	(years, days, etc.) ago	**L1読**
まく	（～を）まく	u-Vt	to cast; scatter	**L6読1**
まけずぎらい（な）	負けず嫌い（な）	ANa	hating to lose; competitive	**L7会2**
まける	（～に/で）負ける	ru-Vi	to lose; be defeated	**L4読**
まげる	（～を）曲げる	ru-Vt	to fold down; bend	**L12会**
まご	孫	N	grandchild	**L13会**
まざる	（～が）混ざる	u-Vi	to mix; blend	**L12読 (L6会1)**
まじめ（な）		ANa	serious; earnest	**L7会1**
まずしい	貧しい	A	poor	**L15読3**
まだまだ		Adv	still some way to go before goal; still more to come	**L9会3**
まち	街	N	town; city	**L10読**
まちがう	（～を）間違う	u-Vt	to make a mistake	**L3会1**
まつり	祭り	N	festival｜三大祭り (N) three big festivals	**L1会2**
まつる	（～を）祭る	u-Vt	to deify; enshrine	**L6読1**
まなぶ	（～を）学ぶ	u-Vt	to learn; study; take lessons	**L4読**
まね	真似	VN	imitation; mimicking｜（～を）真似する	**L11読**
マネージャー		N	manager	**L4会2**
まめ	豆	N	parched beans; bean	**L6読1**
まめをひく	豆をひく	Phr	to grind (coffee) beans	**L10読**
まもる	（～を）守る	u-Vt	to protect (a person from danger); defend	**L3考**
まよう	（～に）迷う	u-Vi	to lose one's way; be uncertain; hesitate	**L4読**
まるい	丸い	A	circular; round	**L7読1**
まるぼうず	丸坊主	N	clean-shaven head	**L13読1**
まわり	周り	N	surroundings; vicinity	**L3読 (L1会1)**
まわる	（～が）回る	u-Vi	to rotate; spin	**L5会2**
まんぞく	満足	VN	contentment; satisfaction｜（～に）満足する to be satisfied (with ～)	**L9読**
マント		N	mantle; cloak	**L11読**
まんなか	真ん中	N	center; middle	**L12会**

み

みえる	（～に）見える	ru-Vi	to appear; seem	**L12会**
みかた	味方	N	friend; supporter	**L10会1**
みせいねんしゃ	未成年者	N	minor; under age people	**L10読**
みたす	（～を）満たす	u-Vt	to satisfy; fill	**L15読2**
みぢか（な）	身近（な）	ANa	close to someone; handy; easily accessible	**L8読**
みつける	（～を）見つける	ru-Vt	to find (out); discover	**L5読**
みつめる	（～を）見つめる	ru-Vt	to watch intently; gaze at	**L13読1**

みとめる	（〜を）認める	ru-Vt	to recognize; notice; admit	L9読
みどり	緑	N	greenery; green	L15討
みなさん	皆さん	N	everyone	L1読
みぶん	身分	N	one's social position/status	L8読
みみをかたむける	（〜に）耳を傾ける	Phr	to listen; lend an ear	L15読2
みやげばなし	土産話	N	a travel anecdote/story	L1読
みらい	未来	N	future [a more distant future than 将来]	L7読1
みりょく	魅力	N	attraction; fascination	L7読1
みる	（〜を）観る	ru-Vt	to see/watch (a play, movie, sports game, etc.)	L8会
みんしゅか	民主化	VN	democratization | （〜を）民主化する	L15読3
みんしゅしゅぎ	民主主義	N	democracy | 議会制民主主義 (N) parliamentary democracy	L14読

む

むいみ（な）	無意味（な）	ANa	meaningless	L7読1
むかしばなし	昔話	N	old tale	L1会1
むかんしん（な）	無関心（な）	ANa	apathetic; indifferent	L14討
むける	（〜に〜を）向ける	ru-Vt	to turn (one's eyes, etc.) to; look at	L5読
むし	虫	N	bug	L7読1
むじん（の）	無人（の）	ANo	unmanned	L10読
むすびつく	（〜と/に）結びつく	u-Vi	to be connected/related	L14読
むすめ	娘	N	daughter [humble form]	L13会
むだづかい	無駄遣い	VN	wasteful use; waste | （〜を）無駄遣いする	L10読
ムッとくる		Phr	to tick me off [colloquial]	L7会2
むとうは	無党派	N	political independents	L14討
むら	村	N	village | 村人 (N) village people	L8会
むらさきいろ	紫色	N	purple color	L13読1
むりょう	無料	N	free of charge	L15読3
むりょく	無力	N	powerless	L8読
むりをする	無理をする	Phr	to take it too far; go too far | 無理（な）(ANa) unreasonable; impossible	L2会2

め

めいし	名刺	N	business card	L10読
めいじいしん	明治維新	N	Meiji Restoration	L11読
めいしょ	名所	N	famous place; place of interest	L1読
めいぶつ	名物	N	well-known product; local specialty	L1会1
めいろ	迷路	N	labyrinth; maze	L15読2
めぐまれる	（〜に）恵まれる	ru-Vt	to be blessed	L15読1
めくる	（ページを）めくる	u-Vt	to flip (a page)	L7読1
めざす	（〜を）目指す	u-Vt	to aim; aspire	L11読
メダカ		N	(Japanese) ricefish	L13読1
めにはいる	目に入る	Phr	to come into view	L10読
めのまえで	目の前で	Phr	right in front of you	L5会2

も

| もうひとつ | もう一つ | N | another; one more | L14討 |

もえる	(〜が)燃える	ru-Vi	to burn	L11会2
もくてき	目的	N	purpose	L1読
もくひょう	目標	N	aim; target	L14読
もじ	文字	N	letter; character	L2読
もちいる	(〜を)用いる	ru-Vt	to use; employ	L11読
もったいない		A	wasteful; more than one deserves	L15読3
もっとも	最も	Adv	most; extremely	L1読
もてる	(〜に)もてる	ru-Vi	to be popular (with women, men, etc.)	L7会2
もと	元	N	origin; root	L7読1 (L3会1)
もとめる	(〜を)求める	ru-Vt	to seek; request; demand	L9読
もともと		Adv	originally; from the start	L7読2
ものがたり	物語	N	tale; story	L5読
ものごと	物事	N	things	L13読2
ものすごい		A	to a very great extent	L13読1
もみじ	紅葉	N	(Japanese) maple	L12発
もんだい	問題	N	problem; question; issue	L3考
もんだいてん	問題点	N	the point at issue	L9読
もんぶかがくしょう/ もんかしょう	文部科学省/ 文科省	N	Ministry of Education, Culture, Sports, Science and Technology [often shortened to 文科省]	L9読
もんぺ		N	women's (traditional) work pants	L13読1

や

やく-	約-	Pref	about; approximately	L5読
やくにたつ	(〜の)役に立つ	u-Vi	to be useful (for 〜)	L10読
やさしい	優しい	A	tender; kind; gentle	L12読
やしょく	夜食	N	night meal	L9読
やたい	屋台	N	street stall; stand	L5読
やってくる	(〜が)やって来る	irr-V	to come; come up; show up	L8ス
やっぱり/やはり		Adv	all in all; as was expected; as suspected	L5会1
やばん(な)	野蛮(な)	ANa	savage; uncivilized	L11読
やぶる	(〜を)破る	u-Vt	to tear	L8読
やぶれる	(〜が)破れる	ru-Vi	to tear	L12読
やまづみ	山積み	N	huge mound; heap	L15読2
やまぶし	山伏	N	itinerant Buddhist monk	L8読
やわらかい	柔らかい	A	soft; tender	L12読

ゆ

ゆいいつ(の)	唯一(の)	ANo	only; sole	L13会
ゆうがた	夕方	N	evening | 夕方 (Adv) in the evening	L10会2
ゆうげ	夕餉	N	evening meal; supper	L13読1
ゆうじん	友人	N	friend [more formal than 友達]	L5会1
ゆうびん	郵便	N	mail; postal service	L11読
ゆうふく(な)	裕福(な)	ANa	wealthy	L15読3
ユーモア		N	humor	L13会
ユーモラス(な)		ANa	humorous	L8読
ゆかた	浴衣	N	yukata [informal cotton kimono for summer wear]	L1読

ゆしゅつ	輸出	VN	export｜（〜を）輸出する	**L11読**
ゆずる	（〜を）譲る	u-Vt	to give; hand over; give up（one's seat to a senior）	**L4読**
ゆたか（な）	豊か（な）	ANa	abundant; rich	**L15読2**
ゆとり		N	room; space; time（to spare）	**L9読**
ユニーク（な）		ANa	unique	**L5会2**
ゆにゅう	輸入	VN	import｜（〜を）輸入する（not used for culture or ideas）	**L11読**
ユネスコ		N	UNESCO	**L1読**
ゆめ	夢	N	dream	**L13読1**
ゆめみる	（〜を）夢見る	ru-Vt	to dream	**L7読1**
ゆるす	（〜を）許す	u-Vt	to allow; permit	**L6会1**

よ

よい	宵	N	early evening	**L13読2**
ようい	用意	VN	preparation｜（〜を）用意する	**L9読**
ようしょく	洋食	N	Western food	**L10会1**
ようす	様子	N	aspect; state; appearance	**L7読2**
ようそ	要素	N	element	**L13読2**
ようふく	洋服	N	(Western) clothes	**L9会2**
ようやく		Adv	finally; barely	**L14読**
ヨーロッパ		N	Europe	**L5読**
よくし	抑止	VN	suppression; deterrence｜（〜を）抑止する	**L15読3**
よこいちれつに	横一列に	Phr	in a single horizontal row	**L13読1**
よそく	予測	VN	prediction｜（〜を）予測する	**L15読1**
よなか	夜中	N	late at night	**L7会1**
よのなか	世の中	N	society; the world	**L7読1**
よびこう	予備校	N	preparatory school for university entrance examinations	**L9読**
よみかき	読み書き	N	reading and writing	**L9読**
よむ	（俳句を）詠む	u-Vt	to compose（haiku and tanka）	**L13読2**
よろこぶ	（〜を）喜ぶ	u-Vt	to be delighted（about 〜）; be glad｜喜び（N）joy; delight	**L9会1**

ら

らいにち	来日	VN	visit to Japan｜来日する	**L15読3**
らくせん	落選	VN	failing to be elected｜（〜に）落選する	**L14読**
らくてんてき（な）	楽天的（な）	ANa	optimistic	**L7会2**
らち	拉致	VN	abduction｜（〜を）拉致する	**L15読1**
らんぼう（な）	乱暴（な）	ANa	violent; rough; rude	**L6読2**

り

リアルタイム		N	real time	**L4読**
リーダーシップ		N	leadership｜リーダーシップをとる（Phr）to act as leader	**L14読**
りかい	理解	VN	understanding; comprehension｜（〜を）理解する	**L3読**
りきし	力士	N	sumo wrestler	**L4読**
リサーチ		VN	research｜（〜について）リサーチする	**L3会2**
-りつ	-率	Suf	rate; percentage	**L9読**
りっこうほ	立候補	VN	candidacy｜（〜に）立候補する to announce one's candidacy	**L14読**
りっぱ（な）	立派（な）	ANa	splendid; fine; prominent; admirable	**L8読**

りゆう	理由	N	reason	L2読
りょう	量	N	quantity; amount	L5読
りよう	利用	VN	use; usage | (〜を)利用する to make (good) use; put something to (good) use	L10読
りょうしん	良心	N	conscience	L15読1
りょうて	両手	N	both hands	L13読1
りょうほう	両方	N	both	L6読1
リラックス		VN	relax | リラックスする	L1読
りろん	理論	N	theory	L7読1

る

るす	留守	N	being away from home	L8読
るすばんをする	留守番をする	Phr	to house-sit (during a person's absence)	L3読

れ

れい	例	N	example	L2読
れい	礼	N	bow; etiquette; thanks | 礼をする (Phr) to bow	L4読
(お)れい	(お)礼	N	expression of gratitude	L9会4
れいぎただしい	礼儀正しい	A	well-mannered; courteous; polite | 正しい (A) right; correct	L4読
れいこん	霊魂	N	soul; spirit	L15読1
れいとう	冷凍	VN	freezing; refrigeration | (〜を)冷凍する | 冷凍食品 (N) frozen food	L10読
れきししょ	歴史書	N	history book	L11読
レジ		N	cashier; short for レジスター (cash register)	L10会2
レジャー		N	leisure	L1読
れつ	列	N	line (of people, etc.); queue	L5読
れんあい	恋愛	N	love; romance | 恋愛小説 (N) love story	L11読
れんらく	連絡	VN	contact; communication | (〜に)連絡する to contact; get in touch; notify	L2読

ろ

ろうご	老後	N	post-retirement years	L15読2
ろうどう	労働	VN	work; labor | 労働する to labor	L15読2
ろうにゃくなんにょ	老若男女	N	men and women of all ages	L13読2
ろうにん	浪人	VN	waiting for another chance to enter a university | 浪人する | 浪人生 (N) student waiting for another chance to enter a university	L9読
ロサンジェルス		N	Los Angeles	L4読
ろんぶん	論文	N	essay; thesis; dissertation	L2読

わ

わ	-羽	Count	[counter for birds/rabbits]	L12会
ワイワイ		Adv	boisterously; rowdily; noisily	L7会1
わが		An	my	L13会
わかもの	若者	N	young people	L5読
わかれる	(〜に)分かれる	ru-Vi	to branch off; divide into; split	L12会
わける	(〜を)分ける	ru-Vt	to share; divide	L15読1
わし	和紙	N	Japanese paper	L12読
わしつ	和室	N	Japanese-style room	L12読

397

わしょく	和食	N	Japanese food	L10会1
わせいえいご	和製英語	N	English word or phrase coined in Japan	L3会2
わたりどり	渡り鳥	N	migratory bird	L13読1
わび		N	Japanese aesthetic concept: suggests beauty that is natural, simple, humble, asymmetric	L13読2
わふく	和服	N	kimono; Japanese-style clothing	L12読
- わり	- 割	Suf	unit of ten percent [10割 = 100%]	L10読
わりあい	割合	N	ratio; percentage	L6会3
わる	（〜を）割る	u-Vt	to break（a glass, window, plate, etc.）	L8読

を

〜をきかいに	〜を機会に	Phr	taking this opportunity	L9読
〜をとおして	〜を通して	Phr	through	L11読 (L4読)

⑮ Verb-non-past ことはない

⑯ 〜かというと

⑰ それなら

第11課

❶ 少なくない

❷ Noun を通して

③ Noun₁ から Noun₂ にかけて

❹ Noun で言うと

❺ 各＋Noun

⑥ X ばかりでなく Y（も）

❼ Noun＋風

⑧ Noun と共に

❾ 〜ずつ

⑩ Noun₁ から Noun₂ に至るまで

⑪ Noun＋同士

⑫ Verb べき

⑬ Noun からすると

⑭ Verb ぬ

⑮ Noun の上で；Noun 上（で）

⑯ Noun と並んで

⑰ おそらく〜（だろう）

⑱ まったく

第12課

① いったい Question word

② Sentence とされている

③ 第一（の/に）

❹ Noun に｛関する/に関して｝

❺ 考えられない

❻ 生かす

❼ Sentence ことから

❽ Noun なし

❾ こそ

⑩ Verb-masu 込む

⑪ 〜さ（あ）

⑫ Noun でもある

⑬ ずっと

⑭ 4、5日

⑮ 〜まま

第13課

❶ 〜代

② 〜（の）姿

③ Verb ては、Verb

❹ Verb たものだ

❺ だんだん

⑥ 〜につれて

⑦ Verb-masu 上げる

⑧ Verb-masu がけに

⑨ 〜だけで

⑩ あまりに（も）

⑪ 〜には

⑫ だいたい

⑬ Noun に｛おける/において｝

⑭ 〜もまた

⑮ なんだ

⑯ ほら

第14課

① 〜を除いて

② すなわち

❸ 一応

❹ 左右する

⑤ Noun₁、Noun₂ 共（に）

❻ （期間の表現）に入る

❼ 〜を問題にする；〜が問題にされる；〜が問題になる

⑧ 未だに

⑨ いかに〜か

⑩ しかしながら

⑪ かなり

⑫ Verb｛れる/られる｝

⑬ Noun 次第

⑭ 〜とは限らない

⑮ ちゃんと；きちんと

第15課

❶ 少なくとも〜は

② 〜も Verb ば、〜も Verb

③ 〜のうち（で）

❹ 後（の）Noun

⑤ 何より（も）

⑥ 〜に従って

❼ たった（の）Number（＋Counter）

❽ 〜て｛しかたがない/しようがない/しょうがない｝

⑨ 〜以来

⑩ 何から何まで

⑪ かえって

⑫ 〜と同時に

⑬ Sentence っけ

⑭ Verb-masu っぱなし

著者略歴
ちょ しゃ りゃく れき

岡　まゆみ
おか

現職　ミシガン大学日本研究センター研究員，ミドルベリー日本語学校日本語大学院プログラム講師

最終学歴　ロチェスター大学大学院教育学修士課程修了

教歴　ミシガン大学アジア言語文化学科日本語学課長，日本語教授法コース主任，プリンストン大学専任講師，コロンビア大学専任講師，上智大学非常勤講師

著書　『中上級者のための速読の日本語［第2版］』（ジャパンタイムズ，2013）；『マルチメディア日本語基本文法ワークブック』（共著，ジャパンタイムズ2018）；『きたえよう漢字力』（2010）；『中級日本語を教える 教師の手引き』（2011）；『これで身につく文法力』（2012）；『日英共通メタファー辞典』（2017）；『初級日本語 とびらⅠ』（2021）（以上共著、くろしお出版）ほか

その他　米日本語教師学会理事（2007-2010），2019年度ミシガン大学 Matthews Underclass Teaching Award 受賞

Mayumi Oka

Current position　Research Scientist, Center for Japanese Studies, University of Michigan; Faculty, MA in Japanese Language and Culture Program, Middlebury College

Highest degree　M.A. in Education, University of Rochester

Teaching history　Director, Japanese Language Program; Head Lecturer, Japanese Pedagogy Course; Department of Asian Languages and Cultures, University of Michigan; Lecturer, Princeton University; Lecturer, Columbia University; Part-time Lecturer, Sophia University, Japan

Major publications　*Rapid Reading Japanese [Second Edition] Improving Reading Skills of Intermediate and Advanced Students* (Tokyo: The Japan Times, 2013); Multimedia Exercises for Basic Japanese Grammar (co-authored Tokyo: The Japan Times, 2018); *Power Up Your Kanji* (2010); *Teaching Intermediate Japanese Teacher's Guide* (2011); *Grammar Power : Exercises for Mastery* (2012); *A Bilingual Dictionary of English and Japanese Metaphors* (2017); *TOBIRA I: Beginning Japanese* (2021) (the above five co-authored, Tokyo: Kurosio Publishers)

Other　Board Member, Association of Teachers of Japanese (2007-2010), 2019 Matthews Underclass Teaching Award, University of Michigan

筒井　通雄
つつ い　　みち お

現職　ワシントン大学人間中心設計工学科名誉教授

最終学歴　イリノイ大学大学院言語学科博士課程修了

教歴　コロンビア大学日本語教育夏期修士プログラム講師，ワシントン大学教授，マサチューセッツ工科大学助教授，カリフォルニア大学デービス校客員助教授

著書　『日本語基本文法辞典』（1986）；『日本語文法辞典〈中級編〉』（1995）；『日本語文法辞典〈上級編〉』（2008）；『マルチメディア日本語基本文法ワークブック』（2018）（以上共著、ジャパンタイムズ）；『きたえよう漢字力』（2010）；『中級日本語を教える 教師の手引き』（2011）；『これで身につく文法力』（2012）；『初級日本語 とびらⅠ』（2021）（以上共著、くろしお出版）ほか

その他　米日本語教師学会理事（1990-1993, 2009-2012）

Michio Tsutsui

Current position　Professor Emeritus, Department of Human Centered Design and Engineering, University of Washington

Highest degree　Ph.D. in Linguistics, University of Illinois at Urbana-Champaign

Teaching history　Lecturer, Summer MA Program in Japanese Pedagogy, Columbia University; Professor, University of Washington; Assistant Professor, Massachusetts Institute of Technology; Visiting Assistant Professor, University of California at Davis

Major publications　*A Dictionary of Basic Japanese Grammar* (1986); *A Dictionary of Intermediate Japanese Grammar* (1995); *A Dictionary of Advanced Japanese Grammar* (2008); Multimedia Exercises for Basic Japanese Grammar (2018) (the above four co-authored, Tokyo: The Japan Times); *Power Up Your Kanji* (2010); *Teaching Intermediate Japanese Teacher's Guide* (2011); *Grammar Power : Exercises for Mastery* (2012); *TOBIRA I: Beginning Japanese* (2021) (the above four co-authored, Tokyo: Kurosio Publishers)

Other　Board Member, Association of Teachers of Japanese (1990-1993, 2009-2012)

近藤　純子
こんどう　　じゅん こ

現職　ミシガン大学アジア言語文化学科専任講師

最終学歴　コロンビア大学大学院日本語教授法修士課程修了

教歴　マドンナ大学非常勤講師

著書　『きたえよう漢字力』（2010）；『中級日本語を教える 教師の手引き』（2011）；『これで身につく文法力』（2012）；『初級日本語 とびらⅠ』（2021）（以上共著、くろしお出版）ほか

Junko Kondo

Current position　Lecturer, Department of Asian Languages and Cultures, University of Michigan

Highest degree　M.A. in Japanese Pedagogy, Columbia University

Teaching history　Part-time Instructor, Madonna University

Major publications　*Power up Your KANJI* (2010); *Teaching Intermediate Japanese Teacher's Guide* (2011); *Grammar Power : Exercises for Mastery* (2012); *TOBIRA I: Beginning Japanese* (2021) (the above four co-authored, Tokyo: Kurosio Publishers)

江森　祥子
えもり　しょうこ

現職	ウィスコンシン大学オシュコシュ校グローバル言語文化学科専任講師
最終学歴	ウィスコンシン大学マディソン校大学院東アジア言語文学科日本語修士課程修了；ライト州立大学大学院英語英文学科修士課程修了
教歴	ライト州立大学非常勤講師，ミシガン大学専任講師
著書	『きたえよう漢字力』(2010)；『中級日本語を教える 教師の手引き』(2011)；『これで身につく文法力』(2012)（以上共著，くろしお出版）ほか
その他	ミシガン大学アジア言語文化学科日本語プログラム主任(2001-2005)

Shoko Emori

Current position	Senior Lecturer, Department of Global Languages and Cultures, University of Wisconsin Oshkosh
Highest degree	M.A. in Japanese Linguistics, University of Wisconsin-Madison; M.A. in TESOL, Wright State University
Teaching history	Part-time Lecturer, Wright State University; Lecturer, University of Michigan
Major publications	*Power up Your KANJI* (2010); *Teaching Intermediate Japanese Teacher's Guide* (2011); *Grammar Power: Exercises for Mastery* (2012) (the above three co-authored, Tokyo: Kurosio Publishers)
Other	Coordinator, Japanese Language Program, University of Michigan (2001-2005)

花井　善朗
はない　よしろう

現職	ウィスコンシン大学オシュコシュ校グローバル言語文化学科准教授，日本語プログラム主任
最終学歴	名古屋外国語大学大学院国際コミュニケーション研究科博士課程修了
教歴	ウェスタンワシントン大学非常勤講師，名古屋外国語大学非常勤講師，エモリー大学専任講師，ミシガン大学専任講師
著書	『きたえよう漢字力』(2010)；『中級日本語を教える 教師の手引き』(2011)；『これで身につく文法力』(2012)（以上共著，くろしお出版）；『ポップカルチャー NEW & OLD－ポップカルチャーで学ぶ初中級日本語』（くろしお出版，2017）ほか

Yoshiro Hanai

Current position	Associate Professor, Department of Global Languages and Cultures, University of Wisconsin Oshkosh; Coordinator, Japanese Program
Highest degree	Ph.D. in Japanese Linguistics and Japanese Pedagogy, Nagoya University of Foreign Studies
Teaching history	Part-time Lecturer, Western Washington University; Part-time Lecturer, Nagoya University of Foreign Studies; Lecturer, Emory University; Lecturer, University of Michigan
Major publications	*Power up Your KANJI* (2010); *Teaching Intermediate Japanese Teacher's Guide* (2011); *Grammar Power : Exercises for Mastery* (2012) (the above three co-authored, Tokyo: Kurosio Publishers); *POP CULTURE NEW & OLD: Elementary and Intermediate Japanese through Pop Culture* (Tokyo: Kurosio Publishers, 2017)

石川　智
いしかわ　さとる

現職	ボストン大学世界言語文学学科専任講師
最終学歴	ウィスコンシン大学マディソン校大学院東アジア言語文学科日本語修士課程修了
教歴	プリンストン大学専任講師，北海道国際交流センター夏期日本語集中講座コーディネータ，ハーバード大学専任講師，アイオワ大学アジア・スラブ言語文学科専任講師，ミシガン大学アジア言語文化学科専任講師
著書	『きたえよう漢字力』(2010)；『中級日本語を教える 教師の手引き』(2011)；『これで身につく文法力』(2012)（以上共著，くろしお出版）；『The Great Japanses; 30の物語』〈中上級〉(2016)；〈初中級〉(2019)（以上くろしお出版）ほか

Satoru Ishikawa

Current position	Senior Lecturer, Department of World Languages & Literatures, Boston University
Highest degree	M.A. in Japanese Linguistics, University of Wisconsin at Madison
Teaching history	Lecturer, Princeton University; Preceptor, Harvard University; Coordinator, Intensive Summer Language Program, Hokkaido International Foundation; Lecturer, Department of Asian and Slavic Languages and Literatures, University of Iowa; Lecturer, Department of Asian Languages and Cultures, University of Michigan
Major publications	*Power up Your KANJI* (2010); *Teaching Intermediate Japanese Teacher's Guide* (2011); *Grammar Power : Exercises for Mastery* (2012) (the above three co-authored, Tokyo: Kurosio Publishers); *The Great Japanese: 30 Stories Intermediate and Advanced Levels* (2016); *Pre-Intermediate and Intermediate Levels* (2019) (the above two Tokyo: Kurosio Publishers)

■ 写真提供
アフロ：p.100, p.269
大分市歴史資料館：p.244
株式会社平凡社：p.270, p.271
共同通信社：p.10, p.56, p.57, p.58, p.78, p.79, p.80, p.129,
　　　　　　p.154, p.178, p.181, p.226, p.271, p.288, p.336,
　　　　　　p.340, p.347
宮内庁：p.336
茂山狂言会：p.181, 185
徳川美術館：p.244
東野進：p.288
PIXTA：p.78, 270
photolibrary：p.10, p.100, p.129, p.244, p.269, p.271,
　　　　　　　p.275, p.276, p.316, p.336
福島県文化財センター白河館：p.244
毎日新聞社：p.348

■ 画像提供
株式会社 潮出版社
株式会社 講談社
株式会社 サンリオ
株式会社 新潮社 / 有限会社 大貫デザイン
株式会社 手塚プロダクション
株式会社 白泉社
株式会社 不二家
滋賀県彦根市
蒼鷹社
ダイキン工業株式会社
日清食品株式会社
MOTTAINAIキャンペーン企画室

■ 英文校正
Sharon T. Tsutsui

■ 英語翻訳
Christopher Schad

■ 音声録音協力者
望月良浩
小畑美貴
鈴木伸也

■ LPO教材制作協力者
Lindsey Akashi
Andrew Buran
Alexa Cowing
遠藤賢司
原田薫
Suhyun Ju
Gabriele Koch
小畑美貴
奥寺文恵
Christopher Schad
鈴木伸也
宇治原奈美
渡会尚子

■ イラスト
坂木浩子

■ 装丁デザイン
スズキアキヒロ

■ 担当・本文レイアウト
市川麻里子

コンテンツとマルチメディアで学ぶ日本語

上級へのとびら

TOBIRA　Gateway to Advanced Japanese
Learning Through Content and Multimedia

2009年7月27日　　第1刷 発行
2021年8月24日　　第12刷 発行

[構成・執筆]　　岡まゆみ
[総監修・文法解説]　筒井通雄
[執筆]　　近藤純子, 江森祥子, 花井善朗, 石川智

[発行人]　　岡野秀夫
[発行]　　くろしお出版
　　〒102-0084　　東京都千代田区二番町4-3
　　Tel：03・6261・2867　　Fax：03・6261・2879
　　URL：http://www.9640.jp　Mail：kurosio@9640.jp
[印刷]　　シナノ書籍印刷